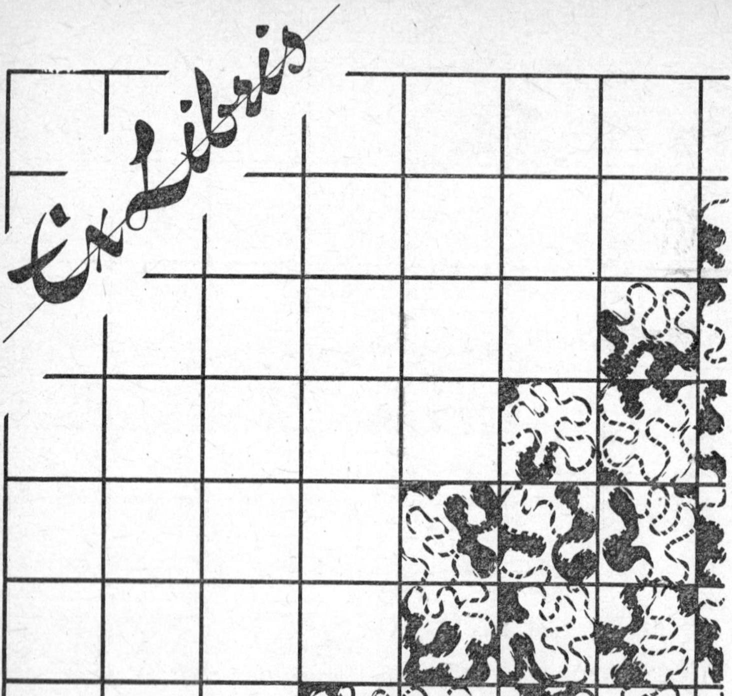

Ex Libris

· Северо-Запад ·

Санкт-Петербург 1994

ГЕРМАН ГЕССЕ
Собрание сочинений в четырех томах
ГЕССЕ
3 том

ББК 84.4 Г
Г 43

Гессе Г.

Г 43 Собрание сочинений. В 4-х т. Т. 3: Повести, сказки, легенды, притчи / Пер. с нем. — СПб.: Северо-Запад, 1994. — 510 с.

ISBN 5-8352-0317-9 (т. 3)
ISBN 5-8352-0314-4

Духовно гармоничный Нарцисс и эмоциональный, беспорядочно артистичный Гольдмунд — герои повести Г. Гессе «Нарцисс и Гольдмунд» — по-разному переживают путь внутрь своей души. Истории духовных поисков посвящены также повести «Индийская судьба» и «Паломничество в Страну Востока», вошедшие в третий том настоящего издания.

ISBN 5-8352-0317-9 (т. 3)
ISBN 5-8352-0314-4

ГЕРМАН

ГЕССЕ

Нарцисс и Гольдмунд

Глава первая

У входа в монастырь Мариабронн перед покоящейся на небольших двойных колоннах полукруглой аркой на обочине дороги стоял каштан, одинокий сын юга, принесенный в давние времена из Рима каким-то пилигримом, благородное дерево с мощным стволом; ласково склонялась его круглая крона над дорогой, во всю грудь дышала на ветру; весной, когда все вокруг зеленело и даже монастырский орешник уже покрывался красноватой молодой листвой, приходилось еще долго ждать его листьев, а потом, в пору самых коротких ночей, он выбрасывал вверх из пучков листьев матовые, бело-зеленые стрелы своих диковинных цветов, так призывно и удушливо-терпко пахнувших, а в октябре, когда уже собраны были фрукты и виноград, его желтеющая крона роняла на осеннем ветру колючие, не каждый год вызревавшие плоды, из-за которых монастырские мальчики затевали потасовки и которые субприор Грегор, выходец из Италии, жарил в своей комнате на огне камина. Ласково осеняла вход в монастырь чудесная крона редкостного дерева, нежного, зябкого гостя из других краев, который был связан узами тайного родства с песчаником стройных двойных колонн портала и с каменными украшениями оконных арок, карнизов и пилястров; которого любили итальянцы и латиняне и на которого с удивлением взирали как на чужака местные жители.

Уже несколько поколений монастырских учеников прошло под чужеземным деревом, смеясь, играя, споря, босиком или обутые — смотря по времени года, — с грифельной доской под мышкой, с цветком во рту, с орехом в зубах или со снежком в руке. Появлялись все новые лица, пройдут несколько лет, и уже видишь другие, в большинстве своем друг на друга похожие — белокурые и кудрявые. Некоторые оставались там, становились послушниками, становились монахами — остригались, носили рясу, подпоясавшись веревкой, читали книги, обучали мальчиков, старели, умирали. Других по окончании учения родители забирали домой — в рыцарские замки, в дома купцов и ремесленников, — и они убегали в мир, чтобы отдаться своим играм и трудам, а может быть, и наведаться разок-другой в монастырь, куда, возмужав, они приводили маленьких сыновей, дабы отдать их в ученики к патерам, и, задумчиво улыбаясь, поднимали глаза к каштану, а затем исчезали опять. В кельях и залах монастыря, между круглыми тяжелыми арками окон и статными двойными колоннами из красного камня, люди жили, учили, штудировали, распоряжались, управляли; здесь из поколения в поколение занимались всякого рода искусствами и науками — духовными и мирскими, светлыми и темными. Писались и комментировались книги, измышлялись системы, собирались писания древних, рисовались миниатюры на рукописях, поддерживалась вера народа, над верой народа посмеивались. Ученость и благочестие, простота и лукавство, евангельская мудрость и мудрость греков, белая и черная магия — все это давало здесь ростки, для всего было место, место было как для уединения и покаяния, так и для общения и благоденствия; перевес и преобладание того или иного зависели всякий раз от личности настоятеля и господствующего направления. Временами монастырь был хорошо посещаем и славился своими заклинателями бесов и знатоками демонов, временами — своей замечательной музыкой, временами — каким-нибудь святым отцом, совершавшим исцеления и чудеса, временами — своей щучьей ухой и паштетами из оленьей печенки; все приходило в свое время. И всегда в сонме монахов и учеников, ревностных в благочестии и равнодушных к нему, постников и чревоугодников, — всегда среди многих, что приходили сюда, жили и умирали, был тот или иной единственный и особенный, один, которого любили все или все боялись, один, казавшийся избранным, один, о котором еще долго говорили, когда сотоварищи его уже бывали забыты.

Вот и теперь в монастыре Мариабронн было двое единственных и особенных, старик и юноша. В толпе братьев, заполнявших дортуары, церкви и классные комнаты, были двое, о которых знал каждый, на которых обращал внимание любой. То был настоятель Даниил, старик, и воспитанник Нарцисс, юноша, который совсем недавно стал послушником, но, против обыкновения, благодаря своим особым дарованиям уже выполнял обязанности учителя; особенно силен он был в преподавании греческого языка. Оба они, настоятель и послушник, снискали в монастыре уважение; за ними наблюдали, они вызывали любопытство, восхищение и зависть, но тайно их и порочили.

Настоятеля любило большинство, у него не было врагов, он был воплощением доброты, простоты и смирения. Лишь ученые монастыря примешивали к своей любви долю снисходительности — ведь настоятель Даниил, может быть, и святой, но ученым-то он не был. Ему была свойственна та простота, которая и есть мудрость, но его латынь была без блеска, а по-гречески он вообще не знал.

Те немногие, что при случае слегка посмеивались над простотой настоятеля, были, напротив, очарованы Нарциссом, чудо-мальчиком, прекрасным юношей с изысканным греческим, рыцарски безупречной манерой держаться, спокойным проникновенным взглядом мыслителя и тонкими, красиво и строго очерченными губами. За то, что он великолепно владел греческим, его любили ученые. За то, что был столь благороден и изящен, любили почти все, многие были в него влюблены. За то, что он был слишком спокоен и сдержан и имел изысканные манеры, некоторые его недолюбливали.

Настоятель и послушник, каждый на свой лад нес судьбу избранного, по-своему властвовал, по-своему страдал. Оба чувствовали близость и симпатию друг к другу более, чем ко всему остальному монастырскому люду; и все-таки они не искали сближения, все-таки ни один не мог довериться другому. Настоятель обходился с юношей с величайшим тщанием, крайне предупредительно, лелеял его как редкого, нежного, может быть слишком рано созревшего, возможно находящегося в опасности брата. Юноша принимал каждое приказание, каждый совет, каждую похвалу настоятеля с совершенным самообладанием, никогда не возражая, никогда не досадуя, и если суждение о нем настоятеля и было правильно, а единственным его пороком была гордыня, то он великолепно умел скрывать этот порок. Ничего дурного нельзя было о нем сказать, он был само совершенство, он превосходил всех. И все-таки лишь немногие, кроме ученых, стали ему настоящими друзьями; и все-таки изысканность окружала его как остужающий воздух.

— Нарцисс, — сказал ему настоятель как-то после исповеди, — я, признаюсь, виноват, что строго судил о тебе. Я часто считал тебя высокомерным и, возможно, был в этом несправедлив к тебе. Ты совсем один, юный брат, ты одинок, у тебя есть почитатели, но нет друзей. Мне даже хотелось бы найти иногда повод пожурить тебя, но никакого повода нет. Мне хотелось бы, чтобы иногда ты был невежлив, как это часто случается с молодыми людьми твоего возраста. С тобой такого не бывает. Порою я даже немного боюсь за тебя, Нарцисс.

Юноша поднял на старика свои темные глаза:

— Я очень не хочу, отец мой, доставлять вам беспокойство. Наверно, я в самом деле высокомерен, отец мой. Прошу вас, накажите меня за это. Мне и самому иногда хочется наказать себя. Пошлите меня в скит, отец, или назначьте мне более низкую службу.

— Для того и другого ты еще слишком молод, дорогой брат, — сказал настоятель. — К тому же ты очень способен к языкам и к размышлениям, сын мой. Поручить тебе более низкую службу — это значит оставить Божьи дары втуне. Ведь ты, видимо, станешь учителем и ученым. Разве ты не хочешь этого сам?

— Простите, отец, я еще точно не знаю своих желаний. Я всегда буду испытывать радость от наук, как может быть иначе? Но я не думаю, что науки будут моим единственным поприщем. Ведь бывает, что не желания влияют на судьбу и призвание человека, а нечто иное. Предопределение.

Слова юноши озаботили настоятеля. Однако на его старом лице появилась улыбка, когда он сказал:

— Насколько я успел узнать людей, все мы склонны, особенно в юности, принимать провидение за наши желания и наоборот. Но коль ты полагаешь, что заранее знаешь свое призвание, скажи мне об этом. К чему же ты чувствуешь себя призванным?

Нарцисс наполовину прикрыл веками свои темные глаза, так что они исчезли за длинными черными ресницами. Он молчал.

— Говори, сын мой, — сказал после долгого ожидания настоятель.

Тихим голосом, с опущенными глазами, Нарцисс начал говорить:

— Я, кажется, знаю, отец мой, что прежде всего призван к жизни в монастыре. Я стану, так мне кажется, монахом, стану священником, субприором и, может быть, настоятелем. Я думаю так не потому, что хочу этого. Я не желаю должностей. Но их на меня возложат.

Долго оба молчали.

— Почему ты уверен в этом? — спросил нерешительно старик. — Какое же свойство, кроме учености, укрепляет в тебе эту веру?

— Вот какое свойство, — медленно произнес Нарцисс. — Я чувствую характер и призвание людей, когда думаю о них, а не только о себе. Это свойство заставляет меня служить другим тем, что я властвую над ними. Не будь я рожден для жизни в монастыре, я, должно быть, стал бы судьей или государственным деятелем.

— Пусть так, — кивнул старик. — Проверял ли ты свою способность узнавать людей и их судьбы на ком-нибудь?

— Проверял.

— Готов ли ты назвать мне кого-нибудь?

— Готов.

— Хорошо. Поскольку мне не хотелось бы проникать в тайны наших братьев без их ведома, может быть, ты скажешь мне, что́ ты, как тебе кажется, знаешь обо мне, твоем настоятеле Данииле.

Нарцисс поднял веки и посмотрел настоятелю в глаза:

— Это ваше приказание, отец мой?

— Мое приказание.

— Мне трудно говорить, отец.

— И мне трудно, юный брат, принуждать тебя к этому. И все-таки я делаю это. Говори.

Нарцисс опустил голову и заговорил шепотом:

— Я мало что знаю о вас, уважаемый отец. Я знаю, что вы слуга Господа и что вы охотнее пасли бы коз или звонили в колокольчик где-нибудь в скиту и выслушивали исповеди крестьян, чем управляли большим монастырем. Я знаю, что вы особенно любите Святую Богоматерь и больше всего молитесь Ей. Иногда вы молите о том, чтобы греческие и другие науки, которыми занимаются в монастыре, не внесли смятение и опасность в души, вверенные вам. Иногда молите, чтобы вас не оставляло терпение по отношению к субприору Грегору. Иногда молите, чтобы Господь послал вам покойную кончину. И, я думаю, вы будете услышаны и кончина ваша будет покойной.

Тихо стало в маленькой приемной настоятеля. Наконец старик заговорил.

— Ты мечтатель, и у тебя видения, — сказал седой владыка ласково. — Даже благие и приятные видения могут быть обманчивы; не полагайся на них, как и я на них не полагаюсь. Не можешь ли ты увидеть, брат-мечтатель, что я думаю об этом в душе?

— Я вижу, отец, что вы очень благосклонно думаете об этом. Вы думаете так: «Этому молодому ученику что-то угрожает, у него видения, возможно, он слишком много предавался размышлениям. Я наложу на него епитимью, она ему, пожалуй, не повредит. Но епитимью, которую я наложу на него, я возьму на себя». Вот что вы думаете теперь.

Настоятель поднялся. С улыбкой он подал юноше знак к прощанию.

— Хорошо, — сказал он. — Не принимай свои видения слишком всерьез, юный брат. Господь требует от нас еще кое-чего, кроме видений. Положим, ты польстил старику, пообещав ему легкую смерть. Положим, старик охотно выслушал это обещание. А теперь довольно. Ты должен помолиться по четкам, завтра после утренней мессы, помолиться с полным смирением, а не кое-как, и я сделаю то же самое. А теперь иди, Нарцисс, у нас был долгий разговор.

В другой раз настоятелю Даниилу пришлось улаживать спор между младшим из обучающих патеров и Нарциссом — те не могли прийти к согласию по одному пункту учебной программы: Нарцисс с большим упорством настаивал на введении определенных изменений в обучение, умело подтверждая их убедительными доводами; патер Лоренц, однако, из какого-то чувства ревности не хотел согласиться с этим, и за каждым новым обсуждением следовали дни недовольного молчания и обиды, пока Нарцисс из упрямства не заводил разговор снова. В конце концов патер Лоренц сказал, несколько задетый:

— Ну, Нарцисс, хватит спорить. Ты же знаешь, что решаю я, а не ты, мне ты не коллега, а помощник, и должен подчиняться. Но уж коль это дело для тебя так важно, я, хоть превосхожу тебя по должности, но не по знаниям и дарованиям, не хочу принимать решение сам, а давай изложим его отцу-настоятелю, и пусть он решает.

Так они и сделали, и настоятель Даниил терпеливо и дружелюбно выслушал доводы обоих ученых относительно обучения грамматике. После того как оба подробно изложили свое мнение и обосновали его, старик весело взглянул на них, покачал слегка седой головой и сказал:

— Дорогие братья, вы ведь оба не считаете, что я разбираюсь в этих делах столь же хорошо, как вы. Похвально со стороны Нарцисса, что он принимает дело обучения близко к сердцу и стремится улучшить его. Но если его старший коллега другого мнения, Нарциссу следовало бы помолчать и подчиниться, да и все поправки в обучении не стоят того, чтобы из-за них нарушались порядок и послушание в этом доме. Я порицаю Нарцисса за то, что он не сумел уступить. А вам обоим, молодым ученым, я желаю, чтобы у вас никогда не было недостатка в руководителях, которые глупее вас, — нет лучшего средства против гордыни.

С этой беззлобной шуткой он их отпустил. Но в последующие дни отнюдь не забыл проследить, наладились ли добрые отношения между обоими учителями.

И вот случилось так, что в монастыре, который видал столь много лиц, возникавших и исчезавших, появилось еще одно, и это новое лицо принадлежало не к тем, что остаются незаметными или быстро забываются. Это был юноша, который уже давно был записан своим отцом и теперь, весенним днем, прибыл учиться в монастырской школе. Они, юноша и его отец, привязали лошадей у каштана, и из портала им навстречу вышел привратник.

Мальчик посмотрел вверх на дерево, еще по-зимнему голое.

— Такого дерева, — сказал он, — я еще никогда не видел. Прекрасное, удивительное дерево! Интересно, как оно называется.

Отец, пожилой господин с лицом, на котором заботы и переживания оставили свои следы, не обратил внимания на слова юноши. Привратник же, у которого мальчик сразу вызвал симпатию, удовлетворил его любопытство. Юноша любезно поблагодарил, подал ему руку и сказал:

— Меня зовут Гольдмунд, я буду здесь учиться.

Привратник приветливо улыбнулся ему и пошел впереди прибывших через портал и дальше вверх по широкой каменной лестнице, а Гольдмунд вошел в монастырь без робости, с чувством удовлетворения от встречи с двумя существами, с которыми можно было дружить, — деревом и привратником.

Прибывших принял сначала патер, управлявший школой, а к вечеру и сам настоятель. Обоим отец, чиновник имперской канцелярии, представил свого сына Гольдмунда, а его самого пригласили какое-то время погостить в монастыре. Но он воспользовался гостеприимством всего на одну ночь, объяснив, что завтра должен отправиться обратно. В качестве подарка монастырю он предложил одного из двух своих коней, и дар был принят. Беседа с духовными лицами проходила чинно и сдержанно, но и настоятель, и патер радостно посматривали на почтительно молчавшего Гольдмунда — красивый, нежный юноша сразу понравился им. На следующий день они без особого сожаления отпустили отца, а сына охотно оставили. Гольдмунд был представлен учителям и получил место в дортуаре для учеников. Почтительно, с грустным лицом попрощался он с отъезжавшим отцом и смотрел ему вслед, пока тот не скрылся между амбаром и мельницей за узкой аркой ворот внешнего монастырского двора. Слеза повисла на его длинных светлых ресницах, когда он повернулся; но тут его, ласково похлопывая по плечу, уже встретил привратник.

— Дружок, — сказал он утешительно, — не печалься. Многие поначалу немного тоскуют по дому, по отцу, матери, братьям и сестрам. Но ты скоро увидишь: и здесь жить можно, даже неплохо.

— Спасибо, брат-привратник, — сказал юноша, — у меня нет ни братьев, ни сестер, ни матери, у меня есть только отец.

— Зато здесь ты найдешь товарищей, и различные знания, и музыку, и новые игры, которых еще не знаешь, и многое другое, вот увидишь. А если понадобится кто-то, кто желает тебе добра, то приходи ко мне.

Гольдмунд улыбнулся ему:

— О, я очень вам благодарен. И, если вы хотите порадовать меня, покажите, пожалуйста, поскорее, где стоит наша лошадка, которую оставил здесь мой отец. Мне хотелось бы поздороваться с ней и посмотреть, хорошо ли ей живется.

Привратник не преминул тотчас отвести его в конюшню, находившуюся возле амбара. Там в теплом полумраке остро пахло лошадьми, навозом и ячменем, а в одном стойле Гольдмунд нашел своего бурого коня, на котором приехал сюда. Он обнял за шею животное, которое узнало его и протянуло ему навстречу голову, приник щекой к его широкому лбу с белым пятном, нежно погладил и прошептал на ухо:

— Здравствуй, Блесс, дружок мой славный, как тебе живется? Ты меня еще любишь? Тебя кормят? Ты тоже думаешь о доме? Блесс, коняшка милый, как хорошо, что ты остался здесь, я буду часто приходить к тебе и присматривать за тобой.

Он достал из-за обшлага кусок хлеба, который оставил от завтрака, и, покрошив, покормил лошадь. Потом попрощался и последовал за привратником во двор, широкий, как рыночная площадь большого города, и частично заросший липами. У входа в монастырь он поблагодарил привратника, подав ему руку, но заметил, что уже не помнит дороги в свою классную комнату, которую ему показали накануне, посмеялся и, покраснев, попросил привратника проводить его, что тот охотно сделал. Когда он вошел в классную комнату, где на скамьях сидели двенадцать мальчиков и юношей, помощник учителя Нарцисс обернулся.

— Я — Гольдмунд, новый ученик.

Нарцисс поздоровался, не улыбнувшись, указал Гольдмунду место на задней скамье и сразу же продолжил занятие.

Гольдмунд сел. Он удивился такому молодому учителю, всего лишь на несколько лет старше себя, удивился и очень обрадовался, заметив к тому же, что этот молодой учитель так красив, так изыскан, так серьезен и при этом столь обаятелен. Привратник был с ним мил, настоятель встретил его так приветливо, там, в конюшне, стоял Блесс, частичка родины, и вот теперь этот на удивление молодой учитель, серьезный, как ученый, и прекрасный, как принц, а какой спокойный, строгий, деловой, властный голос! Гольдмунд слушал с признательностью, еще, правда, не понимая, о чем шла речь. У него стало хорошо на душе. Он попал к добрым, милым людям и сам готов был любить их и завоевывать их дружбу. Утром в постели он чувствовал себя подавленным, да и усталым еще после долгого путешествия, а прощаясь с отцом, немного всплакнул. Но теперь было хорошо, он был доволен. Подолгу и все снова и снова смотрел он на молодого учителя, любовался его прямой, стройной фигурой, холодно сверкавшим взором, строгим ртом, ясно и четко произносящим слова, захватывающим, неутомимым голосом.

Но когда урок кончился и ученики с шумом поднялись, Гольдмунд вздрогнул, заметив, несколько смущенный, что спал, причем довольно долго. И не он один заметил это, но и его соседи по скамье, шепотом передававшие эту весть другим. Едва молодой учитель покинул классную комнату, ученики начали дергать и толкать Гольдмунда со всех сторон.

— Выспался? — спросил один, осклабившись.

— Достойный ученик! — издевался другой. — Из него выйдет замечательное светило церковного мира. Заснул как сурок на первом же уроке!

— Отнесите малыша в постель, — предложил кто-то, и, схватив Гольдмунда за руки и за ноги, они потащили его под общий хохот прочь.

Разбуженный таким образом, Гольдмунд пришел в ярость; он колотил направо и налево, пытаясь освободиться, получал тумаки, и в конце концов его повалили, а кто-то все еще держал его за ногу. Гольдмунд с силой вырвался от него, бросился на первого попавшегося и тотчас сцепился с ним в яростной схватке. Его противник был сильный малый, и все жадно следили за поединком. Когда же Гольдмунд не отступил, а нанес противнику несколько славных ударов кулаком, среди соучеников у него уже появились друзья, хоть ни одного из них он не знал по имени. Но вдруг все стремительно бросились в разные стороны, и едва они успели скрыться, как вошел патер Мартин, управляющий школой, и остановился перед Гольдмундом, который остался один. Он удивленно посмотрел на мальчика, голубые глаза которого на раскрасневшемся лице с синяками выражали смущение.

— Да что это с тобой? — спросил он. — Ведь ты Гольдмунд, не так ли? Уж не обидели ли тебя эти лодыри?

— О нет, — сказал мальчик, — я с ними справился.

— С кем это?

— Не знаю. Я еще никого не знаю. Кто-то боролся со мной.

— Ах вот как? Начал он?

— Не знаю. Нет, кажется, я сам начал. Они меня дразнили, и я разозлился.

— Ну, хорошо же ты начинаешь, мой мальчик. Запомни: если ты еще раз затеешь драку здесь, в классе, будешь наказан. А теперь ступай на ужин. Марш!

Улыбаясь, смотрел он Гольдмунду вслед, а тот, пристыженный, убегал, стараясь на бегу расчесать пальцами взлохмаченные белокурые волосы.

Гольдмунд сам считал, что его первый поступок в этой монастырской жизни был очень дурен и глуп; когда за ужином он искал и нашел своих соучеников, он испытывал угрызения совести. Но его встретили дружелюбно и уважительно, Гольдмунд по-рыцарски заключил мир со своим врагом и с той минуты почувствовал себя благосклонно принятым в этом кругу.

Глава вторая

Хотя со всеми он был в приятельских отношениях, настоящего друга он нашел не скоро — ни к одному из учеников он не чувствовал близости или хотя бы некоторой симпатии. Они же в ловком драчуне, которого склонны были считать достойным восхищения забиякой, с удивлением открыли весьма миролюбивого сотоварища, стремившегося скорее к славе примерного ученика.

Два человека, жившие в монастыре, привлекали к себе Гольдмунда, нравились ему, занимали его мысли, вызывали у него восхищение, любовь и даже благоговение: настоятель Даниил и помощник учителя Нарцисс. Настоятеля он склонен был почитать за святого: его простодушие и доброта, его ясный заботливый взгляд, манера отдавать приказания и управлять с благочестивым смирением, его добрые мягкие жесты — все это неудержимо влекло к себе. Охотнее всего Гольдмунд стал бы личным слугой этого благочестивого старца, был бы всегда при нем, подчиняясь и прислуживая, покорно принес бы ему в жертву все свое мальчишеское стремление к преданности и самоотдаче, учась у него чистой, благородной, праведной жизни. Ведь Гольдмунд собирался не только окончить монастырскую школу, но, по возможности, навсегда остаться в монастыре, посвятив свою жизнь Богу, — такова была его воля, таково было желание и требование его отца, и так было, видимо, предопределено Самим Богом. Никто, казалось, не замечал в прекрасном, сияющем мальчике, что на нем лежала какая-то печать, бремя происхождения, тайное предназначение к искупительной жертве. Даже настоятель не видел этого, хотя отец Гольдмунда сделал несколько намеков и ясно выразил желание навсегда оставить сына здесь, в монастыре. Какой-то тайный порок, казалось, тяготел над рождением Гольдмунда, что-то утаенное, казалось, требовало искупления. Но отец не очень-то понравился настоятелю, на его слова и некоторую его чванливость он ответил вежливой холодностью, не придав большого значения его намекам.

Другой же человек, пробудивший любовь Гольдмунда, был проницательнее и видел больше, но был сдержан. Нарцисс очень хорошо понял, что за прелестная диковинная птица залетела в тот день к нему. Он, одинокий в своем благородстве, тотчас почувствовал в Гольдмунде родственную душу, хотя тот, казалось, был его противоположностью во всем. Если Нарцисс был темным и худым, то Гольдмунд, казалось, светился и цвел. Нарцисс был мыслитель и строгий аналитик, Гольдмунд — мечтатель с душой ребенка. Но противоположности перекрывало общее: оба были благородны, оба были отмечены явными дарованиями, отличавшими их от других, и оба получили от судьбы особое предзнаменование.

Горячо сочувствовал Нарцисс этой юной душе, чей склад и судьбу он вскоре познал. Пылко восхищался Гольдмунд своим прекрасным, необыкновенно умным учителем. Но Гольдмунд был робок; он не находил иного способа завоевать расположение Нарцисса, как до переутомления быть внимательным и смышленым учеником. И не только робость сдерживала его, удерживало также чувство, что Нарцисс опасен для него. Нельзя было иметь идеалом и образцом доброго, смиренного настоятеля и одновременно чересчур умного, ученого, высокодуховного Нарцисса. И все-таки всеми силами молодой души он стремился к обоим идеалам, столь несоединимым. Часто он страдал от этого. Иногда в первые месяцы учения

Гольдмунд чувствовал в душе такое смятение и такую растерянность, что испытывал сильное искушение сбежать из монастыря или на товарищах сорвать скопившийся в душе гнев. Нередко при всем своем добродушии он из-за какого-то легкого подтрунивания или дерзости товарищей совершенно неожиданно вспыхивал такой дикой злобой, что ему с невероятным трудом удавалось сдержаться, и он, смертельно побледнев, молча, с закрытыми глазами отворачивался. Тогда он разыскивал в конюшне Блесса, клал голову ему на шею, целовал его, горько плача. И постепенно его страдания так возросли, что стали заметны. Щеки ввалились, взгляд потух, его всеми любимый смех слышался все реже и реже.

Он сам не знал, что с ним происходит. Он честно желал быть хорошим учеником, со временем быть принятым в послушники и потом стать благочестивым, смиренным братом патеров; ему казалось, что все его силы и способности устремлены к этим благочестивым, скромным целям, других стремлений он не знал. Как же странно и грустно было для него видеть, что эта простая и прекрасная цель столь трудно достижима. С каким унынием и неприятным удивлением замечал он порой за собой предосудительные склонности: рассеянность и отвращение к учению, мечтания и фантазии или сонливость во время занятий, неприязнь к учителю латыни и сопротивление, оказываемое ему, раздражительность и гневное нетерпение по отношению к соученикам. А больше всего смущало то, что его любовь к Нарциссу так плохо уживалась с любовью к настоятелю Даниилу. К тому же иногда в глубине души он, казалось, чувствовал уверенность, что и Нарцисс любит его, сочувствует ему и ждет его.

Намного больше, чем мальчик подозревал, мысли Нарцисса были заняты им. Он желал, чтобы этот красивый, светлый, милый юноша стал его другом, он угадывал в нем свою противоположность и дополнение к себе самому, он охотно взял бы его под свою защиту, руководил бы им, просвещал, вел бы все выше и довел до расцвета. Но он сдерживался. Он делал это по многим соображениям, и почти все они были осознанными. Прежде всего его останавливало отвращение, которое он испытывал к тем учителям и монахам, что нередко влюблялись в учеников или послушников. Достаточно часто он сам с неудовольствием ловил на себе жадные взгляды пожилых мужчин, достаточно часто давал молчаливый отпор их любезностям и ласкам. Теперь он лучше понимал их — и его манило приголубить красивого Гольдмунда, вызвать его прелестный смех, нежно погладить по белокурым волосам. Но он ни за что не сделает этого, никогда. Кроме того, в качестве помощника учителя — состоя в ранге учителя, но не обладая его полномочиями и авторитетом, — он привык быть особенно осторожным и бдительным. Привык относиться к ученикам, которые были лишь немного моложе его, так, как будто он был на двадцать лет старше, привык строго запрещать себе любое предпочтение какого-либо ученика, по отношению же к ученику, который был ему неприятен, принуждал себя к особой справедливости и заботе. Его служение было служением Духу, этому была посвящена его строгая жизнь, и лишь втайне, в минуту наибольшей слабости, он позволял себе наслаждаться высокомерием и всезнайством. Нет, как бы ни была соблазнительна дружба с Гольдмундом, она была опасна, и он не смел позволить ей затрагивать суть своей жизни. Суть же его жизни, смысл ее, были в служении Духу, Слову. Спокойно, обдуманно, не помышляя о собственной выгоде, поведет он своих учеников — и не только их — к высоким духовным целям.

Уже больше года учился Гольдмунд в монастыре Мариабронн, уже сотни раз играл он с товарищами под липами двора и под красивым каштаном, бегал наперегонки, играл в мяч, в разбойников, в снежки; теперь была весна, но Гольдмунд чувствовал себя усталым и слабым, у него часто болела голова, и он с трудом заставлял себя быть бодрым и внимательным во время занятий.

Однажды вечером с ним заговорил Адольф, тот самый ученик, первое знакомство с которым когда-то закончилось потасовкой и с которым он этой зимой начал изучать Евклида. Произошло это после ужина в свободный час, когда разрешались игры в дортуарах, болтовня в классных комнатах, а также прогулки за внешним двором монастыря.

— Гольдмунд, — сказал он, увлекая того за собой вниз по лестнице, — я хочу тебе кое-что рассказать, нечто забавное. Правда, ты пай-мальчик и, конечно, хочешь стать епископом, так дай сначала слово товарища, что не выдашь меня учителям.

Гольдмунд не задумываясь дал слово. Существовала честь монастыря, существовала и ученическая честь, и обе подчас вступали в противоречие, он это знал, но, как везде, неписаные законы сильнее писаных, и пока он был учеником, он никогда не нарушил бы законов и понятий ученической чести.

Что-то нашептывая, Адольф тащил его к порталу под деревья. Есть несколько смельчаков, рассказывал он, к которым он относил и себя и которые переняли обычай прошлых поколений время от времени вспоминать, что они ведь не монахи, а потому могут, покинув на вечерок монастырь, сходить в деревню. Это веселое приключение, от которого порядочный человек отказаться не может. Ночью же вернемся.

— Но ведь ночью ворота закрыты, — бросил Гольдмунд.

— Еще бы, конечно, закрыты, в этом-то и потеха. Сумеем вернуться незаметно потайным путем, не впервой.

Гольдмунду припомнилось: выражение «сходить в деревню» он уже слышал, под этим подразумевались ночные вылазки воспитанников ради всякого рода тайных удовольствий и приключений, и это было запрещено монастырским уставом под страхом тяжкого наказания. Он испугался. «Сходить в деревню» было грехом, запретным деянием. Но он очень хорошо понимал, что именно поэтому среди «порядочных людей» считалось честью рисковать, пренебрегая опасностью, а если кого-то приглашают участвовать в таком похождении, значит, его как-то выделяют среди прочих.

Больше всего ему хотелось сказать «нет», убежать обратно и лечь спать. Он так устал и чувствовал себя таким несчастным, после обеда у него все время болела голова. Но он немного стыдился Адольфа. Да и как знать, может быть, там, за монастырскими стенами, произойдет какое-нибудь прекрасное новое событие, что-то, что заставит забыть головную боль, и тупость, и все несчастья. Это был выход в мир, правда тайный и запретный, не совсем похвальный, но, может быть, он все-таки принесет какое-то освобождение и новые впечатления. Гольдмунд стоял в нерешительности, пока Адольф уговаривал его, и вдруг рассмеялся и согласился.

Незаметно скрылись они с Адольфом за липами в широком, уже темном, дворе, внешние ворота которого к этому часу были заперты. Приятель повел его к монастырской мельнице, откуда в сумерках при постоянном шуме колес легко было неслышно ускользнуть. Через окно попали они на штабель влажных скользких брусьев, один из которых нужно было вытащить, чтобы перебросить его через ручей для переправы. И вот они снаружи, на едва видной дороге, которая теряется в черном лесу. Все это волновало своей таинственностью и очень нравилось мальчику.

На опушке леса уже стоял другой приятель, Конрад, а после долгого ожидания сюда же подошел, тяжело ступая, еще один, рослый Эберхард. Вчетвером юноши зашагали через лес, над ними с шумом пролетали ночные птицы, несколько влажных звезд ярко сияло меж спокойных облаков. Конрад болтал и шутил, иногда смеялись и другие, но все-таки над ними витало жуткое и торжественное чувство ночи, и сердца их бились сильнее.

По ту сторону леса через какой-нибудь час они добрались до деревни. Там все, казалось, уже спало, бледно мерцали низкие остроконечные крыши с проступавшими темными ребрами перекрытий, нигде не видно было ни огонька. Адольф шел впереди; молча, крадучись обошли они несколько домов, перелезли через забор, очутились в саду, прошли по мягкой земле грядок, спотыкаясь о ступени, остановились перед стеной какого-то дома. Адольф постучал в ставню, подождав, постучал еще раз, внутри послышался шорох, и вскоре появился свет, ставня открылась, и один за другим они очутились в кухне с черным дымоходом и земляным полом. На плите стояла маленькая керосиновая лампа, на тонком фитиле, мигая, горело слабое пламя. Худенькая девушка, очевидно, служанка в этом крестьянском доме, возникшая перед пришельцами, подала им руку, за ней из темноты вышла вторая, совсем дитя, с длинными темными косами. Адольф принес гостинцы — полкаравая белого монастырского хлеба и что-то в бумажном кульке, — Гольдмунд подумал, что это немного украденного ладана, или свечного воска, или еще что-нибудь в этом роде. Та, что помоложе, с косами, вышла, без света пробралась за дверь, долго отсутствовала и вернулась с кувшином из серой глины с нарисованным на нем голубым цветком и протянула его Конраду. Он отпил из него и передал дальше; все пили, это был крепкий яблочный сидр.

При слабом свете лампы они расселись, девушки на маленьких жестких табуретах, юноши вокруг них на полу. Говорили шепотом, попивая сидр, тон задавали Адольф и Конрад. Время от времени кто-нибудь вставал и гладил худенькую девушку по волосам и шее, шепча ей что-то на ухо, а младшей не трогал никто. По-видимому, думал Гольдмунд, старшая — служанка, а красивая малышка — дочь хозяев дома. Впрочем, все равно, его это совершенно не касается, потому что он никогда больше не придет сюда. То, что они тайно удрали и прошлись ночью по лесу, было прекрасно, необычно, волнительно, таинственно и совсем неопасно. Правда, это запрещено, но нарушение запрета не очень обременительно для совести. А вот то, что происходит здесь, этот ночной визит к девушкам, было больше чем просто запретное деяние, так он чувствовал, это был грех. Возможно, для других и это было лишь небольшим отступлением, но не для него: для него, считающего себя предназначенным к монашеской жизни и аскезе, непозволительна никакая игра с девушками. Нет, он никогда больше не придет сюда. Но сердце его билось сильно и тоскливо в полумраке убогой кухни.

Его товарищи разыгрывали перед девушками героев, щеголяя латинскими выражениями, которые вставляли в разговор. Все трое, казалось, пользовались благосклонностью служанки, время от времени они приближались к ней со своими маленькими, неловкими ласками, самой нежной из которых был робкий поцелуй. Они, видимо, точно знали, что́ им здесь разрешалось. А поскольку вся беседа велась шепотом, выглядело все это довольно смешно, но Гольдмунд воспринимал все по-своему. Он сидел на земле, неподвижно затаившись, уставившись на огонек в лампе, не говоря ни слова. Иногда жадным беглым взором он ловил какую-нибудь из нежностей, которыми обменивались другие. Он напряженно смотрел перед собой. Хотя больше всего ему хотелось взглянуть на младшую девушку, с косами, но именно это он запрещал себе. И всякий раз, когда его воля ослабевала и взгляд, как бы заблудившись, останавливался на привлекательном девичьем лице, он неизменно встречал ее темные глаза, устремленные на его лицо: она как завороженная смотрела на него.

Прошел, по-видимому, час — никогда еще час жизни не казался Гольдмунду таким долгим, — запас латинских выражений и нежностей учеников был исчерпан, стало тихо, и все сидели в смущении. Эберхард начал зевать. Тогда служанка напомнила, что пора уходить. Все поднялись, каждый подал ей руку, Гольдмунд — последним. Затем все подали руку младшей, Гольдмунд — последним. Конрад первым вылез в окно, за ним последовали Эберхард и Адольф. Когда и Гольдмунд вылезал, он почувствовал, что кто-то пытается удержать его за плечо. Он не смог остановиться и, только очутившись снаружи на земле, робко оглянулся. Из окна выглянула младшая, с косами.

— Гольдмунд! — прошептала она.

Он остановился.

— Ты придешь еще? — спросила она робко, почти беззвучно.

Гольдмунд покачал головой. Она протянула обе руки, взяла его голову, он почувствовал тепло маленьких рук на своих висках. Она далеко высунулась из окна, так что ее темные глаза оказались прямо перед его глазами.

— Приходи! — прошептала она, и рот ее коснулся его губ в детском поцелуе.

Он быстро побежал вслед за другими через палисадник, неуверенно наступая на грядки, вдыхая запах сырой земли и навоза, поцарапал руку о розовый куст, перелез через забор и пустился, догоняя других, прочь из деревни к лесу. «Никогда!» — приказывала его воля. «Завтра же!» — рыдая, молило несчастное сердце.

Никто не повстречался ночным гулякам, беспрепятственно вернулись они в Мариабронн, миновали ручей, мельницу, липы и обходными путями по карнизам и через разделенные колоннами окна пробрались в монастырь и в спальню.

Наутро верзилу Эберхарда долго будили тумаками — так крепок был его сон. Все вовремя поспели к ранней мессе, на завтрак и в аудиторию, но Гольдмунд выглядел плохо, так плохо, что патер Мартин спросил, не болен ли он. Адольф бросил на него предостерегающий взгляд, и тот сказал, что здоров. На греческом, однако, около полудня, Нарцисс не упускал его из виду. Он тоже заметил, что Гольдмунд болен, но промолчал, продолжая внимательно наблюдать за ним. В конце урока он подозвал его к себе. Чтобы не привлекать внимания учеников, он отправил его с поручением в библиотеку. И пришел туда же сам.

— Гольдмунд, — сказал он, — нужна ли тебе моя помощь? Я вижу, тебе плохо. Может, ты болен. Ложись-ка в постель, получишь больничный суп и стакан вина. Тебе сегодня было не до греческого.

Долго ждал он ответа. Смущенно взглянул на него бледный мальчик, опустил голову, поднял опять, губы его вздрогнули, он хотел говорить и не смог. Вдруг он опустился рядом, положив голову на пульт для чтения, между двумя маленькими головками ангелов из дуба, державших пульт, и разразился такими рыданиями, что Нарцисс почувствовал себя неловко и на какое-то время отвел взгляд, прежде чем подхватил и поднял плачущего.

— Ну, ну, — сказал он тем дружелюбным тоном, каким, насколько мог вспомнить Гольдмунд, он никогда не говорил, — ну и хорошо, дружок, поплачь, тебе станет легче. Вот так, садись, можешь ничего не говорить. Ты, я вижу, натерпелся, — видимо, все утро старался держаться и не подавать виду. Молодец! А теперь поплачь, это лучше всего. Нет? Уже все? Опять все в порядке? Ну и славно, тогда пойдем в больничную палату и ложись в постель. Сегодня же вечером тебе станет намного лучше. Пойдем же!

И он провел его в больничную палату в обход ученических комнат, указал на одну из двух пустых кроватей и, когда Гольдмунд начал послушно раздеваться, вышел, чтобы доложить настоятелю о его болезни. На кухне он попросил для него, как обещал, суп и стакан вина; оба эти благотворные деяния, принятые в монастыре, очень нравились большинству легких больных.

Лежа в больничной постели, Гольдмунд пытался оправиться от смятения. Час тому назад он, пожалуй, был бы в состоянии объяснить себе, что было причиной сегодняшней столь невыразимой усталости, что это было за смертельное перенапряжение души, опустошившее его голову и заставившее расплакаться. Это было насильственное, каждую минуту возобновлявшееся и каждую минуту терпевшее неудачу стремление забыть вчерашний вечер — даже не вечер, не безрассудную и прелестную вылазку из запертого монастыря, не прогулку по лесу, не скользкий мостик через мельничный ручей или перелезание через заборы, окна и проходы, но единственный момент у темного окна кухни: дыхание и слова девушки, прикосновение ее рук, поцелуй ее губ.

А теперь к этому прибавлялся еще новый страх, новое переживание. Нарцисс принял в нем участие, Нарцисс любил его, Нарцисс позаботился о нем — он, изысканный, благородный, умный, с тонким, слегка насмешливым ртом. А он, он распустился перед ним, стоял, пристыженный и заикающийся, и наконец разревелся! Вместо того чтобы завоевать этого превосходящего всех во всем человека самым благородным оружием — греческим, философией, духовными подвигами и достойным стоицизмом, он жалко и ничтожно провалился! Никогда он себе этого не простит, никогда не сможет смотреть ему без стыда в глаза.

Однако слезы сняли напряжение, спокойное одиночество и добрая постель подействовали благотворно, отчаяние наполовину потеряло свою силу. Прошло немного времени, и появился прислуживающий брат, принес мучной суп, кусочек белого хлеба и небольшой бокал красного вина, который ученики обычно получали только по праздникам. Гольдмунд поел и выпил, съел полтарелки, отставил, принялся опять размышлять, но ничего не вышло: он опять пододвинул тарелку, съел еще несколько ложек. И когда немного спустя дверь тихо отворилась и вошел Нарцисс, чтобы проведать больного, тот уже спал и румянец опять появился на его щеках. Долго смотрел на него Нарцисс с любовью, с пытливым любопытством и немного с завистью. Он видел: Гольдмунд нуждался в нем, пусть нынче ему понадобились его услуги, в другой раз, возможно, он сам окажется слабым и будет нуждаться в помощи и участии. И от этого мальчика он их примет, если дело дойдет до того.

Глава третья

Странная это была дружба, что началась между Нарциссом и Гольдмундом: лишь немногим пришлась она по душе, а иногда могло показаться, что им самим дружба эта не очень нравится.

Нарциссу, мыслителю, поначалу приходилось особенно трудно. Для него все было духовно, даже любовь; ему не дано было бездумно отдаваться чувству. Он был в этой дружбе ведущей силой и долгое время оставался единственным, кто осознавал судьбу, глубину и смысл этой дружбы. Долгое время он оставался одинок в самый разгар любви, зная, что друг только тогда будет действительно принадлежать ему, когда он будет руководить его познанием. Искренне и пылко, легко и безотчетно отдавался Гольдмунд новой жизни. Сознательно и ответственно принимал высокий жребий Нарцисс.

Для Гольдмунда это было прежде всего спасение и выздоровление. Его юношескую потребность в любви, только что властно разбуженную взглядом и поцелуем красивой девушки, тотчас же вспугнули и лишили всякой надежды. Ибо в глубине души он чувствовал, что все его прежние мечты о жизни, все, во что он верил, все, к чему считал себя предназначенным и призванным, в основе своей подвергли опасности тот поцелуй в окне и взгляд тех темных глаз. Предназначенный отцом к монашеской жизни, всей волей принимая это предназначение, с юношеским пылом отдаваясь набожности и аскетически-героическому идеалу, он при первой же беглой встрече, при первом же пробуждении чувств, при первом зове женского начала почувствовал, что здесь его неизбежный враг и демон, что в женщине для него таится опасность. И вот судьба послала ему спасение, в самую трудную минуту явилась эта дружба, предоставляя его душевной потребности цветущий сад, его благоговению — новый алтарь. Здесь ему разрешалось любить, разрешалось без греха отдавать себя, дарить свое сердце достойному восхищения, старшему, умному другу, превратить, одухотворяя, опасное пламя чувств в благородный жертвенный огонь.

Но в первую же весну этой дружбы он столкнулся со странными препятствиями, с неожиданным, загадочным охлаждением, пугающей требовательностью. Ведь ему и в голову не приходило считать друга полной себе противоположностью. Ему казалось, что для того, чтобы из двоих сделать одно, сгладить различия и снять противоречия, нужна только любовь, только искренняя самоотверженность. Но как строг и тверд, умен и непреклонен был этот Нарцисс! Казалось, ему незнакомы и нежелательны невинная самоотдача, благодарное странствие вдвоем по стране дружбы. Казалось, он не ведает и не терпит путей без цели, мечтательных блужданий. Правда, когда он счел Гольдмунда больным, он проявил заботу о нем; правда, он был верным помощником и советчиком ему во всех учебных и ученых делах, объяснял трудные места в книгах, учил разбираться в тонкостях грамматики, логики, теологии; но, казалось, он никогда не был по-настоящему доволен другом и согласен с ним, а зачастую даже можно было подумать, что он посмеивается над ним, не принимает его всерьез. Гольдмунд, правда, чувствовал, что это не просто наставничество, не просто важничание более старшего и более разумного, что за этим кроется что-то более глубокое, более важное. Понять же это более глубокое он был не в состоянии, и нередко дружба повергала его в печаль и растерянность.

В действительности Нарцисс прекрасно знал, что представлял собой его друг, он не мог не замечать ни его цветущей красоты, ни его естественной силы жизни и яркой полноты чувств. И он ни в коей мере не был наставником, который хотел питать пылкую юную душу греческим, отвечать на невинную любовь логикой. Слишком сильно любил он белокурого юношу, а для него это было опасно, потому что любовь была для него не естественным состоянием, а чудом. Он не смел влюбляться, не смел пользоваться приятным созерцанием этих красивых глаз, близостью этого цветущего, светлого белокурого создания, не смел позволить этой любви хотя бы на мгновение задержаться на уровне чувственного. Потому что если Гольдмунд считал себя предназначенным быть монахом и аскетом и всю жизнь стремиться к святости, Нарцисс действительно был предназначен для такой жизни. Ему была позволена любовь только в единственной, высшей форме. В предназначение же Гольдмунда к жизни аскета Нарцисс не верил. Яснее, чем кто-либо другой, он умел читать в душах людей, а тут, когда он любил, он читал с особой ясностью. Он видел сущность Гольдмунда, которую глубоко понимал, несмотря на противоположность их натур. Он видел эту сущность, покрытую твердым панцирем фантазий, ошибок в воспитании, слов отца, и давно разгадал несложную тайну этой молодой жизни. Его задача была ему ясна: раскрыть эту тайну самому ее носителю, освободить его от панциря, вернуть его собственной природе. Это будет нелегко, но самое трудное в том, что из-за этого он, возможно, потеряет друга.

Бесконечно медленно приближался он к цели. Месяцы прошли, прежде чем стало возможно первое наступление, серьезный разговор между обоими. Так далеки были они друг от друга, несмотря на дружбу, так велико было разделявшее их расстояние. Зрячий и слепой, так и шли они рядом, и то, что слепой ничего не знал о своей слепоте, лишь облегчало его участь.

Первым пробил брешь Нарцисс, постаравшийся разузнать о том переживании, которое подтолкнуло к нему в трудную минуту потрясенного мальчика. Сделать это оказалось легче, чем он предполагал. Давно уже чувствовал Гольдмунд потребность исповедаться в переживаниях той ночи; однако никому, кроме настоятеля, он не доверял вполне, а настоятель не был его духовником. Когда же Нарцисс как-то в подходящий момент напомнил другу о начале их союза и осторожно коснулся тайны, тот без обиняков сказал:

— Жаль, что ты еще не рукоположен и не можешь выслушивать исповеди, я охотно освободился бы от того потрясения, исповедовавшись и искупив наказанием свою вину. Но своему духовнику я не могу это рассказать.

Осторожно, не без хитрости продвигался Нарцисс дальше по найденному следу.

— Помнишь, — осторожно завел он разговор, — то утро, когда ты вроде бы заболел. Ты ведь не забыл его, тогда мы стали друзьями. Я часто думал о нем. Может быть, ты и не заметил, что я чувствовал себя совершенно беспомощным.

— Ты — беспомощным? — воскликнул друг недоверчиво. — Но ведь беспомощным был я! Ведь это я не был в состоянии вымолвить ни слова и в конце концов расплакался, как ребенок! Фу, до сих пор стыдно! Я думал, что никогда больше не смогу смотреть тебе в глаза. Ты видел меня таким жалким, таким слабым!

Нарцисс продолжал нащупывать дальше.

— Я понимаю, — сказал он, — что тебе это было неприятно. Такой крепкий и смелый парень, как ты, и вдруг плачет перед посторонним человеком, да еще учителем, тебе это действительно не пристало. Ну, тогда-то я счел тебя больным. А уж если бьет лихорадка, то сам Аристотель поведет себя странно. Но оказалось, что ты вовсе не болен! Не было никакой лихорадки! И поэтому-то ты и стыдился. Никто ведь не стыдится, что его треплет лихорадка, не так ли? Ты стыдился, потому что не смог противиться чему-то другому. Что-то другое потрясло тебя. Произошло что-нибудь особенное?

Гольдмунд немного поколебался, затем медленно произнес:

— Да, произошло нечто особенное. Позволь считать тебя моим духовником, нужно же когда-нибудь об этом сказать.

С опущенной головой он рассказал другу историю той ночи.

В ответ на это Нарцисс, улыбаясь, сказал:

— Ну конечно, «ходить в деревню» запрещено. Но ведь многое из запрещенного можно делать, а затем посмеиваться над этим или же исповедаться — и дело с концом, все позади. Почему же и ты не мог совершить маленькую глупость, как это делает чуть ли не каждый ученик? Разве это так уж дурно?

Гольдмунд не мог сдержать свой гнев.

— Ты говоришь действительно как школьный учитель! — вспылил он. — Ты ведь прекрасно знаешь, о чем идет речь! Разумеется, я не вижу большого греха в том, чтобы разок нарушить правила и принять участие в мальчишеской проделке, хотя это, пожалуй, и нельзя считать достойной подготовкой к монашеской жизни.

— Постой! — воскликнул Нарцисс резко. — Разве ты не знаешь, друг, что для многих благочестивых отцов именно такая подготовка была необходима? Не знаешь, что один из самых коротких путей к святой жизни — как раз жизнь распутника?

— Ах, оставь! — возразил Гольдмунд. — Я хотел сказать: не легкое непослушание тяготило мою совесть. Это было нечто другое. Это была девушка. Это было чувство, которое я не могу тебе описать! Чувство, что, если я поддамся соблазну, если только протяну руку, чтобы коснуться девушки, я уже никогда больше не смогу вернуться назад. Что грех, как адская бездна, поглотит меня и никогда не отпустит. Что с этим кончатся все прекрасные мечты, все добродетели, вся любовь к Богу и добру.

Нарцисс кивнул в глубокой задумчивости.

— Любовь к Богу, — сказал он медленно, подыскивая слова, — и любовь к добру не всегда едины. Ах, если бы это было так просто! Что́ хорошо, мы знаем из заповедей. Но Бог не только в заповедях, пойми, они лишь малая часть Его. Ты можешь исполнять заповеди и быть далеко от Бога.

— Неужели ты меня не понимаешь! — жалобно воскликнул Гольдмунд.

— Конечно, я понимаю тебя. Женщина, пол связываются у тебя с понятием мирской жизни и греха. На все другие грехи, как тебе кажется, ты или неспособен, или, если даже совершишь их, они не будут настолько угнетать тебя, в них можно исповедаться и освободиться от них. Только от одного этого греха не освободишься.

— Правильно, именно так я чувствую.

— Как видишь, я тебя понимаю. Да ты не так уж и не прав; по-видимому, история о Еве и змие вовсе не плод досужего вымысла. И все-таки ты не прав, дорогой. Ты был бы прав, если бы был настоятелем Даниилом или Хризостомом, твоим святым, если бы ты был епископом, или священником, или даже всего лишь простым монахом. Но ведь ты не являешься ни одним из них. Ты ученик, и если даже желаешь навсегда остаться в монастыре или это желает за тебя отец, то ведь обета ты еще не дал, посвящения не получил. И если сегодня или завтра тебя совратит красивая девушка и ты поддашься искушению, то не нарушишь никакой клятвы, никакого обета.

— Никакого писаного обета! — воскликнул Гольдмунд в большом волнении. — Но неписаный, самый святой, который ношу в себе, будет нарушен! Неужели ты не видишь: то, что годится для многих других, не годится для меня? Ведь ты сам тоже еще не получил посвящения, не дал обета, но ведь ты никогда не позволишь себе коснуться женщины! Или я ошибаюсь? Ты не таков? Ты совсем не тот, за кого я тебя принимаю? Разве ты не дал себе клятву, хотя и не словами и не перед вышестоящими, а в сердце, и разве не чувствуешь себя из-за нее навеки обязанным? Разве мы с тобою не едины?

— Нет, Гольдмунд, не едины, я не таков, каким ты меня видишь. Правда, и я принял молчаливый обет, в этом ты прав. Но мы с тобою совсем не едины. Я скажу тебе сегодня кое-что, а ты подумай. Вот что я скажу тебе: наша дружба вообще не имеет никакой другой цели и никакого другого смысла, кроме как показать тебе, насколько ты не похож на меня.

Гольдмунд стоял пораженный: Нарцисс говорил с таким видом и таким тоном, что возражать ему было нельзя. Но почему Нарцисс произносит такие слова? Почему молчаливый обет Нарцисса был более свят, чем у него, Гольдмунда? Принимал ли Нарцисс его вообще всерьез, не считал ли всего лишь ребенком? Новые замешательства и трудности приносила эта странная дружба.

Нарцисс больше не сомневался в природе тайны Гольдмунда. За этим стояла Ева, праматерь. Но как же могло получиться, что в таком красивом, здоровом, таком цветущем юноше пробуждающийся пол встретил столь ожесточенную вражду? Должно быть, тут действовал дьявол, тайный враг, которому удалось разъединить изнутри этого человека и раздвоить его изначальные влечения. Итак, дьявола нужно найти, обнаружить и изгнать, тогда он будет побежден.

Между тем товарищи все больше и больше избегали Гольдмунда и оставляли его, или, вернее, они чувствовали, что он оставлял их и в какой-то мере им изменял. Никому не нравилась его дружба с Нарциссом. Злые ославили ее противоестественной, именно те, кто сам был влюблен в одного из обоих юношей. Но и другие, убежденные, что здесь нет ничего порочного, качали головами. Никто не желал, чтобы эти двое были вместе, этот союз, казалось, отделял их, как высокомерных аристократов, от остальных, бывших для них недостаточно хорошими; это было не по-товарищески, это было не по-монастырски, это было не по-христиански.

Кое-что об обоих доходило до слуха настоятеля Даниила — толки, жалобы, сплетни. Много дружеских союзов юношей повидал он за сорок с лишним лет монастырской жизни, они входили в картину бытия монастыря, были милым дополнением, иногда забавой, иногда опасностью. Он держался в стороне, зорко следя, но не вмешиваясь. Дружба такой силы и исключительности была редкостью, без сомнения — она была небезопасной; но так как он ни секунды не сомневался в ее чистоте, то предоставил делу идти своим чередом. Если бы Нарцисс не был на особом положении среди учеников и учителей, настоятель не задумываясь отдал бы какие-то распоряжения, которые способствовали бы их разъединению. Нехорошо, что Гольдмунд сторонится соучеников и поддерживает близкие отношения только со старшим, да еще учителем. Но можно ли мешать Нарциссу, необыкновенному, высокоодаренному, которого все учителя считали не только равным себе духовно, но даже превосходящим их в выбранном деле, и лишить его деятельности учителя? Если бы Нарцисс перестал оправдывать себя как учитель, если бы их дружба привела его к нерадивости или предвзятости, он не задумываясь отстранил бы его. Однако ничто не свидетельствовало против него, ничего не было, кроме кривотолков, ничего, кроме ревнивого недоверия других.

Помимо того, настоятель знал об особом даре Нарцисса, о его удивительно проникновенном — возможно, несколько самонадеянном — знании людей. Он не придавал особого значения этому дару, другие способности Нарцисса больше радовали бы его, но он не сомневался, что Нарцисс чувствовал особенный характер ученика Гольдмунда и знал его куда лучше, чем он сам или кто-либо другой. Он, настоятель, не замечал в Гольдмунде, помимо его подкупающей прелести, ничего, кроме явно преждевременного, даже несколько не по годам развитого усердия, с которым тот уже теперь, будучи лишь учеником и гостем, кажется, чувствует себя принадлежащим монастырю и уже почти братом. Что Нарцисс будет поощрять и подогревать это трогательное, но незрелое усердие, не страшно. Беспокоиться можно скорее о том, что друг заразит его некоторым духовным самомнением и ученым высокомерием; но что касается Гольдмунда, именно его, опасность казалась не столь великой; в этом смысле можно, пожалуй, ничего не предпринимать. Когда он думал о том, насколько проще, покойнее и удобнее быть настоятелем у заурядных людей, то одновременно вздыхал и улыбался. Нет, он не хотел заражаться недоверием, не хотел быть неблагодарным судьбе, вверившей ему две исключительные человеческие натуры.

Нарцисс много думал о своем друге. Его способность видеть и распознавать сущность и предназначение человека помогала ему разобраться в Гольдмунде. Лучезарная живость этого юноши явно свидетельствовала о том, что он был отмечен всеми знаками сильного, богато одаренного чувствами человека глубокой души, возможно художника, во всяком случае — человека огромной силы любви, предназначение и счастье которого состояло в том, чтобы воспламеняться чувством и отдаваться ему. Почему же этот человек любви, человек тонких и богатых чувств, который так глубоко наслаждался ароматом цветов, утренним солнцем, любил своего коня, восхищался полетом птиц, музыкой, почему он был одержим идеей стать духовным лицом и аскетом? Нарцисс много размышлял об этом. Он знал, что отец Гольдмунда поощрял эту одержимость. А не мог ли он ее нарочно вызвать? Какими чарами околдовал он сына, что тот поверил в такое предназначение и долг? Что за человек был этот отец? Хотя Нарцисс намеренно часто заводил о нем разговор и Гольдмунд немало рассказывал об отце другу, тот все-таки не мог представить себе этого человека, не мог увидеть его. Разве это не было странно, не было подозрительно? Когда Гольдмунд говорил о форели, которую ловил мальчиком, когда описывал бабочку, подражал крику птицы, рассказывал о товарище, о собаке или нищем, то возникали картины, что-то виделось. Когда же он говорил о своем отце, не виделось ничего. Нет, если бы этот отец был действительно таким важным, сильным, влиятельным лицом в жизни Гольдмунда, тот иначе описывал бы его! Нарцисс был невысокого мнения об этом человеке, он не нравился ему; он даже подчас сомневался: а был ли он действительно отцом Гольдмунда? Он казался каким-то пустым идолом. Но откуда же у него была эта власть? Как же он сумел наполнить душу Гольдмунда мечтаниями, столь чуждыми ее сути?

Гольдмунд тоже много размышлял. Как ни глубоко чувствовал он сердечную любовь своего друга, у него все время было тягостное чувство, что тот принимает его недостаточно всерьез и обращается с ним почти как с ребенком. А к чему это друг постоянно дает ему понять, что они с ним не едины?

Между тем эти размышления не заполняли дня Гольдмунда целиком. Долго размышлять он вообще не любил. Было много других занятий в течение длинного дня. Он часто пропадал у брата-привратника, с которым был в очень хороших отношениях. Хитростью и уговорами всегда добивался разрешения часок-другой поскакать на Блессе; его очень полюбили и другие работники, жившие при монастыре, к примеру в доме у мельника; частенько с его работником они подстерегали выдру или пекли лепешки из тонкой прелатской муки, которую Гольдмунд из всех сортов мог определить с закрытыми глазами, только по запаху. Хотя он и много времени проводил с Нарциссом, оставалось все-таки немало часов для того, чтобы предаваться своим давним привычкам и радостям. Церковная служба тоже была для него по большей части радостью: он охотно пел в ученическом хоре, любил читать молитвы по четкам перед любимым алтарем, слушал прекрасную, торжественную латынь мессы, смотрел сквозь клубы ладана на сверкающую золотом утварь и убранство, на спокойные, почтенные фигуры святых, стоящих на колоннах, на евангелистов с животными, на Иакова в шляпе и с сумкой паломника.

Эти каменные и деревянные фигуры влекли его, они представлялись ему таинственным образом связанными с его личностью, казались чем-то вроде бессмертных всеведающих крестных отцов, заступников и руководителей его жизни. Точно так же чувствовал он тайную, дивную, проникнутую любовью связь с колоннами и капителями окон и дверей, орнаментом алтарей, с этими четко очерченными опорами и венками, цветами и бурно разросшимися листьями, так выразительно обрамлявшими каменные колонны. Ему казалось драгоценной, сокровенной тайной, что кроме природы, ее растений и животных, была еще эта вторая, немая, созданная людьми природа, эти люди, животные и растения из камня и дерева. Нередко он проводил время, срисовывая эти фигуры, головы животных и пучки листьев, а иногда пытаясь рисовать и настоящие цветы, лошадей, лица людей.

И еще он очень любил церковные песнопения, особенно посвященные Деве Марии. Он любил четкий строгий ход этих мелодий, постоянно повторяющиеся мольбы и восхваления. Он молитвенно следовал их почтительному смыслу или же, забывая о смысле, лишь любовался торжественными размерами этих стихов, наполняя ими душу, их растянутыми глубокими звуками, полнозвучными гласными, благочестивыми повторами. В глубине души он любил не ученость, не грамматику и логику, хотя и в них была красота, а мир образов и звуков литургии.

Все снова и снова он ненадолго прерывал также возникшее между ним и соучениками отчуждение. Ему было неприятно и скучно подолгу чувствовать себя отверженным, окруженным холодностью; он то смешил ворчливого соседа по парте, то заставлял болтать молчаливого соседа в дортуаре, за час-другой добивался наконец своего и отвоевывал на какое-то время несколько глаз, несколько лиц, несколько сердец. Два раза из-за такого потепления в отношениях он, совершенно того не желая, был приглашен «сходить в деревню» Тут он пугался и быстро отступал. Нет, в деревню он больше не ходил, и ему удалось забыть девушку с косами, никогда не вспоминать о ней, или, вернее, почти никогда.

Глава четвертая

Долго оставались тщетными попытки Нарцисса, осаждавшего Гольдмунда, раскрыть его тайну. Долго казались напрасными его старания пробудить друга, научить его языку, на котором можно было бы сообщить эту тайну. Из того, что тот рассказывал ему о своем происхождении и родине, картины не получалось. Был смутный, бесформенный, но почитаемый отец да легенда о давно пропавшей или погибшей матери, от которой не осталось ничего, кроме имени. Постепенно Нарцисс, умело читавший в душах, понял, что его друг относится к людям, у которых утрачена часть их жизни и которые под давлением какой-то необходимости или колдовства вынуждены были забыть часть своего прошлого. Он понял, что простые расспросы и поучения здесь бесполезны, он видел также, что чересчур полагался на силу рассудка и много говорил понапрасну.

Но не напрасна была любовь, связывавшая его с другом, и привычка к постоянному общению. Несмотря на глубокое различие своих натур оба многому научились друг у друга; у них наряду с языком рассудка постепенно возник язык души и знаков, подобно тому как между двумя поселениями помимо дороги, по которой ездят кареты и скачут рыцари, возникает много придуманных, обходных, тайных дорожек: дорожка для детей, тропа влюбленных, едва заметные ходы собак и кошек. Постепенно одухотворенная сила воображения Гольдмунда какими-то магическими путями проникала в мысли и язык друга, и тот научился у Гольдмунда понимать и сочувствовать без слов. Медленно вызревали в свете любви новые связи между обеими душами, лишь потом приходили слова. Так однажды, в свободный от занятий день, в библиотеке, неожиданно для обоих, меж друзьями состоялся разговор — разговор, который коснулся самой сути их дружбы и многое осветил новым светом.

Они говорили об астрологии, которой не занимались в монастыре: она была там запрещена. Нарцисс сказал, что астрология — это попытка внести порядок и систему во все многообразие характеров, судеб и предопределений людей. Тут Гольдмунд вставил:

— Ты постоянно говоришь о различиях — постепенно я понял, что это твоя самая главная особенность. Когда ты говоришь о большой разнице между тобой и мной, например, то мне кажется, что она состоит не в чем ином, как в твоем странном и страстном желании вечно искать различия!

Нарцисс. Правильно, ты попал в самую точку. В самом деле: для тебя различия не очень важны, мне же они кажутся единственно важными. Я по сути своей ученый, мое предназначение — наука. А наука — цитирую тебя — действительно не что иное, как «страстное желание вечно искать различия»! Лучше нельзя определить ее суть. Для нас, людей науки, нет ничего важнее, чем устанавливать различия, наука — это искусство различения. Например, найти в человеке признаки, отличающие его от других, — значит познать его.

Гольдмунд. Ну да. На одном крестьянские башмаки — он крестьянин, на другом корона — он король. Это, конечно, различия. Но они видны и детям, без всякой науки.

Нарцисс. Но если крестьянин и король одеты одинаково, ребенок уже не различит их.

Гольдмунд. Да и наука тоже.

Нарцисс. А может быть, все-таки различит. Она, правда, не умнее ребенка, это следует признать, но она терпеливее, она замечает не только самые общие признаки.

Гольдмунд. Любой умный ребенок делает то же самое. Он узнает короля по взору или манере держаться. А говоря короче, вы, ученые, высокомерны, вы всегда считаете нас, других, глупее. Можно без всякой науки быть очень умным.

Нарцисс. Меня радует, что ты начинаешь это понимать. А скоро ты поймешь также, что я не имею в виду ум, когда говорю о различии между тобой и мной. Я ведь не говорю: ты умнее или глупее, лучше или хуже. Я говорю только: ты — другой.

Гольдмунд. Это нетрудно понять. Но ты говоришь не только о различиях в признаках, ты часто говоришь о различиях в судьбе, предназначении. Почему, например, у тебя должно быть иное предназначение, чем у меня? Ты, как и я, христианин, ты, как и я, решил жить в монастыре, ты, как и я, сын нашего доброго Отца на небесах. У нас одна и та же цель: вечное блаженство. У нас одно и то же предназначение: возвращение к Богу.

Нарцисс. Очень хорошо. По учебнику догматики, один человек и впрямь точно такой же, как другой, а в жизни нет. Мне кажется, любимый ученик Спасителя, на чьей груди Он отдыхал, и другой ученик, который Его предал, имели, пожалуй, не одно и то же предназначение.

Гольдмунд. Ты просто софист, Нарцисс! Таким путем мы не приблизимся друг к другу.

Нарцисс. Мы никаким путем друг к другу не приблизимся.

Гольдмунд. Не говори так!

Нарцисс. Я говорю серьезно. Наша задача состоит не в том, чтобы приближаться друг к другу, как не приближаются друг к другу солнце и луна, море и суша. Наша цель состоит не в том, чтобы один из нас переходил в другого, а в том, чтобы он его узнал, видел и уважал в нем то, что он есть: противоположность и дополнение его самого.

Пораженный Гольдмунд опустил голову, лицо его стало печальным. Наконец он сказал:

— Поэтому ты так часто не принимаешь мои мысли всерьез?

Нарцисс помедлил немного с ответом. Затем сказал ясным, твердым голосом:

— Поэтому. Ты должен приучить себя, милый Гольдмунд, к тому, что всерьез я принимаю только тебя самого.

Верь мне, я принимаю всерьез каждый звук твоего голоса, каждый твой жест, каждую твою улыбку. А твои мысли... К ним я отношусь менее серьезно. Я принимаю всерьез в тебе то, что считаю существенным и неизбежным. Почему ты придаешь такое большое значение именно своим мыслям, когда у тебя столько других дарований?

Гольдмунд горько улыбнулся:

— Я же говорил, ты всегда считал меня ребенком!

Нарцисс оставался непреклонным:

— Некоторые твои мысли я считаю детскими. Вспомни, мы только что говорили, что умный ребенок совсем не глупее ученого. Но если ребенок будет рассуждать о науке, ученый ведь не примет это всерьез.

Гольдмунд горячо возразил:

— Да даже если мы говорим не о науке, ты подсмеиваешься надо мной! У тебя, например, всегда получается так, что моя набожность, мое старание продвигаться в учебе, мое желание быть монахом всего лишь ребячество!

Нарцисс серьезно посмотрел на него:

— Я принимаю тебя всерьез, когда ты Гольдмунд. А ты не всегда Гольдмунд. Мне же хочется, чтобы ты целиком и полностью стал Гольдмундом. Ты — не ученый, ты — не монах, ученого или монаха можно сделать и не из такого добротного материала. Ты думаешь, что, по мне, ты слишком мало учен, недостаточно силен в логике или не очень набожен. О нет, но, по-моему, ты слишком мало являешься самим собой.

Хотя после этого разговора Гольдмунд, озадаченный и даже уязвленный, и замкнулся в себе, уже через несколько дней он сам почувствовал потребность продолжить его. На этот раз Нарциссу удалось так представить ему различия их натур, что он принял их более благосклонно.

Нарцисс говорил мягко, чувствуя, что сегодня Гольдмунд более открыто и охотно принимал его доводы и покорялся ему. Под влиянием успеха, увлеченный собственными словами, Нарцисс поведал больше, чем намеревался.

— Видишь ли, — сказал он, — я только в одном превосхожу тебя: я бодрствую, тогда как ты бодрствуешь лишь наполовину, а иногда и совсем спишь. Бодрствующим я называю того, кто понимает и осознает себя, свои самые глубокие внерассудочные силы, влечения и слабости и умеет принимать их в расчет. То, что ты этому учишься, придает смысл твоей встрече со мной. У тебя, Гольдмунд, дух и натура, сознание и грезы очень далеки друг от друга. Ты забыл свое детство, из глубины твоей души оно пробивается к тебе. Оно будет заставлять тебя страдать до тех пор, пока ты не услышишь его. Ну да хватит об этом! В бодрствовании, как я сказал, я сильнее тебя, здесь я превосхожу тебя и могу поэтому быть тебе полезен. Во всем остальном, милый, ты превосходишь меня или, вернее, будешь меня превосходить, когда найдешь сам себя.

Гольдмунд с удивлением слушал, но при словах «ты забыл свое детство» вздрогнул, как стрелой пораженный, но Нарцисс не заметил этого, так как, по своему обыкновению, говорил с закрытыми глазами или глядя перед собой, как будто так было легче подбирать слова. Он не видел, как лицо Гольдмунда передернулось и как он побледнел.

— Превосхожу... я — тебя! — заикаясь произнес Гольдмунд, только чтобы хоть что-то сказать: он весь как бы оцепенел.

— Конечно, — продолжал Нарцисс, — натуры, подобные твоей, с сильными и нежными чувствами, одухотворенные, мечтатели, поэты, любящие, почти всегда превосходят нас, живущих в другом мире, нас, людей Духа. У вас происхождение материнское. Вы живете в полноте, вам дана сила любви и переживания. Мы, люди Духа, хотя часто как будто и руководим и управляем вами, не живем в полноте, мы живем сухо. Вам принадлежит богатство жизни, сок плодов, сад любви, прекрасная страна искусства. Ваша родина — земля, наша — идея. Вы рискуете потонуть в чувственном мире, мы — задохнуться в безвоздушном пространстве. Ты — художник, я — мыслитель. Ты спишь на груди матери, я бодрствую в пустыне. Мне светит солнце, тебе — луна и звезды, твои мечты принадлежат девушкам, мои — юношам...

С широко открытыми глазами слушал Гольдмунд, как говорил Нарцисс, упоенный собственной речью. Некоторые из его слов вонзались в Гольдмунда подобно мечам; при последних словах он побледнел и закрыл глаза, а когда Нарцисс это заметил и испуганно замолчал, его друг, чрезвычайно бледный, угасшим голосом проговорил:

— Однажды случилось, что я показал тебе свою слабость и плакал, — ты помнишь. Такое больше не повторится, я никогда себе этого не прощу... Но и тебе тоже! А теперь быстро уходи и оставь меня одного, ты сказал мне ужасные слова.

Нарцисс был очень смущен. Собственные слова увлекли его, у него было чувство, что он только что говорил лучше, чем когда-либо. Теперь он в замешательстве видел, что какие-то его слова глубоко потрясли друга, в чем-то задели его за живое. Ему было трудно оставить юношу одного в этот момент, он помедлил какие-то мгновения, но нахмуренный лоб Гольдмунда заставил его поспешить, и в смятении он удалился, все же оставив друга в одиночестве, в котором тот так нуждался.

На этот раз перенапряжение в душе Гольдмунда разрешилось не слезами. С чувством глубокой и неизлечимой раны, как будто друг неожиданно всадил ему нож прямо в грудь, стоял он, тяжело дыша, со смертельно сжавшимся сердцем, с бледным как воск лицом, с онемевшими руками Это было то же ужасное состояние, какое он пережил тогда, только в несколько раз сильнее: опять что-то давило внутри, приказывая посмотреть в глаза чему-то страшному, чему-то прямо-таки невыносимому Но на этот раз облегчающие слезы не могли помочь вынести ужас. Пресвятая Богородица, что же это такое? Что же произошло? Его убили? Он убил? Что же такого страшного было сказано?

С трудом переводя дыхание, он, как отравленный, рвался освободиться от чего-то смертельного, что застряло глубоко внутри него. Он бросился вон из комнаты, двигаясь так, словно переправлялся в другой ее конец вплавь, ища спасение в самых тихих, самых безлюдных уголках монастыря, мчался через переходы, по лестницам, на волю, на воздух. Он попал в самое укромное убежище монастыря — обходную галерею; над зелеными клумбами сияло ясное солнечное небо, сквозь прохладный воздух каменного подвала слегка пробивался сладкий аромат роз.

Сам того не подозревая, Нарцисс сделал в этот час то, чего страстно желал уже давно: он назвал по имени дьявола, которым был одержим его друг, он его определил. Какое-то из его слов коснулось тайны в сердце Гольдмунда, и оно восстало в неистовой боли. Долго бродил Нарцисс по монастырю в поисках друга, но так и не нашел его.

Гольдмунд стоял под одной из круглых тяжелых арок, которые вели из переходов в садик, с каждой колонны на него уставилось по три каменных головы животных — собак или волков. Страшно ныла в нем рана, не находившая выхода к свету, выхода к разуму. Смертельный страх перехватил горло и живот. Машинально подняв взор, он увидел над собой одну из капителей колонны с тремя головами животных, и ему тотчас пришло в голову, что эти три дикие головы сидели, глазели, лаяли у него внутри.

«Сейчас я умру», — подумал он в ужасе. И сразу затем, дрожа от страха, предрек себе: «Сейчас я потеряю рассудок, сейчас меня сожрут эти звери». Затрепетав, он опустился у подножия колонны, боль была слишком велика: она достигла крайнего предела. Нахлынула слабость, и он, с опущенным лицом, погрузился в желанное небытие.

У настоятеля Даниила выдался неприятный день: двое пожилых монахов пришли к нему сегодня, возбужденно бранясь и осыпая друг другая упреками, опять вспомнили застарелые мелочные ссоры. Он их выслушивал слишком долго, увещевал, однако безуспешно, в конце концов отпустил, наложив довольно суровое наказание, но в душе осталось ощущение, что действия его были бесполезны. Обессиленный, он уединился в капелле нижней церкви, молился, но, не получив облегчения, встал с колен. И вот, привлеченный легким ароматом роз, он вышел на обходную галерею подышать свежим воздухом. Тут он нашел ученика Гольдмунда, лежавшего без сознания на каменных плитах. С грустью взглянул он на него, напуганный мертвенной бледностью его всегда такого красивого юного лица. Недобрый сегодня день, теперь еще и это! Он попытался поднять юношу, но ноша была ему не по силам. Глубоко вздохнув, он пошел прочь, старый человек, чтобы велеть двум братьям помоложе отнести

Гольдмунда наверх, и послал к нему патера Ансельма, который был известен как врачеватель. Одновременно он послал за Нарциссом; молодого человека нашли быстро, и тот явился к настоятелю.

— Ты уже знаешь? — спросил его отец Даниил.

— О Гольдмунде? Да, досточтимый отец, я только что слышал, что он заболел или пострадал от несчастного случая, его принесли.

— Да, я нашел его лежащим на обходной галерее, ему, собственно, там нечего было делать. Это не несчастный случай. Он был без сознания. Это мне не нравится. Мне кажется, ты как-то причастен к этому делу или хотя бы что-то знаешь, — ведь он твой ближайший друг. Поэтому я и позвал тебя. Говори!

Нарцисс, как всегда прекрасно владея собой и своей речью, коротко рассказал о сегодняшнем разговоре с Гольдмундом и о том, как неожиданно сильно он подействовал на юношу. Настоятель покачал головой, не скрывая досады.

— Странные разговоры, — сказал он, принуждая себя к спокойствию. — То, что ты мне тут рассказал, похоже на разговор, который можно назвать вмешательством в чужую душу, я бы сказал, это разговор душеспасительный. Но ведь ты не являешься духовником Гольдмунда. Ты вообще не духовник, ты даже еще не рукоположен. Как же получилось, что ты говорил с учеником в тоне советчика о вещах, которые касаются только духовника? Последствия, как видишь, печальны.

— Последствий, — сказал Нарцисс мягко, но без колебаний, — мы еще не знаем, досточтимый отец. Я был несколько напуган сильным воздействием нашего разговора, но не сомневаюсь, что его последствия будут для Гольдмунда добрыми.

— Мы еще увидим последствия. Сейчас я говорю не о них, а о твоих действиях. Что побудило тебя вести такие разговоры с Гольдмундом?

— Как вы знаете, он мой друг. Я испытываю к нему особую склонность и думаю, что очень хорошо понимаю его. Вы говорите, что я действовал так, будто я его духовник. Но я ни в коей мере не приписывал себе духовный авторитет, я только полагал, что знаю его лучше, чем он сам себя знает.

Настоятель пожал плечами:

— Я знаю, ты в этом силен. Будем надеяться, что ты не сделал этим ничего плохого. Гольдмунд болен? Я имею в виду, болит ли у него что-нибудь? Он ослаб? Плохо спит? Ничего не ест? Страдает от каких-нибудь болей?

— Нет, до сих пор он был здоров. Телом здоров.

— А в остальном?

— Душой он во всяком случае болен. Вы знаете, он в том возрасте, когда начинается борьба с половым инстинктом.

— Я знаю. Ему семнадцать?

— Ему восемнадцать.

— Восемнадцать... Ну да, достаточно много. Но ведь эта борьба естественна, каждый должен пройти через нее. Из-за этого ведь нельзя называть его больным душой.

— Нет, досточтимый отец, только из-за этого — нет. Но Гольдмунд был болен душой уже до этого, уже давно, поэтому эта борьба для него опаснее, чем для других. Он страдает, как я думаю, от того, что забыл часть своего прошлого.

— Вот как! Какую же это часть?

— Свою мать и все, что с ней связано. Я тоже ничего не знаю об этом, я только знаю, что там должен быть источник его болезни. Сам Гольдмунд как будто ничего не знает о своей матери, кроме того что рано потерял ее. Но создается впечатление, что он стыдится ее. И все-таки именно от нее он унаследовал большинство своих дарований; то, что он рассказывает о своем отце, не дает представления о человеке, у которого может быть такой красивый, одаренный и своеобразный сын. Я знаю все это не из рассказов, я сужу об этом по некоторым признакам.

Настоятель, который поначалу слегка посмеивался про себя над этими не по годам умными и заносчивыми речами и для которого все дело было тягостным и щекотливым, задумался. Ему вспомнился отец Гольдмунда, несколько напыщенный и скрытный человек, и, кроме того, он вдруг припомнил некоторые слова, когда тот высказался о матери Гольдмунда. Она опозорила его и от него убежала, сказал он, и он постарался подавить в сыне воспоминания о ней и некоторые унаследованные от нее пороки. Это ему вполне удалось, и мальчик намерен во искупление того, в чем согрешила мать, посвятить свою жизнь Богу.

Никогда Нарцисс не был настоятелю столь мало приятен, как сегодня. И все-таки — как хорошо этот молодой мыслитель все разгадал, как, кажется, хорошо, по-настоящему он знает Гольдмунда!

В заключение, когда настоятель еще раз спросил Нарцисса о сегодняшнем случае, тот сказал:

— Сильное потрясение, которое пережил сегодня Гольдмунд, не было вызвано мной умышленно. Я напомнил ему о том, что он не знает сам себя, что он забыл свое детство и мать. Какое-то из моих слов, должно быть, задело его и проникло в ту темную сферу, против которой я давно борюсь. Он был каким-то отсутствующим и смотрел на меня, как бы не узнавая ни меня, ни себя самого. Я часто говорил ему, что он спит, что он не бодрствует по-настоящему. Теперь он пробудился, в этом я не сомневаюсь.

Нарцисс был отпущен без наказания, но временно ему запрещалось посещать больного.

Между тем патер Ансельм распорядился положить бесчувственного юношу на постель и сел возле него. Возвращать ему сознание сильными средствами казалось ему неразумным. Больной выглядел слишком плохо. Благожелательно смотрел старик с морщинистым добрым лицом на юношу. Прежде всего он пощупал пульс и послушал сердце. Конечно, думал он, мальчуган съел что-то неудобоваримое, горсть кислицы или еще какой-нибудь дряни, дело известное. Язык он не мог посмотреть. Он любил Гольдмунда, но его друга, этого скороспелого, слишком молодого учителя, терпеть не мог. И вот результат! Определенно Нарцисс как-то замешан в этой глупой истории. Зачем нужно было связываться такому живому, ясноглазому мальчику, сыну природы, именно с этими высокомерным ученым, этим заносчивым грамотеем, для которого его греческий важнее всего живого в мире!

Когда долгое время спустя дверь отворилась и вошел настоятель, патер все еще сидел, пристально смотря в лицо лежащего без сознания больного. Что за милое, юное, беззлобное лицо, и вот сидишь возле него, хочешь помочь и вряд ли сможешь. Конечно, причиной могли быть колики, он бы распорядился дать глинтвейну, может быть, ревеню. Но чем дольше он смотрел на бледное до зелени, искаженное лицо, тем более склонялся к другому подозрению, внушающему бо́льшие опасения. У патера Ансельма был опыт. Не раз за свою долгую жизнь он видал одержимых. Он медлил высказать свое глубокое подозрение даже себе самому. Лучше подождать и понаблюдать. Но, думал он мрачно, если бедный мальчик действительно одержим, то виновника не придется долго искать, и ему не поздоровится.

Настоятель подошел ближе, посмотрел на больного, приподнял ему осторожно веко.

— Можно его разбудить? — спросил он.

— Я хотел бы еще подождать. Сердце в порядке. К нему нельзя никого пускать.

— Есть опасность?

— Думаю, что нет. Никаких повреждений, никаких следов удара или падения. Он без сознания, может быть, были колики. При очень сильной боли теряют сознание. Если бы было отравление, был бы жар. Нет, он придет в себя и будет жить.

— А не может ли это быть из-за душевного состояния?

— Допускаю. Но ведь ничего не известно? Может быть, он сильно испугался? Известие о чьей-то смерти? Серьезный спор? Оскорбление? Тогда все было бы ясно.

— Мы этого не знаем. Позаботьтесь, чтобы к нему никого не пускали. Вас я прошу побыть с ним, пока он не придет в себя. Если ему станет хуже, позовите меня, даже среди ночи.

Перед уходом старик еще раз наклонился над больным; он вспомнил о его отце и том дне, когда этот красивый милый белокурый мальчик прибыл к нему, вспомнил, как все сразу полюбили его. И он с удовольствием смотрел на Гольдмунда. Но в одном Нарцисс был действительно прав: ни в чем этот мальчик не был похож на своего отца! Ах, сколько повсюду забот, как несовершенны все наши дела! Уж не упустил ли он чего в том, что касалось этого бедного мальчика? Был ли у него такой духовник, который ему действительно нужен? Разве это дело, что никто в монастыре не знал об этом ученике больше, чем Нарцисс? Мог ли тот ему помогать, когда сам еще был послушником, не был ни братом, ни рукоположенным, да и все мысли и взгляды его так неприятны, так высокомерны, даже почти враждебны? Бог знает, может быть, в монастыре и с Нарциссом вели себя неправильно? Бог знает, не скрывает ли он за маской послушания дурное, может, он язычник? И за все, что когда-нибудь выйдет из этих молодых людей, за все он, настоятель, тоже в ответе.

Когда Гольдмунд пришел в себя, было темно. Голова казалась пустой и кружилась. Он понял, что лежит в постели, но не знал где, он и не думал об этом: ему было все равно. Но где он побывал? Откуда вернулся, из какой чужбины переживаний? Он был где-то очень далеко отсюда, он что-то видел, что-то необычайное, что-то чудесное, и страшное, и незабываемое — и все-таки он это забыл. Где же это было? Что это там всплыло перед ним, такое большое, такое скорбное, такое блаженное, и опять исчезло?

Он вслушивался в глубины своего существа, стараясь вновь проникнуть туда, где сегодня что-то прорвалось и что-то произошло. Что же это было? Беспорядочный рой образов навалился на него, он видел собачьи головы, три собачьи головы, и вдыхал аромат роз. О, как ему было тяжело! Он закрыл глаза. О, как ужасно тяжело ему было! Он заснул опять.

Снова проснулся Гольдмунд, и как раз в тот момент, когда мир сновидений ускользал от него, он увидел этот образ, он обрел его и вздрогнул как бы в мучительном наслаждении. Он увидел, он прозрел. Он видел Ее. Он видел Великую, Сияющую, с ярким цветущим ртом, блестевшими волосами. Он видел свою мать. Одновременно ему послышался голос: «Ты забыл свое детство». Чей же это голос? Он прислушался, подумал и вспомнил. Это был Нарцисс. Нарцисс? И в один момент, внезапным толчком все снова вернулось: он вспомнил, он знал. О мать, мать! Горы ненужного, моря забвения были устранены, исчезли; огромными светло-голубыми глазами несказанно любимая, Утраченная снова смотрела на него.

Патер Ансельм, задремавший в кресле рядом с кроватью, проснулся. Он услышал, что больной зашевелился, услышал его дыхание. Осторожно поднялся.

— Есть здесь кто-нибудь? — спросил Гольдмунд.

— Это я, не беспокойся. Я зажгу свет.

Он зажег лампу, свет упал на его доброе морщинистое лицо.

— Я болен? — спросил юноша.

— Ты был без сознания, сынок. Дай-ка руку, пощупаем-ка пульс. Как ты себя чувствуешь?

— Хорошо. Спасибо вам, патер Ансельм, вы очень добры. Я совершенно здоров, только устал.

— Конечно, устал. Скоро опять уснешь. Выпей сначала глоток горячего вина, оно уже ждет тебя. Давай осушим с тобой по бокалу, мой мальчик, за добрую дружбу.

Он уже заботливо приготовил кувшинчик глинтвейна и поставил в сосуд с горячей водой.

— Вот мы оба и поспали немного, — засмеялся врач. — Хорош санитар, скажешь ты, не мог со сном бороться. Ну что ж, ведь и мы люди. Сейчас выпьем с тобой немного этого волшебного напитка, малыш, нет ничего приятнее такой вот маленькой тайной ночной попойки. Твое здоровье!

Гольдмунд засмеялся, чокнулся и отпил. Теплое вино было приправлено корицей и гвоздикой и подслащено сахаром, такого он еще никогда не пил. Ему пришло в голову, что он был уже однажды болен, тогда Нарцисс принял в нем участие. Теперь вот патер Ансельм был так мил с ним. Ему было очень хорошо, в высшей степени приятно и удивительно лежать здесь при свете лампы и среди ночи пить со старым патером сладкое теплое вино.

— Живот болит? — спросил старик.

— Нет.

— Я-то подумал, у тебя были колики, Гольдмунд. Значит, нет. Покажи-ка язык. Так, хорошо. Старый Ансельм и здесь обознался. Завтра ты еще полежишь, потом я приду и осмотрю тебя. А вино ты уже выпил? Да, оно должно хорошо подействовать. Дай-ка посмотрю, не осталось ли еще. На полбокала каждому наберется, если по-братски поделим. Ты нас порядком напугал, Гольдмунд! Лежал там, на галерее, как труп. У тебя правда живот не болит?

Они посмеялись и честно разделили остатки больничного вина, патер продолжал шутить, и Гольдмунд благодарно и весело смотрел на него опять прояснившимися глазами. Затем старик ушел спать.

Гольдмунд еще какое-то время не спал. Медленно поднимались опять из глубины души образы, снова вспыхивали слова друга, и еще раз явилась перед его внутренним взором белокурая сияющая женщина, его мать; как теплый сухой ветер, ее образ проник в него, как облако жизни, тепла, нежности и глубокого напоминания. О мать! О, как же могло случиться, что он забыл ее!

Глава пятая

До сих пор Гольдмунд кое-что знал о своей матери, но только из рассказов других; он утратил ее образ, а из того немногого, что, казалось, знал о ней, он, говоря с Нарциссом, о многом умалчивал. Мать была чем-то, о чем нельзя было говорить, ее стыдились. Она была танцовщицей, красивой, необузданной женщиной благородного, но недобропорядочного и языческого происхождения; отец Гольдмунда, так он рассказывал, вывел ее из нужды и позора, он, хоть и не был уверен, что она язычница, крестил ее и обучил обрядам, женился на ней и сделал женщиной, с которой считались. А она, прожив несколько лет покорно и безупречно, опять вспомнила свои прежние занятия, стала причиной многих скандалов, совращала мужчин, целыми днями и неделями не бывала дома, прослыла ведьмой и в конце концов, после того как муж несколько раз находил ее и возвращал, исчезла навсегда. Ее слава еще некоторое время давала о себе знать, недобрая слава, сверкнувшая, как хвост кометы, и затем угасшая. Ее муж медленно оправлялся от беспокойной жизни, страха, позора и вечных неожиданностей, которые она ему преподносила; вместо неудачной жены он воспитывал теперь сынишку, очень похожего всем своим обликом на мать; муж стал угрюмым ханжой и внушал Гольдмунду, что тот должен отдать свою жизнь Богу, чтобы искупить грехи матери.

Вот примерно то, что отец Гольдмунда имел обыкновение рассказывать о своей пропавшей жене, хотя он неохотно делал это; на эту историю намекал он настоятелю, когда привез Гольдмунда, и все это как страшная легенда было известно и сыну, хотя тот научился ее вытеснять и почти забывать. Но он совершенно забыл и утратил действительный образ матери, тот другой, совсем другой образ, родившийся не из рассказов отца и слуг и не из темных диких слухов. Его собственное, действительное, живое воспоминание о матери было забыто им. И вот этот-то образ, звезда его ранних лет опять взошла.

— Непостижимо, как я мог это забыть, — сказал он своему другу. — Никогда в жизни я не любил кого-нибудь так, как мать, так безусловно и пылко; никогда не чтил, не восхищался так кем-нибудь, она была для меня солнцем и луной. Бог знает, как получилось, что этот сияющий образ потемнел в моей душе, постепенно превратился в злую, бледную, бестелесную ведьму, которой она была для отца и для меня многие годы.

Нарцисс недавно закончил свое послушание и был пострижен в монахи. Странным образом переменилось его отношение к Гольдмунду. Гольдмунд же, ранее часто отклонявший предостережения друга и не принимавший тяготившее его наставничество, со времени того важного для себя переживания был полон изумленного восхищения мудростью друга. Как много его слов оказались пророческими, как глубоко заглянул тот в его душу своим жутким взором, как точно угадал его жизненную тайну, его скрытую рану, как умно исцелил его!

Юноша и выглядел исцеленным. Не только от обморока не осталось дурных последствий; как будто растаяло все надуманное, не по годам умное, неестественное в существе Гольдмунда, его скороспелое решение стать монахом, вера в свою обязанность с особым усердием служить Богу. Юноша, казалось, одновременно стал и моложе, и старше с тех пор, как обрел себя. Всем этим он обязан был Нарциссу.

Нарцисс же относился к своему другу с некоторых пор со своеобразной осторожностью; смотрел на него очень скромно, обходился без поучений и не выказывал своего превосходства, когда тот им восхищался. Он видел, что Гольдмунд черпает силы из тайных источников, которые ему самому были чужды. Он сумел способствовать их росту, но не участвовал в них. С радостью видел он, что друг освобождается от его руководительства, и все-таки временами бывал печален. Он считал себя пройденной ступенью, сброшенной кожурой; он видел, что близится конец их дружбе, которая для него была столь необходима. Он все еще знал о Гольдмунде больше, чем тот сам о себе, потому что хотя Гольдмунд и обрел свою душу и был готов следовать ее зову, но куда она его позовет, он еще не догадывался. Нарцисс же об этом догадывался, но был бессилен: путь его любимца вел в мир, где сам он никогда не окажется.

Жажда знаний у Гольдмунда значительно ослабела. Пропала и охота спорить с другом, со стыдом вспоминал он некоторые из их прошлых бесед. Между тем у Нарцисса, то ли из-за окончания его послушания, то ли из-за переживаний, связанных с Гольдмундом, пробудилась потребность в уединении, аскезе и духовных упражнениях, склонность к постам и долгим молитвам, частым исповедям, добровольным покаяниям, и эту склонность Гольдмунд был в состоянии понять, даже чуть ли не разделить. Со времени выздоровления его инстинкт очень обострился, и если он совсем ничего не знал о своих будущих целях, то с отчетливой и часто устрашающей ясностью чувствовал, что решается его судьба, что отныне некая запретная пора, время невинности и покоя, прошла, и все в нем было в напряженной готовности. Нередко предчувствие было блаженным, полночи не давало спать подобно сладкой влюбленности; нередко же оно бывало темным и глубоко удручающим. Мать, некогда утраченная, снова вернулась к нему, это было большое счастье. Но куда поведет сына ее манящий зов? К неопределенности, запутанности, к нужде, может быть, к смерти. К покою, тишине, надежности, к монашеской келье и жизни в монастырской общине ее зов не вел, он не имел ничего общего с отцовскими заповедями, которые он так долго принимал за собственные желания. Этим ощущением, которое часто бывало сильным, страшным и жгучим, как горячее физическое чувство, питалась набожность Гольдмунда. Повторяя длинные молитвы к Богородице, он освобождался от избытка чувства к собственной матери. Однако нередко его молитвы опять заканчивались теми странными, великолепными мечтами, которые он теперь часто переживал: снами наяву, при наполовину бодрствующем сознании, мечтами о ней, в которых участвовали все чувства. Тогда материнский мир окружал его благоуханием, таинственно смотрел темными глазами любви, шумел, как море и рай, ласково лепетал бессмысленные или скорее переполненные смыслом звуки, имел вкус сладкого и соленого, касался шелковистыми волосами жаждущих губ и глаз. В матери было не только все прелестное — милый голубой взгляд любви, чудесная, сияющая счастьем улыбка, в ней было и все ужасное и темное — все страсти, все страхи, все грехи, все беды, все рождения, все умирания.

Глубоко погружался юноша в эти мечты, в эти хитросплетения одухотворенных чувств. В них поднималось вновь не только чарующее, милое прошлое: детство и материнская любовь, сияющее золотое утро жизни; в них таилось и грозное обещание, манящее и опасное будущее. Иногда эти мечтания, в которых мать, Пречистая Дева и возлюбленная объединялись, казались ему потом ужасным преступлением и кощунством, смертным грехом, который никогда уже не искупить; в другой раз он находил в них спасение, совершенную гармонию. Полная тайн, жизнь не отводила от него глаз, темный загадочный мир, застывший ощетинившийся лес, исполненный сказочных опасностей, — все это были тайны матери, исходили от нее, вели к ней, они были маленьким темным кругом, маленькой грозящей бездной в ее светлом взоре.

Многое из забытого детства всплывало в этих мечтаниях о матери; из бесконечных глубин и утрат расцветало множество маленьких цветов-воспоминаний, мило выглядывали они, благоухали, полные предчувствий, напоминая о детских ощущениях — то ли переживаниях, то ли мечтах. Иногда ему грезились рыбы, черные и серебристые: они подплывали к нему, прохладные и гладкие, проплывали в него, через него, были как посланцы дивных вестей счастья из какой-то более прекрасной действительности; превращаясь в тени, виляя хвостами, исчезали, оставляя вместо вестей новые тайны. Часто виделись ему плывущие рыбы и летящие птицы, и каждая рыба или птица была его созданием, зависела от него, и он управлял ими, как своим дыханием, излучал их из себя, как взгляд, как мысль, возвращал назад в себя. О саде грезил он часто, волшебном саде со сказочными деревьями, огромными цветами, глубокими темно-голубыми гротами; из трав сверкали глазами незнакомые животные, по ветвям скользили гладкие, упругие змеи; лозы и кустарники были усыпаны огромными влажно блестевшими ягодами; они наливались в его руке, когда он срывал их, и сочились теплым, как кровь, соком или имели глаза и поводили ими томно и лукаво; он прислонялся к дереву, хватался за сук и видел между стволом и суком комок спутанных волос, как под мышкой. Однажды он увидел во сне себя или своего святого, Хризостома, Златоуста, у него были золотые уста, и он говорил этими устами слова, и слова, как маленькие роящиеся птицы, вылетали порхающими стаями.

Однажды ему приснилось: он был взрослым, но сидел на земле, как ребенок, перед ним лежала глина, и он лепил из нее фигуры — лошадку, быка, маленького мужчину, маленькую женщину. Ему нравилось лепить, но он делал животным и людям до смешного большие половые органы, во сне это казалось ему очень забавным. Устав от игры, он пошел было дальше и вдруг почувствовал, что сзади что-то ожило, что-то огромное беззвучно приближалось; он оглянулся и с глубоким удивлением и страхом, хотя и не без радости, увидел, что его маленькие глиняные фигурки стали большими и ожили. Огромные безмолвные великаны прошли мимо него, все возрастая; молча шли они дальше в мир, высокие, как башни.

В этом мире грез он жил больше, чем в действительности. Действительный мир — классная комната, монастырский двор, библиотека, дортуар и часовня — был лишь поверхностью, тонкой пульсирующей оболочкой над сверхреальным миром образов, полным грез. Самой малости было достаточно, чтобы пробить эту тонкую оболочку: какого-нибудь необычного звучания греческого слова во время обычного урока, волны аромата трав из сумки патера Ансельма, увлекающегося ботаникой, взгляда на завиток каменного листа, свешивающегося с колонны оконной арки, — этих малых побуждений хватало, чтобы за безмятежной действительностью без прикрас отверзлись ревущие бездны, потоки и млечные пути мира душевных образов. Латинский инициал становился благоухающим лицом матери, протяжные звуки «Аве Мария» — вратами рая, греческая буква — несущимся конем, приподнявшейся было змеей, спокойно скользившей меж цветов, и вот уже опять вместо них застывшая страница грамматики.

Редко говорил он об этом, лишь изредка намекал Нарциссу на существование этого мира грез.

— Я думаю, — сказал он однажды, — что лепесток цветка или червяк на дороге говорят и содержат много больше, чем книги целой библиотеки. Буквами и словами ничего нельзя сказать. Иногда я пишу какую-нибудь греческую букву, тету или омегу, поверну чуть-чуть перо, и вот буква уже виляет хвостом, как рыба, и в одну секунду напомнит о всех ручьях и потоках мира, о прохладе и влаге, об океанах Гомера и о водах, по которым пытался идти Петр, или же буква становится птицей, выставляет хвост, топорщит перья, раздувается, смеясь, улетает. Ну как, Нарцисс, ты, верно, не очень-то высокого мнения о таких буквах? Но говорю тебе: ими писал мир Бог.

— Я высокого мнения о них, — сказал Нарцисс печально. — Это волшебные буквы, ими можно изгнать всех бесов. Правда, для занятий науками они не годятся. Дух любит твердое, оформленное, он хочет полагаться на свои знаки, он любит сущее, а не становящееся, действительное, а не возможное. Он не терпит, чтобы омега становилась змеей и птицей. В природе Дух не может жить, только *вопреки* ей, только как ее противоположность. Теперь ты веришь мне, Гольдмунд, что никогда не будешь ученым?

О да, Гольдмунд поверил этому давно, он был с этим согласен.

— Я больше не одержим стремлением к вашему Духу, — сказал он посмеиваясь. — С Духом и с ученостью дело обстоит так же, как с моим отцом: мне казалось, что я очень люблю его и похож на него, я свято верил всем его речам. Но едва вернулась мать, я узнал, что такое любовь, и рядом с ее образом отец вдруг стал незначительным и безрадостным, почти отвратительным. И теперь я склонен считать все духовное отцовским, нематеринским, враждебным материнскому началу и недостойным высокой оценки.

Он говорил шутя, но ему не удалось развеселить друга, убрать печаль с его лица. Нарцисс молча взглянул на него, в его взгляде была ласка. Потом он сказал:

— Я прекрасно понимаю тебя. Теперь нам нечего больше спорить: ты пробудился и теперь уже знаешь разницу между собой и мной, разницу между материнским и отцовским началом, между душой и Духом. А скоро, по-видимому, узнаешь и то, что твоя жизнь в монастыре и твое стремление к монашеству были заблуждением, измышлением твоего отца, который хотел этим смыть грех с памяти о матери, а может быть, всего лишь отомстить ей. Или ты все еще думаешь, что предназначен всю жизнь оставаться в монастыре?

Задумчиво рассматривал Гольдмунд руки своего друга, эти благородные, строгие и вместе с тем нежные, худые белые руки. Никто бы не усомнился, что это руки аскета и ученого.

— Не знаю, — сказал Гольдмунд певучим, несколько неуверенным голосом, растягивая каждый звук, как привык говорить с некоторых пор. — Я в самом деле не знаю. Ты довольно строго судишь о моем отце. Ему ведь было нелегко. А может, ты и прав. Вот уже три года, как я учусь здесь, а он ни разу не навестил меня. Он надеется, что я навсегда останусь здесь. Может быть, это было бы лучше всего, я ведь и сам всегда этого хотел. Но теперь я не знаю, чего хочу. Раньше все было просто, просто, как буквы в учебнике. Теперь все не просто, даже буквы. Все стало многозначно и многолико. Не знаю, что из меня выйдет, теперь я не могу думать об этих вещах.

— Ты и не должен, — сказал Нарцисс. — Время покажет, куда ведет твой путь. Начался он с того, что привел тебя обратно к матери, и еще больше приблизит к ней. Что касается твоего отца, я не сужу его слишком строго. А хотел бы ты вернуться к нему?

— Нет, Нарцисс, конечно, нет. Иначе я сделал бы это сразу по окончании школы или уже сейчас. Ведь раз я не буду ученым, то хватит с меня того, что я знаю из латыни, греческого и математики. Нет, к отцу я не хочу... — Он задумчиво смотрел перед собой и вдруг воскликнул: — Но как это у тебя получается, ты все время говоришь мне слова и ставишь вопросы, которые прямотаки пронзают меня и проясняют мне меня самого? Вот и теперь твой вопрос, хочу ли я вернуться к отцу, сразу показал мне, что я не хочу этого. Как ты это делаешь? Кажется, что ты все знаешь. Ты говорил мне кое-что о себе и обо мне, поначалу я не очень-то и понимал это, а потом оно стало таким важным для меня! Ты первый определил материнские истоки во мне, именно ты понял, что я был под чарами и забыл свое детство! Откуда ты так хорошо знаешь людей? Нельзя ли и мне научиться этому?

Нарцисс улыбаясь покачал головой:

— Нет, мой милый, у тебя это не получится. Есть люди, которые многому могут научиться, но ты не из их числа. Ты никогда не будешь учащимся. Да и зачем? Тебе это не нужно. У тебя другие дарования. У тебя больше дарований, чем у меня. Ты богаче меня, но и слабее, твой путь будет лучше и труднее, чем мой. Иногда ты не хотел меня понять, часто вставал на дыбы, как жеребенок, не всегда бывало легко, и часто я вынужден был делать тебе больно. Я должен был тебя пробудить, ты ведь спал. Даже мое напоминание тебе о матери поначалу причинило тебе боль, сильную боль, ты лежал как мертвый на галерее, где тебя нашли. Но так должно было быть... Нет, не гладь меня по голове! Нет, оставь. Я этого не люблю.

— И учиться мне нечему? Я навсегда останусь глупым ребенком?

— Найдутся другие, у которых ты будешь учиться. С тем, чему ты мог научиться у меня, малыш, покончено.

— О нет, — воскликнул Гольдмунд, — мы не для этого стали друзьями! Что же это за дружба, которая достигает цели за короткое время, а затем прекращается! Или я тебе надоел? Опротивел?

Нарцисс, опустив голову, быстро ходил взад и вперед, потом остановился перед другом.

— Оставь, — сказал он мягко, — ты прекрасно знаешь, что не противен мне.

С сомнением глядел он на Гольдмунда, потом опять принялся ходить взад и вперед, еще раз остановился; с худого сурового лица на Гольдмунда твердо смотрели глаза друга. Тихим голосом, но твердо и сурово он сказал:

— Послушай, Гольдмунд! Наша дружба была хорошей, у нее была цель, и она достигнута: ты пробудился. Надеюсь, она не кончена, надеюсь, она возобновится и приведет к новым целям. Но сегодня цели нет. Твоя — неопределенна, и я не могу ни вести тебя, ни сопровождать. Спроси свою мать, спроси ее образ, слушайся ее! Моя же цель определенней, она здесь, в монастыре, она требует меня каждый час. Я смею быть твоим другом, но я не смею быть влюбленным. Я — монах, я дал обет. Перед рукоположением я намерен получить отпуск от учительства и посвятить несколько недель посту и духовным упражнениям. В это время я не смогу говорить ни о чем мирском, и с тобой тоже.

Гольдмунд понял. Печально сказал он:

— Итак, ты будешь делать то, что делал бы и я, если бы вступил в Орден. А когда закончишь подготовку, когда будет достаточно постов, и молитв, и бодрствований, что тогда станет твоей целью?

— Ты же знаешь, — сказал Нарцисс.

— Ну да. Через несколько лет станешь первым учителем, возможно, даже управляющим школой. Будешь совершенствовать преподавание, увеличивать библиотеку. Может быть, сам станешь писать книги. Не так ли? Но в чем же будет цель?

Нарцисс слабо улыбнулся:

— Цель? Может, я умру управляющим школой, или настоятелем, или епископом. Все равно. Цель же — всегда быть там, где я смогу служить наилучшим образом, где мой характер, мои качества и дарования найдут наилучшую почву, наибольшее воздействие. Другой цели нет.

Гольдмунд. Никакой другой цели для монаха?

Нарцисс. О да, целей предостаточно. Жизненной целью для монаха может быть изучение древнееврейского, комментирование Аристотеля или роспись монастырской церкви, затворничество и медитирование или сотни других вещей. Для меня это не цели. Я не желаю ни умножать богатство монастыря, ни реформировать Орден или церковь. Я желаю по мере моих сил служить Духу, как я его понимаю. Разве это не цель?

Долго обдумывал ответ Гольдмунд.

— Ты прав, — сказал он. — Я очень помешал тебе на пути к твоей цели?

— Помешал? О Гольдмунд, никто не помог мне больше, чем ты. У меня были трудности с тобой, но я не противник трудностей. Я учился на них, я их почти преодолел.

Гольдмунд перебил его, сказав полушутя:

— Да, ты их великолепно преодолел! Но скажи-ка, когда ты помогал мне, руководил мной и освобождал мою душу, ты действительно тем самым служил Духу? А может, ты этим отнял у монастыря ревностного и добронравного послушника и воспитал противника Духа, кого-то, кто будет помышлять о противоположном тому, что ты считаешь добрым, будет к этому стремиться, этого добиваться!

— Почему бы и нет? — ответил Нарцисс весьма серьезно. — Мой друг, ты все еще плохо знаешь меня! Я, по-видимому, погубил в тебе монаха, зато я открыл тебе путь к необычной судьбе. Даже если ты завтра спалишь наш милый монастырь или объявишь какую-нибудь безумную ересь, я никогда не раскаюсь в том, что помог тебе встать на этот путь. — Он ласково положил обе руки другу на плечи. — Видишь ли, мой маленький Гольдмунд, в мои цели входит также вот что: будь я учитель или настоятель, духовник или что угодно, никогда не захочу оказаться в таком положении, когда, встретив сильного, одаренного и особенного человека, я его не пойму, не помогу ему, не дам раскрыться. И скажу тебе:

что бы ни вышло из тебя и меня, как бы ни сложились наши судьбы, когда бы ты ни позвал меня, потому что я буду тебе нужен, я всегда отзовусь. Всегда!

Слова эти звучали как прощальные и действительно ознаменовали приближение прощания. Стоя перед другом, смотря в его решительное лицо, видя его целеустремленный взгляд, Гольдмунд окончательно понял, что теперь они больше не братья и товарищи, что пути их уже разошлись. Тот, кто стоял перед ним, не был мечтателем и не ждал каких-то зовов судьбы: он был монахом, отдал себя в распоряжение твердого порядка и долга, был слугой и солдатом Ордена, церкви, Духа. Сам же он, сегодня это стало ясно ему, не принадлежал к этому миру, он был без родины, его ждала неизвестность. То же самое случилось когда-то с его матерью. Она оставила дом и хозяйство, мужа и ребенка, общество и порядок, долг и честь и ушла в неизвестное, видимо, там давно и погибла. У нее не было цели, как и у него. Иметь цели — это дано другим, не ему. О, как хорошо все это уже давно увидел Нарцисс, как он был прав!

Вскоре после этого дня Нарцисс как бы исчез, будто стал вдруг невидим. Другой учитель вел его уроки, его место в библиотеке пустовало. Он еще был здесь, не полностью стал незрим, иногда можно было видеть, как он проходит по галерее, иногда слышать, как шепчет молитвы в одной из часовен, стоя на коленях на каменном полу; знали, что он начал готовиться к постригу, что он постится и по три раза в ночь встает читать молитвы. Он был еще здесь и все-таки перешел в другой мир; его можно было, хотя и редко, видеть, но он был недосягаем, с ним нельзя было общаться, говорить. Гольдмунд знал, Нарцисс появится опять, займет свое место в библиотеке, в трапезной, с ним снова можно будет поговорить, но прошлого не вернешь: Нарцисс никогда не будет принадлежать ему. И когда он думал об этом, он понимал, что только благодаря Нарциссу, и никому другому, ему пришлись по душе и стали важны монастырь и монашество, грамматика и логика, учение и Дух. Его пример манил Гольдмунда, быть таким, как Нарцисс, стало его идеалом. Правда, был еще настоятель, его он тоже почитал и любил и видел в нем высокий образец. Другие же — учителя, ученики, как и все остальное — дортуар, трапезная, школа, уроки, службы, весь монастырь, — без Нарцисса его не занимали. Что же он еще делал здесь? Он ждал, он стоял под кровлей монастыря, словно растерявшийся спутник, который в дождь остановился под крышей какого-то дома или под деревом, просто чтобы переждать, просто как гость, просто из страха перед суровой неизвестностью.

Жизнь Гольдмунда в это время была лишь промедлением и прощанием. Он посетил все места, которые были ему дороги или как-то значимы для него. С необычайным удивлением заметил он, сколь мало людей и лиц было здесь, прощаться с которыми было бы ему тяжело. Нарцисс и старый настоятель Даниил, да еще добрый милый патер Ансельм, да, пожалуй, еще ласковый привратник и жизнерадостный сосед-мельник, но и они стали уже почти нереальны. Труднее было прощаться с большой каменной Мадонной в часовне, с апостолами на портале. Долго стоял он перед ними, а также перед прекрасной резьбой хоров, перед фонтаном в галерее, перед колоннами с тремя головами животных, прислонился к липам во дворе, к каштану. Когда-нибудь все это станет воспоминанием, маленькой книжицей с картинками в его сердце. Даже теперь, когда он был среди них, они начинали ускользать от него, уходя от действительности, превращаясь во что-то бывшее. С патером Ансельмом, который охотно брал его с собой, он ходил собирать травы, у мельника присматривал за работниками и время от времени получал приглашение разделить с ним трапезу с печеной рыбой и вином; но все это было уже чужим и наполовину стало воспоминанием. Как его друг Нарцисс, иногда, правда, попадавшийся в сумраке церкви и исповедальни, стал для него тенью, так и все вокруг было лишено действительности, дышало осенью и переменчивостью.

Действительной и живой была только жизнь внутри, робкое биение сердца, болезненное жало мучительного ожидания, радости и страхи его грез. Им он принадлежал, отдаваясь целиком. Во время чтения или занятий, в кругу товарищей он мог погрузиться в себя и все забыть, отдаваясь потокам и голосам внутри, увлекавшим его в глубины, полные темных мелодий, в цветные бездны, исполненные сказочных переживаний, все звуки которых звучали как голос матери и тысячи глаз которых были глазами матери.

Глава шестая

Как-то патер Ансельм позвал Гольдмунда в свою аптеку, уютное, чудно пахнущее травами помещение. Гольдмунду здесь все было знакомо. Патер показал ему какое-то засушенное растение, аккуратно упрятанное между чистыми листами бумаги, и спросил, знакомо ли ему это растение и может ли он точно описать, как оно выглядит в поле. Да, это Гольдмунд мог: растение называлось зверобой. Он точно описал все его приметы. Старый монах был доволен и дал своему юному другу задание набрать после обеда побольше этих растений, подсказав, где их лучше найти.

— Из-за этого задания ты будешь свободен от послеобеденных занятий, дорогой, надеюсь, ты не против. К тому же ты ничего не теряешь. Ведь знание природы — это тоже наука, не только ваша дурацкая грамматика.

Гольдмунд поблагодарил за весьма приятное поручение собирать несколько часов цветы, вместо того чтобы сидеть в школе. Для полноты радости он попросил у шталмейстера своего коня и сразу после обеда вывел из конюшни Блесса, который его бурно приветствовал, вскочил на него и, очень довольный, пустился рысью в теплую сияющую даль. Часок-другой он скакал в свое удовольствие, наслаждаясь воздухом и благоуханием полей, а больше всего скачкой, потом вспомнил о задании и нашел одно из мест, описанных патером. Тут он привязал лошадь под тенистым кленом, поболтал с ней, дав хлеба, и отправился на поиски цветов. Перед ним лежало несколько наделов невозделанной пашни, бурно заросших всякого рода сорной травой; мелкие, жалкие маки с последними бледными цветами и уже зрелыми семенными коробочками поднимались среди засохшей повилики, и небесно-голубых цветов цикория, и поблекшей гречихи, несколько брошенных в кучу камней, разделявших поля, были заселены ящерицами, а вот, наконец, и первые кустики зверобоя, и Гольдмунд принялся собирать их. Собрав изрядную охапку, он присел на камни отдохнуть. Было жарко, и он вожделенно поглядывал на густую сень далекой лесной опушки, но так далеко ему не хотелось уходить от лошади, которую отсюда еще было видно. Он остался сидеть на теплых булыжниках, притаившись, чтобы выманить обратно спрятавшихся было ящериц, нюхал зверобой, держа его маленькие кисточки на свет, чтобы разглядеть сотни крохотных проколов иголочек.

Удивительно, думал он, на каждом из тысячи маленьких лепесточков выколото крохотное звездное небо, тонко, как будто это шитье. Удивительно и непостижимо, впрочем, все: ящерицы, растения, даже камни, вообще все. Патер Ансельм, который так любит его, уже не может сам собирать зверобой: с ногами плохо, а в некоторые дни он и совсем не двигается, а собственное врачевание не помогает. Возможно, он скоро умрет, а травы в аптеке будут продолжать благоухать, хотя старого патера уже не будет в живых. А может быть, он проживет еще долго, лет десять или двадцать, и у него будут все такие же белые редкие волосы и те же веселые лучики морщин возле глаз; что будет с ним, с самим Гольдмундом, через двадцать лет? Ах, все было непонятно и, в сущности, печально, хотя и прекрасно. Ничего не известно. Вот живешь и бродишь по земле или скачешь по лесам, и что-то смотрит на тебя так требовательно и обещающе, пробуждая тоску ожидания: вечерняя звезда, голубой колокольчик, заросшее зеленым тростником озеро, взгляд человека или коровы, а иногда кажется, вот сейчас произойдет что-то невиданное, но давно чаемое, со всего упадет завеса; но время идет, и ничего не происходит, и загадка не решена, и тайные чары не развеяны, и вот наконец приходит к тебе старость, и ты выглядишь таким хитроватым, как патер Ансельм, или таким мудрым, как настоятель Даниил, а все еще ничего не знаешь, но ждешь и прислушиваешься.

Он поднял пустую раковину улитки, позвякивавшую от соприкосновения с камнями и теплую от солнца.

Погруженный в размышления, рассматривал витки раковины: спираль с насечками, изобретательно уменьшавшуюся к концу, пустой зев, блестевший перламутром. Он закрыл глаза, чтобы почувствовать форму чуткими пальцами, это была его старая привычка и игра. Вращая раковину легкими пальцами, ласково поглаживал ее без нажима, поражаясь чуду формы, волшебству телесного. Вот в чем, думал он мечтательно, был один из недостатков школы и учености; видеть и представлять все так, как будто оно плоское и имеет лишь два измерения. В этом, казалось ему, заключается неполноценность рассудочного подхода, но он был уже не в состоянии удержать мысль, раковина выскользнула из его пальцев, он почувствовал себя усталым и сонным. Положив на колени свои травы, которые, увядая, пахли все сильнее и сильнее, он заснул на солнце. По его башмакам бегали ящерицы, на коленях увядали травы, под кленом с нетерпением ждал Блесс.

От далекого леса кто-то приближался к нему. Молодая женщина в выцветшей голубой юбке, с красным платком, повязанным поверх черных волос, с загоревшим от лучей летнего солнца лицом. Женщина подошла ближе, держа в руках узелок, а во рту — маленькую ярко-красную гвоздику. Она увидела сидящего Гольдмунда, долго разглядывала его издали с любопытством и в то же время подозрительно, но, заметив, что он спит, подошла ближе, осторожно ступая босыми загорелыми ногами, остановилась прямо перед Гольдмундом и посмотрела на него. Ее подозрительность исчезла: красивый спящий юноша был, видимо, не опасен, он очень понравился ей. Как попал он сюда, на невозделанные поля? Он собирал цветы, заметила женщина с улыбкой, они уже завяли.

Гольдмунд открыл глаза, возвращаясь из дебрей сна. Его голова лежала на чем-то мягком. Это были колени женщины, в его заспанные удивленные глаза смотрели чужие карие. Они были близко, от них веяло теплом. Он не испугался: опасности не было, теплые карие звезды светились приветливо. Вот женщина улыбнулась в ответ на его удивленный взгляд, улыбнулась очень приветливо, и он тоже стал медленно улыбаться. На его улыбающиеся губы опустился ее рот, они поздоровались этим нежным поцелуем, при котором Гольдмунду сразу же вспомнился тот вечер в деревне и маленькая девушка с косами. Но поцелуй был еще не кончен. Рот женщины задержался на его губах, продолжая игру, дразнил и манил, схватил их наконец с силой и жадностью, волнуя кровь и будоража до самой глубины, и в долгой молчаливой игре, едва заметно наставляя, женщина отдавалась мальчику, позволяя искать и находить, воспламеняя его и утоляя пыл. Дивное короткое блаженство любви охватило его, вспыхнуло золотым пламенем, пошло на убыль и погасло. Он лежал с закрытыми глазами на груди женщины. Не было сказано ни слова. Женщина лежала тихо, нежно гладя его по голове, помогая ему постепенно приходить в себя. Наконец он открыл глаза.

— Послушай, — проговорил он. — Кто ты?

— Я — Лизе, — ответила она.

— Лизе, — повторил он, как бы пробуя это имя на вкус. — Лизе, ты — прелесть.

Она прошептала ему в самое ухо:

— У тебя это было в первый раз? Ты никого еще не любил до меня?

Он покачал головой. Потом быстро встал и посмотрел вокруг, на поле, на небо.

— О! — воскликнул он. — Солнце-то уже совсем село. Мне надо возвращаться.

— Куда же это?

— В монастырь, к патеру Ансельму.

— В Мариабронн? Ты оттуда? А не хочешь еще побыть со мной?

— Очень хочу.

— Так останься!

— Нет, нельзя. Мне надо еще набрать травы.

— Ты что же, монастырский?

— Да, я учусь. Но я не останусь там. Можно мне будет прийти к тебе, Лизе? Где ты живешь, где твой дом?

— Я нигде не живу, дорогой. Но скажи мне твое имя. Значит, тебя зовут Гольдмунд? Поцелуй меня еще раз, милый Гольдмунд, тогда можешь идти.

— Ты нигде не живешь? Где же ты спишь?

— Если захочешь, буду спать с тобой в лесу или на сеновале. Придешь сегодня ночью?

— О да! Куда? Где мне найти тебя?

— Умеешь кричать как сова?

— Никогда не пробовал.

— Попробуй.

Он попробовал. Она засмеялась и осталась довольна.

— Тогда выходи ночью из монастыря и покричи, я буду поблизости. Так я нравлюсь тебе, Гольдмунд, дитя мое?

— Ах, ты мне очень нравишься, Лизе. Я приду. Храни тебя Бог, а теперь я должен спешить.

На взмыленном коне в сумерки Гольдмунд вернулся в монастырь и был рад, что патер Ансельм очень занят: купаясь в ручье, кто-то из братьев поранил ногу осколком.

Теперь нужно было разыскать Нарцисса. Он спросил о нем у одного из прислуживающих братьев в трапезной. Нет, Нарцисс не придет на вечернюю трапезу, у него пост, и сейчас он, по-видимому, спит, потому что по ночам читает часослов. Гольдмунд бросился туда, где спал его друг во время подготовки к постригу. Это была одна из келий для кающихся во внутреннем монастыре. Не раздумывая, он вбежал внутрь, прислушался у двери: ничего не было слышно. Он тихо вошел. То, что это было строго запрещено, сейчас не имело значения.

На узкой постели лежал Нарцисс, в сумерках он был похож на мертвеца, настолько неподвижно, скрестив руки на груди, лежал он на спине с бледным, заострившимся лицом. Но глаза его были открыты: он не спал. Молча и без упрека смотрел он на Гольдмунда, лежа неподвижно, отрешенно, настолько уйдя в иное время и иной мир, что лишь с трудом узнавал друга и понимал его слова.

— Нарцисс! Прости, прости, милый, что мешаю тебе, но я делаю это не из озорства. Я знаю, что ты сейчас не смеешь со мной говорить, но сделай это, очень прошу тебя.

Нарцисс пришел в себя и стал усиленно моргать глазами, словно пытаясь пробудиться ото сна.

— Это необходимо? — спросил он угасшим голосом.

— Да, это необходимо. Я пришел попрощаться с тобой.

— Тогда это необходимо. Ты не пришел бы зря. Проходи, сядь ко мне. Четверть часа у меня есть до начала первого бдения.

Он поднялся и сел на голой постели. Сейчас особенно бросалась в глаза его худоба. Гольдмунд сел рядом.

— Только извини! — сказал он, чувствуя себя виноватым.

Келья, голая постель, невыспавшееся, переутомленное лицо Нарцисса, его почти полностью отсутствующий взгляд — все свидетельствовало о том, что он, Гольдмунд, здесь лишний.

— Извинения тут ни к чему. Не беспокойся обо мне, я здоров. Ты говоришь, что хочешь попрощаться? Ты уходишь?

— Я уйду сегодня же. Ах, не могу тебе рассказать! Все вдруг решилось!

— Твой отец приехал или ты получил известие от него?

— Нет, ничего. Сама жизнь пришла ко мне. Я ухожу, без отца, без разрешения. Я опозорю тебя, друг, я убегу.

Нарцисс посмотрел на свои длинные белые пальцы: тонкие, как у призрака, они выглядывали из рукавов рясы. Не на строгом, смертельно усталом его лице, но в голосе послышалась улыбка, когда он сказал:

— У нас очень мало времени, милый. Скажи только самое необходимое, коротко и ясно. Или, может быть, мне сказать, что с тобой произошло?

— Скажи, — попросил Гольдмунд.

— Ты влюбился, милый мальчик, ты познал женщину.

— Как это ты опять все узнал?

— Глядя на тебя, это сделать нетрудно. Твое состояние, дружок, имеет все признаки того вида опьянения, который называется влюбленностью. Ну так продолжай, пожалуйста.

Гольдмунд робко положил руку на плечо друга:

— Ты уже сказал. Но на этот раз нехорошо сказал, Нарцисс, неправильно. Это было совсем иначе. Я был далеко в поле и заснул на жаре, а когда проснулся, моя голова лежала на коленях прекрасной женщины, и я сразу почувствовал, что вот пришла моя мать, чтобы взять меня к себе. Не то чтобы я принял эту женщину за свою мать, нет, у этой темные карие глаза, черные волосы, а моя мать была белокурая, как я, она выглядела совсем иначе. И все-таки это была она, это был ее зов. Это была весть от нее. Как будто из грез моего собственного сердца явилась вдруг прекрасная чужая женщина, она держала мою голову у себя на коленях и улыбалась мне, как цветок, и была мила со мной: при первом же поцелуе я почувствовал, будто что-то тает во мне и причиняет сладкую боль. Вся тоска, какую я когда-либо чувствовал, все мечты, все сладостное ожидание, все тайны, спавшие во мне, проснулись, все преобразилось, лишилось чар, все получило смысл. Она показала мне, что такое женщина с ее тайной. За полчаса она сделала меня старше на несколько лет. Я теперь многое знаю. И вот что я узнал также совсем неожиданно: что не должен оставаться здесь ни одного дня. Я уйду, как только настанет ночь.

Нарцисс слушал и кивал головой.

— Это произошло неожиданно, — сказал он, — но это примерно то, что я ожидал. Я буду много думать о тебе. Мне будет тебя недоставать, друг. Могу я что-нибудь сделать для тебя?

— Если можешь, скажи нашему настоятелю, чтобы он не проклял меня окончательно. Он единственный в монастыре, кроме тебя, чья память обо мне для меня небезразлична. Его и твоя.

— Я знаю... Может, у тебя есть еще просьбы?

— Да, одна просьба. Когда будешь вспоминать меня, помолись обо мне! И... спасибо тебе.

— За что, Гольдмунд?

— За твою дружбу, за твое терпение, за все. И за то, что ты сейчас выслушал меня, хотя это очень трудно для тебя. И за то, что не пытался удержать меня.

— С какой стати мне бы пришло в голову удерживать тебя? Ты же знаешь, что́ я думаю по этому поводу. Но куда же ты пойдешь, Гольдмунд? У тебя есть цель? Ты идешь к той женщине?

— Я иду с ней, да. Цели у меня нет. Она не здешняя, вроде бы бездомная. Может, цыганка.

— Ну хорошо. Но скажи, мой милый, ты знаешь, что твой путь с ней может оказаться очень коротким? Тебе не следует, по-моему, особенно полагаться на нее. Ведь у нее могут быть родственники, может, муж, кто знает, как там примут тебя.

Гольдмунд прильнул к другу.

— Я знаю, — сказал он, — хотя пока еще не думал об этом. Я уже сказал тебе: у меня нет цели. И эта женщина, что была так мила со мной, тоже не моя цель. Я иду к ней, но не ради нее. Я иду, потому что должен, потому что слышу зов.

Он замолчал и вздохнул; они сидели, прислонившись друг к другу, печальные и все-таки счастливые оттого, что чувствовали: дружба их нерушима. Затем Гольдмунд продолжал:

— Ты не думай, что я слеп и наивен. Нет, я иду охотно, потому что чувствую, что так нужно, и потому что сегодня пережил нечто такое прекрасное! Но я не считаю, что меня ждет сплошное счастье и удовольствие. Я знаю, мой путь будет трудным. И все-таки, надеюсь, он будет и прекрасным. Это так дивно: принадлежать женщине, отдаваться ей! Не смейся надо мной, если слова мои звучат глупо. Но, видишь ли, любить женщину отдаваться ей, плотно окутывать ее собою и чувствовать. что и ты окутан ею, это не то же самое, что ты, слегка посмеиваясь, называешь влюбленностью. Здесь нет ничего такого, что можно высмеивать! Для меня это путь к жизни и к смыслу жизни.

Ах, Нарцисс, я должен тебя покинуть. Я люблю тебя, Нарцисс, и спасибо тебе, что пожертвовал для меня сном. Мне тяжело уходить от тебя. Ты меня не забудешь?

— Не рви сердце ни себе, ни мне! Я никогда тебя не забуду. Ты вернешься, я прошу тебя об этом, я буду ждать этого. Если тебе когда-нибудь будет плохо, приходи ко мне или позови меня. Будь здоров, Гольдмунд, помоги тебе Бог!

Он поднялся. Гольдмунд обнял его. Зная, что друг не любит проявлений чувств, он не поцеловал Нарцисса, а только погладил его руки.

Наступила ночь, Нарцисс закрыл за собой келью и пошел к церкви, постукивая сандалиями по каменным плитам. Гольдмунд провожал худую фигуру любящим взглядом, пока она не скрылась в конце перехода, как тень, поглощенная мраком церкви, затребованная молитвами, долгом и добродетелями. О как странно, как бесконечно причудливо и запутанно было все! Как удивительно и страшно было и это: прийти к другу с переполненным сердцем, опьяненным расцветающей любовью, именно тогда, когда медитировал этот изнуренный постом и бдением человек, который пригвоздил свою молодость, свое сердце, свои чувства к кресту, жертвуя ими и подвергая себя испытанию строжайшего послушания, дабы служить только Духу и окончательно стать исполнителем божественного слова! Вот он лежал, смертельно усталый и угасший, с мертвенно-бледным лицом, и все-таки сразу же понял и приветливо встретил влюбленного друга, еще пахнувшего женщиной, выслушал его, пожертвовав скудным отдыхом! Странно и удивительно прекрасно, что есть и такая любовь, самоотверженная, исполненная духовности. Насколько же она была отлична от той, сегодняшней любви на солнечном поле, такой упоительной, безотчетной игры чувств! И все-таки обе они — любовь. Ах, и вот Нарцисс исчез, показав ему, Гольдмунду, в этот последний раз на прощание так ясно, как глубоки различия между ними, как не похожи они друг на друга. Теперь Нарцисс стоит на усталых коленях перед алтарем, подготовленный и просветленный молитвами и созерцанием, поспав и отдохнув лишь два часа, а он убежит отсюда, чтобы где-то под деревьями найти свою Лизе и продолжить с ней те сладостные животные игры! Нарцисс сумел сказать об этом что-то весьма значительное. Но он, Гольдмунд, ведь не Нарцисс. Не его дело рассуждать об этих прекрасных и страшных загадках и хитросплетениях да говорить по этому поводу важные вещи. Его дело идти дальше своей, Гольдмундовой, неопределенной, безрассудной дорогой. Его дело любить молящегося ночью в церкви друга не меньше, чем прекрасную теплую молодую женщину, которая ждет его.

Когда Гольдмунд, взволнованный противоречивыми чувствами, проскользнул под дворовыми липами в поисках выхода у мельницы, он невольно улыбнулся, вспомнив вдруг тот вечер, когда вместе с Конрадом тайно покидал монастырь, чтобы «сходить в деревню». С каким волнением и тайным ужасом участвовал он тогда в этой запретной вылазке, а теперь он уходил навсегда, вступал на еще более запретный и опасный путь и не испытывал страха, забыв о привратнике, настоятеле и учителях!

На этот раз досок у ручья не было и ему пришлось переправляться через него без мостков. Он снял одежду и бросил ее на другой берег, затем перешел голым, по грудь в холодной воде, через глубокий, стремительный ручей.

Пока он одевался на другом берегу, мысли его опять вернулись к Нарциссу. Смущенный, он теперь совершенно ясно видел, что в этот час делает именно то, что тот предугадывал и к чему вел его. Он опять удивительно отчетливо увидел того умного, немного ироничного Нарцисса, который выслушал от него столько глупостей, и того, кто когда-то в важный час, причинив боль, открыл ему глаза. Он отчетливо услышал опять слова, сказанные ему тогда Нарциссом: «Ты спишь на груди матери, я бодрствую в пустыне... твои мечты принадлежат девушкам, мои — юношам».

На какой-то момент его сердце сжалось холодея, страшно одинокий стоял он тут, в ночи. За ним лежал монастырь, мнимая отчизна всего лишь, но все-таки любимая и обжитая.

В то же время, однако, он чувствовал и другое: что теперь Нарцисс уже не был больше его всезнающим руководителем, который увещевал и направлял его. Сегодня, так он чувствовал, он вступает в страну, дорогу к которой нашел в одиночку, в страну, где никакой Нарцисс не сможет им руководить. Он был рад осознавать это; ему было тягостно и постыдно оглядываться на время своей зависимости. Теперь он прозрел, он уже не ребенок и не ученик. Приятно было знать это. И все-таки — как тяжело прощаться! Знать, что он там, в церкви, коленопреклоненный, и не иметь возможности что-то отдать ему, чем-то помочь, быть для него всем. И теперь предстояло на долгое время, возможно, навсегда, расстаться с ним, ничего не знать о нем, не слышать его голоса, не встречаться взглядом с его благородными очами!

Он пересилил себя и пошел по дорожке, выложенной камнями. Отойдя на сотню шагов от монастырских стен, он остановился, глубоко вздохнул и закричал как можно более похоже на сову. Такой же крик ответил ему издали, снизу по ручью.

«Мы прямо как звери кричим друг другу», — подумалось ему, и, вспоминая послеполуденный час любви, он лишь теперь понял, что они с Лизе только в конце свидания, когда уже кончили ласкать друг друга, обменялись словами, да и то немногими и незначительными! Какие же длинные разговоры вел он с Нарциссом! Но теперь, видимо, он вступил в мир, где не говорят, где приманивают друг друга совиными криками, где слова не имеют значения. Он был с этим согласен, сегодня у него уже не было больше потребности в словах или мыслях, а только в Лизе, только в этом бессловесном, слепом, немом неистовстве чувств, в этом томящем растворении в ней.

Лизе была здесь, она уже шла из леса навстречу ему. Он протянул руки, чтобы осязать ее, нежно касался ее головы, волос, шеи и затылка, ее стройного тела и крепких бедер. Обняв ее, он пошел дальше, ничего не говоря, не спрашивая — куда. Уверенно двигалась она в ночном лесу, он с трудом поспевал за ней; казалось, она видит ночью подобно лисе или кунице, идет, ничего не задевая, не спотыкаясь. Он позволил вести себя в ночь, в лес, в слепой, таинственный мир без слов, без мыслей. Он больше не думал ни о покинутом монастыре, ни о Нарциссе.

Не говоря ни слова, прошли они какое-то расстояние по темному лесу, ступая то по мягкому, как подушка, мху, то по твердым ребрам корней; временами меж редких высоких крон над ними виднелось бледное небо, временами было совершенно темно; кустарники били его по лицу, ветки ежевики хватали за одежду. Лизе хорошо знала дорогу и шла вперед, редко останавливаясь и замедляя шаг. Через некоторое время они оказались меж отдельных, далеко отстоящих друг от друга сосен, впереди открывалось бледное ночное небо, лес кончился. Они вышли на луг, сладко запахло сеном. Перешли вброд маленький, бесшумно струящийся ручей, здесь на просторе было еще тише, чем в чаще: ни шумящего кустарника, ни торопливого обитателя ночного леса, ни хруста сухих веток.

У большого вороха сена Лизе остановилась.

— Здесь мы останемся, — сказала она.

Они сели в сено, переводя дыхание и наслаждаясь отдыхом: оба немного устали. Они вытянулись, слушая тишину, и каждый из них чувствовал, как просыхает пот на лбу и постепенно становится прохладным лицо. В приятной усталости Гольдмунд, играя коленями, то поджимал, то снова опускал их, глубоко вдыхая ночь и запах сена и не думая ни о прошлом, ни о будущем. Его только притягивало к себе благоухание и тепло любимой, и, отвечая время от времени ее ласкающим рукам, он с восторгом чувствовал, как загорается она рядом с ним, подвигаясь к нему все ближе и ближе. Нет, здесь не нужны были ни слова, ни мысли. Ясно чувствовал он все, что было важно и прекрасно: силу молодости и простую здоровую красоту женского тела, его теплоту и страсть, явно чувствовалось также, что на этот раз она хочет быть любимой иначе, чем в первый раз, когда сама соблазняла и учила его, теперь она ждала его наступления и страсти. Молча пропуская через себя токи, он чувствовал, счастливый, как в обоих разгорался безмолвный живой огонь, делая их небольшое ложе дышащим и пылающим средоточием всей молчащей ночи.

Когда он склонился над лицом Лизе и начал в темноте целовать ее губы, — ее глаза и лоб вдруг замерцали в нежном свете; он удивленно оглянулся и увидел, что сияние, забрезжив, быстро усиливалось. Обернувшись, он понял, что произошло: над краем черного, далеко протянувшегося леса вставала луна. Дивно струился белый нежный свет по ее лбу и щекам, круглой шее; он тихо и восхищенно проговорил:

— Как ты прекрасна!

Она улыбнулась, как будто получила подарок, он приподнял ее, осторожно снимая с нее одежду, помог ей освободиться от нее, обнаженные плечи и грудь светились в прохладном лунном свете. Глазами и губами следовал он, увлеченный, за нежными тенями, любуясь и целуя; как завороженная, она тихо лежала с опущенным взором и каким-то торжественным выражением, как будто собственная красота в этот момент впервые открылась и ей самой.

Глава седьмая

Между тем как над полями становилось прохладно, а луна с каждым часом поднималась все выше, любящие покоились на мягко освещенном ложе, увлеченные своими играми, вместе засыпали, снова, проснувшись, обращались друг к другу, воспламенялись, снова сплетались воедино, опять засыпали. После последнего объятия они лежали в изнеможении, Лизе — глубоко зарывшись в сено и тяжело дыша, Гольдмунд — на спине, неподвижно уставившись в бледное лунное небо; в душах обоих поднималась печаль, от которой они прятались, уходя в сон. Они спали крепко и обреченно, спали жадно, как будто в последний раз, как будто были приговорены к вечному бодрствованию, а потому должны были за эти часы вобрать в себя весь сон мира.

Проснувшись, Гольдмунд увидел, что Лизе занята своими черными волосами. Он смотрел на нее какое-то время, рассеянный и еще не очнувшийся по-настоящему.

— Ты уже проснулась? — сказал он наконец.

Она повернулась к нему рывком, как будто в испуге.

— Мне нужно идти, — сказала она подавленно и смущенно. — Не хотела тебя будить.

— Ну вот я и проснулся. Нам ведь нужно двигаться дальше? Мы же бездомные?

— Я — да, — сказала Лизе. — А ты ведь живешь в монастыре.

— Я больше не живу в монастыре, я, как и ты, совсем один, и у меня нет никакой цели. Я пойду с тобой, разумеется.

Она посмотрела в сторону:

— Гольдмунд, тебе нельзя со мной. Я должна вернуться к мужу. Он побьет меня за то, что меня не было всю ночь. Скажу, что заблудилась. Но он, конечно, не поверит.

В этот момент Гольдмунд вспомнил, что Нарцисс предсказал ему это. И вот так оно и случилось.

Он встал и взял ее за руку.

— Я просчитался, — сказал он, — думал, мы будем вместе. А ты и вправду хотела оставить меня спящим и уйти не попрощавшись?

— Ах, я думала, ты разозлишься и, пожалуй, побьешь меня. То, что муж меня бьет, это уж так, в порядке вещей. Но получить тумака от тебя мне не хотелось.

Он крепко держал ее за руку.

— Лизе, — сказал он, — я не буду бить тебя ни сегодня, ни когда бы то ни было. Может, тебе лучше пойти со мной, а не оставаться с мужем, который колотит тебя?

Она рванулась, стараясь освободить руку.

— Нет, нет, нет! — закричала она со слезами в голосе.

И так как он почувствовал, что ее сердце рвется от него и что ей милее сносить побои от другого, чем слышать добрые слова от него, он отпустил ее руку, а она начала плакать. Но сразу пустилась бежать. Прикрывая руками мокрые глаза, она убегала прочь. Он не сказал ничего больше и только смотрел ей вслед. Ему было жаль ее. Как торопилась она, убегая по скошенному лугу, влекомая какой-то силой, незнакомой силой, над которой ему следовало поразмыслить! Ему было жаль ее, но и самого себя тоже жаль немного; ему не повезло как будто, одиноко и как-то глупо сидел он, покинутый, отставший. Между тем он все еще чувствовал усталость и хотел спать, никогда еще он не был так утомлен. Будет еще время погоревать. Он опять заснул и пришел в себя, лишь когда ему стало жарко лежать: солнце поднялось высоко.

Теперь он почувствовал себя отдохнувшим, быстро поднялся, сбегал к ручью, умылся и напился. Опять нахлынули воспоминания: из той ночи любви, как аромат диковинных цветков, поднимались картины, приятные, нежные ощущения. Он был погружен в них, перечувствовал, бодро отправляясь в путь, все еще раз, вкушал, вдыхал и осязал все снова и снова. Сколько мечтаний осуществила для него эта чужая смуглая женщина, скольким бутонам дала распуститься, сколько любопытства и тоски утолила и сколько пробудила новой!

А перед ним лежали поле и луг, высохшая пустошь и темный лес, за ним, по-видимому, пойдут усадьбы и мельницы, деревня, город. Впервые мир лежал открытым перед ним, открытым, выжидающим, широким, принимая его, даря ему добро и причиняя боль. Он уже не ученик, что смотрит на мир в окно, его странствие — это уже не прогулка, неизменно кончавшаяся возвращением. Отныне этот огромный мир стал действительностью, он был частью его, в нем была его судьба, под единым небом, в любую погоду. Ничтожно малым был он в этом огромном мире, подобно зайцу или мошке стремился в его зелено-голубую бесконечность. Тут колокол не прозвонит подъем, службу, занятия, обед.

О, как же он был голоден! Полкаравая ячменного хлеба, кружка молока, мучной суп — какие сказочные воспоминания! Его терзал волчий аппетит. Он проходил мимо пашни, колосья наполовину созрели, он вынимал зерна пальцами и зубами, жадно пережевывал эти мелкие скользкие зерна, срывал снова и снова, набивая карманы колосьями. А потом он нашел лесные орехи, еще совсем зеленые, и с удовольствием разгрызал скорлупу; ими он тоже запасся.

Опять начался лес, сосновый вперемежку с дубами и осинами, с множеством черники. Он сделал остановку, поел и освежился. Среди тонкой, жесткой лесной травы поднимались голубые колокольчики, порхали коричневые бабочки и исчезали в капризном неровном полете. В таком лесу жила святая Женевьева, ее житие всегда нравилось ему. О, как охотно он повстречался бы с ней! Или пусть это будет скит со старым бородатым отшельником, живущим где-нибудь в землянке или в шалаше. Возможно, в лесу живут угольщики, он с удовольствием повстречался бы с ними. Пусть будут даже разбойники, они бы ему ничего не сделали. Хорошо бы встретить хоть каких-нибудь людей. Но он, конечно, знал: можно долго идти лесом, сегодня, завтра и еще несколько дней — и не встретить никого. И с этим надо смириться, если так ему предназначено. Не нужно много думать, пусть все идет своим чередом.

Он услышал, как стучит дятел, и стал подкрадываться к нему; он долго напрасно пытался увидеть его, наконец это ему удалось, и он какое-то время наблюдал, как тот, прилепившись к стволу, прилежно постукивал, двигая головкой туда-сюда. Жаль, что с животными не поговоришь! Как было бы здорово окликнуть дятла и сказать ему что-нибудь приветливое, узнать о его жизни на деревьях, о его трудах и радостях. Вот если бы можно было превращаться в животных!

Он припомнил, как иногда в часы досуга рисовал грифелем на доске цветы, листья, деревья, животных, головы людей. Этим он часто подолгу забавлялся, а иногда, подобно маленькому Господу Богу, создавал причудливые вещи: чашечке цветка подрисовывал глаза и рот, из ветки с пучком листьев получались фигуры, дерево увенчивалось головой. Играя в эту игру, он бывал счастлив и очарован, мог совершать волшебные превращения, проводя линии и сам удивляясь, когда из начатой фигуры получался лист дерева, хвост рыбы или лисы, бровь над человеческим глазом. Вот так бы уметь превращаться, подумал он, как тогда, играя линиями на доске! Гольдмунд охотно стал бы дятлом, может, на денек, может, на месяц, — жил бы на вершине дерева, бегал бы высоко по гладким стволам, сильным клювом долбил бы кору, опираясь на перья хвоста, говорил бы на языке дятлов и доставал бы вкусные вещи из коры. Мило и выразительно звучало постукивание дятла по звонкому дереву.

Много животных повстречалось Гольдмунду в пути. Зайцы выскакивали неожиданно из кустарника, когда он подходил близко, пристально смотрели на него, поворачивались и неслись прочь, прижав уши, показывая белое пятнышко под хвостом. На маленькой полянке он нашел змею, она не уползала, это была не живая змея, а только сброшенная кожа; он поднял ее и стал рассматривать: по спине шел красивый серо-коричневый рисунок, солнце просвечивало сквозь тонкую, как паутина, змеиную кожу. Видел он черных дроздов с желтыми клювами, неподвижно смотрели они черными пугливыми бусинками глаз и улетали прочь, держась низко над землей. Много было красногрудок и зябликов. В каком-то месте в лесу встретилась яма, прудок, полный зеленой, густой воды, по которой носились как одержимые, предаваясь какой-то непонятной игре, длинноногие пауки, а над ними летали стрекозы с темно-синими крыльями. А как-то, уже к вечеру, он увидел — вернее, ничего не увидел, кроме движущейся волнующейся листвы, и услышал треск ломающихся ветвей и шум шлепающих комьев сырой земли: какое-то большое, невидимое животное с огромной силой продиралось сквозь густой кустарник, то ли олень, то ли кабан, неизвестно. Долго еще стоял он, когда прошел страх, облегченно переводя дыхание, глубоко взволнованный и с колотящимся сердцем прислушивался, как удаляется зверь, пока наконец все не стихло.

Он так и не выбрался из леса и вынужден был в нем заночевать. Пока он искал место для ночлега и готовил постель из мха, он пытался представить себе, что будет, если он так и не выберется из леса и останется в нем навсегда. И он счел, что это было бы большим несчастьем. Выжить, питаясь ягодами, было в конце концов можно, спать на мху — тоже, кроме того, ему, несомненно, удалось бы построить хижину, может быть, даже развести огонь. Но быть все время одному и жить среди безмолвных, спящих деревьев и зверей, убегающих от тебя, с которыми нельзя поговорить, — это было бы невыносимо печально. Не видеть людей, никому не говорить: «Добрый день!» и «Спокойной ночи!», не иметь возможности посмотреть кому-то в лицо, заглянуть в глаза, не увидеть больше ни одной девушки, ни одной женщины, никогда больше не чувствовать вкус поцелуя, не играть больше в милые тайные игры губ и тела — о, это немыслимо! Если бы такое было ему суждено, подумал он, уж лучше было бы стать животным — медведем или оленем, даже ценою отказа от вечного блаженства. Быть медведем и любить медведицу было бы неплохо, во всяком случае намного лучше, чем, сохранив рассудок и язык, оставаться без любви в печальном одиночестве.

Засыпая на своем ложе из мха, он с любопытством слушал многочисленные непонятные, таинственные ночные звуки леса. Теперь это были его товарищи, с ними он должен жить, к ним привыкать, примеряться и ладить с ними; он принадлежал к лисам и ланям, елям и соснам, с ними будет жить, делить воздух и солнце, ждать наступления дня, с ними голодать, быть у них гостем

Потом он уснул и видел во сне зверей и людей: был медведем, лаская Лизе, съел ее. Среди ночи он в страхе проснулся, не зная почему, на сердце было бесконечно тоскливо, он был подавлен и долго раздумывал. Ему вспомнилось, что вчера и сегодня он заснул, не помолившись. Он поднялся, встал на колени возле своего ложа и дважды прочитал вечернюю молитву — за вчера и за сегодня. Вскоре он снова заснул.

Удивленно огляделся он утром в лесу, забыв, где находится. Страх перед лесом начал проходить, с новой радостью доверялся он лесной жизни, продвигаясь, однако, все дальше и ориентируясь по солнцу. Как-то он попал на совершенно ровное место, почти без кустарника, лес состоял сплошь из старых толстых и прямых пихт; когда он прошел сквозь эти лесные колонны, они напомнили ему колонны большой монастырской церкви, как раз той, в портале которой недавно исчез Нарцисс. Когда же это было? Неужели действительно всего два дня тому назад?

Лишь через двое суток он вышел из леса. С радостью узнавал он признаки близости человека: обработанную землю, полосы пашни, засеянной рожью и овсом, луга, в которых виднелись протоптанные там и сям узкие тропинки. Гольдмунд срывал рожь и жевал, приветливо смотрела на него обработанная земля, после лесной глуши все казалось ему по-человечески общительным — дорожка, овес, выгоревшие до белизны полевые гвоздики. Вот он и пришел к людям. Через час он проходил мимо пашни, на краю которой был сооружен крест, он преклонил колена и помолился у его подножия. Обогнув холм, он вдруг остановился под тенистой липой, услышав прелестную мелодию источника, вода которого падала из деревянной колоды на деревянный желоб, попил вкусной холодной воды и с радостью увидел несколько соломенных крыш, выступавших из-за кустов бузины, ягоды которой уже потемнели. Больше, чем все эти милые знаки, его тронуло мычание коровы: оно звучало для него так отрадно, тепло и уютно, как будто приветствовало его как желанного гостя.

Всматриваясь, он приближался к крестьянскому дому, из которого слышалось мычание коровы. Перед дверью дома в пыли сидел мальчуган с рыжими волосами и светло-голубыми глазами, рядом с ним стоял горшок, полный воды, и из пыли и воды он месил тесто, которым уже были покрыты его голые ноги. Счастливый и серьезный, он разминал грязное мокрое месиво руками, делая из него шарики и помогая при этом себе еще и подбородком.

— Здравствуй, малыш! — сказал Гольдмунд очень приветливо.

Но ребенок, увидев чужого, раскрыл рот, толстая мордашка скривилась, и он с ревом бросился на четвереньках к двери. Гольдмунд последовал за ним и попал в кухню; здесь было так темно, что он, войдя с яркого дневного света, сначала ничего не мог разглядеть. На всякий случай он произнес набожное приветствие, ответа не последовало; но постепенно за криком испуганного ребенка можно было услышать слабый старческий голос, утешавший малыша. Наконец из темноты поднялась и приблизилась маленькая старушка; прикрыв рукою глаза, она взглянула на гостя.

— Мир тебе, матушка, — воскликнул Гольдмунд, — и благословение всех святых доброму лицу твоему! Вот уже три дня, как я не видел лица человеческого.

Бессмысленно смотрела на него старуха дальнозоркими глазами.

— Чего ты хочешь-то? — спросила она неуверенно.

Гольдмунд подал ей руку и слегка погладил по ее руке.

— Хочу пожелать тебе здравия, бабушка, немного отдохнуть и помочь тебе развести огонь. Не откажусь, если дашь кусок хлеба, но это не к спеху.

Он увидел у стены грубо сколоченную скамью и сел на нее, а старуха тем временем отрезала мальчику кусок хлеба; тот с напряженным любопытством, но все еще готовый в любой момент расплакаться и убежать, уставился на незнакомца. Старуха отрезала от каравая еще один ломоть и подала Гольдмунду.

— Спасибо, — сказал он, — да вознаградит тебя за это Господь!

— Живот-то пустой? — спросила женщина.

— Не совсем, в нем изрядно черники.

— Ну так ешь! Откуда идешь-то?

— Из Мариабронна, из монастыря.

— Поп?

— Нет. Ученик. Странствую.

Она смотрела на него полунасмешливо, полубессмысленно, слегка покачивая головой на худой морщинистой шее. Пока он жевал хлеб, она отнесла малыша опять на солнце. Потом вернулась и с любопытством спросила:

— Что нового?

— Немного. Знаешь патера Ансельма?

— Нет. Что с ним?

— Болен.

— Болен? Помирает?

— Не знаю. Ноги больные. Не может ходить.

— Должно, помирает?

— Да не знаю. Может быть.

— Ну пусть помирает спокойно. Мне надо варить суп. Помоги-ка мне наколоть лучины.

Она дала ему еловое полено, хорошо высушенное у очага, и нож. Он наколол лучины сколько было нужно и смотрел, как она сунула ее в золу и, наклонившись, суетливо дула, пока та не загорелась. В точном, одном ей известном порядке она сложила еловые и буковые поленья; ярко вспыхнул огонь в открытом очаге, она подвинула к пламени большой черный котел, свисавший из дымохода на закопченной цепи.

По ее приказанию Гольдмунд принес воды из источника, снял сливки с молока в миске, сидел в дымном сумраке, смотря на игру пламени и на то появлявшееся в красных отблесках, то ичезавшее худое сморщенное лицо старухи; он слышал, как рядом за дощатой стеной ворочается у ясель корова. Ему очень нравилось здесь. Липа, источник, пылающий огонь под котлом, пофыркивание жующей коровы и ее глухие удары в стену, полутемное помещение со столом и скамьей, возня маленькой седой женщины — все это было прекрасно, пахло пищей и миром, человеком и теплом, домом. Было еще и две козы, а от старухи он узнал, что сзади еще находился свинарник и что старуха — бабка крестьянина и прабабка мальчика. Его звали Куно, он заходил время от времени, не говоря ни слова и поглядывая несколько пугливо, но и не плача.

Пришел крестьянин с женой, они были очень удивлены, встретив в доме чужого. Крестьянин начал было ругаться, недоверчиво потащил юношу за рукав к двери, чтобы при свете дня разглядеть его лицо, но потом засмеялся, похлопал его по плечу и пригласил к столу Они уселись, и каждый макал свой хлеб в общую миску с молоком, пока не осталось его лишь на дне и крестьянин не допил его до конца.

Гольдмунд спросил у крестьянина, нельзя ли ему остаться до завтра, переночевав под крышей их дома. Нет, ответил тот, для этого здесь слишком тесно, но за домом ведь достаточно сена, там он и найдет место для ночевки.

Крестьянка держала малыша при себе, она не принимала участия в разговоре, но во время еды ее любопытные глаза не отрывались от юного незнакомца. Его локоны и взгляд сразу произвели на нее впечатление, потом она с удовольствием рассматривала и его красивую белую шею, благородные белые руки и их свободные красивые движения. Статный и благородный был этот незнакомец и такой молодой! Но что ее больше всего привлекало и во что она прямо-таки влюбилась, так это его голос, такой таинственно поющий, излучающий тепло, нежно призывный голос молодого мужчины, звучавший как ласка. Век бы слушала она этот голос!

После еды у хозяина были еще дела в хлеву; Гольдмунд вышел из дома, вымыл руки у источника и присел на низкий его край, наслаждаясь прохладой и слушая журчание воды. Он сидел в нерешительности: здесь ему уже нечего было ждать и все-таки было жаль, что приходится опять уходить. Но вот из дома вышла хозяйка с ведром в руке, она поставила его и наполнила водой. Вполголоса она сказала:

— Послушай-ка, если сегодня вечером ты будешь еще неподалеку, я принесу тебе поесть. Там, за ячменным полем, лежит сено, его уберут только завтра. Будешь там?

Он посмотрел на ее веснушчатое лицо, на сильные руки, отодвинувшие ведро; тепло глядели ее светлые большие глаза. Он улыбнулся ей и кивнул, она ушла с полным ведром и скрылась в темноте за дверью. Он сидел, благодарный и очень довольный, слушая бегущую воду. Немного позже он вошел в дом, нашел хозяина, подал руку ему и его бабушке и поблагодарил. Пахло огнем, копотью и молоком. Только что эта хижина была кровом и домом, и вот она опять чужая. Попрощавшись, он вышел.

За крестьянским домом он нашел часовню и рядом с ней красивую рощу, группу старых крепких дубов с короткой травой под ними. Здесь в тени он остался, прогуливаясь взад и вперед меж толстых стволов. Странно, подумал он, получается с женщинами и с любовью: им действительно не нужны слова. Несколько слов понадобилось женщине, только чтобы назначить свидание, все остальное было сказано без слов. И как же? Глазами, да, и определенным звучанием немного охрипшего голоса, и еще чем-то, пожалуй запахом, нежным, легким излучением кожи, по которому мужчина и женщина определяют влечение друг к другу. Поразительно, как деликатен этот тайный язык и как быстро он его усвоил! Он радовался вечеру, был полон любопытства: хотелось знать, какой же будет эта высокая белокурая женщина, как она будет смотреть, двигаться, целовать — конечно, совсем по-другому, чем Лизе. Где-то она теперь, Лизе, с ее черными прямыми волосами, смуглой кожей, короткими вздохами? Побил ее муж? Думает ли она еще о нем, Гольдмунде? Или нашла нового возлюбленного, как он сегодня нашел новую женщину? Как быстро все неслось дальше, сколько всюду счастья на пути, как все прекрасно и горячо и как удивительно преходяще! Этот грех, это прелюбодеяние! Еще недавно он скорее дал бы себя убить, чем так согрешить. И вот он ждет уже вторую женщину, а его совесть спокойно молчит. То есть спокойной она, пожалуй, не была, но не прелюбодеяние и сладострастие тревожили и обременяли иногда его совесть. Это было что-то другое, он не знал, как оно именуется. Это было чувство вины, не благоприобретенное, а врожденное. Может быть, это было то, что в теологии называется первородным грехом? Пусть будет так. Да, жизнь сама несла в себе что-то вроде вины, а иначе зачем такому чистому и знающему человеку, как Нарцисс, пришлось подвергать себя покаянию, словно он преступник? Или почему он, Гольдмунд, сам чувствовал где-то в глубине эту вину? Разве он не счастлив? Разве не молод, не здоров, разве не свободен как птица? Разве не любим женщинами? Разве не прекрасно сознавать, что он, любящий, может передавать женщине то же чувство любви, которое испытывает сам? Почему же все-таки он не был счастлив целиком и полностью? Почему в его молодое счастье, да и в добродетель и мудрость Нарцисса иногда проникала эта странная боль, этот тихий страх, эта жалоба на бренность? Почему он столько размышляет об этом подчас, хотя знает, что не мыслитель?

И все-таки жизнь была прекрасна. Он сорвал в траве небольшой фиолетовый цветок, поднес его близко к глазам, заглянул в маленький узкий венчик — там расходились жилки и пульсировали крошечные тонкие, как волоски, органы; как во чреве женщины или в мозгу мыслителя, билась там жизнь, дрожало желание. О, почему мы совершенно ничего не знаем? Почему не можем поговорить с этим цветком? Да даже двое людей не всегда могут по-настоящему поговорить друг с другом, для этого нужен счастливый случай, особая дружба и готовность. Нет, это счастье, что любовь не нуждается в словах, иначе она была бы полна недоразумений и глупости. Ах, глаза Лизе, полузакрытые от избытка блаженства и едва мерцающие сквозь дрожащие веки — десятью тысячами ученых или поэтических слов этого не выразишь! Ничего, ах ничего-то нельзя вообще хоть как-то выразить, додумать до конца — и все-таки постоянно испытываешь настоятельную потребность говорить, вечное побуждение думать!

Он разглядывал листья растения. Как красиво, как удивительно умно располагались они на стебле. Прекрасны были стихи Вергилия, он любил их, но разве сравнишь весь их ум и всю их ясность, красоту и смысл со спиралькой этих крохотных листиков на стебле! Какое наслаждение, какое счастье приняло бы всего одно лишь восхитительное, благородное и осмысленное деяние, если бы человек был способен создать хоть один такой цветок! Но никто не в состоянии этого сделать — ни герой, ни король, ни Папа, ни святой.

Когда солнце близилось к закату, он отправился искать место, назначенное ему крестьянкой. Тут он стал ждать. Прекрасно было так ждать, зная, что женщина, полная любви, вот-вот придет.

Она пришла и принесла в льняной тряпице большой ломоть хлеба и кусок сала. Она развязала ее и положила перед ним.

— Это тебе, — сказала она. — Ешь!

— Потом, — ответил он, — мне не хлеба хочется, мне хочется тебя. Покажи мне ту прелесть, что принесла с собой.

Много прелести принесла она с собой: сильные жаждущие губы, сильные сверкающие зубы, сильные руки, они были у нее красными от солнца, но зато во всем сокровенном, что было у нее под шеей и дальше, все ниже и ниже, блистала она нежной белизной. Слов она знала немного, но в гортани у нее пел какой-то манящий звук, и когда она почувствовала прикосновение его рук, таких нежных и чутких, каких она никогда не знала, кожа ее затрепетала, и из горла ее раздался звук, какой бывает у мурлыкающей кошки. Она знала не много игр, меньше, чем Лизе, но была на удивление сильна, обнимала так, будто хотела задушить возлюбленного в своих объятиях. Наивной и жадной была ее любовь, простой и при всей своей силе все-таки застенчивой; Гольдмунд был с ней очень счастлив.

Потом она ушла, вздыхая, с трудом оторвавшись от него, не смея остаться.

Гольдмунд очутился один, счастливый, но и печальный. Лишь много позже он вспомнил о хлебе и сале и поел в одиночестве; было уже совсем темно.

Глава восьмая

олгое время уже странствовал Гольдмунд, редко ночуя два раза подряд в одном месте, везде желанный гость для женщин, осчастливленный ими, загоревший на солнце, похудевший в пути от скудной пищи. Многие женщины прощались с ним на заре и уходили, некоторые со слезами, и иной раз он думал: «Почему ни одна не остается со мной? Почему, любя меня и нарушая супружескую верность ради наслаждений, приносимых одной ночью, все они сразу возвращаются к своим мужьям, от которых чаще всего боятся получить побои?» Ни одна не просила его всерьез остаться, ни одна — взять с собой, ни одна не была готова ради любви разделить с ним радости и горести странствия.

Правда, он ни одну к этому не призывал, ни одной не намекал на это; спрашивая же свое сердце, он понимал, что ему дорога свобода, и он не мог припомнить ни одной возлюбленной, тоска по которой не покидала бы его в объятиях следующей. И все-таки ему было странно и немного грустно оттого, что всюду любовь была столь быстротечна — и женская, и его собственная, — что она так же быстро удовлетворялась, как и вспыхивала. Так и должно было быть? Было ли так всегда и везде? Или дело в нем самом, может, он так устроен, что женщины, хотя и желали его и находили прекрасным, не хотели соединяться с ним, кроме как для короткой, бессловесной близости на сене или во мху? Может, дело в том, что он странствовал, а они, оседлые, боятся жизни бездомной? Или дело только в нем, в его личности, так что женщины желали его и прижимали к себе как красивую игрушку, а потом все убегали к своим мужьям, даже если их ждали побои? Он не знал.

Он не уставал учиться у женщин. Правда, его больше тянуло к девушкам, совсем юным, у которых еще не было мужчин и которые ничего не знали, в них он мог страстно влюбляться; но девушки обычно бывали недосягаемы: в них был кто-то другой влюблен, они были робки и за ними хорошо следили. Но он и у женщин охотно учился. Каждая что-нибудь оставляла ему: жест, способ поцелуя, особую игру, особую манеру отдаваться или сопротивляться. Гольдмунд соглашался на все, он был ненасытным и податливым, как ребенок. Был открыт любому соблазну: только поэтому он сам был так соблазнителен. Одной его красоты было бы недостаточно, чтобы так легко находить женщин; нужна была эта детскость, эта открытость, эта любопытствующая невинность страсти, эта совершенная готовность ко всему, чего бы ни пожелала от него женщина. Он был, сам того не зная, с каждой возлюбленной именно таким, каким он ей мечтался: с одной — нежным и обходительным, с другой — стремительным и быстрым, то по-детски неискушенным, как впервые посвящаемый в любовные дела мальчик, то искусным и осведомленным. Он был готов к играм и борьбе, к вздохам и смеху, к стыдливости и бесстыдству, он не делал женщине ничего, чего бы та не пожелала сама, не выманила бы из него. Вот это-то сразу и чуяла в нем женщина с умом, это-то и делало его ее любовником.

А он учился. За короткое время он научился от своих многочисленных возлюбленных не только разнообразным любовным приемам и опыту. Он научился также видеть, ощупывать, осязать, обонять женщин во всем их многообразии; он тонко улавливал на слух любой тип голоса и уже научился безошибочно определять у некоторых женщин по его звучанию характер и объем их любовной способности; с неустанным восхищением он рассматривал бесконечное разнообразие в посадке головы, в том, как выделяется лоб из волос или может двигаться коленная чашечка. Он учился отличать в темноте, с закрытыми глазами, нежными пытливыми пальцами один тип женских волос от другого, один тип кожи, покрытой пушком, от другого. Он начал замечать почти сразу, что, возможно, в этом был смысл его странствий, может, поэтому его влечет от одной женщины к другой, чтобы овладеть этой способностью узнавать и различать все тоньше, все многообразнее и глубже. Может быть, в этом его предназначение: познавать женщин и любовь на тысячу ладов и в тысячах различий до совершенства, подобно музыканту, владеющему не одним инструментом, а тремя, четырьмя, многими. Для чего это нужно и к чему все это приведет, он, правда, не знал, он только чувствовал, что это его путь. Хоть он и делал ранее успехи в латыни и логике, но каких-то особых, удивительных, редкостных способностей в этом не выказывал — в любви же, в игре с женщинами все это у него было, здесь он учился без устали, ничего не забывая, здесь опыт накапливался и упорядочивался сам собой.

Однажды, пространствовав уже год или два, Гольдмунд попал в усадьбу одного состоятельного рыцаря, у которого были две красивые молодые дочери. Было это ранней осенью, ночи скоро уже должны были стать прохладными, в прошлую осень и зиму он испытал, что это значит, и теперь не без озабоченности подумывал о наступающих месяцах: зимой странствовать было трудно. Он попросил, чтобы ему дали поесть и разрешили переночевать. Его приняли учтиво, а когда рыцарь услышал, что гость учился и знает греческий, он попросил его пересесть со стола для прислуги за свой стол и обращался с ним почти как с равным.

Обе дочери сидели с опущенными глазами; старшей, Лидии, было восемнадцать, младшей, Юлии, едва минуло шестнадцать.

На другой день Гольдмунд собрался идти дальше. Для него не было надежды завоевать благосклонность одной из двух прелестных белокурых барышень, а других женщин, ради которых можно было бы остаться, там не было. Но после завтрака рыцарь отвел его в сторону и провел в комнатку, предназначенную для особых целей. Скромно поведал старик юноше о своей любви к учености и книгам, показал ему небольшой ларец, полный рукописей собранных им, показал конторку, сделанную по его заказу, и запас прекраснейшей бумаги и пергамента. Этот скромный рыцарь, как со временем узнал Гольдмунд, в молодости учился, но потом совершенно отдался военной и мирской жизни, пока во время тяжелой болезни не получил божественного указания совершить паломничество и раскаяться в грехах молодости. Он отправился в Рим, а потом даже в Константинополь. Вернувшись домой, узнал, что отец умер, а дом нашел пустым, остался здесь, женился, потерял жену, воспитал дочерей, а теперь, почувствовав, что приходит старость, решил подробно описать свое тогдашнее паломничество. Он уже написал несколько глав, но — как признался юноше — в латыни он слаб, и это ему очень мешает. Он предложил Гольдмунду новое платье и кров, если тот исправит и начисто перепишет уже написанное и поможет продолжить эту работу.

Была осень, Гольдмунд знал, что это значит для бродяги. Новое платье тоже было нелишним. Но прежде всего юношу привлекала возможность остаться в одном доме с прекрасными сестрами. Он не раздумывая согласился. Вскоре ключнице пришлось открыть сундук, где нашлось прекрасное темное сукно, из которого должны были сшить костюм и головной убор для Гольдмунда. Рыцарь подумал, правда, о черном магистерском платье, но гость не хотел и слышать об этом, сумел уговорить его, и вот получился красивый костюм то ли пажа, то ли охотника, который был ему очень к лицу.

С латынью все тоже шло неплохо. Вместе они просмотрели уже написанное, и Гольдмунд исправил не только многие неточности и неправильности, но и заменил кое-где короткие беспомощные предложения рыцаря красивыми латинскими периодами с солидными конструкциями и правильным consecutio temporum[1]. Рыцарь был всем этим весьма доволен и не скупился на похвалы. Каждый день они проводили за этой работой по меньшей мере два часа.

В замке — это был собственно обширный крестьянский двор с небольшими укреплениями — Гольдмунд неплохо проводил время. Он принимал участие в охоте и научился стрелять из арбалета у егеря Хинриха, подружился с собаками и мог ездить верхом сколько хотел. Редко он бывал один: то он был с собакой или с лошадью, с которой разговаривал, то с Хинрихом, то с ключницей Леей, толстой старухой с мужским голосом, весьма склонной к шуткам и смеху, то со щенком, то с пастухом. С женой мельника, ближайшего соседа, легко было завести любовную связь, но он сдерживался и разыгрывал из себя невинного.

От обеих дочерей рыцаря он был в восторге. Младшая была красивее, но такая неприступная, что едва говорила с Гольдмундом. К обеим он относился с величайшей предупредительностью и вежливостью, но они воспринимали его появление в их присутствии как беспрерывное ухаживание. Младшая, из робости упрямая, совершенно замкнулась в себе. Старшая, Лидия, нашла по отношению к нему особый тон, обращаясь с ним полупочтительно-полунасмешливо, как ученый с диковинным животным, задавала множество любопытствующих вопросов, расспрашивала о жизни в монастыре, но постоянно изображала перед ним ироничную и высокомерную даму. Он был согласен на все, обращался с Лидией как с дамой, с Юлией — как с молодой монахиней; и когда удавалось своим разговором задержать девушек немного дольше обычного за столом после ужина либо если во дворе или в саду Лидия обращалась к нему и, по обыкновению, начинала дразнить, он бывал доволен и считал это успехом.

[1] Согласованием времен *(лат.)*.

Долго держалась в эту осень листва на высоких ясенях во дворе, долго цвели в саду астры и розы. И вот однажды прибыли гости: сосед по имению с женой и конюхом, соблазнившись погожим днем, отправились на прогулку верхом, загулялись и заехали сюда, попросившись переночевать. Их приняли очень учтиво, постель Гольдмунда сразу перенесли из комнаты для гостей в кабинет и устроили все для прибывших, забили птицу и послали на мельницу за рыбой. Гольдмунд с удовольствием при нимал участие в праздничной суете и сразу же понял, что незнакомая дама обратила на него внимание. И едва он заметил по ее голосу и по чему-то в ее взгляде благосклонность и желание, он заметил также с еще большим напряжением, как изменилась Лидия, как она притихла, замкнулась и начала наблюдать за ним и за дамой. Когда во время праздничной вечерней трапезы нога дамы начала под столом игру с ногой Гольдмунда, его восхитила не только эта игра, но еще больше мрачное молчаливое напряжение, с которым Лидия следила за этой игрой горящими от любопытства глазами. Наконец он нарочно уронил нож, наклонился за ним под стол, коснулся ноги дамы ласкающей рукой, увидел, как Лидия побледнела и закусила губу, и продолжал рассказывать монастырские анекдоты, чувствуя, что незнакомка проникновенно слушает не столько истории, сколько его соблазнительный голос. Остальные тоже слушали его — его патрон с расположением, гость с неподвижным лицом, но тоже тронутый его воодушевлением. Никогда не слышала Лидия, чтобы он так говорил: он расцвел, соблазн парил в воздухе, глаза его блестели, голос пел счастьем, моля о любви. Три женщины чувствовали это, каждая по-своему: маленькая Юлия с ожесточенным отпором, жена соседа с сияющим удовлетворением, Лидия с мучительным волнением сердца, соединявшим в себе искреннюю страсть, слабую самозащиту и самую жгучую ревность, от чего лицо ее сузилось, а глаза загорелись. Все эти волны чувствовал Гольдмунд как тайные ответы на его ухаживания, они потоками возвращались к нему обратно, как птицы летали вокруг него мысли о любви — то о готовности отдаться, то о сопротивлении, то о взаимной борьбе.

После трапезы Юлия удалилась, была уже ночь; со свечой в керамическом подсвечнике уходила она из залы, холодная, как маленькая инокиня. Остальные сидели еще с час, и пока мужчины говорили об урожае, об императоре и епископе, Лидия слушала, пылая, как между Гольдмундом и дамой велась беседа ни о чем, меж слабых нитей которой, однако, возникала плотная сладостная сеть из взглядов, особых интонаций, еле заметных жестов, каждый из которых был исполнен значения, сверх меры согрет теплом. Девушка впитывала атмосферу со сладострастием и отвращением, и если она видела или чувствовала, как колено Гольдмунда касалось под столом колена женщины, она воспринимала это как прикосновение к собственному телу и вздрагивала. После всего этого она не могла заснуть и полночи прислушивалась с колотящимся сердцем, убежденная, что те двое сошлись. Она завершала в своем воображении то, в чем тем двоим было отказано, она видела, как они сплелись друг с другом, слышала их поцелуи, дрожа при этом от волнения, боясь и желая одновременно, чтобы обманутый муж застал любовников и всадил противному Гольдмунду нож в сердце.

На другое утро небо хмурилось, поднялся влажный ветер, и гость, отклонив все уговоры повременить с отъездом, заторопился. Лидия стояла тут же; когда гости садились на лошадей, она пожимала руки и говорила слова прощания совершенно машинально — все ее чувства сосредоточились во взгляде: она смотрела, как женщина, садясь на лошадь, поставила в подставленные ладони Гольдмунда ногу, которую он, обхватив туфельку, на какое-то мгновение крепко сжал правой рукой.

Гости уехали, Гольдмунд должен был идти в комнату, где работал с хозяином. Через полчаса он услышал голос Лидии, приказывавший вывести лошадь, хозяин подошел к окну и посмотрел вниз, улыбаясь и качая головой; оба смотрели, как она выехала со двора. Они сегодня мало продвинулись в своих латинских писаниях: Гольдмунд был рассеян, хозяин любезно отпустил его раньше обычного.

Незаметно Гольдмунд вывел свою лошадь со двора и поскакал навстречу прохладно-влажному осеннему ветру по выцветшей местности; все больше набирая скорость, он чувствовал, как лошадь разгорячилась под ним, да и собственная кровь разогрелась. По убранным полям и пашням под паром, по лугу и болоту, заросшему хвощом и осокой, скакал он сквозь серый день, через небольшие ольшаники, через болотистый еловый лес и опять по бурому скошенному лугу.

На высоком гребне холмов обнаружил он наконец фигуру Лидии, четко вырисовывавшуюся на бледно-сером облачном небе: она сидела выпрямившись на медленно трусящей лошади. Он бросился к ней, но, едва заметив преследование, она пришпорила лошадь и помчалась прочь. Она то исчезала, то появлялась вновь с развевающимися волосами. Он преследовал ее, словно гоняясь за добычей, сердце его смеялось, короткими нежными возгласами он подгонял коня, радостно примечая в скачке ландшафт, притихшие поля, ольховую рощу, группу кленов, глинистый берег небольшого пруда, не упуская в то же время из виду свою цель, прекрасную беглянку. Вскоре он все-таки настиг ее.

Поняв, что он приблизился, Лидия отказалась от бегства и пустила лошадь шагом. Она не оборачивалась к преследователю. Гордо, с виду равнодушно продолжала она ехать так, будто ничего не было, будто она была одна. Он подъехал к ней вплотную, кони мирно зашагали рядом, но и животное, и седок были разгорячены погоней.

— Лидия! — позвал он тихо.

Она не ответила.

— Лидия!

Она продолжала молчать.

— Как красиво ты скакала там, вдали, Лидия, твои волосы летели за тобой подобно золотой молнии. Это было так прекрасно! Ах, как чудесно, что ты убегала от меня! Только тогда я понял, что ты меня немножко любишь. Я этого не знал, еще вчера вечером был в сомнении. Только сейчас, когда ты пыталась убежать от меня, я вдруг все понял. Прекрасная, дорогая, ты, должно быть, устала, давай спешимся.

Он быстро спрыгнул с лошади и сразу повел на поводу лошадь Лидии, чтобы она опять не вырвалась вперед. С белым как снег лицом смотрела она на него сверху и, когда он снимал ее с лошади, разразилась рыданиями. Бережно провел он ее несколько шагов, посадил на высохшую траву и опустился возле нее на колени. Сидя, она храбро противилась рыданиям, пока наконец не поборола их.

— Ах, до чего же ты скверный! — начала она, как только ей удалось заговорить.

— Так уж и скверный?

— Ты обольститель, Гольдмунд. Хочу забыть, что ты говорил мне только что, это были бесстыдные слова, ты не смеешь так говорить со мной. Как ты мог подумать, что я люблю тебя? Забудем об этом! Но как мне забыть то, что мне пришлось увидеть вчера вечером?

— Вчера вечером? Что же ты такое увидела?

— Ах, не притворяйся, не лги! Это было ужасно и беззастенчиво, когда ты у меня на глазах льстил этой женщине! Неужели у тебя нет стыда? Ты даже ногу ей гладил под столом, под нашим столом! У меня, у меня на глазах! А теперь, когда та уехала, преследуешь меня! Ты и в самом деле не знаешь, что такое стыд?

Гольдмунд уже давно раскаивался в словах, которые сказал ей, перед тем как снял ее с лошади. Как это было глупо: слова в любви излишни, ему надо было молчать.

Он больше ничего не сказал. Он стоял на коленях возле нее, и она, такая красивая и такая несчастная, глядя на Гольдмунда, заражала его своим страданием; он чувствовал сам, что было допущено что-то неладное. Но несмотря на все, что она ему сказала, он видел в ее глазах любовь, и боль на ее дрожащих губах тоже была любовью. Он доверял своим глазам больше, чем ее словам.

Однако она ждала ответа. И — так как его не последовало, рот ее стал еще строже, она посмотрела на него заплаканными глазами и повторила:

— Неужели у тебя в самом деле нет стыда?

— Прости, — сказал он смиренно, — мы говорим о вещах, о которых не следовало бы говорить. Это моя вина, прости меня! Ты спрашиваешь, есть ли у меня стыд. Да, стыд у меня, пожалуй, есть. Но ведь я люблю тебя, а любовь не знает ничего постыдного. Не сердись!

Она, казалось, едва слушала. С горькой складкой у рта она сидела и смотрела прямо перед собой, вглядываясь вдаль, как будто была совсем одна. Никогда он не был в таком положении. Это все из-за разговоров.

Нежно положил он голову ей на колено, и сразу же от этого прикосновения ему стало легко. Но все-таки он был беспомощным и печальным, она тоже казалась все еще печальной, сидела не двигаясь, молчала и смотрела вдаль. Сколько смущения, сколько грусти! Но его прикосновение было принято благосклонно, его не отвергали. С закрытыми глазами лежал он, прильнув к ее колену лицом, как бы впитывавшим его благородную, удлиненную форму. Растроганный Гольдмунд радостно подумал, что это девичье колено со своей утонченной формой соответствовало длинным, красивым, немного выпуклым ногтям на руках. Благодарно прижимаясь к колену, он предоставил щеке и губам беседовать с ним.

Вот он почувствовал ее руку: она осторожно и легко легла на его волосы. Милая рука, он ощущал, как она робко, по-детски, гладила его волосы. Ее руку он часто рассматривал, любуясь ею, он знал ее почти как свою: длинные стройные пальцы с длинными, красиво выпуклыми, розовыми холмиками ногтей. И вот эти длинные нежные пальцы вели несмелый разговор с его кудрями. Их речь была детской и пугливой, но она была любовью. Он благодарно прильнул головой к ее руке, почувствовал затылком и щекой ее ладонь. Она сказала:

— Пора, нам надо ехать.

Он поднял голову и посмотрел на нее нежно, ласково поцеловал ее тонкие пальцы.

— Пожалуйста, встань, — сказала она, — нам нужно домой.

Он сразу же послушался, они встали, сели на лошадей и поскакали к дому.

Счастье царило в сердце Гольдмунда. Как прекрасна была Лидия, как по-детски чиста и нежна! Он еще ни разу не поцеловал ее, а уже чувствовал себя таким богатым и переполненным ею. Они скакали быстро, и только перед самым домом, уже перед въездом во двор, она испуганно сказала:

— Нам не надо было возвращаться вместе. Какие мы глупые!

И в самый последний момент, когда они слезали с лошадей и уже подходил конюх, она быстро и пылко прошептала ему в ухо:

— Скажи мне, ты был сегодня ночью у этой женщины?

Он покачал головой несколько раз и начал разнуздывать лошадь.

После полудня, едва отец ушел, она появилась в кабинете.

— Это правда? — сразу спросила она со страстью, и он понял, что она имела в виду. — Зачем же ты тогда так заигрывал с ней, так отвратительно влюблял ее в себя?

— Это предназначалось тебе, — сказал он. — Верь мне, в тысячу раз охотнее, чем ее ногу, я погладил бы твою. Но твоя нога никогда не приближалась к моей под столом и не спрашивала меня, люблю ли я тебя.

— Ты и вправду любишь меня, Гольдмунд?

— О да!

— Но что же из этого получится?

— Не знаю, Лидия. Да это меня и не беспокоит. Я счастлив оттого, что люблю тебя, а что из этого выйдет, об этом я не думаю. Я радуюсь, когда вижу, как ты скачешь на лошади, и когда слышу твой голос, и когда твои пальцы гладят мои волосы. Я буду рад, если мне можно будет поцеловать тебя.

— Целовать можно только свою невесту, Гольдмунд. Ты никогда не думал об этом?

— Нет, об этом я не думал. Да и с какой стати? Ты знаешь так же, как и я, что не можешь стать моей невестой.

— Да, это так. И так как ты не можешь стать моим мужем и навсегда остаться со мной, тебе нельзя было говорить мне о своей любви. Может, ты думал совратить меня?

— Я ничего не думал, Лидия, я вообще думаю намного меньше, чем ты полагаешь. Я не хочу ничего, кроме того, чтобы ты сама захотела когда-нибудь поцеловать меня. Мы так много разговариваем. Любящие так не делают. Я думаю, что ты меня не любишь.

— Сегодня утром ты говорил обратное.

— А ты сделала обратное.

— Я? Как это?

— Сначала ты от меня ускакала, когда заметила, что я приближаюсь. Тогда я подумал, что ты любишь меня. Потом ты расплакалась, и я подумал, что ты любишь меня. Потом моя голова лежала на твоем колене и ты погладила меня, и я подумал: это — любовь. А теперь ты не делаешь ничего, что говорило бы о любви.

— Я не такая, как та женщина, ногу которой ты гладил вчера. Ты, видимо, привык к таким женщинам.

— Нет, слава Богу, ты красивее и изящнее ее.

— Я не это имею в виду.

— О, но это так. Знаешь ли ты, как ты красива?

— У меня есть зеркало.

— Видела ли ты в нем когда-нибудь свой лоб, Лидия? А потом плечи, а потом ногти, а потом колени? И видела ли ты, как все это гармонирует и взаимно сочетается, как все это имеет одну форму, удлиненную, тугую и очень изящную, стройную? Видела ты это?

— Как ты говоришь! Я этого собственно никогда не видела, но теперь, когда ты сказал, я знаю, что ты имеешь в виду. Слушай, ты все-таки соблазнитель, ты и сейчас соблазняешь меня, делая тщеславной.

— Жаль, что не угодил тебе. Но зачем мне собственно делать тебя тщеславной? Ты красива, и я хотел показать тебе, что благодарен за это. Ты вынуждаешь меня говорить об этом словами, я мог бы выразить это в тысячу раз лучше без слов. Словами я не могу тебе ничего дать! На словах я не могу ничему научиться у тебя, а ты у меня.

— Чему это я должна учиться у тебя?

— Я у тебя, а ты у меня, Лидия. Но ты ведь не хочешь. Ты желаешь любить только того, чьей невестой ты будешь. Он будет смеяться, когда увидит, что ты ничего не умеешь, даже целоваться.

— Так-так. Значит, ты хочешь поучить меня целоваться, господин магистр?

Он улыбнулся ей. Хотя ее слова и не понравились ему, за ее резким и неестественным умничанием он все-таки ощутил девичество, охваченное сладострастием, от которого оно в страхе искало защиты.

Он не отвечал больше. Улыбаясь, он задержал свои глаза на ее беспокойном взгляде и, когда она не без сопротивления отдалась воздействию чар, медленно приблизил к ее лицу свое, пока их губы не соприкоснулись. Осторожно дотронулся он до ее рта, тот ответил коротким детским поцелуем и открылся как бы в обидном удивлении, когда не был отпущен на свободу. Нежно следовал он за ее отступающими губами, пока они не пошли нерешительно ему навстречу, и он стал учить зачарованную, как брать и давать в поцелуе, пока она, обессиленная, не прижала свое лицо к его плечу. Он, счастливый, вдыхал запах ее густых белокурых волос, шепча нежные успокаивающие слова и вспоминая в эти минуты о том, как когда-то ничего не умевшего ученика посвящала в эти тайны цыганка Лизе. Как черны были ее волосы, как смугла кожа, как палило солнце и пахла увядшая трава зверобоя! И как же далеко все это, из какой глубины сверкнуло опять! Как быстро все увяло, едва распустившись!

Медленно приходила Лидия в себя, серьезно и удивленно смотрели ее большие любящие глаза с изменившегося лица.

— Позволь мне уйти, Гольдмунд, — сказала она, — я так долго пробыла у тебя. О мой любимый!

Они каждый день тайно виделись наедине, и Гольдмунд целиком отдался руководству возлюбленной, совершенно счастливый и тронутый этой девичьей любовью. Иной раз она могла целый час просидеть, держа его руки в своих и глядя в его глаза, чтобы затем попрощаться с детским поцелуем. В другой — целовала самозабвенно и ненасытно, но не терпела никаких прикосновений. Однажды, краснея и преодолевая себя, желая доставить ему радость, она обнажила одну грудь, робко достав белый плод из платья; когда он, стоя на коленях, поцеловал грудь, она тщательно прикрыла ее, все еще краснея до шеи. Они разговаривали так же, но по-новому, не так, как в первые дни; они изобретали друг для друга имена, она охотно рассказывала ему о своем детстве, своих мечтах и играх. Часто говорила она и о том, что их любовь запретна, потому что он не может жениться на ней;

печально и обреченно говорила она об этом, украшая свою любовь этой тайной печалью, как черной фатой.

В первый раз Гольдмунд чувствовал, что женщина его не только желает, но и любит.

Как-то Лидия сказала:

— Ты так красив и выглядишь таким жизнерадостным. Но в глубине твоих глаз нет радости, там только печаль, как будто твои глаза знают, что счастья нет и все прекрасное и любимое недолго будет с нами. У тебя самые красивые глаза, какие могут быть, и самые печальные. Мне кажется, это из-за того, что ты бездомный. Ты пришел ко мне из леса и когда-нибудь опять уйдешь странствовать. А где же моя родина? Когда ты уйдешь, у меня, правда, останутся отец и сестра, будет комната и окно, у которого я буду сидеть, думая о тебе, но родины больше не будет.

Он не мешал ей говорить, иногда посмеивался, иногда огорчался. Словами он никогда не утешал ее, только молча поглаживал ее голову, положенную ему на грудь, тихо напевая что-то волшебно-бессмысленное, как няня утешает ребенка, когда тот плачет. Однажды Лидия сказала:

— Я хотела бы знать, Гольдмунд, что же из тебя выйдет, я часто думаю об этом. У тебя будет необычная жизнь и нелегкая. Ах, как я хочу, чтобы у тебя все было хорошо! Иногда мне кажется, ты должен стать поэтом, который может прекрасно выразить свои видения и мечты. Ах, ты будешь бродить по всему свету, и все женщины будут любить тебя, и все-таки ты будешь одинок. Возвращайся лучше в монастырь к своему другу, о котором ты мне столько рассказывал! Я буду за тебя молиться, чтобы ты не умер один в лесу.

Так могла говорить она совершенно серьезно, с отчаянием в глазах. Но потом могла опять, смеясь, скакать с ним по полям или загадывать шутливые загадки и кидать в него увядшей листвой да спелыми желудями.

Как-то Гольдмунд лежал в своей комнате в постели в ожидании сна. На сердце у него было тяжко, оно билось тяжело и сильно в груди, переполненное любовью, переполненное печалью и беспомощностью. Он слушал, как на крыше громыхает ноябрьский ветер: у него уже вошло в привычку какое-то время ночью вот так лежать в ожидании сна. Тихо повторял он про себя, по обыкновению, песнопение о Марии:

Tota pulchra es, Maria,
Et macula originalis non est in te.
Tu laetitia Israel,
Tu advocata peccatorum![1]

Нежной своей мелодичностью песнь проникла в его душу, но одновременно снаружи запел ветер, запел о раздорах и странствиях, о лесе, осени, бездомной жизни. Он думал о Лидии, о Нарциссе и о своей матери, сердце его было полно тяжелого беспокойства.

Тут он вздрогнул от неожиданности и, не веря своим глазам, увидел, что дверь открылась: в темноте, в длинной белой рубашке, босиком, не говоря ни слова, вошла Лидия, осторожно закрыла дверь и села к нему на постель.

— Лидия, — прошептал он, — моя лань пугливая, мой белый цветок! Лидия, что ты делаешь?

— Я пришла к тебе, — сказала она, — только на минутку. Мне хотелось посмотреть хоть разок, как мой Гольдмунд спит, мое золотое сердце.

Она легла к нему, тихо лежали они с сильно бьющимися сердцами. Она позволила ему целовать себя, она позволила его рукам восхищаться игрой с ее телом, но не больше. Через какое-то время она нежно отстранила его руки, поцеловала его в глаза, бесшумно встала и исчезла. Дверь скрипнула, в крышу бился ветер. Все казалось заколдованным, полным тайны, и тревоги, и обещания, полным угрозы. Гольдмунд не знал, что ему думать, что делать. Когда после беспокойной дремоты он окончательно проснулся, подушка была мокрой от слез.

Она пришла через несколько дней опять, дивный белый призрак, и провела у него четверть часа, как в прошлый раз. Лежа в его объятиях, она шептала ему на ухо: многое хотелось ей поведать ему, на многое посето-

---

[1] Вся прекрасна ты, Мария,
И пятна изначального нет на тебе.
Ты радость Израиля,
Заступница грешных! *(лат.)*

вать. С нежностью слушал он ее; она лежала на его левой руке, правой он поглаживал ее колено.

— Гольдмунд, — говорила она приглушенным голосом у самой его щеки, — как грустно, что я никогда не смогу принадлежать тебе. Так не может больше продолжаться, наше маленькое счастье, наша маленькая тайна в опасности. У Юлии уже зародилось подозрение, скоро она вынудит меня признаться. Или отец заметит. Если он застанет меня в твоей постели, моя милая золотая птичка, плохо придется твоей Лидии: она будет смотреть заплаканными глазами, как ее любимый висит, качаясь на ветру. Ах, милый, беги прочь, прямо теперь, пока отец не схватил тебя и не повесил. Однажды я видела повешенного вора. Я не хочу видеть тебя повешенным, лучше беги и забудь меня; только бы ты не погиб, золотце мое, только бы птицы не выклевали твои голубые глаза! Но нет, родной, не уходи, ах, что мне делать, если ты оставишь меня одну!

— Пойдем со мной, Лидия! Бежим вместе, мир велик!

— Это было бы прекрасно, ах, как прекрасно обойти с тобой весь мир! Но я не могу, — жаловалась она, — не могу спать в лесу или на соломе и быть бездомной, этого я не могу! Я не могу опозорить отца. Нет, не говори, что я это внушаю себе. Я не могу! Не могу это сделать так же, как не могу есть из грязной тарелки или спать в постели прокаженного. Ах, нам запрещено все, что хорошо и прекрасно, мы оба рождены для страдания. Золотце, мой бедный, маленький мальчик, неужели я увижу, как тебя в конце концов повесят. А я... Меня запрут, а потом отправят в монастырь. Любимый, ты должен меня оставить и опять спать с цыганками и крестьянками. Ах, уходи, уходи, пока тебя не схватили! Никогда мы не будем счастливы, никогда!

Он нежно гладил ее колени и, едва коснувшись самого сокровенного, спросил:

— Радость моя, мы могли бы быть так счастливы! Можно?

Она нехотя, но твердо отвела его руку в сторону и немного отодвинулась от него.

— Нет, — сказала она, — нет, этого нельзя. Это мне запрещено. Ты, маленький цыган, возможно, этого не поймешь. Я, конечно, поступаю дурно, я скверная девчонка, позорю весь дом. Но где-то в глубине души я все-таки еще горжусь: туда не смеет входить никто. Ты не должен этого просить, иначе я никогда не приду больше к тебе в комнату.

Никогда бы он не нарушил ее запрета, ее желания, ее намека. Он сам удивлялся, какую власть над ним приобрела она. Но он страдал. Его желания оставались неутоленными, и душа часто противилась зависимости. Иногда он пытался освободиться от этого. Иногда начинал с подчеркнутой любезностью ухаживать за маленькой Юлией, тем более что это было еще и весьма необходимо: нужно было оставаться в добрых отношениях с такой важной особой и как-то ее обманывать. Странно как-то было все у него с этой Юлией, которая казалась то совсем ребенком, то всезнающей. Она, несомненно, была красивее Лидии, была необыкновенной красавицей, и это в сочетании с ее несколько наставительной детской наивностью очень привлекало Гольдмунда; он часто бывал сильно влюблен в Юлию. Именно по этому сильному влечению, которое оказывала на его чувства сестра, он с удивлением узнавал различие между желанием и любовью. Сначала он смотрел на обеих сестер одинаково — обе были желанны, но Юлия красивее и соблазнительнее; он ухаживал за обеими без различия и постоянно за обеими следил. А теперь Лидия приобрела такую власть над ним! Теперь он так любил ее, что из любви отказывался от полного обладания ею. Он узнал и полюбил ее душу; ее детскость, нежность и склонность к печали казались похожими на его собственные, часто он бывал глубоко удивлен и восхищен тем, насколько эта душа соответствовала ее телу: она могла что-то делать, говорить, выразить желание или суждение, и ее слова и состояние души носили отпечаток совершенно той же формы, что и разрез глаз, и форма пальцев!

В эти минуты, когда он, казалось, видел эти основные формы и законы, по которым формировалась ее сущность, душа и тело, у Гольдмунда возникало желание задержать что-то из этого образа, повторить его, и на нескольких листках, хранимых в полной тайне, он делал попытки нарисовать по памяти пером силуэт ее головы, линию бровей, ее руку, колено.

С Юлией все стало как-то непросто. Она явно чувствовала волны любви, в которых купалась старшая сестра, и ее чувства, полные страстного любопытства, стремились к этому раю вопреки своенравному рассудку. Она выказывала Гольдмунду преувеличенную холодность и нерасположение, а забывшись, смотрела на него с восхищением и жадным любопытством. С Лидией она часто бывала очень нежной, иногда забиралась даже к ней в постель, со скрытой жадностью вдыхала атмосферу любви и пола, озорными словами прикасалась к запретному и сокровенному. Потом опять в почти оскорбительной форме давала понять, что знает о проступке Лидии и презирает его. Дразня и мешая, металось прелестное и капризное дитя между двумя любящими, смакуя в мечтах их тайну, то разыгрывая из себя ничего не подозревающую, то обнаруживая опасное соучастие; скоро из ребенка она превратилась во властительницу. Лидия страдала от этого больше, чем Гольдмунд, который, кроме как за столом, редко виделся с младшей сестрой. От Лидии не укрылось также, что Гольдмунд был небезучастен к прелести Юлии, иногда она видела, что его признательный взгляд с наслаждением останавливается на ней. Она не смела ничего сказать, все было так сложно, все так полно опасностей, в особенности нельзя было сердить и обижать Юлию; ах, каждый день могла раскрыться тайна ее любви, могло кончиться ее тревожное счастье — кончиться, может быть, страшным образом.

Иногда Гольдмунд удивлялся тому, что давно не покончил со всем этим и не ушел отсюда. Трудно было так жить, как он теперь жил: любить, но без надежды ни на дозволенное и длительное счастье, ни на легкое удовлетворение своих любовных желаний, к какому он привык до сих пор; он жил с вечно возбужденными и неудовлетворенными влечениями, при этом в постоянной опасности. Почему он оставался здесь и выносил все это, все эти осложнения и запутанные чувства? Ведь такие переживания, чувства и угрызения совести предназначены тем, кто законно сидит в теплом доме. Разве не имеет он, бездомный и непритязательный человек, права уклониться от всех этих нежностей и сложностей и посмеяться над ними? Да, это право у него было, и он дурак, что искал здесь что-то вроде родины и платил за это болью и затруднениями. И все-таки он делал это и страдал, страдал охотно, был втайне счастлив. Было глупо и трудно, сложно и утомительно любить таким образом, но это было чудесно. Удивительна была темная печаль этой любви, ее глупость и безнадежность; прекрасны были эти заполненные думами ночи без сна, прекрасны и восхитительны были и отпечаток страдания на губах Лидии, и безнадежный, отрешенный звук ее голоса, когда она говорила об их любви и своих заботах. Этот отпечаток страдания на юном лице Лидии появился всего несколько недель тому назад, да так и остался — именно его выражение ему так хотелось зарисовать пером, — и он почувствовал, что в эти несколько недель и сам он изменился и стал намного старше, не умнее, а все-таки опытнее, не счастливее, а все-таки немного более зрелым и богатым в душе. Он уже был не мальчик.

Своим нежным горестным голосом Лидия говорила ему:

— Ты не должен быть печальным из-за меня, я хотела бы тебя только радовать и видеть счастливым. Прости, что я сделала тебя печальным, заразила своим страхом и унынием. Я вижу по ночам странные сны: я иду по пустыне, такой огромной и темной, что словами не опишешь, иду, иду и ищу тебя, а тебя все нет, и я знаю — я тебя потеряла и должна буду всегда, всегда вот так идти, совсем одна. Потом, проснувшись, я думаю: «О, как хорошо, как великолепно, что он еще здесь и я его увижу, может, еще только несколько недель или даже дней, и все-таки он еще здесь!»

Однажды Гольдмунд проснулся, едва забрезжил день, и какое-то время лежал в постели в раздумье, окруженный картинами сна, но без всякой связи. Он видел во сне свою мать и Нарцисса, обоих он различал отчетливо. Освободившись от нитей сна, он вдруг заметил своеобразный свет, проникавший в то утро в маленькое окно. Он вскочил и подбежал к окну: карниз, крыша конюшни, ворота и все, что было видно за окном, было покрыто первым зимним снегом, мерцало голубовато-белым светом. Глубокое различие между беспокойством его сердца и тихим, безропотным зимним миром поразило его: как спокойно, как трогательно и кротко отдавались пашня и лес, холмы и рощи солнцу, ветру, дождю, засухе, снегу, как красиво, с нежным страданием несли свое земное бремя клены и осины! Нельзя ли быть как они, нельзя ли у них поучиться? В задумчивости он вышел во двор, походил по снегу и потрогал его руками, заглянул в сад и за высоко занесенным забором увидел пригнувшиеся от снега кусты роз.

На завтрак ели мучной суп, все говорили о первом снеге, все — барышни в том числе — уже побывали на улице. Снег в этом году выпал поздно, уже приближалось Рождество. Рыцарь рассказывал о южных странах, где не бывает снега. Но то, что сделало этот первый зимний день незабываемым для Гольдмунда, случилось, когда уже была глубокая ночь.

Сестры сегодня поссорились, этого Гольдмунд не знал. Ночью, когда в доме стало тихо и темно, Лидия пришла к нему, как обычно; она молча легла рядом, положила голову ему на грудь, чтобы слушать, как бьется его сердце, и утешаться его присутствием. Она была расстроена и боялась, что Юлия выдаст ее, но не решалась говорить об этом с любимым и беспокоить его. Так она лежала у его сердца, слушая его ласковый шепот и чувствуя его руку на своих волосах.

Но вдруг — Лидия совсем недолго лежала так — она страшно испугалась и приподнялась с широко открытыми глазами. И Гольдмунд испугался не меньше, когда увидел, что дверь открылась и в комнату вошла какая-то фигура, которую он от страха не сразу узнал. Только когда она подошла вплотную к кровати и наклонилась над ней, он с замершим сердцем увидел, что это Юлия. Она выскользнула из плаща, накинутого прямо на рубашку, и сбросила его на пол. С криком боли, как будто получив удар ножом, Лидия упала назад, цепляясь за Гольдмунда.

Презрительным и злорадным тоном, но все-таки неуверенно Юлия сказала:

— Не хочу лежать одна в комнате. Или вы возьмете меня к себе и мы будем лежать втроем, или я пойду и разбужу отца.

— Конечно, иди сюда, — сказал Гольдмунд, откинув одеяло. — У тебя же ноги замерзнут.

Она легла к ним, и он с трудом дал ей место на узкой постели, потому что Лидия неподвижно лежала, уткнувшись лицом в подушку. Наконец они улеглись втроем, девушки по обеим сторонам Гольдмунда, и на какой-то момент он не мог отделаться от мысли, что еще недавно это положение отвечало бы всем его желаниям. Со странным смущением, но и затаенным восторгом он чувствовал прикосновение к бедру Юлии.

— Нужно же мне было посмотреть, — начала она опять, — как лежится в твоей постели, которую сестра так охотно посещает.

Гольдмунд, чтобы успокоить ее, слегка потерся щекой о ее волосы, а рукой погладил бедра и колени, как ласкают кошку; она отдавалась молча и с любопытством его прикосновениям, смутно чувствуя очарование, не оказывала сопротивления. Но, укрощая ее, он одновременно не забывал и Лидию, нашептывая ей на ухо слова любви, и постепенно заставил ее хотя бы поднять лицо и повернуться к нему. Молча целовал он ее рот и глаза, в то время как его рука очаровывала сестру; он все больше осознавал неловкость, странность и невыносимость своего положения. В то время как его рука знакомилась с прекрасным, застывшим в ожидании телом Юлии, он впервые понял не только красоту и глубокую безнадежность своей любви к Лидии, но и ее смехотворность. Нужно было, так казалось ему теперь, когда губы его касались Лидии, а рука — Юлии, нужно было или заставить Лидию отдаться, или пойти своей дорогой дальше. Любить ее и отказываться от нее было бессмысленно и неправильно.

— Сердце мое, — прошептал он Лидии на ухо, — мы напрасно страдаем, как счастливы могли бы мы быть все втроем! Давай же совершим то, чего требует наша кровь!

Так как она в ужасе отшатнулась, его страсть перекинулась к другой, и рука его доставила той такую радость, что она ответила долгим сладострастным вздохом.

Когда Лидия услышала этот вздох, ревность сжала ее сердце, как будто в него влили яд. Она неожиданно приподнялась в постели, сорвала одеяло, вскочила на ноги и крикнула:

— Юлия, уйдем!

Юлия вздрогнула, уже необдуманная сила этого крика, который мог всех их выдать, говорила ей об опасности, и она молча поднялась.

А Гольдмунд, все чувства которого были оскорблены и обмануты, быстро обнял приподнявшуюся Юлию, поцеловал ее в обе груди и прошептал ей горячо на ухо:

— Завтра, Юлия, завтра!

Лидия стояла в рубашке босиком, на каменном полу, пальцы сжимались от холода. Она подняла плащ Юлии, набросила его на нее жестом страдания и смирения, который дваже в темноте не ускользнул от ее сестры, тронув ее и примирив. Тихо выскользнули девушки из комнаты. Полный противоречивых чувств, Гольдмунд прислушивался и вздохнул облегченно, когда в доме наконец все затихло.

Так из необычного и неестественного положения втроем каждый из трех молодых людей оказался в одиночестве, потому что и сестры, добравшись до своих спален, тоже не стали разговаривать, а лежали одиноко, молча, упрямо замкнувшись в себе, каждая в своей постели без сна. Какой-то дух несчастья и противоречия, демон бессмысленности, отчуждения и душевного смятения, казалось, овладел домом. Лишь после полуночи заснул Гольдмунд, лишь под утро — Юлия, Лидия лежала без сна, измученная, пока над снежными сугробами не поднялся бледный день. Она сразу же встала, оделась, долго стояла на коленях перед маленьким деревянным распятием, молясь, а как только услышала на лестнице шаги отца, вышла и попросила его выслушать ее. Не пытаясь отличить заботу о девичьей чести Юлии от своей ревности, она решилась покончить с этим делом. Гольдмунд и Юлия еще спали, когда рыцарь уже знал все, что Лидия сочла нужным ему сообщить. Об участии Юлии в происшествии она умолчала.

Когда Гольдмунд в привычное время появился в кабинете, он увидел рыцаря не в домашних туфлях и сюртуке толстого сукна, в которых он имел обыкновение заниматься своими записями, а в сапогах, камзоле, с мечом на поясе и сразу понял, что это значит.

— Надень шапку, — сказал рыцарь, — нам надо пройтись.

Гольдмунд снял шапку с гвоздя и последовал за рыцарем вниз по лестнице, через двор, за ворота. Под ногами поскрипывал чуть подмерзший снег, на небе была еще утренняя заря. Рыцарь молча шел вперед, юноша следовал за ним, несколько раз оглянулся на двор, на окно своей комнаты, на заснеженную остроконечную крышу, пока все не осталось позади и ничего уже не было видно. Никогда больше он не увидит ни этой крыши, ни этих окон, ни кабинета, ни спальни, ни сестер. Давно уже освоился он с мыслью о внезапном уходе, однако сердце его больно сжалось. Очень горестно было для него это прощание.

Уже час шли они так, рыцарь впереди, оба не говорили ни слова. Гольдмунд начал раздумывать о своей судьбе. Рыцарь был вооружен, — может быть, он хочет его убить. Но в это ему не верилось. Опасность была невелика: стоило ему побежать и старик со своим мечом ничего не смог бы ему сделать. Нет, жизнь его не была в опасности. Но это молчаливое шагание вслед за оскорбленным человеком, это безмолвное выпроваживание становилось ему с каждым шагом все мучительнее. Наконец рыцарь остановился.

— Дальше пойдешь один, — сказал он надтреснутым голосом, — все время в этом направлении и будешь жить той бродячей жизнью, к которой привык. Если когда-нибудь покажешься вблизи моего дома, будешь пристрелен. Мстить не буду: у самого должно было хватить ума, чтобы не брать молодого человека в дом, где живут дочери. Но если осмелишься вернуться, с жизнью распрощаешься. Теперь иди, да простит тебя Бог!

Он остался стоять, в тусклом свете зимнего утра его лицо с седой бородой казалось мертвенным. Как призрак, стоял он, не двигаясь с места, пока Гольдмунд не исчез за следующим гребнем холмов. Красноватое мерцание на облачном небе пропало, солнце так и не появилось, начали медленно падать редкие робкие снежинки.

Глава девятая

По некоторым прогулкам верхом Гольдмунд знал местность: по ту сторону замерзшего болота будет сарай рыцаря, а дальше крестьянский двор, где его, Гольдмунда, знали; в одном из этих мест можно отдохнуть и переночевать. А там видно будет. Постепенно к нему вернулось чувство свободы и неизвестности, от которых он на какое-то время отвык. В этот ледяной, угрюмый зимний день она не очень-то улыбалась, неизвестность, уж больно пахла она заботами, голодом и неустроенностью, и все-таки ее даль, ее величие, ее суровая неизбежность успокаивали и почти утешали его изнеженное смущенное сердце.

Он устал идти. С прогулками верхом теперь кончено, подумал он. О далекий мир! Снег шел слегка, вдали стена леса и серые облака сливались друг с другом, царила бесконечная тишина, до конца мира. Что-то было теперь с Лидией, бедным пугливым сердцем? Ему было безмерно жаль ее; с нежностью думал он о ней, сидя под одиноким голым ясенем среди пустого болота и отдыхая. Наконец холод пробрал его, он встал на одеревеневшие ноги и зашагал, постепенно набирая скорость; скудный свет пасмурного дня уже, казалось, начинал убывать. Пока он шагал по пустынной равнине, мысли оставили его. Теперь не время размышлять и лелеять чувства, как они ни нежны и прекрасны: нужно согреться, нужно вовремя добраться до ночлега, нужно, подобно кунице или лисе, выжить в этом холодном, неуютном мире, и уж, во всяком случае, если погибать, то не здесь, в открытом поле, все остальное неважно.

Он удивленно огляделся вокруг, ему показалось, что вдалеке слышен стук копыт. Может, его преследуют? Он полез в карман за маленьким охотничьим ножом и вынул его из деревянных ножен. Вот он уже видел всадника и узнал издалека лошадь из конюшни рыцаря, она устремлялась к нему. Бежать было бесполезно, он остановился и ждал, не испытывая страха в собственном смысле слова, но очень напряженно и с любопытством, с учащенно бившимся сердцем. На какой-то момент в голове мелькнуло: «Если бы удалось прикончить этого всадника, как было бы хорошо: у меня был бы конь и весь мир лежал бы передо мной». Но когда он узнал всадника, молодого конюха Ганса с его светло-голубыми водянистыми глазами и добрым смущенным мальчишеским лицом, он рассмеялся: убить этого милого доброго парня, для этого надо иметь каменное сердце. Он приветливо поздоровался с Гансом и ласково приветствовал рысака Ганнибала, погладив его по теплой влажной шее; тот сразу узнал Гольдмунда.

— Куда это ты направляешься, Ганс? — спросил он.

— К тебе, — засмеялся парень в ответ, сверкая зубами. — Ты уже здоровый кусок пути отхватил! Останавливаться мне ни к чему, я должен только передать тебе привет и вот это.

— От кого же привет?

— От барышни Лидии. Ну и заварил же ты кашу, магистр Гольдмунд, я-то рад немного проветриться. Но хозяин не знает, что я уехал с таким поручением, иначе мне несдобровать. Вот бери.

Ганс протянул ему небольшой сверток, Гольдмунд взял его.

— Послушай, Ганс, нет ли у тебя в кармане хлеба? Дай-ка мне.

— Хлеба? Найдется корка, пожалуй.

Ганс пошарил в кармане и достал кусок черного хлеба. Затем собрался уезжать.

— А что делает барышня? — спросил Гольдмунд. — Она ничего не просила передать? Нет ли письмеца?

— Ничего. Я видел-то ее всего одну минуту. В доме ведь гроза, знаешь ли: хозяин бегает туда-сюда, как царь Саул. Я должен был отдать только сверток, больше ничего. Ну, мне пора.

— Погоди еще минутку! Ганс, не мог бы ты уступить мне свой охотничий нож? У меня есть, да только маленький. Если волки появятся, да и так — лучше иметь кое-что надежное в руке.

Но об этом Ганс не хотел и слышать. Очень жаль, сказал он, если с магистром Гольдмундом что-нибудь случится, но свой нож, эту замечательную шпагу, нет, он никогда не отдаст ни за какие деньги, ни в обмен, о нет, даже если бы об этом просила сама святая Женевьева. Вот так, ну а теперь ему нужно спешить, он желает всего доброго, и ему очень жаль.

Они потрясли друг другу руки, парень ускакал; грустно смотрел Гольдмунд ему вслед. Потом он распаковал сверток, порадовавшись добротному ремню из телячьей кожи, которым он был перетянут. Внутри была вязаная нижняя фуфайка из толстой серой шерсти, явно сделанная Лидией и предназначавшаяся для него, а в фуфайке было еще что-то твердое, хорошо завернутое; оказалось, что это кусок окорока, а в окороке была сделана прорезь, и из нее виднелся сверкающий золотой дукат. Письма не было. С подарками от Лидии в руках он нерешительно постоял в снегу, потом снял куртку и быстро надел шерстяную фуфайку, сразу стало приятно тепло. Так же быстро оделся, спрятал золотой в самый надежный карман, затянул ремень и отправился дальше через поле; пора было искать место для отдыха: он очень устал. Но к крестьянину его не тянуло, хотя там было теплее и, пожалуй, нашлось бы и молоко, ему не хотелось болтать и отвечать на расспросы. Он переночевал в сарае, рано отправился дальше; был мороз и резкий ветер, вынуждавший делать большие переходы. Много ночей видел он во сне рыцаря, и его меч, и обеих сестер; много дней угнетали его одиночество и уныние.

В деревне, где у бедных крестьян не было хлеба, но был пшенный суп, нашел он в один из следующих вечеров ночлег. Новые впечатления ожидали его здесь. У крестьянки, гостем которой он был, ночью начались роды, и Гольдмунд присутствовал при этом; его подняли с соломы, чтобы он помог, хотя в конце концов дела для него не нашлось, он только держал светильню, пока повивальная бабка делала свое дело. В первый раз видел он роды и не отрываясь смотрел удивленными, горящими глазами на лицо роженицы, неожиданным образом обогатившись новым переживанием. Во всяком случае то, что он увидел в лице роженицы, показалось ему достойным внимания. При свете сосновой лучины, с большим любопытством всматриваясь в лицо мучающейся родами женщины, он заметил нечто неожиданное: линии искаженного лица немногим отличались от тех, что он видел в момент любовного экстаза на других женских лицах! Выражение острой боли было, правда, более явным и сильнее искажало черты лица, чем то, которое порождалось вожделением, но в основе не отличалось от него: это была та же оскаленная сосредоточенность, те же вспышки и угасания. Не понимая, почему так происходит, он был поражен тем, что боль и вожделение могут быть похожи друг на друга, как родные.

И еще кое-что пережил он в этой деревне. Из-за соседки, которую он заметил утром после ночи с родами и которая вопрошающему взгляду его влюбленных глаз сразу ответила согласием, он остался в деревне на вторую ночь и осчастливил женщину, так как впервые после всего, что возбуждало и разочаровывало его за последние недели, мог удовлетворить свой пыл. А это промедление с уходом из деревни привело его к новому событию: на второй день на том же крестьянском дворе он нашел себе сотоварища, отчаянного верзилу по имени Виктор, который выглядел не то попом, не то разбойником и который приветствовал его обрывками латыни, назвавшись странствующим студентом, хотя он давно вышел из этого возраста.

Этот человек с острой бородкой приветствовал Гольдмунда с некоторой долей сердечности и юмором бродяги, чем быстро завоевал расположение молодого сотоварища. На вопрос последнего, где учился его собеседник и куда держит путь, этот диковинный субъект разразился такой тирадой:

— Высших школ моя бедная душа нагляделась вдосталь, я бывал в Кёльне и Париже, а о метафизике ливерной колбасы редко говорилось столь содержательно, как это сделал я, защищая диссертацию в Лейдене. С тех пор, дружок, я, бедная собака, бегаю по Германской Империи, терзая любезную свою душу непомерным голодом и жаждой; меня зовут грозой крестьян, а профессия моя заключается в том, чтобы наставлять молодых женщин в латыни и показывать фокусы, как колбаса через дымоход попадает ко мне в живот. Цель моя — попасть в постель к бургомистерше, и если меня не склюют к тому времени вороны, то мне не останется ничего иного, как посвятить себя обременительной профессии епископа. Лучше, мой юный коллега, крошки со стола в рот собирать, чем на помойку бросать, и поэтому нигде еще рагу из зайца не чувствовало себя столь хорошо, как в моем бедном желудке. Король Богемии — мой брат, и Отец наш питает его, как и меня, но самое лучшее Он предоставляет доставать мне самому, а позавчера Он, жестокосердый, как все отцы, возжелал употребить меня на то, чтобы я спас от голодной смерти волка. Если бы я не прикончил эту скотину, господин коллега, ты никогда не удостоился бы чести заключить со мной сегодня столь приятное знакомство. In saecula saeculorum, Amen[1].

Гольдмунда, еще мало сталкивавшегося с подобным горьким юмором и латынью вагантов, правда, немного коробило от этого наглого взъерошенного верзилы и неприятного смеха, которым тот сопровождал собственные шутки; но что-то все-таки понравилось ему в этом закоренелом бродяге, и он легко дал себя уговорить продолжать дальнейший путь вместе; возможно, насчет убитого волка он и прихвастнул, а может, и нет; во всяком случае, вдвоем они будут сильнее, да и не так страшно. Но прежде чем они двинулись дальше, Виктор хотел поговорить с крестьянами на латыни, как он это называл, и расположился у одного крестьянина. Он поступал не так, как Гольдмунд: когда бывал гостем на хуторе или в деревне, он ходил от дома к дому, заводил с каждой женщиной болтовню, совал нос в каждую конюшню и каждую кухню и, казалось, не собирался покидать деревушку, пока каждый дом не приносил ему что-нибудь в дань. Он рассказывал крестьянам о войне в чужих странах и пел у очага песню о битве при Павии, он рекомендовал бабушкам средства от ломоты в костях и выпадения зубов, он, казалось, все знает и везде побывал; он до отказа набивал рубаху под поясом подаренными кусками хлеба, орехами, сушеными грушами. С удивлением наблюдал Гольдмунд, как этот человек неустанно проводил свою линию, то запугивая, то льстя людям; как он важ-

[1] Во веки веков, аминь *(лат.)*.

ничал и удивлял, говоря то на исковерканной латыни, разыгрывая ученого, то на наглом воровском жаргоне, замечая острыми, зоркими глазами во время рассказов и якобы ученых монологов каждое лицо, каждый открытый ящик стола, каждую миску и каждый каравай. Он видел, что это был пронырливый бездомный человек, тертый калач, который много повидал и пережил, много голодал и холодал и в борьбе за скудную, жалкую жизнь стал смышленым и нахальным. Так вот какие они, странники! Неужели и он станет когда-нибудь таким?

На другой день они отправились дальше, в первый раз Гольдмунд пробовал идти вдвоем. Три дня они были в пути, и Гольдмунд научился у Виктора кое-чему. Ставшая инстинктом привычка все соотносить с тремя главными потребностями бездомного — безопасностью для жизни, ночлегом и пропитанием — как следует научила многоопытного странника. По малейшим признакам узнавать близость человеческого жилья, даже зимой, даже ночью, или тщательно проверять каждый уголок в лесу и в поле на пригодность для отдыха или ночлега, или при входе в комнату в один момент определять степень благосостояния хозяина, а также степень его добросердечия, любопытства и страха — вот это было искусство, которым Виктор владел мастерски. Кое о чем поучительном он рассказывал молодому товарищу. А когда Гольдмунд както возразил, что ему неприятно подходить к людям с такими хитроумными рассуждениями и что он, не зная всех этих ухищрений, в ответ на свою откровенную просьбу лишь в редких случаях получал отказ в гостеприимстве, долговязый Виктор засмеялся и сказал добродушно:

— Ну конечно, Гольдмунд, тебе, должно быть, везло, ты так молод и хорош собой, да и выглядишь так невинно, это уже рекомендация на постой. Женщинам ты нравишься, а мужчины думают: «Бог мой, да он безобидный, никому не причинит зла». Но, видишь ли, братец, человек становится старше и на детском лице вырастает борода и появляются морщины, а на штанах — дыры, и незаметно становишься противным, нежелательным гостем, а вместо юности и невинности из глаз смотрит только голод, вот тогда-то человеку и приходится становиться твердым и кое-чему научиться в мире, иначе быстренько окажешься на свалке и собаки будут на тебя мочиться. Но мне кажется, ты и без того не будешь долго бродяжничать: у тебя слишком тонкие руки, слишком красивые локоны, ты опять заберешься куда-нибудь, где живется получше, в хорошенькую теплую супружескую постель, или в хорошенький сытый монастырек, или в прекрасно натопленный кабинет. У тебя и платье хорошее, тебя можно принять за молодого барчука.

Все еще смеясь, он быстро провел рукой по платью Гольдмунда, и тот почувствовал, как рука Виктора ищет и ощупывает все карманы и швы; он отстранился, вспомнив о дукате. Он рассказал о своем пребывании у рыцаря и о том, как заработал себе хорошее платье своей латынью. Но Виктор хотел знать, почему он среди суровой зимы покинул такое теплое гнездышко, и Гольдмунд, не привыкший лгать, рассказал ему кое-что о дочерях рыцаря. Тут между сотоварищами возник первый спор. Виктор счел, что Гольдмунд беспримерный осел, коли просто так ушел, предоставив замок и девиц Господу Богу. Это следует поправить, уж он-то придумает как. Они наведаются в замок. Конечно, Гольдмунду нельзя там показываться, но он может во всем положиться на него, Виктора. Пусть Гольдмунд напишет Лидии письмецо — так, мол, и так, — а он явится с ним в замок и уж, видит Бог, не уйдет, не прихватив того и сего, деньжат и добра. И так далее. Гольдмунд резко возражал и вспылил: он не хотел и слышать об этом и отказался назвать имя рыцаря и рассказать, как найти дорогу к нему.

Виктор, видя его гнев, опять засмеялся, разыгрывая добродушие:

— Ну, ну, — сказал он, — не лезь на рожон! Я только говорю: мы упускаем хорошую возможность поживиться, мой милый, а это не очень-то приятно и не по-товарищески. Но ты, разумеется, не хочешь, ты знатный господин, вернешься в замок на коне и женишься на девице! Сколько же благородных глупостей в твоей голове! Ладно, как знаешь, отправимся-ка дальше, будем пальцы на лапах отмораживать.

Гольдмунд был не в настроении и молчал до вечера, но, так как в этот день они не встретили ни жилья, ни каких-либо следов человека, он был очень благодарен Виктору, который нашел место для ночлега, между двух стволов на опушке леса сделал укрытие и ложе из еловых веток. Они поели хлеба и сыра из запасов Виктора, Гольдмунд стыдился своего гнева, с готовностью помогал во всем и даже предложил товарищу шерстяную фуфайку на ночь; они решили дежурить по очереди из-за зверей, и Гольдмунд дежурил первым, тогда как другой улегся на еловые ветви. Долгое время Гольдмунд стоял спокойно, прислонившись к стволу ели, чтобы дать Виктору заснуть. Потом он стал ходить взад и вперед, так как замерз. Он бегал туда и сюда, все увеличивая расстояние, глядя на вершины елей, остро торчавшие в холодном небе, слушал глубокую тишину зимней ночи, торжественную и немного пугающую, чувствовал свое бедное живое сердце, одиноко бившееся в холодной безответной тишине, и прислушивался, осторожно возвращаясь, к дыханию спящего товарища. Его пронизывало сильнее, чем когда-либо, чувство бездомного, не сумевшего воздвигнуть между собою и великим страхом стен дома, за́мка или монастыря. Вот, сирый и одинокий, бежит он через непостижимый, враждебный мир, один среди холодных насмешливых звезд, подстерегающих зверей, терпеливых непоколебимых деревьев.

Нет, думал Гольдмунд, он никогда не станет таким, как Виктор, даже если будет странствовать всю жизнь. Эту манеру защищаться от страха он никогда не усвоит, не научится этому хитрому воровскому выслеживанию добычи и этим громогласным дерзким дурачествам, этому многословному юмору мрачного бахвала. Возможно, этот умный дерзкий человек прав: Гольдмунд никогда не будет во всем походить на него, никогда не станет настоящим бродягой, а однажды ползком вернется к каким-нибудь стенам. Но бездомным он все равно останется, цели так и не найдет и не будет чувствовать себя действительно защищенным от всяких опасностей, его всегда будет окружать мир загадочно прекрасный и загадочно тревожный, он всегда будет прислушиваться к этой тишине, среди которой бьющееся сердце кажется таким робким и бренным. Виднелось несколько звезд, было безветренно, но в вышине, казалось, двигались облака.

Виктор проснулся долгое время спустя — Гольдмунду не хотелось будить его — и позвал:

— Иди-ка, теперь тебе надо поспать, а не то завтра ни на что годен не будешь.

Гольдмунд послушался, он лег на ветки и закрыл глаза. Он, конечно, устал, но ему не спалось: мысли не давали уснуть, а кроме мыслей, еще и чувство, в котором он сам себе неохотно признавался, — ощущение тревоги и недоверия к своему спутнику. Теперь для него было непостижимо, как он мог рассказать этому грубому, громко смеющемуся человеку, этому остряку и наглому нищему о Лидии! Он был зол на него и на самого себя и озабоченно размышлял, как бы получше с ним расстаться.

Но он, должно быть, все-таки погрузился в полусон, потому что испугался и был поражен, когда почувствовал, что руки Виктора осторожно ощупывают его платье. В одном кармане у него был нож, в другом — дукат, то и другое Виктор непременно украл бы, если бы нашел. Он притворился спящим, повернулся туда-сюда как бы во сне, пошевелил руками, и Виктор отполз назад. Гольдмунд разозлился на Виктора, он решил завтра же отделаться от него.

Но когда через какой-нибудь час Виктор опять склонился над ним и начал его обыскивать, Гольдмунд похолодел от бешенства. Не пошевельнувшись, он открыл глаза и сказал с презрением:

— Убирайся, здесь нечего воровать.

Испугавшись крика, вор схватил Гольдмунда руками за горло. Когда же тот стал защищаться и хотел приподняться, тот сжал его горло еще крепче и одновременно встал ему коленом на грудь. Гольдмунд, чувствуя, что не может больше дышать, рванулся и сделал резкое движение всем телом, а не освободившись, ощутил вдруг смертельный страх, сделавший его умным и сообразительным. Он сунул руку в карман, в то время как рука Виктора продолжала его душить, достал маленький охотничий нож и воткнул его внезапно и вслепую несколько раз в склонившегося над ним противника. Через мгновение руки Виктора разжались; глотнув воздуха, глубоко и бурно дыша, Гольдмунд возвращался к жизни. Он попытался встать, его долговязый спутник со страшным стоном перекатился через него, расслабленный и размякший, кровь его брызнула Гольдмунду в лицо. Только теперь он смог подняться. Тут он увидел в сумеречном свете распростертое во всю длину тело; когда он дотронулся до него, вся рука оказалась в крови. Он поднял его голову — тяжело и мягко, как мешок, она упала назад. Из груди и горла все еще шла кровь, изо рта вырывались последние вздохи жизни, невнятные и слабеющие.

«Я убил человека», — подумал Гольдмунд и продолжал думать об этом все время, стоя на коленях перед умирающим, и видел, как по его лицу разливается бледность.

— Матерь Божья, вот я стал убийцей, — услышал он собственный голос.

Ему стало невыносимо оставаться здесь. Он взял нож, вытер его о шерстяную, связанную Лидией для любимого, фуфайку, надетую на другом, убрал нож в деревянные ножны, положил в карман, вскочил и помчался что было сил прочь.

Тяжелым бременем лежала смерть веселого ваганта у него на душе; когда настал день, он с отвращением стер с себя снегом всю кровь, которую пролил, и еще день и ночь бесцельно блуждал в страхе. Наконец телесные потребности заставили его встряхнуться и положить конец исполненному страха раскаянию.

Блуждая по пустынной заснеженной местности без крова, без дороги, без еды и почти без сна, он попал в крайне бедственное положение: как дикий зверь терзал его тело голод, несколько раз он в изнеможении ложился прямо среди поля, закрывал глаза, желая только заснуть и умереть в снегу. Но что-то снова поднимало его, он отчаянно и жадно цеплялся за жизнь, и в самой горькой нужде пробивалась и опьяняла его безумная сила и буйное нежелание умирать, невероятная сила голого инстинкта жизни. С заснеженного можжевельника он обрывал посиневшими от холода руками маленькие засохшие ягоды и жевал эту хрупкую жалкую пищу, смешанную с еловыми иголками, возбуждающе острую на вкус, утолял жажду пригоршнями снега. Из последних сил дуя в застывшие руки, сидел он на холме, делая короткую передышку, жадно смотря во все стороны, но не замечая ничего, кроме пустоши и леса; нигде не видно было ни следа человека. Над ним летало несколько ворон, зло следил он за ними взглядом. Нет, они не получат его на обед, пока есть остаток сил в его ногах, хотя бы искра тепла в его крови. Он встал, и снова начался неумолимый бег наперегонки со смертью. Он бежал и бежал, и в лихорадке изнеможения и последних усилий им овладевали странные мысли, и он вел безумные разговоры то про себя, то вслух. Он говорил с Виктором, которого заколол, резко и злорадно говорил ему:

— Ну, ловкач, как поживаешь? Луна просвечивает тебе кишки, лисицы дергают за уши? Говоришь, волка убил? Что ж, ты ему глотку перегрыз или хвост оторвал, а? Хотел украсть мой дукат, старый ворюга! Да не тут-то было, маленький Гольдмунд поймал тебя, так-то, старик, пощекотал я тебе ребра! А у самого еще полны карманы хлеба, и колбасы, и сыра. Эх ты, свинья, обжора!

Подобные речи выкрикивал он, ругая убитого, торжествуя над ним, высмеивая его за то, что тот дал себя убить, — рохля, глупый хвастун!

Но потом его мысли и речи оставили в покое бедного долговязого Виктора. Он видел теперь перед собой Юлию, красивую маленькую Юлию, как она покинула его в ту ночь; он кричал ей бесчисленные ласковые слова, безумными бесстыдными нежностями пытался соблазнить ее, только бы она пришла, сняла рубашку, отправилась бы с ним на небо за час до смерти, на одно мгновение, перед тем как ему издохнуть. Умоляюще и вызывающе говорил он с ее маленькой грудью, с ее ногами, с белокурыми курчавыми подмышками.

И снова брел он, спотыкаясь, через заснеженную сухую осоку, опьяненный горем, чувствуя торжествующий огонь жизни. Он начинал шептать; на этот раз он беседовал с Нарциссом, сообщая ему свои мысли, прозрения и шутки.

— Ты боишься, Нарцисс, — обращался он к нему, — тебе жутко, ты ничего не заметил? Да, глубокоуважаемый, мир полон смерти, она сидит на каждом заборе, стоит за каждым деревом, и вам не помогут ваши стены, и спальни, и часовни, и церкви, она заглядывает в окна, смеется, она прекрасно знает каждого из вас, среди ночи слышите вы, как она смеется под вашими окнами, называя вас по именам. Пойте ваши псалмы, и жгите себе свечи у алтаря, и молитесь на ваших вечернях и заутренях, и собирайте травы для аптеки и книги для библиотеки! Постишься, друг? Недосыпаешь? Она-то тебе поможет, безносая, лишит всего, до костей. Беги, дорогой, беги скорей, там в поле уже гуляет смерть, собирайся и беги! Бедные наши косточки, бедное брюхо, бедные остатки мозгов! Все исчезнет, все пойдет к черту, на дереве сидят вороны, черные попы.

Давно уже блуждал он, не зная, куда бежит, где находится, что говорит, лежит он или стоит. Он падал, споткнувшись о куст, натыкался на деревья, хватался, падая на снег, за колючки. Но инстинкт в нем был силен, все снова и снова срывал он его с места, увлекая и гоня, слепо мечущегося, все дальше и дальше. В последний раз он, обессиленный, упал и не поднялся в той самой деревне, где несколько дней назад встретил странствующего студента, где ночью держал лучину над роженицей. Тут он остался лежать; сбежались люди, и стояли вокруг него, и болтали. Он уже ничего не слышал. Женщина, любовью которой он тогда насладился, узнала его и испугалась его вида; сжалившись над ним, она, предоставив мужу браниться, притащила полумертвого в хлев.

Прошло немного времени, и Гольдмунд опять был на ногах и мог отправляться в путь. От тепла в хлеву, от сна и от козьего молока, которое давала ему женщина, он пришел в себя, и к нему вернулись силы, а все только что пережитое отодвинулось назад, как будто с тех пор прошло много времени. Поход с Виктором, холодная жуткая ночь под елями, ужасная борьба на ложе, страшная смерть спутника, дни и ночи замерзания, голода и блужданий — все это стало прошлым, как будто почти забытым; но забытым это все-таки не было, только пережитым, только минувшим. Что-то осталось, невыразимое, что-то ужасное и в то же время дорогое, что-то опустившееся на дно души и все-таки незабвенное — опыт, вкус на языке, рубец на сердце. Меньше чем за два года он, пожалуй, основательно познал все радости и горести бездомной жизни: одиночество, свободу, звуки леса и мира животных, бродячую неверную любовь, горькую смертельную нужду. Сколько времени пробыл он гостем в летних полях, в лесу, в смертельном страхе и рядом со смертью; и самым сильным, самым странным было желание противостоять смерти и, сознавая свою ничтожность и беззащитность перед угрозами, в последней отчаянной борьбе со смертью все-таки чувствовать в себе эту прекрасную, страшную силу и цепкость жизни. Это звучало в нем, это запечатлелось в его сердце так же, как жесты и выражения страсти, столь похожие на те, что бывают у роженицы и умирающего. Совсем недавно видел он, как меняется лицо роженицы, совсем недавно погиб Виктор. О, а он сам, как чувствовал он во время голода подкрадывающуюся со всех сторон смерть, как мучился от голода, а как мерз! И как он боролся, как водил смерть за нос, с каким смертельным страхом и с какой яростной страстью он защищался! Больше этого, казалось ему, уже нельзя пережить. С Нарциссом можно было бы поговорить об этом, больше ни с кем.

Когда Гольдмунд на своем соломенном ложе в хлеву в первый раз пришел в себя, он не нашел в кармане дуката. Неужели он потерял его в последний день во время страшного полусознательного голодного блуждания? Долго размышлял он об этом. Дукат был ему дорог, он не хотел мириться с его потерей. Деньги для него мало значили, он едва знал им цену. Но золотая монета имела для него значение по двум причинам. Это был единственный подарок Лидии, сохранившийся у него, потому что шерстяная фуфайка осталась в лесу на Викторе, пропитанная кровью. А потом ведь прежде всего из-за монеты, которой он не желал лишаться, из-за нее он защищался от Виктора, из-за нее вынужден был убить его. Если дукат потерян, то в какой-то мере все переживание той ужасной ночи становилось бессмысленным и никчемным. Размышляя таким образом, он решил довериться хозяйке.

— Кристина, — сказал он ей шепотом, — у меня была золотая монета в кармане, а теперь ее там нет.

— Так-так, заметил? — сказала женщина с удивительно милой и одновременно лукавой улыбкой, столь восхитившей Гольдмунда, что он, несмотря на слабость, обнял ее.

— Какой же ты чудак, — сказала она с нежностью, — такой умный да обходительный и такой глупый! Разве бегают по свету с дукатом в открытом кармане? Ох, дитя малое, дурачок ты мой милый! Монету твою я нашла сразу же, когда укладывала тебя на соломе.

— Нашла? А где же она?

— Ищи, — засмеялась она и действительно заставила его довольно долго искать монету, прежде чем показала место в куртке, где она была надежно зашита. Она надавала ему при этом кучку добрых материнских советов, которые он скоро забыл, но ее дружескую услугу и лукавую улыбку на добром крестьянском лице не забывал никогда. Он постарался выказать ей свою благодарность, а когда вскоре опять был способен идти дальше, она задержала его, так как в эти дни менялась луна, и погода, конечно, должна была смягчиться. Так оно и было. Когда он отправился дальше, снег лежал серый и больной, а воздух был тяжел от сырости, в вышине слышались стоны теплого влажного ветра.

Глава десятая

Снова тающие снега гнали реки вниз, снова из-под прелой листвы пахло фиалками, снова брел Гольдмунд сквозь пестрые времена года, впиваясь ненасытными глазами в леса, горы и облака, от двора к двору, от деревни к деревне, от женщины к женщине; сидел иной раз прохладным вечером, измученный, с болью в сердце, под окном, за которым горел свет и из красноватого отсвета которого мило и недостижимо сияло все, что на земле называется счастьем, домом, миром. Снова и снова приходило все, что он, казалось, давно так хорошо уже знает, все приходило снова и было каждый раз другим: долгий путь по полям и пустошам или по каменной дороге, летние ночевки в лесу, медленное приближение к деревням за рядами молодых девушек, возвращавшихся домой с сенокоса или сбора хмеля, первые осенние дожди, первые злые морозы — все возвращалось, раз, два раза, нескончаемо двигалась перед его глазами пестрая лента.

Не раз лил дождь, и не раз шел снег, а однажды, поднявшись редким буковым лесом с уже светло-зелеными почками, Гольдмунд увидел с высоты гребня холма местность, которая порадовала его глаз и пробудила в сердце поток предчувствий, желаний и надежд. Уже несколько дней он ощущал приближение этой местности, и все-таки она поразила его в этот полуденный час, и то, что он увидел при первой встрече, только подтвердило и укрепило его ожидания. Он смотрел вниз сквозь стволы с едва колышущимися ветвями, на зелено-коричневую дымку, посередине которой блестела, как стекло, широкая голубоватая река. Отныне, он был в этом уверен, будет надолго покончено с блужданием без дороги через пустоши, леса и глухие места, где едва встретишь двор или бедную деревеньку. Там, внизу, катилась река, а вдоль реки проходили самые знаменитые, самые главные дороги, там лежала богатая сытая страна, плыли плоты и лодки, и дорога вела в большие деревни, замки, монастыри и богатые города, и кому хотелось, тот мог путешествовать по этой дороге сколько угодно, не боясь, что она, подобно жалким деревенским тропинкам, вдруг затеряется где-нибудь в лесу или в болоте. Начиналось что-то новое, и он радовался этому.

Уже к вечеру того же дня он был в большом селе, расположенном между рекой и виноградниками на холмах у большой проезжей дороги, красивые ставни окон на домах с фронтонами были выкрашены в красное, здесь были сводчатые въездные ворота и мощеные ступенчатые улочки, из кузницы вырывались красные отблески пламени и слышались звонкие удары по наковальне. С любопытством бродил вновь прибывший по всем уголкам и закоулкам, вдыхал запах бочек и вина у винных погребов, а на берегу реки — запах прохлады и рыбы, осмотрел храм и кладбище, не преминул приглядеть и подходящий сарай для ночлега. Но сначала он хотел попытаться попасть на довольствие в дом священника. Тучный рыжий священник расспросил его, а он, кое-что опустив и кое-что присочинив, рассказал свою жизнь; после этого он был любезно принят и весь вечер провел за добрым ужином с вином в долгих разговорах с хозяином. На другой день он пошел дальше по дороге вдоль реки. Видел плывущие плоты и баржи, обгонял повозки, иногда его немного подвозили; быстро пролетали весенние дни, переполненные впечатлениями, его принимали в деревнях и маленьких городишках, женщины улыбались у изгороди или, наклонившись к земле, сажали что-то, девушки пели по вечерам на деревенских улочках.

На одной мельнице ему так понравилась молодая работница, что он на два дня задержался, обхаживая ее; она смеялась и охотно болтала с ним; ему казалось, что лучше всего было бы навсегда остаться здесь и стать работником на этой мельнице. Он сидел с рыбаками, помогал возничим кормить и чистить лошадей, получая за это хлеб, и мясо, и разрешение ехать вместе с ними. После долгого одиночества это постоянное общение в пути, после долгих тягостных размышлений веселые разговоры с довольными людьми, после долгого недоедания ежедневная сытость — все это благотворно действовало на него, он охотно отдавался счастливой волне. Она несла его с собой, и чем ближе он подходил к городу, тем многолюдней и веселее становилась дорога.

В одной деревне он шел как-то уже в сумерках, прогуливаясь вдоль реки под деревьями, уже покрытыми листвой. Спокойно и величаво катилась река, у корней деревьев плескалась, вздыхая, вода, над холмом всходила луна, бросая свет на реку и погружая в тень деревья. Тут он увидел девушку, она сидела и плакала, повздорив с любимым, теперь вот он ушел, оставил ее одну: Гольдмунд подсел к ней и, выслушивая жалобы, гладил ее по руке, рассказывал про лес и про ланей, утешил ее немного, немного посмешил, и она позволила себя поцеловать. Но тут за ней явился ее возлюбленный: он успокоился и сожалел о ссоре. Увидев Гольдмунда возле нее, он кинулся на того с кулаками, Гольдмунду удалось в конце концов справиться с ним; с проклятиями парень побежал в деревню, девушка скрылась давно. Гольдмунд же, не доверяя наступившему миру, оставил свое убежище и полночи шел дальше в лунном сиянии через серебряный безмолвный мир, очень довольный, радуясь своим сильным ногам, пока роса не смыла белую пыль с его башмаков.

Ощутив наконец усталость, он лег под ближайшим деревом и уснул. Давно уже был день, когда он проснулся, почувствовав, что его что-то щекочет по лицу; еще сонный, он отмахнулся, шлепнув себя рукой, и заснул опять, но вскоре был разбужен вновь тем же щекотанием; перед ним стояла крестьянская девушка, смотрела на него и щекотала концом ивового прутика. Он поднялся шатаясь, с улыбкой они кивнули друг другу, и она отвела его в сарай, где было лучше спать. Они поспали какое-то время там друг возле друга, потом она убежала и вернулась с ведерком еще теплого коровьего молока. Он подарил ей голубую ленту для волос, которую недавно нашел на улице и спрятал у себя, они поцеловались еще раз, прежде чем он пошел дальше. Ее звали Франциска, ему было жаль расставаться с ней.

Вечером того же дня он нашел приют в монастыре, утром был на мессе; причудливой волной прокатились в его душе тысячи воспоминаний, трогательно, по-родному пахнуло на него прохладным воздухом каменного свода, и послышалось постукивание сандалий о каменные плиты переходов. Когда месса кончилась и в церкви стало тихо, Гольдмунд все еще стоял на коленях, его сердце было странно взволновано, ночью ему снилось много снов. У него появилось желание как-то избавиться от впечатлений прошлого, как-то переменить жизнь, он не знал почему, возможно, то было лишь напоминание о Мариабронне и его благочестивой юности, так тронувшее его. Он почувствовал необходимость исповедаться и очиститься; во многих мелких грехах, во многих мелких провинностях нужно было покаяться, но тяжелее всего давила вина за смерть Виктора, который умер от его руки. Он нашел патера, которому исповедался о том о сем, но особенно об ударах ножом в горло и спину бедного Виктора. О, как же давно он не исповедовался! Количество и тяжесть его грехов казались ему значительными, он готов был прилежно искупить их. Но исповедник, похоже, знал жизнь странников; он не ужаснулся, спокойно выслушав, серьезно, но дружелюбно пожурил и предостерег без особых осуждений.

Облегченно поднялся Гольдмунд, помолился по предписанию патера у алтаря и собирался уже выйти из церкви, когда солнечный луч проник через одно из окон; он последовал за ним взглядом и увидел в боковом приделе стоящую фигуру, она показалась ему такой привлекательной, так притягивала к себе, что он повернулся к ней любящим взором и долго рассматривал ее, полный благоговения и глубокого волнения. Это была Божья Матерь из дерева, Она стояла, склонившись нежно и кротко. И как ниспадал голубой плащ с Ее узких плеч, и как была протянута нежная девичья рука, и как смотрели над скорбным ртом глаза и высился прелестный выпуклый лоб — все было так живо, так прекрасно и искренне воодушевленно, что ему казалось, он никогда такого не видел. Этот рот, это милое, естественное движение шеи! Он смотрел и не мог наглядеться. Как будто перед ним стояло *то*, что он часто и уже давно видел в грезах и предчувствовал, к чему нередко стремился в тоске. Несколько раз порывался он уйти, но его опять тянуло обратно.

Когда он наконец собрался уходить, позади остановился патер, который его исповедовал.

— По-твоему, она красива? — спросил он дружески.

— Несказанно красива, — ответил Гольдмунд.

— Кое-кто тоже так говорит, — сказал священник. — А вот другие считают, что это не настоящая Божья Матерь, что сделана в угоду новой моде, что в ней много мирского, все преувеличено и не похоже на правду. Об этом, слышно, много спорят. А тебе она, стало быть, нравится, это меня радует. Она стоит в нашей церкви с год, ее пожертвовал нам один из покровителей нашего монастыря. А сделал мастер Никлаус.

— Мастер Никлаус? Кто это, откуда он? Вы его знаете? О, пожалуйста, расскажите мне о нем! Он, должно быть, замечательно одаренный человек, если сумел сделать такое.

— Я не много знаю о нем. Он — резчик по дереву в нашем епархиальном городе, день пути отсюда, как художник он пользуется большой славой. Художники, как правило, не бывают святыми, вот и он такой же, но, конечно, одаренный и благородный человек. Видел я его иногда...

— О, вы его видели? Как же он выглядит?

— Сын мой, ты, кажется, прямо-таки очарован им. Ну так найди его и передай привет от патера Бонифация.

Гольдмунд был безмерно благодарен. Улыбаясь, патер ушел, а он еще долго стоял перед таинственной фигурой, грудь которой, казалось, дышала, а в лице было столько печали и очарования одновременно, что у него сжималось сердце.

Преображенным вышел Гольдмунд из церкви, по совершенно изменившемуся миру шагал он теперь. С того момента, как стоял он перед дивной святой фигурой из дерева, Гольдмунд приобрел то, чего у него никогда не было, над чем он часто посмеивался или чему завидовал, — цель! У него была цель, и, возможно, он ее достигнет, и, может, тогда вся его беспутная жизнь приобретет высокий смысл и значение. Радостью и трепетом было пронизано это новое чувство, окрыляя его. Эта прекрасная веселая дорога, по которой он шел, была не только тем, чем была еще вчера — местом праздничных гуляний и приятного времяпрепровождения, — она была также дорогой в город, дорогой к Мастеру. Он шел с нетерпением. Еще до наступления вечера прибыл на место, увидел за стенами возвышающиеся башни, на воротах высеченные гербы и нарисованные щиты, прошел через них с бьющимся сердцем, едва обращая внимание на шум и радостное уличное оживление, на рыцарей, едущих верхом, на повозки и кареты. Не рыцари и кареты, не город и епископ были важны для него. У первого человека за воротами он спросил, где живет мастер Никлаус, и был разочарован, услышав в ответ, что тот ничего не знает о нем.

Он прошел на площадь, окруженную внушительными домами, многие были украшены росписью или скульптурами. Над дверью одного дома красовалась большая фигура ландскнехта, ярко и весело раскрашенная. Она была не столь хороша, как фигура в монастырской церкви, но воин стоял с таким видом, выгнув икры ног и выставив бородатый подбородок, что и эта фигура, подумал Гольдмунд, могла быть создана тем же мастером. Он вошел в дом, постучал в двери, поднялся по лестнице; наконец встретил господина в бархатном камзоле, отороченном мехом; его он спросил, где ему найти мастера

Никлауса. Что ему нужно от него, спросил господин в ответ, и Гольдмунд, с трудом овладев собой, сказал, что у него есть поручение к нему. Господин назвал улицу, где жил мастер, и когда Гольдмунд, спросив многих прохожих, наконец добрался до нее, настала ночь. Измученный, но счастливый, стоял он перед домом мастера, смотрел вверх на окна и хотел было войти. Но, спохватившись, что уже поздно и что с дороги платье его пропылилось, а сам он вспотел, заставил себя потерпеть. Но он еще долго стоял перед домом. Тут в одном окне появился свет и, как раз когда он собрался уходить, он увидел, как к окну подошла красивая белокурая девушка, сквозь волосы которой лился нежный свет лампы.

Наутро, когда город проснулся и опять зашумел, Гольдмунд, заночевавший в монастыре, вымыл лицо и руки, выбил пыль из платья и башмаков, разыскал ту улицу и постучал в ворота дома. Вышла прислуга, она не хотела вести его сразу к мастеру, но ему удалось уговорить эту старую женщину, и та провела его в дом. В небольшой зале, которая служила мастерской, в рабочем фартуке стоял мастер, крупный бородатый человек лет сорока или пятидесяти, как показалось Гольдмунду. Он посмотрел на незнакомца острыми светло-голубыми глазами и спросил коротко, что ему нужно. Гольдмунд передал привет от патера Бонифация.

— Это все?

— Мастер, — сказал Гольдмунд со стесненным дыханием, — я видел вашу Божью Матерь в монастыре. Ах, не смотрите на меня так недружелюбно, меня привели к вам только любовь и почтение. Я не из пугливых, я уже давно странствую, знаю, что такое лес, и снег, и голод. Нет человека, перед которым я испытывал бы страх. Но перед вами я его испытываю. О, у меня есть одно-единственное желание, которым до боли полнится мое сердце.

— Что же это за желание?

— Я хотел бы стать вашим учеником, хотел бы поучиться у вас.

— Ты не единственный, молодой человек, у кого есть такое желание. Но я не терплю учеников, а двое помощников у меня уже есть. Откуда ты идешь и кто твои родители?

— У меня нет родителей, у меня нет дома. Я был учеником в монастыре, учил там латынь и греческий, потом убежал оттуда и странствовал несколько лет, до сегодняшнего дня.

— А почему ты решил, что должен стать резчиком по дереву? Ты уже пробовал что-нибудь в этом роде? У тебя есть рисунки?

— Я сделал много рисунков, но у меня нет их. А почему я хочу учиться у вас, я могу вам сказать. Я много размышлял, видел много лиц и фигур и много думал о них, и некоторые из этих мыслей все время мучают меня и не дают мне покоя. Я заметил, что в одной фигуре всюду повторяется определенная форма, определенная линия, что лоб соответствует колену, плечо — лодыжке, и все это тесно связано с сутью и душой человека, у которого именно такое колено, такое плечо и такой лоб. И еще одно я заметил, я увидел это ночью, когда помогал при родах; что самая большая боль и самое высокое наслаждение имеют одинаковое выражение.

Мастер проницательно смотрел на незнакомца:

— Ты знаешь, что говоришь?

— Да, мастер, это так. Именно это я увидел, к своему величайшему наслаждению и удивлению, в вашей Божьей Матери, поэтому я и пришел. О, в этом прекрасном лице столько страдания, и в то же время все это страдание как будто переходит в чистое счастье и улыбку. Когда я это увидел, меня словно обожгло, все мои многолетние мысли и мечты, казалось, подтвердились и стали вдруг нужными, и я сразу понял, что мне делать и куда идти. Дорогой мастер Никлаус, я прошу вас от всего сердца, позвольте мне поучиться у вас!

Никлаус внимательно слушал, но лицо его при этом не становилось более приветливым.

— Молодой человек, — сказал он, — ты умеешь удивительно хорошо говорить об искусстве, и мне страшно, что ты в твои годы так много можешь сказать о наслаждении и страдании. Я бы с удовольствием поболтал с тобой об этих вещах как-нибудь вечерком за бокалом вина. Но, видишь ли, приятная беседа друг с другом это не то же самое, что жить и работать бок о бок в течение нескольких лет. Здесь мастерская, и здесь нужно работать, а не болтать, и здесь в счет идет не то, что ты напридумывал и сумел наговорить, а лишь то, что ты сумел сделать своими руками. Но у тебя это как будто серьезно, поэтому я не выпроваживаю тебя. Посмотрим, что ты можешь. Ты когда-нибудь лепил из глины или из воска?

Гольдмунд сразу вспомнил сон, который видел давным-давно, там он лепил маленькие фигурки из глины, они еще потом восстали и превратились в великанов. Однако он умолчал об этом и сказал, что никогда не пробовал.

— Хорошо. Тогда нарисуй что-нибудь. Вон стол, видишь, бумага и уголь. Садись и рисуй, не торопись, можешь оставаться здесь до обеда или даже до вечера. Может, тогда видно будет, на что ты годишься. Ну, хватит, достаточно поговорили, я приступаю к своей работе, а ты к своей.

Итак, Гольдмунд сидел за столом на стуле, указанном мастером. Ему не хотелось спешить с этой работой, сначала он сидел тихо в ожидании, как робкий ученик, с любопытством и любовью уставившись на мастера, который вполоборота к нему продолжал работать над небольшой фигурой из глины. Внимательно всматривался он в этого человека. В его строгой и уже немного поседевшей голове, крепких, но благородных и одухотворенных руках мастера было столько чудесной силы. Он выглядел иначе, чем Гольдмунд представлял его себе: старше, скромнее, рассудительнее, намного менее располагающим к себе и совсем не счастливым. Его непреклонный остро испытующий взор был обращен теперь на работу, и Гольдмунд не стесняясь разглядывал всю его фигуру. Этот человек, думалось ему, мог бы быть, пожалуй, и ученым, спокойным строгим исследователем, самоотверженно преданным своему делу, которое начали еще его предшественники, а он когда-нибудь передаст своим последователям, — делу всей жизни, не имеющему конца, делу, в котором соединился бы увлеченный труд и преданность многих поколений. Все это он вычитал из своих наблюдений за лицом мастера, тут было написано много терпения, много умения и раздумий, много скромности и понимания сомнительной ценности всех трудов человеческих, но и веры в свою задачу. Иным был язык его рук, между ними и головой было некое противоречие. Эти руки брали крепкими, но очень чувствительными пальцами глину, из которой лепили, они обходились с глиной так же, как руки любящего с отдавшейся возлюбленной: пылко, с нежной чуткостью, страстно, но не проводя различия между тем, что берут, и тем, что дают, сладострастно и свято одновременно, уверенно и мастерски, как бы пользуясь древнейшим опытом. С восторгом и восхищением смотрел Гольдмунд на эти одаренные руки. Он с удовольствием стал бы рисовать мастера, если бы не противоречие между лицом и руками: оно мешало ему.

Просидев целый час возле погруженного в работу мастера в поисках тайны этого человека, он почувствовал, что внутри него начинает проступать, вырисовываясь в его душе, другой образ, образ человека, которого он знал лучше всех, которого очень любил и которым искренне восхищался; и этот образ был без изъянов и противоречий, хотя и он был полон разнообразных черт и вызывал воспоминания о многих сражениях. Это был образ его друга Нарцисса. Все теснее соединялся он в целое, все яснее проступал внутренний закон любимого человека в его образе, одухотворенная форма благородной головы, строго очерченный прекрасный спокойный рот и немного печальные глаза, худые, но стойкие в борьбе за духовность плечи, длинная шея, нежные, изящные руки. Никогда еще, с тех пор как Гольдмунд простился с другом в монастыре, он не видел его так ясно. Никогда этот образ в его душе не был столь цельным.

Как во сне, безвольно, но с необходимой готовностью Гольдмунд осторожно начал рисовать, благоговейно переводя на бумагу любящей рукой образ, что был у него в сердце, забыв мастера, самого себя и место, где находился. Он не видел, как в зале медленно менялось освещение, не замечал, что мастер несколько раз посмотрел в его сторону. Как бы священнодействуя, выполнял он задачу, вставшую перед ним, поставленную его сердцем: возвысить образ друга и запечатлеть его таким, каким он жил в его душе. Не раздумывая об этом, он принял свое дело как исполнение долга, благодарности.

Никлаус подошел к столу и сказал:

— Полдень, я иду обедать, ты можешь пойти со мной. Покажи-ка, что ты нарисовал.

Он встал за спиной Гольдмунда и посмотрел на большой лист, потом, отстранив юношу, взял лист в свои ловкие руки. Гольдмунд пробудился от своих грез и в робком ожидании смотрел на мастера. Тот стоял, держа рисунок обеими руками, и очень внимательно рассматривал его острым взглядом своих светло-голубых глаз.

— Кто это? — спросил Никлаус через некоторое время.

— Мой друг, молодой монах и ученый.

— Хорошо. Вымой руки, вода во дворе. Потом пойдем поедим. Моих помощников нет, они работают в другом месте.

Гольдмунд послушно вышел, нашел двор и воду, вымыл руки; он много бы отдал, чтобы знать мысли мастера. Когда он вернулся, тот вышел, слышно было, что он в соседней комнате; затем он появился, тоже умывшийся, вместо фартука на нем был прекрасный суконный сюртук, в котором он выглядел статным и величавым. Он пошел впереди вверх по лестнице — на столбах ее перил из орехового дерева были вырезаны головы ангелов — через переднюю, заставленную старыми и новыми фигурами, в красивую комнату, где пол, стены и потолок были из дерева твердой породы, а в углу у окна стоял накрытый стол. В комнату быстро вошла девушка, и Гольдмунд сразу узнал в ней ту молодую красавицу, которую он видел вчера вечером.

— Лизбет, — сказал мастер, — принеси-ка еще один прибор, у меня гость. Это... Да, я ведь еще не знаю твоего имени.

Гольдмунд назвал себя.

— Так, Гольдмунд... Обед готов?

— Сию минуту, отец.

Она достала тарелку, выбежала и вернулась со служанкой, которая несла обед: свинину, чечевицу и белый хлеб. Во время еды отец говорил с девушкой о том о сем, Гольдмунд сидел молча, поел немного; он чувствовал себя неуверенно и удрученно. Девушка ему очень понравилась: статная, красивая фигура, высокая, почти с отца; она сидела чопорно и совершенно неприступно, как будто под стеклом, не обращаясь к незнакомцу ни словом, ни взглядом.

Когда они поели, мастер сказал:

— Я хочу еще отдохнуть с полчаса. Пойди в мастерскую или погуляй во дворе пока, потом поговорим о деле.

Поблагодарив, Гольдмунд вышел. Пожалуй, больше часа прошло с тех пор, как мастер увидел его рисунок и не сказал ни слова. А теперь еще полчаса ждать! Но ничего не поделаешь, он ждал. В мастерскую он не пошел: ему не хотелось опять увидеть свой рисунок. Он пошел во двор, сел у воды и стал смотреть, как струя, непрерывно вытекавшая из желоба, падала в глубокую каменную чашу, поднимая при этом маленькие волны, каждый раз забирая с собой в глубину немного воздуха и вырываясь назад белыми жемчужинами. В темном зеркале воды он увидел себя и подумал: Гольдмунд, который глядел на него из воды, — это давно уже не тот Гольдмунд, который был в монастыре, или не тот Гольдмунд, который жил у Лидии, и даже не тот Гольдмунд, что бродил по лесам. Ему подумалось, что каждый человек движется дальше и постоянно меняется и наконец распадается, в то время как запечатленный художником образ его остается навсегда неизменным.

Может быть, думал он, корень всех искусств и, пожалуй, всего духовного — в страхе перед смертью? Мы боимся ее, мы трепещем перед тленом, с грустью смотрим, как вянут цветы и падают листья, и чувствуем в собственном сердце непреложность того, что и мы тленны и скоро увянем. Когда же, будучи художниками, мы создаем образы или, будучи мыслителями, ищем законы и формируем мысли, то делаем это, чтобы хоть что-то спасти от великой пляски смерти, хоть что-то оставить, что просуществует дольше, чем мы сами. Женщина, с которой мастер сделал свою прекрасную Мадонну, возможно, уже давно увяла или умерла, а скоро и он сам умрет, другие будут жить в его доме, есть за его столом — но произведение его останется, в тихой монастырской церкви будет стоять оно еще сотни лет и дольше, и навсегда останется прекрасным, и будет все так же улыбаться, как бы расцветая и грустя.

Он услышал, как мастер спускается по лестнице, и бросился в мастерскую. Мастер Никлаус прошелся взад и вперед, несколько раз взглянул на рисунок Гольдмунда, наконец остановился у окна и сказал в своей медлительной и несколько сухой манере:

— Порядок у нас такой: ученик учится самое малое четыре года и за это его отец платит мастеру.

Так как он замолчал, Гольдмунд подумал, что мастер боится остаться без денег за учебу. Он тут же достал из кармана нож, надрезал шов, где хранился дукат, и вынул его. Никлаус удивленно посмотрел на него и засмеялся, когда Гольдмунд протянул ему золотой.

— Ах вот что ты подумал! — смеялся он. — Нет, молодой человек, оставь свой золотой при себе. Слушай. Я сказал тебе, как обычно обучают учеников в нашем цехе. Но я не обычный мастер, а ты не обычный ученик. Обычный начинает учение с тринадцати-четырнадцати, самое позднее пятнадцати лет и половину учебного времени должен делать подсобную работу и быть на побегушках. Ты же взрослый человек и по возрасту мог бы быть уже подмастерьем, а то и мастером. Бородатых учеников в нашем цехе еще никогда не видели. И я уже сказал тебе, что не хочу держать в доме ученика. Да ты и не похож на того, кому можно приказывать, посылая его туда-сюда.

Нетерпение Гольдмунда достигло предела, каждое рассудительное слово мастера было мучительным для него и казалось отвратительно скучным и педантичным. Он запальчиво воскликнул:

— Зачем вы говорите мне все это, если не собираетесь брать в ученики?

Мастер продолжал непоколебимо, в той же манере:

— Я целый час думал о твоем деле, теперь имей терпение и ты выслушать меня. Я видел твой рисунок. У него есть недостатки, и все-таки он очень хорош. Если бы он не был таковым, я подарил бы тебе полгульдена, расстался бы с тобой и забыл бы о твоем существовании. Больше о рисунке я говорить не буду. Я хочу тебе помочь стать художником, возможно, ты к этому предназначен. Но учеником ты стать не можешь. А кто не был учеником, тот не может в нашей гильдии стать подмастерьем или мастером. Это я говорю тебе заранее. Но ты волен сделать попытку. Если сумеешь на какое-то время остаться в городе, можешь приходить ко мне, чтобы кое-чему поучиться. Сделаем это без обязательств и договоров, ты сможешь уйти в любое время. Наверное, сломаешь мне пару резцов и испортишь пару деревянных болванок, и если окажется, что ты не резчик по дереву, займешься чем-нибудь другим. Теперь ты доволен?

Пристыженный и тронутый, Гольдмунд слушал.

— Благодарю вас от всего сердца, — воскликнул он. — Я — бездомный и сумею пробиться здесь в городе, как раньше в лесах. Я понимаю, что вы не хотите брать на себя ответственность и заботу обо мне как ученике. Я почту за счастье учиться у вас. От всей души благодарю вас за то, что вы приняли во мне участие.

Глава одиннадцатая

Новые картины окружали Гольдмунда здесь, в городе, и новая жизнь началась для него. Так же как эта страна и город приняли его, маня весельем и пышностью, так и он принял эту новую жизнь с радостью и надеждой. Если печаль и оставалась на дне его души неприкосновенной, то на поверхности жизнь играла для него всеми красками. Самая радостная и самая беззаботная пора наступила теперь в жизни Гольдмунда. Богатый город встретил его разными искусствами, женщинами, приятными играми и картинами; проснувшаяся в нем тяга к искусству дарила ему новые ощущения и опыт. С помощью мастера он нашел приют в доме позолотчика у рыбного рынка и учился у обоих искусству работать с деревом и гипсом, красками, лаком и золотой фольгой.

Гольдмунд не относился к тем несчастным художникам, которые, будучи одаренными, не умеют найти правильные средства для воплощения своего таланта. Ведь есть немало таких людей, которым дано глубоко понимать красоту мира и носить в душе высокие, благородные образы, но которые не находят пути вернуть эти образы обратно в мир, сообщить и отдать их на радость другим Гольдмунд не страдал этим недостатком. Он легко и весело работал руками, учился приемам и навыкам ремесла, с такой же легкостью на досуге научился у товарищей играть на лютне, а на воскресных танцах в деревнях — танцевать. Учение шло легко, как будто само по себе. Правда, чтобы овладеть резьбой по дереву, ему пришлось изрядно потрудиться, он загубил не один кусок дерева и не раз ранил себе резцом пальцы. Но он быстро прошел азы и приобрел ловкость. Однако мастер частенько бывал недоволен им и говорил примерно так:

— Хорошо, что ты не мой ученик или подмастерье, Гольдмунд. Хорошо, что мы знаем, что ты пришел с большой дороги, из лесов, и когда-нибудь вернешься туда опять. Кто не знает, что ты не гражданин и не ремесленник, а бездомный гуляка, тот мог бы легко поддаться искушению и потребовать от тебя того и другого, что требует любой мастер от своих людей. Ты прекрасный работник, когда в настроении. Но на прошлой неделе ты бездельничал два дня. Вчера ты должен был отполировать двух ангелов в придворной мастерской, а ты проспал там полдня.

Он был прав в своих упреках, и Гольдмунд выслушивал их молча, не оправдываясь. Он и сам знал, что ненадежен и не очень прилежен. Пока работа его привлекала, ставила перед ним трудные задачи или радовала сознанием своего умения, он был ревностным работником. Тяжелую ручную работу он делал неохотно, работы нетрудные, но требующие времени и старания, каких много в ремесле и какие должны делаться добросовестно и терпеливо, были ему подчас совершенно несносны. Он часто удивлялся сам себе из-за этого. Неужели нескольких лет странствий было достаточно, чтобы сделать его ленивым и ненадежным? Уж не наследство ли это от матери, которое росло и взяло верх в нем? Или что-то другое порождало все это? Он прекрасно помнил свои первые годы в монастыре, где хорошо и прилежно учился. Почему тогда у него было столько терпения, а теперь нет, почему тогда он мог неустанно заниматься латинским синтаксисом и учить все эти греческие повествовательные формы законченного нерасчлененного прошедшего, которые в глубине души были ему совсем неважны? Он не раз задумывался об этом. То была любовь, это она закаляла и окрыляла его; учеба его была не чем иным, как постоянным желанием нравиться Нарциссу, чью любовь можно было завоевать, только привлекая к себе внимание и завоевывая одобрение. Тогда за один только поощрительный взгляд любимого учителя он мог стараться часами и днями. Потом цель была достигнута: Нарцисс стал его другом, и, как ни странно, именно ученый Нарцисс показал ему его непригодность к учености и заставил вспомнить утраченный образ матери. Вместо учености, монашеской жизни и добродетели его существом овладели могучие исконные влечения: пол, женская любовь, стремление к независимости, бродяжничество. Но вот он увидел фигуру Марии, созданную мастером, открыл в себе художника, вступил на новый путь и перестал скитаться. А теперь что? Куда ведет его этот путь? Что мешает ему?

Он не мог сначала это понять. Видел только одно: восхищаясь мастером Никлаусом, он ни в коей мере не любит его, как любил когда-то Нарцисса; иногда ему даже доставляет удовольствие разочаровывать его и сердить. Это было связано, так ему казалось, с двойственной сущностью мастера. Фигуры, сделанные рукой Никлауса, во всяком случае лучшие из них, Гольдмунд почитал за образцы, но сам мастер образцом для него не был.

Рядом с художником, сделавшим Божью Матерь, такую скорбную и такую прекрасную, рядом с ясновидящим, чьи руки умели чудесным образом воплощать в живых образах глубокий опыт и понимание, в мастере Никлаусе жил второй человек: довольно строгий, педантичный хозяин дома и цеховой мастер, вдовец, ведущий вместе с дочерью и безобразной служанкой покойную и несколько ханжескую жизнь в своем тихом доме, решительно противящийся влечениям Гольдмунда и довольствующийся тихим, размеренным, очень упорядоченным и благопристойным бытием.

Хотя Гольдмунд уважал своего мастера, хотя он никогда не позволял себе расспрашивать других о нем или высказываться перед другими по поводу него, через год он уже знал все до мелочей, что только можно было знать о Никлаусе. Этот мастер был важен для него, он любил его и в то же время ненавидел, он не давал ему покоя; и так ученик, движимый любовью и недоверием, неослабевающим любопытством, проник во все тайники его характера и жизни. Он видел, что у Никлауса не было в доме ни учеников, ни подмастерьев, хотя места было достаточно. Он видел, что тот крайне редко к кому-нибудь ходил и так же редко приглашал гостей к себе. Он видел, как тот трогательно и ревниво любил свою красивую дочь и старался спрятать ее от любого. Он знал также, что за строгой и преждевременной воздержанностью еще не очень старого вдовца играли живые силы, так что иногда, получив заказ в другом месте, он за несколько дней путешествия мог удивительным образом помолодеть и измениться. А однажды он заметил, как в одном незнакомом городе, где они ставили резную церковную кафедру, Никлаус вечером тайком отправился к продажной женщине и после этого целый день пребывал в беспокойстве и дурном настроении.

Со временем, кроме любопытства, появилось еще коечто другое, что удерживало Гольдмунда в доме мастера и занимало его. Это была красивая дочь мастера, Лизбет, которая очень нравилась ему. Он редко видел ее, она никогда не заходила в мастерскую, и он не мог определить, была ли ее холодность и боязнь мужчин навязана ей отцом или отвечала ее натуре. То, что мастер никогда не приглашал его больше к столу и всячески затруднял его встречу с ней, нельзя было не заметить. Эту девицу хранили как драгоценность, он это видел, и на любовь без замужества не было никакой надежды; да и тот, кто захотел бы жениться на ней, должен был быть хорошего происхождения, являться членом одного из процветающих цехов да еще, по возможности, иметь деньги и дом.

Красота Лизбет, столь отличная от красоты бездомных женщин и крестьянок, пленила взор Гольдмунда уже с первого дня. В ней было что-то, что оставалось ему неизвестно, нечто особенное, очень сильно привлекавшее его и одновременно настораживавшее, даже сердившее: необыкновенное спокойствие и невинность, воспитанность и чистота и вместе с тем отсутствие всякой детскости, а за всем благонравием — скрытая холодность, высокомерие, так что ее невинность не трогала и не обезоруживала (да он никогда и не смог бы совратить дитя), а раздражала и бросала вызов. Едва он немного понял внутренний смысл ее образа, ему захотелось сделать с нее фигуру, но не с такой, какой она была теперь, а с пробудившейся, с чертами чувственности и страдания, не девственницу, а Магдалину. Часто ему страстно хотелось увидеть ее спокойное, красивое и неподвижное лицо искаженным и раскрывшимся, выдающим свою тайну в вожделении или в страдании.

Кроме того, было еще одно лицо, жившее в его душе и все же не совсем принадлежавшее ему, лицо, которое он страстно желал увидеть, воссоздать силой искусства, но оно все время ускользало и пряталось от него. Это было лицо матери. Лицо это уже давно было не тем, вновь явившимся ему когда-то после разговоров с Нарциссом из утраченных глубинных воспоминаний. В дни скитаний, ночей любви, во времена страстного томления, опасностей для жизни и близости смерти образ матери постепенно преображался и обогащался, становясь все глубже и многограннее; это был уже образ не его собственной матери, но из ее черт и красок мало-помалу получился образ не чьей-то матери, а Евы, праматери человечества. Подобно тому как мастер Никлаус в некоторых мадоннах изобразил скорбящую Богоматерь с совершенством и силой, которые казались Гольдмунду непревзойденными, он надеялся и сам когда-нибудь, став более зрелым и умелым, создать образ той мирской матери Евы, что жил в его сердце как самая древняя и самая любимая святыня. Но этот внутренний образ, когда-то лишь образ-воспоминание, относящийся к его собственной матери и любви к ней, постоянно менялся и разрастался. Черты цыганки Лизе, черты дочери рыцаря Лидии и некоторых других женских лиц вливались в этот первоначальный образ, не только все лица любимых женщин творили его, любое потрясение, любой опыт и всякое переживание участвовали в его формировании и прибавляли ему какие-то черты. Потому что ведь этот образ, если бы ему впоследствии удалось воплотить его, должен был изображать не какую-то определенную женщину, но саму жизнь как праматерь. Часто, казалось, он видел ее, иногда она являлась ему во сне. Но об этом лице Евы и том, что оно должно было выразить, он не мог сказать ничего, кроме того, что оно должно показать упоение жизнью в его внутреннем родстве с болью и смертью.

За год Гольдмунд многому научился. В рисунке он быстро обрел уверенность, и наряду с резьбой по дереву Никлаус время от времени позволял ему попробовать лепить из глины. Его первой удачей была фигура из глины, добрых две пяди высотой, это была фигура очаровательной, соблазнительной Юлии, сестры Лидии. Мастер похвалил эту работу, но выполнить желание Гольдмунда и отлить ее из металла отказался: для него фигура была слишком нецеломудренной и мирской, чтобы ему стать ее «крестным отцом». Затем последовала фигура Нарцисса, Гольдмунд делал ее из дерева в виде апостола Иоанна, потому что Никлаус хотел включить ее, если она удастся, в группу у креста Господня, заказанную ему; над ней уже давно работали два подмастерья, чтобы затем отдать мастеру для окончательной отделки.

Над фигурой Нарцисса он трудился с глубокой любовью, вновь обретая в этой работе себя, свой артистизм и свою душу всякий раз после того, как выбивался из колеи, а случалось это нередко: любовные связи, праздники с танцами, товарищеские попойки, игра в кости, а зачастую и потасовки сильно увлекали его, так что он днями не показывался в мастерской или работал смятенный и расстроенный. Но над своим апостолом Иоанном, любимый образ которого все чище из замысла воплощался в дерево, он работал самоотверженно и смиренно только в часы согласия с собой. В эти часы он не был ни радостен, ни печален, не чувствовал ни жизнелюбия, ни бренности существования; к нему возвращалось то благоговейное, ясное и чисто звучавшее настроение сердца, с которым он некогда отдавался другу, радуясь его руководству. То был не он, стоявший здесь и создававший по собственной воле скульптуру, то был скорее другой — Нарцисс, пользовавшийся его руками художника, чтобы уйти от бренности и изменчивости жизни и запечатлеть чистый образ своей сущности.

Вот так, чувствовал иногда Гольдмунд с содроганием, возникали подлинные произведения. Такова была незабываемая Мадонна мастера, на которую с тех пор он иной раз в воскресенье приходил взглянуть в монастырь. Так, таинственно и свято, возникли несколько лучших из тех прежних фигур, стоявших у мастера в прихожей. Так возникнет когда-нибудь то, другое, то единственное, что было для него еще более таинственно и свято — изображение праматери человечества. Ах, если бы из людских рук выходили только такие произведения искусства, такие святые, непреложные, незапятнанные никаким тщеславным стремлением изображения! Однако это было не так, он давно знал это. Можно было делать и другое: прелестные и восхитительные вещи, исполненные мастерства, на радость ценителям искусств украшавшие храмы и ратуши, — прекрасные вещи, да, но не святые, не подлинные отражения души. Он знал такие произведения не только у Никлауса и других мастеров, которые при всей изобретательности и тщательности исполнения были все-таки всего лишь забавой. Он познал уже не только умом, но и сердцем, ощутил собственными руками, что художник может давать миру такие прелестные вещи, исходя из наслаждения, доставляемого собственным умением, из честолюбия, из баловства, и от этих мыслей он чувствовал себя пристыженным и опечаленным.

Когда он в первый раз осознал это, ему стало смертельно горестно. Ах, чтобы делать милые фигурки ангелов или другие пустяки, будь они даже столь прелестны, не стоило быть художником. Для других, возможно, для ремесленников, для горожан, для спокойных, довольных душ это, пожалуй, подходило, но не для него. Для него искусство и художники ничего не стоили, если они не жгли, как солнце, и не захватывали, подобно буре, а доставляли лишь удовольствие, приятность, мелкое счастье. Он искал другого. Позолотить чистым листовым золотом вырезанный, подобно изящному кружеву, венчик на голове Марии была работа не для него, даже если за нее хорошо платили. Почему мастер Никлаус брался за все эти заказы? Почему держал двух подмастерьев? Почему он часами выслушивал с аршином в руках всех этих членов муниципалитета или старших пасторов, заказывавших ему отделку портала или церковной кафедры? Он делал это по двум причинам, двум ничтожным причинам: ему хотелось быть прославленным мастером, заваленным заказами, и он копил деньги — деньги не для расширения предприятия или удовольствия от их траты, а для своей дочери, которая давно уже была богатой невестой, копил деньги для ее приданого, кружевных воротников и парчовых платьев и брачной кровати орехового дерева, полной дорогих покрывал и полотна! Как будто красивая девушка не могла с таким же успехом познать любовь на любом сеновале!

В часы таких рассуждений у Гольдмунда из глубин поднималась материнская кровь, гордость и презрение бесприютного по отношению к оседлым и имущим. Временами и работа, и мастер были противны ему, как волокнистые бобы, часто он бывал близок к тому, чтобы убежать прочь.

Да и мастер уже не раз горько раскаивался в том, что принял участие в этом строптивом и ненадежном малом, частенько испытывавшем его терпение. То, что он узнал о странствиях Гольдмунда, о его равнодушии к деньгам и имуществу, его расточительстве, его многочисленных любовных похождениях, не могло расположить его: он взял к себе цыгана, ненадежного подручного. Не осталось незамеченным и то, какими глазами этот бродяга смотрит на его дочь Лизбет. И если он и проявлял больше терпения, чем ему хотелось бы, то делал это не из чувства долга и щепетильности, а из-за апостола Иоанна, фигура которого рождалась у него на глазах. С чувством любви и душевного родства, в котором он не вполне признавался себе, мастер наблюдал, как этот вышедший из леса приблудный цыган из рисунка, ради которого он когда-то оставил его у себя, рисунка трогательного и прелестного, хотя и неумелого, теперь медленно и только по настроению, но упорно и безупречно делал свою деревянную фигуру апостола. Когда-нибудь, в этом мастер не сомневался, она будет готова, несмотря на все перемены настроения и перерывы в работе, и тогда это будет произведение, на которое не способен ни один из его подмастерьев, да и большим мастерам такое нечасто удается. Хотя многое не нравилось мастеру в его ученике, хотя не раз порицал он его, часто доходя из-за него до бешенства, об Иоанне он никогда не говорил ни слова.

Остаток юношеской прелести и мальчишеской детскости, из-за которой он столь многим нравился, Гольдмунд за эти годы постепенно утратил. Он стал красивым и сильным мужчиной, весьма желанным для женщин, мало располагавшим к себе мужчин. Да и характер его, его внутренний мир очень изменились с тех пор, как Нарцисс пробудил его от блаженного сна в монастырские годы и с тех пор, как мир и странствия помяли его. Прелестный, всеми любимый, кроткий и услужливый монастырский ученик давно стал другим человеком. Нарцисс его пробудил, женщины наделили знаниями, странствия сдули с него нежный пух. Друзей у него не было, сердце его принадлежало женщинам. Они легко завоевывали его, достаточно было просящего взгляда. Он с трудом мог противиться женщине, отзываясь на малейший намек. И его, так тонко чувствовавшего красоту и всегда любившего больше всего юных девушек в первую пору их весны, трогали и соблазняли подчас и малопривлекательные и уже немолодые женщины.

Иной раз на танцах он привязывался к какой-нибудь стареющей и унылой девице, никому не желанной и привлекавшей его из чувства сострадания, и не только сострадания, но и вечно присутствовавшей жажды нового. Как только он начинал увлекаться какой-нибудь женщиной — длись это недели или всего час, — она становилась для него прелестной, он отдавался ей целиком. И опыт научил его, что любая женщина прекрасна, может сделать счастливым, что невзрачная и пренебрегаемая другими способна на необыкновенный пыл и готовность, а увядающая — больше на материнскую, печально сладостную нежность, что у каждой женщины есть своя тайна и свое очарование, раскрывать которое — блаженство. В этом все женщины были равны. Любой недостаток в возрасте или красоте уравновешивался какой-нибудь особенностью. Только, разумеется, не всякая удерживала его одинаково долго. По отношению к молоденькой и самой красивой он бывал ни на йоту более преисполнен любви и благодарности, чем по отношению к дурнушке, он никогда не любил вполсердца. Но были женщины, которые по-настоящему привязывали его к себе лишь через три или десять любовных ночей, другие уже после первого раза исчерпывали себя и бывали забыты.

Любовь и сладострастие казались ему единственными, чем можно согреть жизнь, наполнив ее настоящим значением. Он не знал честолюбия: епископ и нищий были равны в его глазах; приобретение благ и обладание ими тоже не привлекали его, он презирал их, он никогда не принес бы ни малейшей жертвы и беспечно бросался заработанными деньгами, временами немалыми. Любовь женщин, игра полов — это стояло у него на первом месте, и семя нередкой его печали и пресыщенности росло из опыта мимолетности и непостоянства сладострастия. Горячая, быстротечная, восхитительная вспышка вожделения, его короткое чувственное горение, его быстрое угасание — это, казалось ему, является сутью любого переживания, это стало для него символом всех наслаждений и всех страданий в жизни. Печали и созерцанию бренности он мог отдаваться с такой же самоотверженностью, как и любви, и даже эта грусть была любовью, даже она была сладострастием. Как любовное наслаждение, когда пройдет миг его наивысшего, блаженнейшего напряжения, должно со следующим вздохом непременно исчезнуть, опять умереть, так и самое глубокое одиночество и поглощенность печалью непременно вдруг сменятся желанием, новой увлеченностью светлой стороной жизни. Смерть и наслаждение были одно. Матерью жизни можно было назвать любовь или страсть, но ею можно было назвать также могилу и тлен. Матерью была Ева, она была источником света и источником смерти, она вечно рождала, вечно убивала, в ней любовь и жестокость были едины, и ее образ становился для него олицетворением и священным символом, чем дольше он носил его в себе.

Он узнал не с помощью слов и ума, а благодаря более глубокому знанию крови, что его путь ведет к матери, к сладострастию и к смерти. Отцовская сторона жизни, Дух, воля, не были его стихей. То была область Нарцисса, только теперь Гольдмунд вполне понял слова друга и увидел в нем свою противопололжность, и это он тоже явственно передавал в фигуре своего Иоанна. Можно было тосковать по Нарциссу до слез, можно было чудесно мечтать о нем, но достичь его, стать им было нельзя.

Каким-то скрытым чувством Гольдмунд провидел и тайну своего искусства, своей глубокой любви к искусству, своей подчас дикой ненависти к нему. Без размышлений, чутьем он предугадывал в разнообразных подобиях: искусство было слиянием отцовского и материнского начал мира, Духа и крови; оно могло начаться в самом что ни на есть чувственном элементе и привести к предельно отвлеченному или, взяв свое начало в чистом мире идей, завершиться в наиполнокровнейшей плоти. Все произведения искусства, поистине возвышенные, а не просто хорошие поделки, к примеру Божья Матерь мастера, были полны вечной тайны, все подлинное и несомненное, что было создано художником, имело опасное улыбающееся двойное лицо, женско-мужское, где инстинктивное совмещалось с чистой духовностью. Но больше всего эта двойственность проявилась бы в матери Еве, если бы ему когда-нибудь удалось создать ее образ.

В искусстве и в бытии художника виделась Гольдмунду возможность некоего примирения своих глубочайших противоречий или, по крайней мере, замечательного, всегда нового подобия двойственности своей натуры. Но искусство не было просто чистым даром, им нельзя было обладать безвозмездно, оно стоило очень дорого, оно требовало жертв. Более трех лет жертвовал Гольдмунд ему самым высшим и насущнейшим, что ставил наряду с любовным наслаждением: свободой. Независимость, блуждание в безбрежности, вольные странствия без семьи по жизни — все это он отдал. Пусть другие считают его своенравным, строптивым и достаточно самовластным, когда он иной раз в неистовстве пренебрегает работой в мастерской, — для него самого эта жизнь была рабством, тяготившим его подчас до невыносимости. И не мастеру пришлось бы подчиняться, не будущему, не естественным потребностям, а самому искусству. Искусство, такое, казалось бы, духовное божество, требовало стольких ничтожных вещей! Оно требовало крыши над головой, для него нужны были инструменты, дерево, глина, краски, золото, оно требовало труда и терпения. Для него он пожертвовал свободой лесов, упоением просторами, терпким наслаждением опасностью, гордостью бедняков и должен был, скрепя сердце и мучаясь, приносить все новые жертвы.

Некоторую часть пожертвованного он обретал вновь, когда удавалось в какой-то мере отомстить рабскому порядку и оседлому образу жизни похождениями, связанными с любовью, потасовками с соперниками. Вся подавляемая необузданность, вся ущемленная сила его натуры устремлялась, подобно чаду, к этому вынужденному выходу: он прослыл драчуном, которого все боялись. По пути к какой-нибудь девушке или возвращаясь с танцев, подвергнуться вдруг нападению в темном переулке; получить несколько ударов палкой, молниеносно развернуться и перейти от защиты к нападению; с трудом переводя дыхание, прижать тоже запыхавшегося противника; ударить его кулаком в подбородок; оттаскать за волосы или схватить за горло, чуть ли не придушив, — это доставляло ему удовольствие и излечивало на какое-то время от дурного настроения. Да и женщинам это нравилось.

Все это с избытком заполняло его дни и все имело смысл, пока длилась работа над апостолом Иоанном. Она тянулась долго, и последняя тонкая отделка лица и рук проходила в торжественной и выдержанной собранности. В небольшом сарае для дров позади мастерской заканчивал он работу. Наступил час, когда фигура была готова. Гольдмунд принес метлу, тщательно подмел сарай, смахнул последнюю деревянную пыль с волос своего Иоанна и долго стоял потом перед ним — час, а то и дольше, полный торжественного чувства редкостного переживания величия; может, оно когда-нибудь повторится в его жизни, а может, и останется единственным. Мужчина в день свадьбы или в день посвящения в рыцари, женщина после рождения первенца, пожалуй, чувствуют подобное движение в сердце, высокое предназначение, глубокую серьезность и одновременно уже тайный страх перед моментом, когда это высокое и единственное будет пережито и пройдет, заняв свое место, и поглотится обычным ходом дней.

Он встал и увидел перед собой своего друга Нарцисса, руководителя своей юности, с поднятым, как бы прислушивающимся лицом, изображенным в одеянии и с атрибутами любимого ученика Христа, с выражением покоя, преданности и благоговения, которое было подобно зарождающейся улыбке. Этому прекрасному, благочестивому и одухотворенному лицу, этой стройной, как бы парящей фигуре, этим изящно и благочестиво поднятым длинным кистям рук были не чужды боль и смерть, но чужды им были отчаяние, смятение и протест. Душа за этими благородными чертами могла быть радостной или печальной. Но она была настроена на чистоту, она не страдала разладом.

Гольдмунд стоял и созерцал свое творение. Если поначалу это созерцание было благоговейным воспоминанием о ранней юности и первой дружбе, то закончилось оно бурей забот и тяжелыми думами. Вот здесь стоит его творение, и прекрасный апостол останется, и его нежному цветению не будет конца. Он же, тот, кто создал его, должен теперь проститься со своим творением, ибо завтра оно не будет больше принадлежать ему, не будет больше для него прибежищем, утешением и смыслом жизни. Он остался опустошенным. И ему показалось, что лучше всего было бы сегодня же проститься не только со своим Иоанном, но и с мастером, с городом и с искусством. Здесь ему больше нечего делать: в его душе не было никаких образов, которые он мог бы воплотить. Тот желанный образ образов, фигура матери человечества, был пока для него недостижим, так будет продолжаться еще долго. Что ж, ему опять полировать фигурки ангелов и делать орнаменты?

Он вскочил и пошел к мастерской Никлауса. Тихо вошел и остановился у двери, пока мастер не заметил его и не спросил:

— Ну что, Гольдмунд?

— Моя фигура готова. Может быть, вы до обеда пройдете взглянуть на нее?

— Конечно, конечно, прямо сейчас.

Вместе они прошли в сарай, оставили дверь открытой, чтобы было светлее. Никлаус давно уже не видел фигуры, предоставив Гольдмунду работать самостоятельно. Теперь он рассматривал ее с молчаливым вниманием, его замкнутое лицо стало прекрасным и просветленным, Гольдмунд увидел радость в его строгих голубых глазах.

— Хорошо, — сказал мастер. — Очень хорошо. Это твоя пробная работа на звание подмастерья, Гольдмунд, вот ты и выучился. Я покажу твою фигуру людям нашей гильдии и потребую, чтобы тебе за нее присвоили звание мастера и выдали свидетельство, ты заслужил его.

Гольдмунд не ценил гильдии, но знал, сколь высокое признание значили слова мастера, и был рад.

Медленно обойдя фигуру Иоанна еще раз, Никлаус сказал со вздохом:

— Эта фигура полна смирения и ясности, она серьезна, полна счастья и покоя. Можно подумать, что ее сделал человек, в чьем сердце светло и радостно.

Гольдмунд улыбнулся:

— Вы знаете, что я изобразил в этой фигуре не себя, а своего любимого друга. Это он привнес ясность и покой в образ, не я. Ведь это, собственно, не я создал образ, а он вложил его в мою душу.

— Пусть так, — сказал Никлаус. — Это тайна, как возникает такой образ. Не принижая себя, скажу, однако: я сделал много фигур, которые далеко позади твоей, не по искусству и тщательности, а по истинности. Ну да ты и сам хорошо знаешь, что такое создание нельзя повторить. Это — тайна.

— Да, — сказал Гольдмунд, — когда фигура была готова и я вгляделся в нее, то подумал: что-нибудь подобное мне не сделать вновь. И поэтому я считаю, мастер, что вскоре опять отправлюсь странствовать.

Удивленно и негодующе Никлаус взглянул на него, его глаза опять стали строгими:

— Мы еще поговорим об этом. Для тебя работа только начинается. Вероятно, теперь не время убегать. Но на сегодня ты свободен, а к обеду будь моим гостем.

К обеду Гольдмунд пришел, причесавшись и умывшись, в праздничном костюме. На этот раз он знал, как много значило и какой редкой милостью было приглашение мастера к столу. Однако, когда он поднимался по лестнице к залу, заставленному фигурами, сердце его было далеко не так полно благоговения и смущенной радости, как в тот раз, когда он с бьющимся сердцем переступил этот порог, за которым царила тишина и красота.

Лизбет тоже принарядилась и надела на шею ожерелье с камнями, а к столу помимо карпа и вина был приготовлен сюрприз: мастер подарил Гольдмунду кожаный кошелек, в котором лежали два золотых — плата за изготовленную фигуру.

На этот раз Гольдмунд не сидел молча, в то время как беседовали друг с другом отец и дочь. Оба обращались к нему и чокались с ним бокалами. Гольдмунд усердно работал глазами, желая воспользоваться случаем, чтобы получше рассмотреть красивую девушку с благородным и несколько высокомерным лицом, и его глаза не скрывали, как сильно она ему нравилась. Она была вежлива с ним, но не краснела и не становилась теплее, и это разочаровывало его. Опять ему от души захотелось заставить это прекрасное неподвижное лицо говорить и выдать свою тайну.

Он поблагодарил за обед, побыл немного в прихожей с резными фигурами и пошел бродить по городу, бесцельно и праздно. Он был весьма почтен мастером, сверх всяких ожиданий. Почему это не радовало его? Почему во всем этом почтении было так мало праздничности?

Следуя прихоти, он нанял лошадь и поскакал в монастырь, где когда-то впервые увидел творение мастера и услышал его имя. Это было только два-три года тому назад и тем не менее так невообразимо давно. Он зашел в монастырскую церковь и долго смотрел на Божью Матерь; и сегодня эта фигура восхитила и покорила его; она была прекраснее его Иоанна, она была равна ему по глубине и тайне и превосходила его по искусности, свободному бесплотному парению. Теперь он заметил в этой работе детали, которые видны лишь художнику: спокойные мягкие движения в одеянии, смелость в изображении длинных кистей рук и пальцев, тонкое использование случайностей в фактуре дерева — все эти красоты, хотя не шли в сравнение с целым, с простотой и глубиной духовного видения, тоже существовали, отличались изяществом и были под силу лишь одаренному человеку, основательно знавшему толк в ремесле. Чтобы суметь сделать нечто подобное, нужно было не только носить в душе образы, но и иметь наметанный глаз и на редкость набитую руку. Так, может быть, стоило поставить на службу искусству всю свою жизнь за счет свободы, за счет сильных переживаний лишь для того, чтобы когда-нибудь создать нечто подобное и возможное не только благодаря пережитому, увиденному, перечувствованному в любви, но и благодаря предельно уверенному мастерству? Над этим стоило подумать.

Гольдмунд вернулся в город поздно ночью на загнанной лошади. Трактир еще был открыт, там он поел хлеба и выпил вина, затем поднялся в свою комнату у рыбного рынка, в разладе с собой, с головой, полной вопросов, полной сомнений.

Глава двенадцатая

На другой день Гольдмунду не хотелось идти в мастерскую. Как уже бывало не раз в таких случаях, он слонялся по городу. Смотрел, как хозяйки и служанки идут на рынок, остановился нарочно возле торговцев рыбой, наблюдая за ними и их дюжими женами, выставлявшими и расхваливавшими свой товар, глядел, как они вытаскивали из своих бочек и предлагали прохладных серебряных рыб, которые с мучительно раскрытыми ртами и застывшими от страха золотыми глазами отдавались смерти или яростно и отчаянно сопротивлялись ей. Уже не в первый раз его охватило сострадание к этим животным и мрачное негодование против людей: почему они были так грубы и жестоки, невероятно глупы и тупы, почему все они ничего не видели — ни рыбаков с их женами, ни торгующихся покупателей, почему не видели этих ртов, этих предсмертно испуганных глаз и дико бившихся хвостов, этой ужасной бесполезной борьбы отчаяния, этого невыносимого превращения полных тайны, дивно прекрасных рыб, охваченных последним тихим содроганием под умирающей кожей и лежавших мертвыми, угасшими, распростертыми — жалкими кусками мяса на потребу довольных обжор? Ничего они не видели, эти люди, ничего не знали и не замечали, ничто не трогало их! Все равно, было ли это распростертое перед ними бедное милое животное или выраженные мастером в лике святого надежды, благородство, страдания и весь темный, душащий страх человеческой жизни, — ничего они не видели, ничто не захватывало их! Все они были довольны или заняты важным, как им казалось, делом; спешили, общались друг с другом, крича, смеясь и отрыгивая; шумели, шутили, вопили из-за пары пфеннигов, и всем было хорошо, все у них было в порядке, и они были в высшей степени довольны собой и окружающим миром. Свиньи были они, ах, много хуже и безобразнее свиней! Правда, он сам достаточно часто бывал среди них, чувствовал себя радостно среди им подобных, волочился за девушками, смеясь и безо всякого ужаса брал с тарелки жареную рыбу. Но все снова и снова, часто совершенно неожиданно, как по волшебству, радость и покой оставляли его, это сытое самодовольное наслаждение с него спадало, спадала эта самоудовлетворенность, значительность и ленивый сон души, его срывало прочь, в одиночество и раздумья, странствия, чтобы видеть страдание, смерть, сомнительность всей этой суеты, уставясь взглядом в бездну. Иногда затем из такого погружения в созерцание безнадежной бессмысленности и ужаса в нем вдруг расцветала радость, вспыхивала влюбленность, желание спеть прекрасную песню или рисовать, или, вдыхая аромат цветка, играя с котенком, он вновь обретал детское согласие с жизнью. И теперь оно вернулось бы, завтра или послезавтра, и мир опять стал бы добрым и прекрасным. Пока же — печаль, раздумья, безнадежная, щемящая любовь к умирающим рыбам, вянущим цветам, ужас перед тупой скотской суетностью глазеющих и ничего не видящих людей. В такие минуты глубокой удрученности ему всегда мучительно вспоминался бродяга Виктор, которому он всадил когда-то нож меж ребер и которого оставил окровавленным на еловых ветках, и ему хотелось знать, что, собственно, теперь стало с этим Виктором, съели ли его звери без остатка, сохранилось ли что-нибудь от него. Да, сохранилось, пожалуй, пара горстей волос. А кости — что стало с ними? Сколько же пройдет времени, десятки лет или только годы, пока и они потеряют свою форму и станут землей?

Ах, вот и сегодня, глядя с сожалением на рыб и с отвращением на людей, заполнивших рынок, с сердцем, исполненным страшного уныния и горькой враждебности к миру и самому себе, он подумал о Викторе. Может, его нашли и похоронили? И если это произошло, все ли мясо теперь сползло с его костей, все ли сгнило, все ли съели черви? Остались ли волосы на его черепе, бровях над глазницами? А жизнь Виктора, наполненная приключениями, и историями, и фантастической игрой его диковинных шуток и россказней, — что осталось от нее? Кроме бессвязных воспоминаний, сохранившихся о нем у его убийцы, осталось ли хоть что-нибудь от существования этого человека, бывшего все-таки не совсем обычным? Видели еще в своих снах Виктора женщины, когда-то любимые им? Ах, все прошло и истаяло. И так бывает со всем и вся: быстро расцветает и быстро увядает, покрывшись затем снегом. Каких только надежд не питал он сам, когда несколько лет тому назад пришел в этот город, полный жажды искусства, полный глубокого трепетного почтения к мастеру Никлаусу! А что осталось от этого? Ничего, не больше, чем от долговязого грабителя Виктора. Если бы кто-нибудь сказал ему тогда, что настанет день, когда Никлаус признает его равным себе и потребует от гильдии звания мастера для него, он бы считал, что держит в руках все счастье мира. А теперь это не более чем увядший цветок, что-то сухое и безрадостное.

Когда Гольдмунд размышлял об этом, ему вдруг предстало видение. Это было трепетное сияние, длившееся всего мгновение: он увидел лицо праматери склоненное над бездной жизни, взиравшее с отрешенной улыбкой, прекрасной и страшной, на рождение, на смерть, на цветы, на шелестящие осенние листья, на искусство, на тлен

Для нее, праматери, было все равно, надо всем, подобно луне, царила ее жуткая улыбка; впавший в уныние Гольдмунд был ей так же люб как распростертый на мостовой рынка карп, а гордая холодная дева Лизбет так же мила, как разбросанные в лесу кости Виктора, страстно желавшего когда-то украсть у него дукат.

Вот вспышка погасла, таинственное лицо праматери исчезло. Но бледное его сияние продолжало еще мерцать в душе Гольдмунда, волна жизни, боли, щемящей тоски прокатилась через его сердце. Нет, нет, он не желал сытого счастья других: рыботорговцев, горожан, деловых людей. Черт бы их побрал! Ах, это мерцающее бледное лицо, этот преисполненный зрелости позднего лета рот по суровым губам которого мелькнула, подобно ветерку и лунному свету, эта невыразимая улыбка смерти!

Гольдмунд подошел к дому мастера, было около полудня, он подождал, пока не услышал, что Никлаус закончил работу в мастерской и пошел мыть руки. Тогда он вошел к нему в дом.

— Позвольте мне сказать вам несколько слов, мастер, это можно сделать, пока вы моете руки и надеваете сюртук. Я жажду глотка истины, я хотел сказать вам кое-что, что могу сказать именно теперь, и никогда больше. Со мной происходит такое, о чем мне необходимо поговорить с кем-нибудь, и вы единственный человек, который, возможно, поймет меня. Я взываю не к тому, кто имеет славную мастерскую и получает все почетные заказы от городов и монастырей в округе, у кого есть два помощника и прекрасный, богатый дом. Я обращаюсь к человеку, сделавшему некогда для одного монастыря фигуру Божьей Матери, самое прекрасное из известных мне произведений. Именно этого человека я любил и почитал, стать подобным ему казалось для меня наивысшей целью на земле. И вот теперь я сделал фигуру Иоанна, и он не так совершенен, как ваша Божья Матерь, но он таков, какой он есть. Другую фигуру я не буду делать, у меня нет перед глазами никакого образа, который покорил бы меня и требовал воплощения. Вернее, есть один далекий священный образ, который я когда-нибудь воплощу в фигуре, но сегодня я еще не в состоянии сделать это. Для этого мне нужно еще больше узнать и пережить. Может быть, я сделаю это через три, четыре года, или через десять лет или еще позднее, или даже никогда. Но до тех пор, мастер, мне не хотелось бы заниматься ремеслом, лакировать фигуры и украшать резьбой кафедры, вести жизнь ремесленника в мастерской и зарабатывать деньги, становясь таким же, как все. Нет, этого я не хочу, я хочу жить и странствовать, чувствовать лето и зиму, смотреть на мир и его красоту, испытывать его ужасы. Хочу страдать от голода и жажды, хочу освободиться от всего, чем жил здесь и чему научился у вас, освободиться от этого. Мне, правда, хотелось бы сделать что-нибудь столь же прекрасное и глубоко трогающее сердце, как ваша Божья Матерь, но становиться таким, как вы, и жить так, как вы, я не хочу.

Мастер уже вымыл и вытер руки, теперь он повернулся и посмотрел на Гольдмунда. Его лицо было строгим, но не рассерженным.

— Ты говорил, — сказал он, — я слушал. Ну и довольно. Я не жду, что ты придешь работать, хотя дела много. Мне хотелось бы обсудить с тобой кое-что, дорогой Гольдмунд, не теперь, через несколько дней. Пока можешь проводить время как хочешь. Видишь ли, я много старше тебя и имею кое в чем опыт. Я думаю иначе, чем ты, но понимаю тебя и знаю, что ты имеешь в виду. Через два-три дня я тебя позову. Мы поговорим о твоем будущем, у меня есть разные планы. А пока потерпи! Я достаточно хорошо знаю, как бывает, когда закончишь дорогую для сердца вещь, мне знакома эта пустота. Она пройдет, поверь мне.

Гольдмунд, неудовлетворенный, убежал прочь. Мастер был добр к нему, но чем он мог помочь?

На реке он знал одно место, там было неглубоко, и вода текла по дну, полному рухляди и отбросов: из домов рыбацкого предместья в реку бросали всякую дрянь. Туда он и пошел, сел на край набережной, глядя вниз на воду. Воду он очень любил, любая вода влекла его к себе. А если смотреть отсюда вниз сквозь струи, подобные хрустальным нитям, на темное неясное дно, то здесь и там видно что-то сверкающее приглушенным золотым блеском и манящее, какие-то неузнаваемые предметы, то ли осколок тарелки, то ли выброшенный прогнувшийся серп, то ли яркий гладкий камень или покрытая глазурью черепица, это могла быть и иловая рыба, жирный налим или красноперка, вертевшаяся там, внизу, и на какой-то момент поймавшая яркими плавниками и чешуей луч света, — никогда нельзя было точно определить, что это такое, но всегда это было волшебно прекрасно и заманчиво — этот краткий приглушенный блеск затонувших сокровищ на черном дне. Такими, как эта маленькая тайна в воде, казалось ему, были все настоящие тайны, все действительные, подлинные образы души: у них не было очертаний, не было формы, их можно было только предчувствовать, подобно далекой прекрасной возможности, они были сокрыты и многозначны. Как там, в сумраке зеленой речной глубины, на трепетные мгновения вспыхивало что-то невыразимо золотое или серебряное, какое-то Ничто, сулившее, однако, блаженнейшие обещания, так забытый профиль какого-нибудь человека, увиденный снизу наполовину, мог быть иной раз предвестником чего-то бесконечно прекрасного или неслыханно печального, так и ночной фонарь, качаясь под повозкой, рисует на каменных стенах огромные вращающиеся тени колесных спиц, представляя этой игрой теней зрелища, столь полные происшествий и событий, что вмещают всего Вергилия. Из такого же неясного магического материала были сотканы ночные сновидения, некое Ничто, вбиравшее в себя все образы мира, вода, в кристалле которой уживались формы всех людей, животных, ангелов и демонов, как всегда поджидавшие нас возможности.

Снова погрузился он в игру, потерянно уставившись в струящуюся реку, видел в бесформенных блестках, дрожащих на дне, царские короны и обнаженные женские плечи. Когда-то в Мариабронне, вспомнилось ему, он увидел в латинских и греческих буквах подобные формы и волшебство превращений. Не говорил ли он тогда об этом с Нарциссом? Ах, когда же это было, сколько столетий тому назад? Ах, Нарцисс! Чтобы увидеть его, чтобы часок поговорить с ним, подержать его руку, услышать его спокойный рассудительный голос, он охотно отдал бы оба своих золотых дуката.

Почему эти вещи были так прекрасны, это золотое свечение под водой, эти тени и предчувствия, все эти нереальные фантастичные явления, — почему же все-таки они были так невыразимо прекрасны и благодатны, будучи полной противоположностью тому прекрасному, что мог сделать художник? Потому что ведь красота тех безымянных вещей была без всякой формы и заключалась целиком лишь в тайне, а в произведениях искусства было как раз обратное: они были исключительно формой, они говорили совершенно ясно, ничего не было более непреложно ясного и определенного, чем линия нарисованной головы или вырезанного из дерева рта. Точно, безукоризненно точно мог он при желании срисовать нижнюю губу или веки с фигуры Божьей Матери Никлауса: там не было ничего неопределенного, меняющегося, ускользающего.

Гольдмунд самозабвенно размышлял об этом. Ему было неясно, как же можно, чтобы самое что ни на есть определенное и оформленное действовало на душу совершенно так же, как самое неуловимое и бесформенное. Но одно все-таки стало ему ясно в результате этих размышлений, а именно почему столь многие безупречные и добротно сделанные произведения искусства ему совсем не нравились и, несмотря на определенную красивость, были скучны и почти ненавистны. Мастерские, церкви, дворцы были полны таких досадных произведений искусства, он сам участвовал в работе над некоторыми из них. Они глубоко разочаровывали, потому что, пробуждая стремление к высшему, все-таки не удовлетворяли его, так как в них не было главного — тайны. Того общего между мечтой и произведением высокого искусства — тайны.

Далее Гольдмунд думал: тайна — вот что я люблю, чему буду следовать, что много раз видел блистающим и что, если удастся, захочу изображать и как художник заставлять говорить. Это образ великой рождающей женщины, образ праматери, и тайна ее не в той или иной детали, как у другой какой-либо фигуры, не в особой полноте или худобе, грубоватости или изысканности, силе или приятности, а в том, чтобы в этом образе нашли примирение и ужились величайшие противоположности мира: рождение и смерть, добродетели и жестокость, жизнь и уничтожение. Если эту фигуру я выдумал себе и она лишь игра моего воображения или плод честолюбивого желания художника, то нечего и жалеть о ней, я смогу признать ошибку и позабыть ее. Но праматерь —

это же не вымысел, я же ее не выдумал, а видел! Она живет во мне, я постоянно встречаюсь с ней. Впервые я почувствовал ее, когда в деревне зимней ночью должен был держать светильню над кроватью рожающей крестьянки, тогда зародился во мне этот образ. Часто он бывает далеко и теряется на долгое время, но вдруг вспыхивает опять, как, например, сегодня. Образ моей собственной матери, когда-то самой любимой, полностью превратился в этот новый образ, он внутри него, как косточка в вишне.

Ясно чувствовал он теперь свое сиюминутное положение, страх принять решение. Не менее, чем тогда, при прощании с Нарциссом, он был на важном пути: на пути к матери. Возможно, когда-нибудь из матери получится воплощенный образ, видимый для всех, произведение его рук. Возможно, там была цель, там был смысл его жизни. Возможно. Он этого не знал. Но одно знал он: следовать за матерью, быть на пути к ней, чувствовать себя призванным ею — это было хорошо, это была жизнь. Возможно, он никогда не сможет создать ее образ, возможно, она навсегда останется мечтой, предчувствием, приманкой, золотым проблеском святой тайны. Ну что ж, во всяком случае он должен следовать за ней, ей предоставить свою судьбу, она была его звездой.

И вот решение уже созрело, все стало ясно. Искусство — прекрасное дело, но оно не было ни божеством, ни целью, для него — нет; не искусству должен он следовать, а только зову матери. Что пользы делать свои пальцы все более искусными? На примере мастера Никлауса видно, куда это ведет. Это ведет к славе и именитости, к деньгам и оседлой жизни, к отмиранию и гибели тех внутренних сил, для которых только и доступна тайна. Это ведет к изготовлению милых дорогих игрушек, ко всякого рода богатым алтарям и кафедрам со святыми Себастьянами, к ангельским головкам в локонах, по четыре талера за штуку. Ах, да чего там, золото на глазах какого-нибудь карпа или прелестный тонкий серебряный пушок на краешке крыла бабочки были бесконечно более прекрасными, живыми и драгоценными, чем целый зал, набитый подобными изделиями.

Какой-то мальчик спускался, напевая, по набережной, время от времени его пение умолкало и он откусывал от большого куска белого хлеба, который нес в руке. Гольдмунд увидел его и попросил кусочек, отщипнул от мякиша двумя пальцами и скатал маленькие шарики. Склонившись через парапет, он бросал их медленно один за другим в воду, глядя, как светлые шарики опускаются в темную воду и, подхваченные быстрыми теснящимися головами рыб, исчезают в одном из ртов. Глубоко удовлетворенный, Гольдмунд смотрел, как шарик за шариком опускался и исчезал. Потом он почувствовал голод и отыскал одну из своих возлюбленных, которая была прислугой в доме мясника и которую он называл «повелительницей колбас и окороков». Привычным свистом он вызвал ее к окну кухни, намереваясь получить кое-что из съестного, чтобы, спрятав у себя, проглотить это где-нибудь там, за рекой, на одном из виноградников, где красная жирная земля ярко блестела под сочной листвой винограда и где весной цвели маленькие голубые гиацинты, так нежно пахнувшие плодом.

Но сегодня, кажется, был день решений и прозрений. Когда Катрин появилась в окне с улыбкой на крепком, несколько грубоватом лице, когда он уже протянул руку, чтобы подать ей привычный знак, ему вдруг вспомнились прошлые их встречи, когда он так же стоял здесь в ожидании. И с наводящей скуку отчетливостью он сразу же увидел наперед все, что произойдет в следующие минуты: как она, узнав его знак, отпрянет от окна, чтобы вскоре появиться у черного хода дома с какой-нибудь копченостью в руке, как он возьмет это, слегка погладив ее и прижимая к себе, потому что она этого ждет; и вдруг ему показалось бесконечно глупым и отвратительным вновь вызывать всю эту машинальную последовательность часто переживавшегося и играть в ней свою роль: брать колбасу, чувствовать, как крепкая грудь прижимается к тебе, и слегка пожимать ее в знак ответного дарения. В ее добром простом лице ему увиделась вдруг бездушная привычка, в ее приветливой улыбке — что-то слишком часто виденное, что-то машинальное и лишенное тайны, что-то недостойное его. Он не закончил привычного взмаха рукой, на его лице застыла улыбка. Любил ли он ее еще, желал ли ее еще по-настоящему? Нет, слишком часто он бывал здесь, слишком часто видел одну и ту же улыбку, отвечая на нее без сердечной привязанности. Но то, что еще вчера он мог делать не задумываясь, сегодня вдруг стало для него больше невозможно. Девушка еще стояла и смотрела, когда он повернулся и исчез в переулке, полный решимости никогда больше не показываться тут. Пусть другой гладит эту грудь! Пусть другой ест эту вкусную колбасу! Вообще, чего здесь в этом сытом самодовольном городе только не съедают и не проматывают изо дня в день! Как ленивы, как избалованны, как привередливы были эти жирные горожане, для которых каждый день закалывали столько свиней и телят и вытаскивали столько красивых бедных рыб! А сам он — как сам-то он был избалован и испорчен, как отвратительно похож стал на этих толстых горожан! Когда бредешь, бывало, по заснеженному полю, и ссохшаяся слива или старая корка хлеба кажутся вкуснее, чем при здешнем благополучии все яства целого застолья собратьев по цеху. О странствие, о свобода, о роща, освещенная луной, и осторожно разглядываемый след зверя в белесой от утренней росы траве! Здесь, в городе, у оседлых, все шло так легко и так мало стоило, даже любовь. Хватит с него, наконец, плевал он на все это! Жизнь здесь потеряла свой смысл, это была уже кость без мозга. Она была прекрасной и имела смысл, пока мастер был для него образцом, а Лизбет — принцессой; она была сносной, пока он работал над своим Иоанном. Теперь с этим покончено, аромат пропал, цветок увял. Сильной волной захлестнуло его чувство бренности, которое часто так глубоко терзало и так глубоко захватывало его. Быстро отцветало все, быстро удовлетворялось любое желание, и ничего не оставалось, кроме костей и пыли. И все-таки одно оставалось: вечная мать, древняя и вечно юная, с печальной и жесткой улыбкой любви. Опять увидел он ее на какой-то момент — великаншу, со звездами в волосах, мечтательно сидящую на краю мира; рассеянной рукой обрывала она цветок за цветком, жизнь за жизнью, заставляя их медленно падать в бездну.

В эти дни, пока Гольдмунд созерцал, как бледнеет оставшийся позади отцветший период его жизни, и в скорбном упоении прощания бродил по хорошо знакомой местности, мастер Никлаус прилагал немалые усилия, чтобы обеспечить его будущее и навсегда сделать этого беспокойного гостя оседлым. Он уговорил цех выдать Гольдмунду свидетельство о получении звания мастера и обдумывал возможность прочно привязать его к себе в качестве не подчиненного, а компаньона, советоваться с ним, вместе выполнять все большие заказы и делить доходы. В этом был, пожалуй, риск, из-за Лизбет тоже, потому что молодой человек, конечно, скоро стал бы его зятем. Но фигуру, подобную Иоанну, никогда не сделать даже лучшему из всех помощников, которых когда-либо держал Никлаус, сам же он стар и все беднее на идеи и творчество, а видеть свою знаменитую мастерскую опустившейся до обыкновенного ремесленничества он не хотел. Нелегко будет с этим Гольдмундом, но надо рискнуть.

Так рассчитывал озабоченный мастер. Он расширит для Гольдмунда заднюю мастерскую и освободит для него комнату наверху, подарит ему к приему в цех новое дорогое платье. Осторожно выспросил он и мнение Лизбет, которая с того обеда ждала чего-то похожего. И, смотри-ка, Лизбет была не против. Если парень станет оседлым и получит звание мастера, то он ее устроит. Значит, и здесь не было препятствий. И если мастеру Никлаусу и ремеслу не вполне удалось пока приручить этого цыгана, то уж Лизбет доведет дело до конца.

Таким образом, все было продумано и добрая приманка для птахи лежала приготовленной за силком. И вот однажды послали за Гольдмундом, который с тех пор не показывался, и он явился, опять приглашенный к столу, начищенный и причесанный, снова сидел в прекрасной, чуть-чуть слишком торжественной комнате, опять чокался с мастером и его дочерью, пока та не удалилась, и Никлаус заговорил о своем грандиозном плане и предложениях.

— Ты меня понял, — прибавил он к своим ошеломляющим откровениям, — и мне не нужно объяснять тебе, что, пожалуй, никогда молодому человеку, не отбывшему предписанного времени для обучения, не приходилось так быстро становиться мастером и попадать в теплое гнездышко. Твое счастье устроилось, Гольдмунд.

Удивленно и смущенно посмотрел Гольдмунд на своего мастера и отодвинул бокал, еще наполовину полный. Он, собственно, ждал, что Никлаус побранит его слегка за прогулы и предложит остаться у него в качестве помощника. Ему было грустно и неловко сидеть так перед мастером. Он не сразу нашелся что сказать.

Мастер, уже с несколько напряженным и разочарованным лицом, поскольку его почетное предложение не было принято тотчас с радостью и смирением, встал и сказал:

— Ну так, предложение мое для тебя неожиданно; может, ты хочешь сначала обдумать его? Правда, это немного задевает меня, я решил, что доставлю тебе большую радость. Но изволь, подумай какое-то время.

— Мастер, — сказал Гольдмунд, подыскивая слова, — не сердитесь на меня! Я благодарен вам от всего сердца за то, что вы так добры ко мне, и еще больше за то терпение, с которым вы учили меня. Я никогда не забуду, в каком я долгу перед вами. Но мне не нужно времени на размышление: я давно решился.

— На что решился?

— Я принял решение еще до вашего приглашения, и мне даже не могло прийти в голову, что вы сделаете мне такие почетные предложения. Я больше не останусь здесь, я ухожу странствовать.

Побледнев, Никлаус взглянул на него потемневшими глазами.

— Мастер, — сказал Гольдмунд, с трудом подбирая слова, — поверьте мне, я не хочу вас обидеть! Я сказал вам, на что решился. Это уже нельзя изменить. Я должен уйти прочь, я должен путешествовать, мне нужна свобода. Позвольте мне еще раз сердечно поблагодарить вас и давайте дружески простимся.

Он протянул ему руку, слезы подступили к горлу. Никлаус не взял его руки, лицо его стало белым, и он начал быстро ходить взад и вперед по комнате, все ускоряя от бешенства тяжелый шаг. Никогда еще Гольдмунд не видел его таким.

Потом мастер вдруг остановился, со страшным усилием овладел собой и процедил сквозь зубы, не глядя на Гольдмунда:

— Хорошо, иди! Но уходи тотчас же! Чтобы я больше тебя не видел! Чтобы я не сказал и не сделал чего-нибудь, в чем мог бы потом раскаиваться. Уходи!

Еще раз протянул Гольдмунд ему руку, мастер был уже готов плюнуть на поданную руку. Тогда Гольдмунд, тоже побледневший, повернулся, тихо вышел из комнаты, надел шапку, спустился вниз по лестнице, пробежав рукой по резным перилам, зашел в маленькую мастерскую во дворе, постоял на прощание перед своим Иоанном и покинул дом с болью в сердце, более глубокой, чем когда-то при расставании с домом рыцаря и бедной Лидией.

По крайней мере все прошло быстро! И не было сказано ничего лишнего! Это была единственная утешительная мысль, когда он выходил за порог, и вдруг улица и город увиделись ему в том превращенном, чужом виде, который принимают обычные вещи, когда наше сердце простилось с ними. Он бросил взгляд обратно на дверь дома — теперь чужого, закрытого для него.

Придя к себе, Гольдмунд постоял и начал собираться в дорогу. Правда, сборы предстояли недолгие: оставалось лишь попрощаться. Висела картина на стене, которую он нарисовал сам, нежная Мадонна, висели и лежали вещи вокруг, принадлежавшие ему, — летняя шляпа, пара башмаков для танцев, рулон рисунков, маленькая лютня, несколько фигурок из глины, кое-какие подарки от возлюбленных: букет искусственных цветов, рубиново-красный стакан, старый затвердевший пряник в виде сердца и тому подобная ерунда, хотя каждый предмет имел свое значение и историю и был дорог ему, став теперь обременительной рухлядью, потому что ничего из этого он не мог взять с собой. Рубиновый стакан он, правда, обменял у хозяина дома на крепкий добрый охотничий нож, который наточил во дворе на точильном камне, пряник раскрошил и покормил им кур на соседнем дворе, изображение Мадонны отдал хозяйке дома и получил за это в дар нужные вещи: старую кожаную дорожную сумку и достаточный запас съестного на дорогу. В сумку он сложил несколько рубашек, бывших у него, и несколько небольших рисунков, намотанных на палку, а также еду. Остальное пришлось оставить.

В городе было много женщин, с которыми нужно было бы проститься; у одной из них он только вчера ночевал, не сказав ей ничего о своих планах. Да, вот так хватает то да се за пятки, когда соберешься странствовать. Не надо принимать это всерьез. Он решил ни с кем не прощаться, кроме людей в доме. Он сделал это вчера, чтобы чуть свет отправиться в путь.

Несмотря на это кто-то утром встал, и, когда он собирался покинуть дом, его пригласили на кухню съесть молочного супа. Это была хозяйская дочь, ребенок лет пятнадцати, тихое болезненное создание с прекрасными глазами, но с поврежденным суставом в бедре, из-за чего она хромала. Ее звали Мария. С утомленным от бессонной ночи лицом, совершенно бледная, но тщательно одетая и причесанная, она угощала его в кухне горячим молоком и хлебом и казалась очень опечаленной тем, что он уходит. Он поблагодарил ее и сочувственно поцеловал на прощание в губы. Благоговейно, с закрытыми глазами приняла она его поцелуй.

Глава тринадцатая

первые дни своего нового странствия, в жадном упоении вновь обретенной свободой Гольдмунд должен был снова учиться жить бесприютной и вневременной бродячей жизнью. Никому не подчиняясь, завися лишь от погоды и времени года, без всякой цели перед собой, без крыши над головой, ничего не имея и подвергаясь всяким случайностям, ведут бездомные свою детскую и смелую, жалкую и сильную жизнь. Они — сыны Адама, изгнанного из рая, и братья зверей невинных. Из рук неба берут они час за часом то, что им дается: солнце, дождь, туман, снег, тепло и стужу, благополучие и нужду; для них нет времени, нет истории, нет стремлений и тех странных кумиров развития и прогресса, в которых так отчаянно верят обладатели дома. Бродяга может быть нежным или суровым, ловким или неуклюжим, смелым или боязливым, но он всегда в душе ребенок, всегда живет первый день, с начала мировой истории, всегда руководствуется в жизни немногими простыми желаниями и нуждами. Он может быть умен или глуп; он может глубоко познать себя, познать, как хрупка и преходяща вся жизнь и как робко и пугливо несет все живое свою частицу теплой крови через холод мировых пространств, или он может лишь по-детски жадно следовать приказам своего бедного желудка — всегда он будет противником и смертельным врагом имущего и оседлого, который ненавидит его, презирает и боится, потому что не желает напоминаний обо всем этом: о мимолетности всего бытия, о постоянном увядании всей жизни, о неизбежной ледяной смерти, наполняющей всю вселенную вокруг нас.

Детскость бродячей жизни, ее материнское происхождение, ее отказ от закона и Духа, ее одиночество и тайная, всегда присутствующая близость смерти давно глубоко проникли в душу Гольдмунда и запечатлелись в ней. То, что в нем все-таки жили Дух и воля, что он все-таки был художником, делало его жизнь богатой и трудной. Любая жизнь ведь становится богатой и цветущей только благодаря раздвоению и противоречию. Что значил бы рассудок и благоразумие, не ведающие упоения, чем были бы чувственные желания, если бы за ними не стояла смерть, и чем была бы любовь без вечной смертельной вражды полов?

Лето и осень клонились к концу, трудно приходилось Гольдмунду в скудные месяцы, в упоении бродил он, когда наступала приятная, благоуханная весна, но времена года так быстро сменяли друг друга, так быстро высокое летнее солнце опускалось опять. Шел год за годом, и казалось, будто Гольдмунд забыл, что на земле есть что-то другое, кроме голода, и любви, и этой безмолвной жуткой торопливости времен года; казалось, он совершенно погрузился в материнский, инстинктивный, первобытный мир. Но каждый раз в своих грезах, раздумьях на отдыхе или при взгляде на цветущие и увядающие долины он был полон созерцания, был художником, страдал от мучительного желания заклинать Духом дивную текучую бессмыслицу жизни и превращать ее в смысл.

Однажды ему повстречался товарищ — после кровавого случая с Виктором он никогда больше не странствовал иначе как один, — тот незаметно присоединился к нему, Гольдмунд никак не мог от него отделаться. Правда, он не был похож на Виктора, он шел паломником в Рим, это был еще молодой человек, уже ранее совершивший такое паломничество; был он в рясе и шляпе паломника, звали его Роберт, и родом он был с Боденского озера. Этот человек, сын ремесленника, какое-то время учился у монахов ордена святого Галла, еще мальчиком вбил себе в голову мысль о паломничестве в Рим и, будучи преданным этой любимой идее, использовал первую же возможность, чтобы ее осуществить. Этой возможностью оказалась смерть отца, в мастерской которого он работал столяром. Едва старика похоронили, Роберт объявил матери и сестре, что теперь ничто не удержит его от исполнения своего желания и во искупление своих и отцовских грехов он отправится паломником в Рим. Напрасно сетовали женщины, напрасно бранили его, он настоял на своем и отправился в путь, вместо того чтобы заботиться об обеих женщинах, ушел без материнского благословения, под злобные ругательства сестры. Что его гнало в путь, так это прежде всего желание странствовать в соединении с некой поверхностной набожностью, то есть склонностью к пребыванию вблизи церковных мест и духовных учреждений, радостью от церковной службы, крещений, похорон, мессы, запаха ладана и горящих свечей. Он знал немного по-латыни, но не к учености стремилась его детская душа, а к покою и тихой мечтательности под сенью церковных сводов. Мальчиком-служкой он страстно отдавался церкви. Гольдмунд не принимал его особенно всерьез и все-таки полюбил, чувствуя себя немного родственным ему в инстинктивном стремлении к странствиям и всему неизвестному. Итак, Роберт, довольный, отправился тогда странствовать и добрался-таки до Рима, пользуясь гостеприимством бесчисленных монастырей и аббатств, посмотрел горы и юг, очень хорошо чувствовал себя в Риме среди всех церквей и благочестивых действ, прослушал сотни месс и поклонился самым знаменитым и самым святым местам, надышавшись запахом ладана больше, чем полагалось за его мелкие юношеские грехи и грехи его отца. Год или больше он отсутствовал, а когда наконец вернулся и вошел в отчий дом, его не встретили как блудного сына; сестра же за это время освоила домашние обязанности и права, наняла усердного помощника столяра и вышла за него замуж, управляясь с домом и мастерской так ловко, что после короткого пребывания там вернувшийся Роберт почувствовал себя лишним, и никто не уговаривал его остаться, когда он вскоре опять заговорил о новых путешествиях. Он не был в обиде, позволил себе взять у матери несколько сбереженных грошей, нарядился опять в платье паломника и отправился в новое странствие, без цели, через всю империю, полудуховный странник. Медные памятные монеты из известных паломнических мест и освященные четки позвякивали у него на груди.

Итак, он повстречался с Гольдмундом, один день они прошли вместе, обмениваясь странническим опытом, затем Роберт потерялся в ближайшем городке, попадался Гольдмунду снова то тут, то там и наконец совсем остался с ним, покладистый и услужливый странник. Гольдмунд нравился ему очень, он домогался его внимания мелкими услугами, восхищался его знаниями, его смелостью, умом, ему полюбились его здоровье, сила и искренность. Они привыкли друг к другу, потому что и Гольдмунд был покладист. Только одного не выносил он: когда Гольдмунд бывал одержим своей тоской или раздумьями, то упорно молчал и смотрел мимо другого, как будто того вовсе не было, и тогда нельзя было ни болтать, ни спрашивать, ни утешать, а нужно было предоставить его самому себе и дать отмолчаться. Этому Роберт скоро научился. С тех пор как он заметил, что Гольдмунд знает наизусть множество латинских стихов и песнопений, услышал, как тот объяснял перед порталом одного собора значение каменных фигур, увидел, как он на голой стене, у которой они отдыхали, быстрыми размашистыми линиями нарисовал сангиной человеческие фигуры во весь рост, он считал своего товарища любимцем Бога и почти магом. Что он был еще и любимцем женщин и завоевывал иную одним взглядом и улыбкой, Роберт тоже заметил; это нравилось ему меньше, но не восхищаться и этим он все-таки не мог.

Их путешествие как-то неожиданно прервалось. Как-то, когда они проходили вблизи одной деревни, их встретила группа крестьян, вооруженных дубинками, палками и цепами. Пока Гольдмунд стоял, желая узнать, что же все-таки случилось, один камень попал ему в грудь. Роберт, к которому он обернулся, убегал прочь как одержимый. Угрожая, крестьяне приближались, и Гольдмунду ничего не оставалось, как менее поспешно последовать за убегающим. Дрожа, поджидал его Роберт под стоявшим посреди поля крестом с распятием.

— Ты мчался, как герой, — смеялся Гольдмунд. — Но что это взбрело в глупые головы этим грязнулям? Война, что ли, идет? Выставляют вооруженную охрану своего гнезда и никого не хотят пускать! Удивительно, что бы это значило?

Они оба не нашли ответа на этот вопрос. Лишь на следующее утро кое-что узнали, войдя в одиноко стоящий крестьянский двор, и нашли разгадку тайны. Этот двор, состоявший из жилья, хлева и сарая и окруженный зеленым участком с высокой травой и множеством фруктовых деревьев, был странно тих, как бы погружен в сон: ни человеческого голоса, ни звука шагов, ни детского крика, ни звона отбиваемых кос — ничего не было слышно; на участке в траве стояла корова и мычала, по ней было видно, что пришло время ее доить. Они подошли к дому, постучали; не получив никакого ответа, пошли к хлеву, он стоял открытый и пустой, пошли к сараю, на соломенной крыше которого ярко блестел на солнце светло-зеленый мох, не нашли и там ни души. Вернулись к дому, удивленные и озадаченные безлюдностью этого жилища, постучали еще раз кулаком в дверь, опять не последовало никакого ответа. Гольдмунд решился открыть дверь и, к своему удивлению, нашел ее не запертой; толкнув дверь внутрь, он вошел в темную комнату. «Мир вам! — воскликнул он громко и затем: — Никого нет?» — но ничего в ответ не услышал. Роберт остался у двери. С любопытством Гольдмунд прошел вперед. Пахло в доме плохо, пахло особенно и отвратительно. В очаге было полно золы, он подул в него, на дне еще тлели искры на обуглившихся поленьях. В полумраке за плитой он увидел кого-то, кто сидел в кресле и как будто спал, это была старая женщина. Его слова не помогали, дом казался заколдованным. Он слегка потрепал женщину по плечу, она не шевельнулась, и теперь он увидел, что она сидела, окутанная паутиной, нити которой шли к волосам и коленям. «Она мертва», — подумал он с легким страхом и, чтобы убедиться, стал разводить огонь, мешал угли и дул, пока не разгорелось пламя и он смог зажечь длинную лучину. Он посветил сидящей в лицо. Под седыми волосами увидел голубовато-черное лицо трупа, один глаз был открыт и блестел свинцовой пустотой. Женщина умерла здесь, сидя в кресле. Что ж, ей уже нельзя было помочь.

С горящей лучиной в руке Гольдмунд пошел искать дальше и в том же помещении нашел еще один труп, лежащий на пороге задней комнаты; это был мальчик лет восьми или девяти, с распухшим, искаженным лицом, в одной рубашке. Он лежал животом на пороге, обе руки были сжаты в крепкие, яростные кулаки. «Это второй», — подумал Гольдмунд; как в жутком сне пошел он дальше, в заднюю комнату, там ставни были открыты и сиял светлый день. Осторожно погасил он свой светильник, притоптав искры на полу.

В задней комнате стояли три кровати. Одна была пуста, из-под грубого серого полотна выглядывала солома. Во второй лежал еще один труп, мужчина, застывший на спине с откинутой головой и торчащим вверх подбородком и бородой, это, наверно, был хозяин. Его запрокинутое лицо слабо светилось зловещими красками смерти, рука свешивалась до пола, там валялся глиняный кувшин для воды, еще не вся вылившаяся вода впиталась в пол, она стекла в углубление, образовав маленькую лужу. А в другой кровати лежала, зарывшись в льняное покрывало и грубошерстное одеяло, высокая полная женщина с лицом, вдавленным в постель; распущенные цвета соломы волосы мерцали при ярком свете. Здесь же, сплетаясь с ней, словно пойманная в растерзанную простыню и задушенная, лежала девочка-подросток, тоже светловолосая, с серо-голубыми пятнами на мертвом лице.

С одного мертвеца на другого переходил взгляд Гольдмунда. В лице девочки, хотя оно было уже сильно искажено, застыло что-то вроде беспомощного ужаса перед смертью. В затылке и волосах матери, так глубоко и неистово зарывшейся в постель, читались бешенство, страх и страстное желание спастись. Особенно не хотели сдаваться смерти непокорные волосы. В облике крестьянина проступали упрямство и затаенная боль; видно было, что умирал он трудно, но по-мужски: его бородатое лицо было рывком вздернуто вверх, как это бывает у павшего на поле брани воина. Его спокойная и упрямая, немного сдержанная поза была прекрасна; по-видимому, это был недюжинный и неробкий человек, так встретивший смерть. Трогательным, напротив, был труп маленького мальчика, лежавшего животом на пороге; его лицо не говорило ничего, но поза вместе с крепко сжатыми кулачками свидетельствовала о многом: беспомощном страдании, нерешительном сопротивлении неслыханной боли. Рядом с его головой в двери было пропилено отверстие для кошки. Внимательно рассматривал Гольдмунд все. Без сомнения, все в этом доме выглядело отвратительно и трупный запах был ужасен; и все-таки для Гольдмунда все это имело притягательную силу, все было полно судьбоносного величия, так истинно, так непреложно; что-то в этом вызывало его любовь и проникало в душу.

Между тем Роберт снаружи начал кричать, нетерпеливо и испуганно. Гольдмунд любил Роберта, однако в этот момент ему подумалось о том, как все-таки мелок и ничтожен по сравнению с мертвыми живой человек со своим любопытством, страхом, всем своим ребячеством. Он не ответил Роберту ничего; он отдался полностью созерцанию мертвых с тем особым смешанным чувством сострадания и холодной наблюдательности, которое так свойственно художникам. Он точно рассмотрел лежащие фигуры и сидящую тоже — головы, руки, движение, в котором они застыли. Как тихо было в этой заколдованной хижине! Как необыкновенно, как страшно здесь пахло! Как призрачно и печально было это маленькое человеческое обиталище с еще теплившимся огнем в очаге, но населенное трупами, полностью заполненное и пронизанное смертью! Скоро у этих покойников начнет отпадать мясо со щек и крысы сожрут их пальцы. Что с другими людьми происходило в гробу и в могиле, в хорошем укрытии и невидимо, последнее и самое жалкое — распад и уничтожение, — то для этих пятерых свершалось здесь, дома, в их комнатах, при свете дня, за незапертыми дверями, без хлопот, без стыда, без защиты. Гольдмунду приходилось уже видеть мертвых, но такой картины неумолимой работы смерти он еще никогда не встречал. Глубоко в себя принял он ее.

Наконец крики Роберта перед дверью дома вывели его из размышлений, и он вышел. Со страхом посмотрел на него товарищ.

— Что там? — спросил он тихим голосом, полным ужаса. — В доме никого нет? Ох, не делай таких глаз. Говори же!

Гольдмунд смерил его холодным взглядом:

— Пойди и посмотри, это забавный дом. Потом подоим корову, что стоит в траве. Входи-ка, входи!

Нерешительно вошел Роберт в дом, направился к очагу; заметив сидящую женщину и обнаружив, что она мертва, громко закричал. Поспешно вернулся назад с широко раскрытыми глазами:

— Господи, помилуй! Там у очага сидит мертвая женщина. Что это? Почему около нее никого нет? Почему ее не похоронят? О Господи! Уже ведь пахнет.

Гольдмунд улыбнулся:

— Ты большой герой, Роберт, но ты слишком скоро вернулся. Мертвая старая женщина, сидящая на стуле, пожалуй, представляет собою примечательное зрелище, но ты можешь увидеть нечто более необычное, если сделаешь еще несколько шагов. Их пятеро, Роберт. В постелях лежат трое, а на пороге — мертвый мальчик. Все мертвые. Вся семья, дом вымер. Поэтому никто и корову не подоил.

Объятый ужасом, спутник смотрел на него, потом закричал вдруг сдавленным голосом:

— О, теперь я понимаю крестьян, что не хотели вчера пускать нас в свою деревню. О Господи, теперь мне все ясно. Это — чума! Клянусь моей бедной душой, это чума, Гольдмунд! А ты так долго был там, внутри, и, чего доброго, еще касался мертвых! Прочь! Не подходи ко мне, ты наверняка заразился. Мне жаль, Гольдмунд, но я должен уйти, я не могу оставаться с тобой.

Он уже собрался бежать, но Гольдмунд крепко схватил его за рясу. Посмотрел строго, с немым укором, и неумолимо держал его, как тот ни противился и ни упирался.

— Мой маленький мальчик, — сказал он дружески-ироническим тоном, — а ты, значит, умнее, чем можно было предположить: по-видимому, ты окажешься прав. Ну да это мы узнаем в ближайшем дворе или деревне. Вероятно, в этой местности чума. Посмотрим, выйдем ли мы отсюда живыми. Но позволить тебе убежать, мой маленький Роберт, я не могу. Видишь ли, я сердобольный человек, у меня сердце слишком мягкое, и когда я подумаю, что, возможно, и ты заразился там, в доме, а я позволю тебе убежать, и ты умрешь где-нибудь в поле, один-одинешенек, и никто не закроет тебе глаза, и не сделает могилу, и не бросит на тебя горсть земли, — нет, милый друг, тогда меня задушит горе. Итак, будь внимателен и очень хорошо запомни, что я скажу, повторять не буду: мы оба в одинаковой опасности, она может поразить и тебя, и меня. Мы останемся вместе и либо вместе погибнем, либо ускользнем от этой проклятой чумы. Если ты заболеешь и умрешь, я похороню тебя, это уж точно. А если мне суждено будет умереть, то поступай как знаешь, похорони меня или не делай этого, мне все равно. А пока, дорогой, не вздумай удирать, заметь это себе! Мы нужны друг другу. Теперь же заткни глотку, я не хочу ничего слышать, и поищи где-нибудь в хлеву ведро, чтобы нам, наконец, подоить корову.

Так уж случилось, и с того момента и Гольдмунду, который теперь приказывал, и Роберту, который подчинялся, обоим стало хорошо. Роберт больше не пытался убежать. Он только сказал примиряюще:

— Я на какой-то момент испугался тебя. Твое лицо мне не понравилось, когда ты вернулся из этого дома мертвых. Мне показалось, ты подцепил чуму. Но если это и не чума, все равно твое лицо стало другим. Неужели так страшно то, что ты там увидел?

— Это не так страшно, — ответил Гольдмунд, помедлив. — Я не увидел там внутри ничего, кроме того, что предстоит мне, и тебе, и всем, даже если мы не заразимся чумой.

Продолжая странствовать, они всюду наталкивались на черную смерть, царившую в стране. В некоторых деревнях не пускали к себе чужих, в других они беспрепятственно могли расхаживать по всем улицам. Многие дворы стояли покинутые, множество не погребенных трупов разлагалось в полях или в комнатах. В хлевах мычали недоеные или голодные коровы, или скот одичало бегал в поле. Они доили и кормили коров и коз, они забили и изжарили на опушке не одного козленка и поросенка и выпили немало вина и сидра из брошенных хозяевами погребов. У них была сытая жизнь, царило изобилие. Но все это было вкусно лишь наполовину. Роберт жил в постоянном страхе перед чумой, и при виде трупов его тошнило, часто он бывал в полном расстройстве от этого страха: ему все время казалось, что он заразился, он подолгу держал голову и руки в дыму костра (это, считалось, помогает), даже во сне ощупывал себя: нет ли на ногах, руках, под мышками опухолей.

Гольдмунд часто бранил его, часто высмеивал. Он не разделял его страха, да и его отвращения тоже; он шел по стране мертвых сосредоточенно и мрачно, завороженный ужасным видом грандиозного умирания, с душой, исполненной великой осени, с сердцем, отяжелевшим от пения разящей косы. Иногда ему опять являлся образ вечной матери, огромное бледное лицо великанши с глазами Медузы, с тяжелой улыбкой страдания и смерти.

Как-то они подошли к небольшому городу; он был сильно укреплен, от ворот на высоте домов шел ход по всей крепостной стене, но наверху не было ни одного часового и никого — у открытых ворот. Роберт отказался войти в город, заклиная и товарища не делать этого. В это время они услышали звуки колокола, к воротам вышел священник с крестом в руках, а за ним ехали три телеги, две — запряженные лошадьми, а одна — парой волов, телеги были доверху наполнены трупами. Несколько работников в особых плащах, с лицами, глубоко спрятанными в капюшоны, шли рядом, погоняя животных.

Роберт, с побледневшим лицом, пропал, Гольдмунд последовал на небольшом расстоянии за телегами с мертвецами. Прошли несколько сот шагов, и вот уже не на кладбище, а посреди пустой пашни вырытая яма, всего лишь в три лопаты глубиной, но огромная, как зал. Гольдмунд стоял и смотрел, как работники шестами и баграми стаскивали мертвых с телег и складывали кучей в эту яму, как священник, бормоча, помахал над ней крестом и пошел прочь, как работники разожгли со всех сторон плоской могилы сильный огонь и молча побежали обратно в город, никто не пришел, чтобы засыпать яму. Гольдмунд заглянул в нее, там лежали человек пятьдесят, а то и больше, набросанные друг на друга, многие голые. Неподвижно и жалобно торчала в воздухе здесь и там рука или нога, слегка колыхалась на ветру рубаха.

Когда он вернулся, Роберт чуть ли не на коленях умолял его идти как можно скорее дальше. У него таки было основание для уговоров: он видел в отсутствующем взгляде Гольдмунда эту уже слишком знакомую ему погруженность в себя и окаменелость, эту обращенность к ужасному, это жуткое любопытство. Ему не удалось удержать друга. Один, Гольдмунд пошел в город.

Он прошел через неохраняемые ворота и, слушая отзвук своих шагов по мостовой, припомнил множество городков и ворот, через которые ему пришлось пройти: ему вспомнилось, как его встречали там детский крик, мальчишеская игра, женская перебранка, стук молота по звонкой наковальне, грохот телег и множество других звуков, тонких и грубых шумов, разноголосица которых, как бы сплетаясь в сеть, свидетельствовала о разнообразном человеческом труде, радостях, делах и общении. Здесь же, у этих оставленных ворот и на этой пустынной улице, не звучало ничего, никто не смеялся, никто не кричал, все лежало застывшим в молчании смерти, а лепечущая мелодия бегущего фонтана звучала слишком громко и казалась почти шумом. За открытым окном среди караваев и булок был виден булочник; Гольдмунд показал на булку, и тот осторожно протянул ее на длинной пекарской лопате, подождал, пока Гольдмунд положит ему деньги на лопату, и зло, но без крика, закрыл окошко, когда чужак, впившись зубами в булку, пошел дальше, не заплатив. Перед окнами одного красивого дома стоял ряд глиняных горшков, в которых обычно красуются цветы, теперь же над пустыми горшками свисали засохшие листья. Из другого дома доносились всхлипывания и детский плач. Но на следующей улице Гольдмунд увидел наверху за окном красивую девушку, расчесывающую волосы; он смотрел на нее, пока она не почувствовала его взгляд и не посмотрела вниз; покраснев, она взглянула на него, и когда он ей дружелюбно улыбнулся, по ее покрасневшему лицу медленно пробежала слабая улыбка.

— Скоро причешешься? — крикнул он вверх.

Улыбаясь, она наклонила светлое лицо из окна.

— Еще не заболела? — спросил он, и она покачала головой. — Тогда пойдем со мной из этого мертвого города, пойдем в лес и заживем на славу.

Она вопросительно взглянула на него.

— Не раздумывай долго, я — серьезно, — кричал Гольдмунд. — Ты у отца с матерью живешь или прислуживаешь у чужих? А, у чужих. Тогда пойдем, милое дитя, оставь старых умирать, мы-то молоды и здоровы и еще неплохо поживем немного. Пойдем, каштаночка, я говорю всерьез.

Испытующе посмотрела девушка на него, нерешительно, удивленно. Он медленно пошел дальше, прошелся по одной безлюдной улице, по другой и вернулся обратно. Девушка все еще стояла у окна, наклонившись, и обрадовалась, что он пришел опять. Она кивнула ему, не спеша он пошел дальше, вскоре она последовала за ним; не доходя ворот она догнала его — с небольшим узелком в руке, с красным платком на голове.

— Как же тебя зовут? — спросил он ее.

— Лене. Я пойду с тобой. Ох, здесь в городе так плохо, все умирают. Прочь отсюда, прочь!

Вблизи ворот на земле прикорнул недовольный Роберт. Он вскочил, когда Гольдмунд подошел, и широко раскрыл глаза, увидев девушку. На этот раз он не сразу сдался, причитал и устроил скандал, что вот-де из проклятой чумной дыры приводят какую-то особу и требуют от него терпеть ее общество. Это, мол, более чем безумие, это искушение Господне, и он отказывается, он не пойдет дальше с ним, его терпению теперь пришел конец.

Гольдмунд позволил ему проклинать и жаловаться, пока тот не притих немного.

— Так, — сказал он, — ты нам достаточно долго распевал. Теперь ты пойдешь с нами и будешь радоваться, что у нас такое милое общество. Ее зовут Лене, и она останется со мной. Но я хочу порадовать тебя, Роберт. Слушай: мы поживем теперь немного в покое, пока здоровы, и постараемся избежать чумы. Найдем себе хорошее место с какой-нибудь пустой хижиной или же сами такую построим, мы с Лене будем хозяином и хозяйкой, а ты нашим другом и будешь жить с нами. Все будет хорошо и по-товарищески. Согласен?

О да, Роберт был согласен. Только бы от него не требовалось подавать Лене руку или касаться ее платья.

— Нет, — сказал Гольдмунд, — этого не требуется. Более того: тебе строжайше запрещается касаться Лене хотя бы пальцем. И не мечтай об этом!

Они отправились в путь втроем, сначала молча, потом постепенно девушка разговорилась. Как, мол, она рада снова видеть небо, и деревья, и луга, а как страшо было там, в чумном городе, даже трудно передать. И она начала рассказывать, облегчала душу, освобождаясь от печальных и ужасных картин, которые ей пришлось видеть. Немало историй рассказала она, печальных историй, маленький город стал адом. Из двух врачей один умер, другой ходил только к богатым, и во многих домах лежали мертвые и разлагались, потому что их некому было забрать, в других же — работники, вывозившие мертвецов, грабили, распутничали и развратничали и часто с трупами вытаскивали из постелей и живых больных, бросали в свои живодерские телеги и швыряли их вместе с мертвыми в ямы. Много дурного могла рассказать она; они не перебивали ее, Роберт слушал с ужасом и жадностью, Гольдмунд же оставался спокойным и равнодушным: он старался освободиться от страшного и ничего не говорил по этому поводу. Да и что тут можно было сказать? Наконец Лене устала и поток иссяк, слова кончились. Тогда Гольдмунд пошел медленнее и начал совсем тихо напевать песню с множеством куплетов, и с каждым куплетом голос его становился все полнее; Лене начала смеяться, а Роберт слушал, счастливый и глубоко удивленный, никогда до сих пор ему не приходилось слышать, как Гольдмунд поет. Все умел он, этот Гольдмунд. Вот идет и поет, удивительный человек! Он пел искусно и чисто, но приглушенным голосом. И вот уже на второй песне Лене стала тихо подпевать, а вскоре запела в полный голос. Вечерело, вдали от пашен чернели леса, а за ними поднимались невысокие голубые горы, становившиеся как бы изнутри все голубее. То радостно, то торжественно звучало их пение в такт шагам.

— Ты сегодня такой довольный, — сказал Роберт.

— Да, я довольный, конечно, я сегодня довольный, я ведь нашел такую красивую возлюбленную. Ах, Лене, как хорошо, что прислужники смерти оставили тебя для меня. Завтра найдем небольшое убежище, все будет хорошо, и будем радоваться, пока живы-здоровы. Лене, ты видела когда-нибудь осенью в лесу толстый гриб? Его еще очень любят улитки, и он съедобный.

— О да, много раз, — засмеялась она.

— Твои волосы, Лене, такие же коричневые, как его шляпка. И пахнут так хорошо. Споем еще одну? Или ты проголодалась? В моей сумке найдется кое-что.

На другой день они обнаружили, что искали. В небольшой березовой рощице стояла хижина из неотесанных бревен, построенная, по-видимому, дровосеками или охотниками. Она стояла пустая. Дверь открылась не без труда, и даже Роберт нашел, что это хорошая хижина и что местность тут здоровая. По пути им встретились козы, бродившие без пастуха, и одну прекрасную козу они взяли с собой.

— Ну, Роберт, — сказал Гольдмунд, — хотя ты и не плотник, зато был когда-то столяром. Мы будем здесь жить, тебе придется сделать перегородку в нашем замке, чтобы у нас было две комнаты: одна для Лене и меня, другая — для тебя и козы. Еды у нас не так много, сегодня мы довольствуемся козьим молоком, много его будет или мало. Итак, ты сделаешь стену, а мы вдвоем соорудим ночлег для всех нас. Завтра я отправлюсь за пропитанием.

Все сразу принялись за дело. Гольдмунд и Лене пошли собирать солому, папоротник, мох для постелей, а Роберт отточил кремнем, найденным в поле, свой нож, чтобы нарезать кольшков для стены. Однако за один день он не успел ее сделать и ушел вечером спать под открытым небом. Гольдмунд нашел в Лене милую подругу в любовных играх, робкую и неопытную, но полную любви. Нежно положил он ее к себе на грудь и долго не спал, слушая, как бьется ее сердце, когда она, давно уставшая и удовлетворенная, заснула. Он нюхал ее каштановые волосы, прильнув к ней, и думал одновременно о той плоской яме, в которую закутанные черти сбрасывали трупы с телег. Прекрасна была жизнь, прекрасно и мимолетно счастье, прекрасно и быстро увядала молодость.

Очень хорошая получилась перегородка в хижине, в конце концов они делали ее втроем. Роберт, желая показать, на что он способен, с воодушевлением говорил о том, что бы он сделал, если бы у него только были инструменты, столярный верстак, наугольник и гвозди. Поскольку у него не было ничего, кроме ножа и собственных рук, он довольствовался тем, что срезал с десяток березовых колышков, сделал из них прочный грубый забор и вбил его в пол хижины. Промежутки же, так он рассудил, надо было заплести дроком. На это нужно было время, но всем было радостно и хорошо, и все работали дружно. Между тем Лене собирала еще ягоды и присматривала за козой, а Гольдмунд, ненадолго отлучаясь, осматривал местность в поисках пропитания, обследовал соседнюю округу, принося то да се. Нигде поблизости не было ни души, Роберта это вполне устраивало: они были в безопасности, защищены как от заразы, так и от враждебных выпадов; но в этом был и свой недостаток: уж очень мало было еды. Неподалеку стоял покинутый крестьянский дом, на этот раз без мертвецов, так что Гольдмунд предложил было перебраться в него из их сруба, но Роберт в ужасе запротестовал и с неохотой смотрел, как Гольдмунд вошел в пустой дом; каждая вещь, которую тот приносил оттуда, сначала окуривалась и мылась, прежде чем Роберт дотрагивался до нее. Немногое нашел там Гольдмунд, но все-таки кое-что добыл: две табуретки, подойник, немного глиняной посуды, топор, а однажды поймал в поле двух заблудившихся кур. Лене была влюблена и счастлива, и всем троим доставляло удовольствие строить свое маленькое гнездышко и делать его с каждым днем немножко уютнее. Не было хлеба, зато они взяли еще одну козу, нашлось также небольшое поле с репой. День шел за днем, плетеная стена была готова, постели усовершенствованы, и построен очаг. Ручей был недалеко, вода в нем оказалась чистая и вкусная. За работой часто пели.

Однажды, когда они все вместе пили молоко и радовались своей домовитой жизни, Лене вдруг мечтательно спросила:

— А что будет, когда придет зима?

Никто не ответил. Роберт засмеялся. Гольдмунд странно смотрел перед собой. Постепенно Лене сообразила, что никто не думает о зиме, никто не собирается всерьез и надолго оставаться на одном месте, что дом — никакой не дом, что она попала к бродягам. Ей стало грустно.

Тогда Гольдмунд сказал ей шутливо и ободряюще, как ребенку:

— Ты — дочь крестьян, Лене, а они беспокоятся наперед. Не бойся, ты опять найдешь дом, когда кончится чума, не вечно же ей быть. Тогда вернешься опять в город в прислуги, и у тебя будет кусок хлеба. Сейчас же лето, а повсюду смерть, и здесь будет хорошо всем нам. Поэтому мы останемся здесь столько времени, сколько нам захочется.

— А потом? — крикнула Лене запальчиво. — Потом все кончится? И ты уйдешь? А я?

Гольдмунд взял ее длинную косу и слегка потянул за нее.

— Милое глупое дитя, — проговорил он, — ты уже забыла прислужников смерти, и вымершие дома, и огромную яму у ворот города, где горели костры? Ты должна быть рада, что не лежишь там в яме и дождь не льет на твою одежду. Подумай о том, чего ты избежала, о том, что драгоценная жизнь еще есть в твоем теле и ты можешь смеяться и петь.

Она не успокоилась.

— Но я не хочу опять уходить, — жаловалась она, — и не хочу отпускать тебя, нет. Нельзя же радоваться, коли знаешь, что все скоро кончится, пройдет!

Еще раз ответил Гольдмунд дружелюбно, но со скрытой угрозой в голосе:

— Над этим, малышка Лене, уже ломали голову все мудрецы и святые. Нет счастья, которое длится долго. Если же то, что у нас есть сейчас, для тебя недостаточно и больше не радует, я тотчас же подожгу хижину и каждый из нас пойдет своей дорогой. Успокойся, Лене, хватит разговоров.

На том и остановились, и она сдалась, но тень упала на ее радость.

Глава четырнадцатая

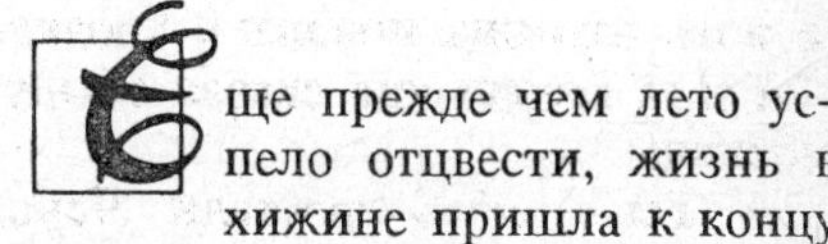

Еще прежде чем лето успело отцвести, жизнь в хижине пришла к концу иначе, чем они предполагали. Настал день, когда Гольдмунд долго бродил в округе с пращой в надежде подстеречь кого-нибудь вроде куропатки или другой какой дичи: еды становилось маловато. Лене была неподалеку и собирала ягоды, иногда он проходил мимо того места и видел сквозь кусты ее голову на загорелой шее, выступающую из льняной рубашки, или слышал ее пение; разок он полакомился у нее несколькими ягодами, потом отошел подальше и какое-то время не видел ее больше. Он думал о ней наполовину с нежностью, наполовину сердясь: она опять как-то завела разговор об осени и будущем, о том, что она, кажется, беременна, и о том, что не отпустит его. Теперь уже скоро конец, думал он, хватит, скоро я пойду странствовать один и Роберта тоже оставлю, попытаюсь до зимы добраться до большого города, пойду к мастеру Никлаусу, пробуду зиму там, а следующей весной куплю себе хорошие новые башмаки, двинусь в путь и пройду через все, пока не появлюсь в нашем монастыре Мариабронн и не увижусь с Нарциссом; минуло, пожалуй, лет десять, как я не видел его. Я обязательно должен повидаться с ним, хоть на один-два дня.

Какой-то неприятный звук вывел его из раздумий, и вдруг он понял, как далеко зашел во всех своих мыслях и желаниях и был уже не здесь. Он чутко прислушался; тот же жуткий звук повторился, ему показалось, что он узнал голос Лене, и пошел на него, хотя ему не нравилось, что она звала его. Вскоре он был достаточно близко — да, это был голос Лене, она звала его отчаянно, как зовут, когда попадают в беду. Он пошел быстрее, все еще сердясь, но при повторных криках сострадание и озабоченность взяли верх. Наконец он увидел ее: она не то сидела, не то стояла на коленях, в разорванной рубашке, и, крича, боролась с каким-то мужчиной, пытавшимся ею овладеть. В несколько длинных прыжков Гольдмунд очутился на месте, всю злость, беспокойство и тревогу, овладевшие его душой, он обрушил с неистовым бешенством на незнакомого насильника. Гольдмунд напал на него, когда тот уже совсем было придавил Лене к земле, ее обнаженная грудь кровоточила, незнакомец жадно сжимал ее в объятиях. Гольдмунд бросился на него и яростно сдавил ему руками шею, худую и морщинистую, заросшую свалявшейся бородой. С упоением давил Гольдмунд, пока тот не отпустил девушку и не обмяк, ослабев в его руках. Продолжая душить обессилевшего и полуживого, он протащил его по земле к серым скалистым выступам, голо торчавшим из-под земли. Здесь он поднял побежденного высоко, несмотря на тяжесть, и два-три раза ударил его головой об острые скалы. Сломав шею, он отбросил тело прочь; его гнев не был удовлетворен, он мог бы и дальше терзать его.

Сияющая, смотрела на него Лене. Ее грудь кровоточила, и она еще дрожала всем телом, жадно хватая воздух, но вскоре поднялась, собравшись с силами, и, не отрывая глаз, полных наслаждения и восхищения, смотрела, как ее сильный возлюбленный тащил незваного гостя, как он душил его, как сломал ему шею и отшвырнул труп. Подобно убитой змее лежал труп, обмякший и неловко повернувшийся, серое лицо со спутанной бородой и редкими, скудными волосами жалко свисало вниз. Торжествуя, Лене выпрямилась и бросилась Гольдмунду на грудь, однако вдруг побледнела, ужас был еще в ее членах, ей стало дурно, и она в изнеможении опустилась на кустики черники. Но вскоре она уже смогла дойти с Гольдмундом до хижины. Гольдмунд обмыл ей грудь, она была расцарапана, а на одной была рана от укуса зубов негодяя.

Роберт очень взволновался происшествием, горячо расспрашивал о подробностях борьбы:

— Сломал шею, говоришь? Великолепно! Гольдмунд, а тебя, оказывается, надо побаиваться.

Но Гольдмунд не желал больше говорить об этом, теперь он остыл, а отходя от убитого, подумал о бедном грабителе Викторе и о том, что от его руки погиб уже второй человек. Чтобы отделаться от Роберта, он сказал:

— Ну теперь и для тебя есть дело. Сходи туда и займись-ка трупом. Если слишком трудно вырыть яму, надо оттащить его в камыши к озеру или хорошо засыпать камнями и землей.

Но это унизительное требование было отклонено: с трупом Роберт ни за что не хотел иметь дело, никто ведь не знал, нет ли в нем чумной заразы.

Лене прилегла в хижине. Укус на груди болел, однако скоро она почувствовала себя лучше, опять встала, развела огонь и вскипятила вечернее молоко; у нее было очень хорошее настроение, но ее рано отослали в постель. Она послушалась, как ягненок, настолько была в восхищении от Гольдмунда. Он же был молчалив и мрачен; Роберт знал, что это, и оставил его в покое. Когда поздно вечером Гольдмунд в темноте нащупал свое соломенное ложе, он, прислушиваясь, наклонился к Лене. Она спала. Он чувствовал себя беспокойно, думал о Викторе, тревожился и испытывал желание уйти; он знал, что играм в домашнюю жизнь пришел конец. Но одно делало его особенно задумчивым. Он поймал взгляд Лене, когда она смотрела, как он тащил мертвого парня и отбросил его. Странный это был взгляд, он никогда не забудет его: из расширенных от ужаса и восхищения глаз сияли гордость, триумф, глубокое страстное сопереживание, соучастие в наслаждении местью и убийством; такого он никогда не видел и не подозревал увидеть в женском лице. Если бы не этот взгляд, думалось ему, он, возможно, позднее, с годами забыл бы лицо Лене. Взгляд этот делал ее юное крестьянское лицо величественным, прекрасным и страшным Уж сколько месяцев его глазам не представлялось ничего, что озарило бы его желанием: «Это нужно нарисовать!» Тот взгляд дал ему опять почувствовать с неким ужасом трепет этого желания.

Он не мог заснуть и потому в конце концов встал и вышел из хижины. Было прохладно, ветер слегка играл в березках. В темноте ходил он взад и вперед, потом, погруженный в раздумья и глубокую печаль, сел на камень. Ему было жаль Виктора, ему было жаль того, кого он убил сегодня, ему было жаль утраченной невинности и детскости души. Для того ли ушел он из монастыря, оставил Нарцисса, обидел мастера Никлауса и отказался от прекрасной Лизбет, чтобы поселиться здесь, в роще, подстерегать заблудившийся скот и убить там, на камнях, этого беднягу? Был ли в этом всем смысл, стоило ли это переживать? Сердце сжималось у него от бессмыслицы и презрения к самому себе. Он опустился на землю, лег, вытянувшись, на спину и устремил взор в бледные ночные облака; долго лежал он в оцепенении, а мысли проходили перед ним; Гольдмунд не знал, смотрит ли он в облака на небе или в печальный мир собственной души. Вдруг в момент, когда он засыпал на камне, появилось, сверкнув, будто зарница в бегущих облаках, огромное лицо, лицо Евы, взгляд был тяжелый и хмурый, но глаза вдруг широко раскрылись, огромные глаза, полные сладострастия и кровожадности. Гольдмунд спал, пока не промок от росы.

На другой день Лене разболелась. Ее оставили лежать; дела было много: Роберт повстречал утром в лесочке двух овец, которые вскоре убежали от него. Он зашел за Гольдмундом, больше полудня охотились они за овцами и поймали одну из них; усталые, они вернулись вечером. Лене чувствовала себя очень плохо. Гольдмунд осмотрел ее, ощупал и нашел опухоли, какие бывают при чуме. Он скрыл это, но Роберт заподозрил недоброе, узнав, что Лене все еще больна, и не остался в хижине. Он поищетде место для сна под открытым небом и возьмет с собой козу — ее ведь тоже можно заразить.

— Так убирайся к черту! — закричал на него Гольдмунд, рассвирепев. — Не желаю тебя видеть!

Козу он схватил и взял к себе за перегородку. Роберт исчез без козы молча, у него было неспокойно на душе от страха: страха перед чумой, страха перед Гольдмундом, страха перед одиночеством и ночью. Он улегся неподалеку от хижины.

Гольдмунд сказал Лене:

— Я останусь с тобой, не беспокойся. Ты скоро поправишься.

Она покачала головой:

— Смотри, дорогой, чтобы тебе не подцепить болезнь, ты не подходи больше ко мне так близко. Не старайся утешать меня. Я должна умереть, и для меня лучше умереть, чем увидеть однажды, что твоя постель пуста и ты оставил меня. Каждое утро я со страхом думала об этом. Нет, я лучше умру.

К утру ей стало совсем плохо. Гольдмунд время от времени давал ей глоток воды, проспав в промежутках с час. Теперь при утреннем свете он отчетливо увидел на ее лице близкую смерть; оно стало уже таким вялым и неспособным к сопротивлению. Он вышел ненадолго из хижины глотнуть свежего воздуха и посмотреть на небо. Несколько кривых стволов сосен на опушке леса уже золотились на солнце, свеж и сладок был воздух, далекие холмы еще терялись в утренней дымке. Он немного прошелся, разминая усталые члены и глубоко дыша. Прекрасен был мир в это печальное утро. Итак, скоро опять в путь. Настало время прощания.

Из леса его окликнул Роберт. Не лучше ли, мол, ей? Если это не чума, он останется. Пусть Гольдмунд не сердится на него, он пас это время овцу.

— Иди ко всем чертям вместе со своей овцой! — крикнул ему Гольдмунд в ответ. — Лене умирает, и я заразился.

Последнее было ложью: Гольдмунд сказал это, чтобы отделаться от него. Хотя Роберт и был добродушным парнем, Гольдмунду он надоел: он казался ему слишком трусливым и ничтожным, слишком не подходил для него в это время, судьбоносное и полное потрясений. Роберт исчез и больше не появлялся. Вставало яркое солнце.

Когда он вернулся к Лене, она спала. Он тоже заснул еще раз, во сне он увидел Блесса, лошадь, которая когда-то принадлежала ему, и прекрасный монастырский каштан; на душе у него было так, как будто из бесконечной дали и безысходности он опять смотрит на милую утраченную родину, и, когда он проснулся, слезы текли по его обросшим щетиной щекам. Он услышал, что Лене говорит что-то тихим голосом, ему показалось, что она зовет его, и он приподнялся на постели; но она говорила, не обращаясь ни к кому, лепетала просто так ласковые слова, а иногда ругалась, смеялась немного, потом начала тяжело вздыхать и всхлипывать, постепенно опять затихая. Гольдмунд встал, наклонился над ее уже искаженным лицом, с горьким любопытством следил он глазами за ее чертами, так страшно обезображенными и опустошенными палящим дыханием смерти. «Милая Лене, — взывало его сердце, — милое, доброе дитя, и ты оставляешь меня? Я больше тебе не нужен?»

Охотно убежал бы он прочь. В путь, в путь, шагать дышать, уставать, видеть новые картины, это подействовало бы благотворно на него, возможно, смягчило бы его глубокую удрученность. Но он не мог, нельзя было оставлять дитя одиноко умирать здесь. Едва решался он время от времени ненадолго выходить, чтобы подышать свежим воздухом. Так как Лене уже не принимала молока, он сам напился им досыта — есть было нечего. Козу он тоже несколько раз выводил пощипать травы, попить и подвигаться. Потом он опять стоял у постели Лене, нашептывая нежности, неотрывно смотрел ей в лицо, безутешно, но внимательно глядя, как она умирает. Она была в сознании, иногда засыпала, а когда просыпалась, открывала глаза лишь наполовину — веки были утомлены и слабы. На его глазах молодая женщина с каждым часом становилась старее, на свежей молодой шее покоилось быстро вянущее лицо старухи. Она лишь изредка произносила какое-нибудь слово, говорила «Гольдмунд» или «любимый», пытаясь увлажнить языком распухшие, посиневшие губы. Тогда он давал ей несколько капель воды.

На следующую ночь она умерла. Умерла не жалуясь, прошла лишь короткая судорога, потом остановилось дыхание и по коже пробежала дрожь; при виде этого волна поднялась у Гольдмунда в сердце и ему вспомнились умирающие рыбы, которых он часто наблюдал и жалел на рыбном рынке: именно так угасали они, с судорогой и тихой горестной дрожью, пробегавшей по их коже и уносившей с собой блеск и жизнь. Он постоял на коленях возле Лене еще какое-то время, потом вышел наружу и сел в заросли вереска. Вспомнив о козе, он вошел еще раз и вывел ее, она, немного покружив, легла на землю. Он лег рядом, положив голову на ее бок, и проспал до рассвета. Теперь он в последний раз вошел в хижину за плетеную стену посмотреть на лицо бедной умершей. Он никак не мог оставить ее лежать здесь. Он вышел и, набрав полные охапки хвороста и сухого валежника, бросил их в хижину, высек огонь и поджег. Из хижины он ничего не взял с собой, кроме огнива. Мгновенно вспыхнула сухая дроковая стена. Он стоял снаружи и смотрел с порозовевшим от огня лицом, пока всю крышу не охватило пламя и не упала первая балка. В страхе, жалобно блея, прыгала коза. Неплохо было бы убить животное и кусок козьего мяса прокоптить и съесть, чтобы были силы для путешествия. Но Гольдмунд был не в состоянии сделать это, он отогнал козу в поле и пошел прочь. Вплоть до леса его преследовал дым от пожара. Никогда еще он не был так безутешен, начиная странствие.

И все же то, что предстояло ему, оказалось хуже, чем можно было ожидать. Началось с первых же дворов и деревень и усугублялось по мере того, как он двигался дальше. Местность, вся обширная страна была объята смертью, охвачена ужасом, страхом и помрачением душ и самое скверное было не в вымерших домах, не в погибших от голода на цепи и разлагавшихся дворовых собаках, не в лежавших непохороненными мертвецах, не в нищенствующих детях, не в общих могилах возле городов. Самым скверным были живые, которые под тяжестью ужасов и страха смерти, казалось, потеряли глаза и уши. Странные и жуткие вещи приходилось слышать и видеть ему повсюду. Родители оставляли детей, мужья — жен, если те заболевали. Прислужники чумы и больничные работники действовали как палачи: они грабили опустошенные дома, по своему произволу то оставляли трупы непогребенными, то стаскивали с кроватей на свои зловещие телеги умирающих, прежде чем те испускали дух. Запуганные беглецы одиноко блуждали в округе, одичалые, избегающие любого соприкосновения с людьми, гонимые страхом смерти. Другие объединялись в подогреваемой страхом смерти жажде жизни, устраивали кутежи, справляли праздники, танцуя и любя, но и тут смерть правила бал. Бездомные, печалясь и проклиная, с безумными глазами сидели перед кладбищами или у своих опустевших домов. И, что хуже всего, каждый искал для этого невыносимого бедствия козла отпущения, каждый утверждал, что знает нечестивцев, которые виноваты в чуме и являются ее злонамеренными зачинщиками. Сатанисты, говорили они, злорадно старались распространять смерть, извлекали из чумных трупов яд и мазали им стены и ручки дверей, отравляли колодцы и скот. На кого падало подозрение в этих мерзостях, тот погибал, если не бывал предупрежден и не мог бежать; его карали смертью либо суды, либо сама чернь. Кроме того, богатые обвиняли бедных и наоборот, или это были евреи, или чужеземцы, или врачи. В одном городе Гольдмунд с похолодевшим сердцем наблюдал, как горела целая улица, где проживали дом к дому, вокруг стояла орущая толпа, и кричащих беглецов загоняли обратно в огонь оружием. В безумии страха и ожесточения везде убивали, жгли, терзали невинных. С яростью и отвращением смотрел на все это Гольдмунд, мир выглядел разрушенным и отравленным, казалось, на земле не было больше ни радости, ни невинности, ни любви. Часто убегал он на бурные празднества жизнелюбов, там были слышны замогильные звуки скрипки, он вскоре научился различать их, нередко и сам принимал участие в отчаянных попойках, играл при этом на лютне или танцевал лихорадящими ночами при свете смоляных факелов.

Страха он не чувствовал. Однажды испытал он страх смерти — в ту зимнюю ночь под елями, когда пальцы Виктора сдавили ему горло, а потом еще не раз в трудные дни странствия, мучимый то голодом, то снегопадом. То была смерть, с которой можно было бороться, против которой была защита, и он защищался, с дрожащими руками и ногами, с пустым желудком, с измученным телом; он защищался, побеждал и уходил от нее. Но с этой смертью от чумы нельзя было бороться, ей надо было дать отбушевать, чтобы затем смириться перед ней, и Гольдмунд давно смирился. Страха у него не было; казалось, для него нет ничего более важного в жизни, с тех пор как он оставил Лене в горящей хижине, чем идти день за днем по опустошенной смертью стране. Но невероятное любопытство гнало его и заставляло бодрствовать; наблюдая за работой неутолимого косаря, он и сам был неутомим; слушая песнь тлена, никуда не уклонялся, постоянно охваченный спокойным и страстным желанием быть свидетелем и с открытыми глазами пройти адовой дорогой. Он ел заплесневелый хлеб в опустевших домах, он пел и распивал вино на безумных пирушках, срывая быстро вянущий цветок желания, смотрел в застывшие хмельные глаза женщин, в застывшие безумные глаза пьяных, в угасающие глаза умирающих, любил отчаявшихся лихорадочных женщин, помогал за тарелку супа выносить мертвых, за пару грошей засыпал землей голые трупы. Мрачно и дико стало в мире, во всю глотку пела смерть свою песню, Гольдмунд внимал ей с отверстыми ушами, с горящей страстью.

Его целью был город мастера Никлауса, туда звал его голос сердца. Долгим был путь, и был он полон смерти, увядания и умирания. Печально двигался туда Гольдмунд, оглушенный песнью смерти, отдавшись громко кричащему страданию мира, печально и все же пылко, с широко раскрытой душой.

В одном монастыре он увидел недавно написанную фреску и долго рассматривал ее. На стене была изображена пляска смерти — бледная костлявая смерть уводила в танце людей из жизни: короля, епископа, аббата, графа, рыцаря, врача, крестьянина, ландскнехта — всех забирала с собой, и скелеты музыкантов подыгрывали при этом на голых костях. Глубоко в себя впитывали картину жадные глаза Гольдмунда. Незнакомый собрат извлек урок из того, что видел в Черной Смерти, и пронзительно прокричал горькую проповедь о смертности прямо в уши людям. Она была хороша, картина, хороша была и проповедь, неплохо понимал свое дело этот незнакомый собрат: лязгом костей и жутью веяло от картины. И все-таки это было не то, что видел и пережил он сам, Гольдмунд. Здесь была изображена неизбежность смерти, строгая и неумолимая. А Гольдмунду виделась другая картина, совсем иначе звучала в ней дикая песня смерти, не лязгом костей и строгостью, а скорее сладостным соблазном манила обратно на родину, к матери. Там, где смерть простирала руку над жизнью, слышались не только пронзительные звуки войны, звучала также и глубокая любовь, по-осеннему насыщенная, а вблизи смерти огонек жизни пылал ярче и искреннее. Пусть для других смерть будет воином, судьбой, или палачом, или же строгим отцом, для него смерть была также матерью и возлюбленной, ее зов манил любовью, ее прикосновение — любовным трепетом. Когда, насмотревшись на изображение пляски смерти, Гольдмунд пошел дальше, его с новой силой потянуло к мастеру, к творчеству. Но всюду случались задержки, появлялись новые картины и переживания; дрожащими ноздрями вдыхал он воздух смерти, сострадание или любопытство останавливали то на час, то на сутки. Три дня с ним пробыл маленький хныкающий крестьянский мальчик, часами нес он его на спине, полуголодное существо пяти или шести лет, которое доставляло ему много хлопот и от которого он с трудом освободился. Наконец мальчика взяла у него жена угольщика, ее муж умер, и ей хотелось иметь возле себя какое-то живое существо. Несколько дней его сопровождала бездомная собака, ела у него с руки, согревала по ночам, но однажды утром потерялась. Ему было жаль ее, он привык разговаривать с ней, по полчаса обращался он к псу с горькими речами о людской низости, о существовании Бога, об искусстве, о груди и бедрах младшей дочери рыцаря по имени Юлия, которую он знал в молодости. Потому что за время своего странствия в мире смерти Гольдмунд, конечно же, немного повредился в уме, все люди в чумной местности были в какой-то мере сумасшедшими, а многие — совсем и окончательно. Немного не в себе была, по-видимому, и молодая еврейка Ребекка, красивая черноволосая девушка с горящими глазами, с которой он потерял два дня.

Он встретил ее перед одним городком в поле, она сидела возле кучи обуглившихся развалин, рыдала, била себя по лицу и рвала на себе черные волосы. Он пожалел волосы, они были так прекрасны, поймал ее яростные руки и, сдерживая их, заговорил с девушкой, заметив при этом, что ее лицо и фигура тоже очень красивы. Она оплакивала отца, который вместе с четырнадцатью другими евреями был сожжен по приказу властей, ей же удалось бежать, но теперь она в отчаянии вернулась и обвиняла себя за то, что не пошла в огонь вместе с ним. Терпеливо удерживал Гольдмунд ее дрожащие руки и мягко заговаривал, бормоча сочувственные и покровительственные слова, предлагал помощь. Она попросила помочь ей похоронить отца, и они, собрав все кости из еще горячей золы, отнесли их в укромное место и закопали в землю. Между тем настал вечер, и Гольдмунд нашел место для ночлега: в дубовом лесочке он устроил девушке постель, пообещав посторожить, и слышал, как лежа она продолжала плакать и вздыхать, пока наконец не заснула. Тогда и он немного поспал, а утром начал свои ухаживания. Он говорил ей, что ей нельзя оставаться одной: в ней узнают еврейку и убьют или беспутные проходимцы обесчестят ее, а в лесу волки и цыгане. Он же, он возьмет ее с собой и защитит от волков и людей, потому что ему жаль ее и он очень хорошо относится к ней, к тому же глаза у него на месте и он понимает, что такое красота, и ни за что не потерпит, чтобы эти милые умные глаза и эти роскошные плечи сожрали звери или они попали на костер. Мрачно слушала она его, вскочила и убежала. Ему пришлось выследить ее, поймать и не оставлять одну.

— Ребекка, — сказал он, — ты же видишь, я не хочу тебе ничего плохого. Ты огорчена, думаешь об отце, ты ничего не желаешь знать о любви. Но завтра, или послезавтра, или еще позже я опять спрошу тебя, а пока буду тебя защищать и приносить еду и не трону тебя. Будь печальна, сколько нужно. Ты и при мне можешь быть печальной или веселой, ты всегда будешь делать то, что доставляет тебе радость.

Но все говорилось впустую. Ей не хочется делать то, говорила она озлобленно и яростно, что доставляло бы радость, ей хочется делать то, что доставляет страдания, никогда больше она и не подумает о чем-либо вроде радости, и чем скорее волк съест ее, тем лучше. Он, было заявлено Гольдмунду, может идти, ничто не поможет, и так слишком много сказано.

— Ты разве не видишь, — сказал он, — что повсюду смерть, что во всех домах и городах умирают и все полно горя? И ярость глупых людей, которые сожгли твоего отца, не что иное, как нужда и горе, и рождают ее слишком большие страдания. Подумай, скоро смерть настигнет и нас, и мы сгнием в поле, а нашими костями будет играть крот. Давай же пока еще поживем и порадуем друг друга. Ах, так жаль твоей белой шеи и маленькой ножки! Милая, прелестная девочка, пойдем со мной, я не трону тебя, я хочу лишь смотреть на тебя и заботиться о тебе.

Он еще долго упрашивал ее и вдруг почувствовал сам, насколько бесполезны тут все слова, все доводы. Он замолчал и печально посмотрел на нее. На ее гордом царственном лице застыл отказ.

— Таковы уж вы, — сказала она наконец голосом, полным ненависти и презрения, — таковы уж вы, христиане! Сначала ты помогаешь дочери хоронить отца, которого убили такие же, как ты, не стоящие и ногтя на его мизинце, а едва дело сделано, девушка должна принадлежать тебе и идти миловаться с тобой. Вот вы какие! Сначала я подумала, может, ты хороший человек! Да уж, хороший, как бы не так! Ах, свиньи вы все!

Пока она говорила, Гольдмунд увидел, что в ее глазах за ненавистью что-то пылало, тронувшее и пристыдившее его и глубоко проникшее к нему в сердце. Он увидел в ее глазах смерть, не неизбежность смерти, а стремление к ней, ее дозволенность, тихую послушность и готовность следовать зову земли-матери.

— Ребекка, — сказал он тихо, — ты, возможно, права. Я нехороший человек, хотя думал сделать как лучше. Прости меня. Я только сейчас тебя понял.

Сняв шапку, он глубоко поклонился ей, как царице, и пошел прочь с тяжелым сердцем: он вынужден был бросить ее на погибель. Долго еще он оставался в печали, ни с кем не желая разговаривать. Это гордое еврейское дитя напомнило ему чем-то Лидию, дочь рыцаря, как ни разительно было их несходство. Любить таких женщин было страданием. Однако какое-то время ему казалось, будто он никогда не любил никого, кроме этих двух: бедной боязливой Лидии и нелюдимой ожесточенной еврейки.

Еще не один день думал он о черноволосой пылкой девушке и не одну ночь мечтал о стройной обжигающей красоте ее тела, предназначенной, казалось, для счастья и расцвета и уже, однако, преданной умиранию. О, неужели эти губы и грудь станут добычей «свиней» и сгниют в поле! Разве нет силы, нет заклятия, чтобы спасти эти драгоценности? Да, было одно такое заклятие: они должны продолжать жить в его душе, чтобы он изобразил их и тем сохранил. С ужасом и восторгом чувствовал он, как переполнена его душа образами, как это долгое странствие по стране смерти заполнило ее до отказа фигурами. О, с каким нетерпением ждала эта полнота в его душе своего часа, как страстно требовала спокойного осмысления, излияния и воплощения в живых образах! Все более пылко и жадно стремился он дальше, со все еще отверстыми глазами и жадными до нового чувствами, но уже полный страстной тоски по бумаге и карандашу, по глине и дереву, по мастерской и работе.

Лето прошло. Многие уверяли, что с наступлением осени или в крайнем случае к началу зимы чума прекратится. То была безрадостная осень. Гольдмунд проходил через места, где уже некому было собирать фрукты, они падали с деревьев и гнили в траве; в других местах одичавшие орды из городов по-разбойничьи опустошали и растаскивали все.

Медленно приближался Гольдмунд к своей цели, и как раз в это время на него подчас нападал страх: он опасался, что, не достигнув ее, подцепит чуму и умрет в какой-нибудь конюшне. Теперь он не хотел умирать, нет, пока не насладится счастьем еще раз стоять в мастерской и отдаваться творчеству. Впервые в жизни мир казался ему слишком огромным, а Германская Империя слишком большой. Ни один красивый городок не манил его отдохнуть, ни одна красивая деревенская девушка не могла удержать дольше, чем на одну ночь.

Как-то он проходил мимо церкви, на портале которой в глубоких нишах, несомых в виде украшения небольшими колоннами, стояло много каменных фигур очень древних времен, фигур ангелов, апостолов, мучеников; подобных им он уже видел не раз, и в его монастыре, в Мариабронне, было немало фигур такого рода. Раньше, юношей, он охотно, но без увлечения рассматривал их; они казались ему красивыми и полными достоинств, но слишком торжественными, чопорными и старомодными. Позднее же, после того как в конце своего первого большого странствия он таким восхищением проникся к фигуре прелестной печальной Божьей Матери мастера Никлауса, он стал находить эти древнефранкские торжественные каменные фигуры чересчур тяжелыми, неподвижными и чуждыми; он рассматривал их с определенным высокомерием и в новой манере своего мастера видел намного более живое, искреннее, одушевленное искусство. И вот сегодня, когда он, полный образов, с душой, иссеченной рубцами и заметами, возвращался из мира сильных переживаний и приключений, был полон болезненной тоски по осмыслению и новому творчеству, эти древние строгие фигуры вдруг тронули его сердце с необычайной силой. Сосредоточенный, стоял он перед почтенными фигурами, в которых, застыв в камне, тлену вопреки, продолжала жить душа давно минувших времен; столетия спустя представляли они страхи и восторги давно исчезнувших поколений. В его одичавшем сердце с ужасом и смирением поднялось и чувство благоговения, и отвращение к собственной растраченной и прожженной жизни. Он сделал то, чего не делал бесконечно давно: нашел исповедальню, чтобы покаяться и понести наказание.

Однако исповедальни в церкви были, но не было ни одного священника: они умерли, лежали в больнице, бежали, боясь заразиться. Церковь была пуста, глухо отражали каменные своды шаги Гольдмунда. Он опустился на колени перед одной из исповедален, закрыл глаза и прошептал в решетку: «Господи, посмотри, что со мной стало. Я возвращаюсь из мира дурным, бесполезным человеком, я попусту растратил свои молодые годы, как мот, осталось уже немного. Я убивал, воровал, я распутничал, я бездельничал и объедал людей. Господи, почему Ты создал нас такими, зачем ведешь нас такими путями? Разве мы не дети Твои? Разве не Твой Сын умер за нас? Разве нет святых и ангелов, чтобы руководить нами? Или все это красивые вымышленные слова, которые рассказывают детям, а сами пастыри смеются над ними? Я разуверился в Тебе, Бог Отец. Ты сотворил дурной мир и плохо поддерживаешь порядок в нем. Я видел дома и улицы, полные валяющихся трупов, я видел, как богатые запирались в своих домах или бежали, а бедные оставляли своих братьев непогребенными, подозревали один другого и убивали евреев, как скот. Я видел, как множество невинных страдает и погибает, а множество злых купается в благополучии. Неужели ты нас совсем забыл и оставил, разве Твое Творение Тебе совсем опротивело и Ты хочешь, чтобы все мы погибли?»

Вздыхая, прошел он через высокий портал и посмотрел на молчащие каменные фигуры ангелов и святых: худые и высокие, стояли они в своих одеяниях, застывших складками, неподвижные, недоступные, сверхчеловеческие и все-таки созданные людьми и человеческим духом. Строго и немо стояли они там высоко в своем малом пространстве, недоступные никаким просьбам и вопросам, и все-таки были бесконечным утешением, торжествующей победой над смертью и отчаянием, стоя вот так в своем достоинстве и красоте и переживая одно умирающее поколение людей за другим. Ах, если бы здесь стояли также бедная прекрасная еврейка Ребекка, и бедная, сгоревшая вместе с хижиной Лене, и прелестная Лидия, и мастер Никлаус! Но они будут когда-нибудь стоять и останутся надолго, он поставит их, и их фигуры, внушающие ему сегодня любовь и мучения, страх и страсть, предстанут позднее перед живущими, без имен и историй, тихие, молчаливые символы человеческой жизни.

Глава пятнадцатая

Наконец цель была достигнута и Гольдмунд вступил в желанный город, через те же ворота, в которые прошел когда-то в первый раз — столько лет тому назад — в поисках своего мастера. Некоторые сведения из епархиального города дошли до него еще в пути, во время приближении к нему, и он узнал, что и тут была чума, а возможно, еще и не прекратилась; ему рассказали о волнениях и народных восстаниях и о том, что в город был прислан наместник императора, чтобы установить порядок и отдать необходимые срочные распоряжения для защиты имущества и жизни граждан, потому что епископ бежал, сразу после того как разразилась чума, и обосновался далеко за городом в одном из своих замков. Все эти сведения мало касались путешественника. Лишь бы город еще стоял и мастерская, где он собирался работать! Все остальное было для него неважно. Когда он прибыл, чума стихала, ждали возвращения епископа, радовались отъезду наместника и возобновлению привычной мирной жизни.

Когда Гольдмунд вновь увидел город, в сердце его хлынуло волной чувство родины, никогда ранее не испытываемое, и ему пришлось сделать непривычно строгое лицо, чтобы овладеть собой. Все было на месте: ворота, прекрасные фонтаны, старая неуклюжая колокольня собора и стройная новая — церковь Марии, чистый звон у Святого Лаврентия, огромная сияющая рыночная площадь! О, как хорошо, что все это ждало его! Видел же он, странствуя, как-то во сне, будто пришел сюда, а все чужое и изменившееся, частью разрушено и лежит в развалинах, частью незнакомо из-за новых построек и странных неблагоприятных знаков. Он чуть не прослезился, проходя по улицам, узнавая дом за домом. В конце концов и оседлым можно позавидовать: их красивым надежным домам, их мирной жизни обывателей, их покойному крепкому чувству родины, своего дома с комнатой и мастерской, с женой и детьми, челядью и соседями.

Было далеко за полдень, и с солнечной стороны улицы дома, вывески хозяев и ремесленных цехов, резные двери и цветочные горшки стояли, освещенные теплыми лучами, ничто не напоминало о том, что и в этом городе свирепствовала смерть и царил безумный страх. Прохладная, светло-зеленая и светло-голубая, струилась под звучными сводами моста чистая река; Гольдмунд посидел немного на набережной, внизу в зеленых кристаллах все так же скользили темные, похожие на тени рыбы или стояли неподвижно, повернув головы против течения; все так же вспыхивал из сумрака глубины здесь и там слабый золотистый свет, так много обещая и поощряя воображение. И в других реках бывало это, и другие мосты и города выглядели красиво, и все-таки ему казалось, что он очень давно не видел и не чувствовал ничего подобного.

Двое молодых помощников мясника гнали смеясь теленка, они обменивались взглядами и шутками с прислугой, снимавшей белье на крытой галерее над ними. Как быстро все прошло! Еще недавно здесь горели противочумные костры и правили страшные больничные прислужники, а сейчас жизнь опять шла дальше, люди смеялись и шутили; да и у него самого на душе было так же. Он все еще сидел на набережной, был в восторге от встречи с прошлым и чувствовал себя благодарным и даже полюбил оседлых, как будто не было ни горя, ни смерти, ни Лене, ни еврейской принцессы. Улыбаясь, он встал и пошел дальше, и только когда приблизился к улице, на которой жил мастер Никлаус, и проходил опять по дороге, которой годы тому назад ходил каждый день на работу, сердце его защемило от беспокойства. Он пошел быстрее, желая еще сегодня поговорить с мастером и узнать ответ, — дело не терпело отлагательства, ждать до завтра было невозможно. Неужели мастер все еще сердится на него? То было так давно, теперь это не имело никакого значения; а если это все же так, он смирится. Если только мастер еще там — он и мастерская, то все будет хорошо. Поспешно, как бы боясь что-то забыть в последнюю минуту, он подошел к хорошо знакомому дому, дернул ручку двери и испугался, когда нашел ворота запертыми. Значило это что-то недоброе? Раньше никогда не случалось, чтобы эту дверь держали на запоре днем. Он громко постучал дверным молотком и принялся ждать. У него вдруг стало очень тоскливо на сердце.

Вышла та же самая старуха служанка, которая встретила его когда-то при первом посещении этого дома. Безобразнее она не стала, но совсем постарела и стала еще менее приветливой. Гольдмунда она не узнала. С робостью в голосе спросил он мастера. Она посмотрела на него тупо и недоверчиво:

— Мастер? Здесь нет никакого мастера. Уходите от нас, никого не велено пускать.

Она хотела было вытолкнуть его за ворота, он же, взяв ее за руку, крикнул:

— Поговори со мной, Маргит, ради Бога! Я Гольдмунд, ты что, не узнаешь меня? Мне нужно к мастеру Никлаусу.

Дальнозоркие, наполовину угасшие глаза приветливее не стали.

— Здесь нет больше мастера Никлауса, — сказала она отчужденно, — он умер. Уходите, уходите поскорее, я не могу тут стоять и болтать!

Гольдмунд, чувствуя, как все в нем рушится, отодвинул старуху в сторону, та с криком побежала за ним, он поспешил через темный проход к мастерской. Она была заперта. Сопровождаемый жалобами и ругательствами старухи, он взбежал по лестнице наверх, заметив в сумраке знакомого помещения стоящие фигуры, собранные Никлаусом. Громким голосом он позвал барышню Лизбет.

Дверь комнаты открылась, и появилась Лизбет, и когда он лишь со второго взгляда узнал ее, сердце у него сжалось. Если все в этом доме с того момента, как он нашел ворота запертыми, казалось призрачным и заколдованным, как в дурном сне, то теперь при взгляде на Лизбет он содрогнулся от ужаса. Красивая гордая Лизбет стала робкой, сгорбленной старой девой, с желтым болезненным лицом, в черном платье без всяких украшений, с неуверенным взглядом и пугливой манерой держаться.

— Простите, — сказал он, — Маргит не хотела меня впускать. Вы не узнаете меня? Я — Гольдмунд. Ах, скажите, это правда, что ваш отец умер?

По ее взгляду он понял, что теперь она его узнала, и сразу же увидел, что здесь его добром не поминают.

— Так вы — Гольдмунд? — сказала она, и в ее голосе он услышал отзвуки прежней высокомерной манеры. — Вам не следовало утруждать себя этим визитом. Мой отец умер.

— А мастерская? — вырвалось у Гольдмунда.

— Мастерская? Закрыта. Если вы ищете работу, вам надо пойти куда-нибудь в другое место.

Он попытался взять себя в руки.

— Уважаемая Лизбет, — сказал он дружелюбно, — я не ищу работу, я хотел лишь проведать мастера и вас. Меня огорчило то, что пришлось здесь услышать! Я вижу, вам было нелегко. Если благодарный ученик вашего отца может вам чем-нибудь служить, скажите, это было бы для меня радостью. Ах, уважаемая Лизбет, у меня сердце разрывается оттого, что я нашел вас в такой глубокой печали.

Она отошла обратно к двери комнаты.

— Благодарю, — сказала она, помедлив. — Вы не можете больше ничем послужить ему — и мне тоже. Маргит вас проводит.

Плохо звучал ее голос — наполовину зло, наполовину боязливо. Он почувствовал: если бы ей хватило мужества, она выставила бы его за дверь с руганью.

Вот он уже внизу, вот уже старуха заперла за ним ворота и задвинула засовы. Он еще слышал удары обоих засовов, словно крышку гроба заколачивали.

Он вернулся на набережную и сел опять на старое место над рекой. Солнце зашло, от воды тянуло холодом, холодным был камень, на котором он сидел. Прибрежный переулок затих, у столбов моста плескалось течение, глубина темнела, золотой блеск уже не играл на ней. «О, — думал он, — если бы мне теперь упасть и исчезнуть в реке! Опять мир полон смерти». Прошел час, и сумерки превратились в ночь. Наконец он смог заплакать. Он сидел и плакал, сквозь пальцы падали теплые капли. Он оплакивал умершего мастера, утраченную красоту Лизбет, он оплакивал Лене, Роберта, девушку-еврейку, свою увядшую, растраченную молодость.

Совсем поздно он очутился в одном погребке, где когда-то часто кутил с товарищами. Хозяйка узнала его, он попросил кусок хлеба, она дала ему по дружбе и бокал вина. Он не пошел вниз. На скамье в погребке проспал ночь. Хозяйка разбудила его утром, он поблагодарил и ушел, доедая по дороге кусок хлеба.

Гольдмунд пошел к рыбному рынку, где находился дом, в котором у него когда-то была комната. Возле фонтана несколько рыбачек предлагали свой живой товар, он загляделся на красивых, блестящих рыб в садках. Часто видел он это раньше, ему вспомнилось, что нередко он испытывал жалость к рыбам и ненависть к торговкам и к покупателям. Как-то, припомнил он, ему пришлось здесь тоже провести утро, он восхищался рыбами и жалел их и был очень печален, с тех пор прошло много времени и утекло немало воды. Он был очень печален, это он помнил хорошо, но из-за чего — уже забыл. Вот так: и печаль прошла, и боль и отчаяние прошли так же, как радости; они прошли мимо, поблекшие, утратив свою глубину и значение, и наконец пришло время, когда уже и не вспомнить, что же причиняло когда-то такую боль. И страдания тоже отцветали и блекли. Поблекнет ли сегодняшняя боль когда-нибудь и потеряет ли свое значение его отчаяние из-за того, что мастер умер, так и не простив его, и что не было мастерской, чтобы испытать счастье творчества и скинуть с души груз образов? Да, без сомнения, устареет и утихнет и эта боль, и эта горькая нужда, и они забудутся. Ни в чем нет постоянства, даже в страдании.

Стоя так, уставившись на рыб и предаваясь этим мыслям, он услышал тихий голос, приветливо называвший его по имени.

— Гольдмунд, — звал его кто-то робко, и когда он поднял голову, увидел, что перед ним стояла девушка, хрупкая и несколько болезненная, но с прекрасными темными глазами, она-то и звала его. Она была ему незнакома. — Гольдмунд! Это ты? — произнес тот же робкий голос. — Ты давно опять в городе? Не узнаешь меня? Я — Мария.

Но он ее не узнавал. Ей пришлось напомнить, что она дочь его бывших хозяев квартиры и что когда-то ранним утром перед его уходом она напоила его в кухне молоком. Она покраснела, рассказывая это.

Да, это была Мария, бедное дитя с поврежденным суставом бедра, так мило позаботившаяся о нем тогда. Теперь он все вспомнил: она ждала его прохладным утром и была так грустна из-за его ухода, она напоила его молоком, и он отблагодарил ее поцелуем, который она приняла тихо и торжественно, словно причастие. Никогда больше он не думал о ней. Тогда она была еще ребенком. Теперь она стала взрослой, и у нее были очень красивые глаза, но она по-прежнему хромала и выглядела несколько болезненно. Он подал ей руку. Его обрадовало, что все-таки кто-то в городе еще помнил его и любил.

Мария взяла его с собой, он почти не сопротивлялся. У ее родителей, в комнате, где все еще висела написанная им картина, а его красный рубиновый бокал стоял на полке над камином, ему пришлось отобедать, и его пригласили остаться на несколько дней: здесь были рады снова увидеться с ним. Здесь же он узнал, что произошло в доме его мастера. Никлаус умер не от чумы, а вот прекрасная Лизбет чумой заболела, она лежала смертельно больная, и отец так ухаживал за ней, что довел себя до кончины, так и не дождавшись ее выздоровления. Она была спасена, но красота ее пропала.

— Мастерская пустует, — сказал хозяин дома, — и для толкового резчика наготове налаженное и выгодное дело. Подумай-ка, Гольдмунд. Она не откажет. У нее нет выбора.

Он узнал еще то да се из времен чумы: что толпа сначала подожгла больницу, а потом захватила и разграбила несколько богатых домов, какое-то время в городе совсем не стало порядка и защиты, потому что епископ сбежал. Тогда император, который был как раз неподалеку, прислал сюда наместника, графа Генриха Ну так вот, господин этот не промах — с несколькими своими рыцарями и солдатами навел порядок в городе. Но теперь-то уж скоро его правление кончится: ждут обратно епископа. Граф немало требует для себя от горожан, да и его наложница Агнес порядком надоела всем, вот уж поистине исчадие ада. Ну да ничего, скоро они отбудут, совет общины давно сыт ими по горло, вместо доброго епископа имеешь у себя на шее такого придворного и вояку, он ведь любимчик императора и постоянно принимает посланцев и депутации, что твой государь.

Теперь и гостя спросили о его приключениях.

— Ах, — сказал он грустно, — что об этом говорить! Я бродил и бродил, и всюду была чума, и вокруг лежали мертвые, и повсюду сумасшедшие и злые от страха люди. Вот остался в живых, возможно, все это когда-нибудь забудется. Я вот вернулся, а мастер мой умер! Позвольте мне остаться на несколько дней и отдохнуть, а потом я пойду дальше.

Он остался не для отдыха. Он остался потому, что был разочарован и нерешителен, потому, что воспоминания о более счастливых временах в городе были ему дороги, и потому, что любовь бедной Марии действовала на него благотворно. Он не мог ответить ей взаимностью, не мог дать ей ничего, кроме приветливого сострадания, но ее тихое, смиренное поклонение все-таки согревало его. Однако больше, чем все это, его удерживала здесь жгучая потребность снова стать художником, пусть даже без мастерской, пусть как-то по-другому.

Несколько дней Гольдмунд только и делал, что рисовал. Мария достала ему бумагу и перья, и вот он сидел в своей комнате и часами рисовал, заполняя большой лист то быстро набросанными, то с любовью выписанными нежными фигурами, изливая на бумагу переполненную образами душу. Он много раз рисовал лицо Лене, с улыбкой, полной удовлетворения, любви и жажды крови после убийства бродяги, и лицо Лене в ее последнюю ночь, уже готовое истаять в бесформенности, вернуться к земле. Он рисовал маленького крестьянского мальчика, которого когда-то увидел лежащим мертвым на пороге комнаты родителей, со сжатыми кулачками. Он рисовал телегу, полную трупов, запряженную тремя усталыми клячами, сопровождаемую живодерами-прислужниками с длинными шестами, с глазами, мрачно косящими из прорезей в черных противочумных масках. Он снова и снова рисовал Ребекку, стройную, черноокую еврейку, ее узкие гордые губы, ее лицо, полное боли и отчаяния, ее прелестную юную фигуру, казалось созданную для любви, ее высокомерную горькую складку у рта. Он рисовал самого себя странником, любящим, убегающим от косящей смерти, танцующим на оргиях жадных до жизни людей, пирующих во время чумы. Самозабвенно склонялся он над бумагой, рисовал высокомерное, строго очерченное лицо девицы Лизбет, каким он его знал раньше, уродливую физиономию старой служанки Маргит, дорогое и внушающее страх лицо мастера Никлауса. Несколько раз он намечал также тонкими неопределенными штрихами большую женскую фигуру матери-земли, сидящую с руками на коленях, с легкой улыбкой на лице, с печальными глазами. Бесконечно благодатно действовало на него это излияние, чувство рисующей руки, власть над видениями. За несколько дней он полностью изрисовал все листы, которые принесла ему Мария. От последнего листа он отрезал кусок и нарисовал на нем скупыми штрихами лицо Марии с прекрасными глазами, отрешенным ртом. Его он подарил ей.

Благодаря рисованию он освободился, нашел выход и облегчение от чувства тяжести, застоя и переполненности в душе. Пока он рисовал, он не знал, где он: его миром были только стол, белая бумага, по вечерам свеча, и ничего больше. Теперь он проснулся, вспоминая недавно пережитое, видел перед собой неизбежность нового пути и начал бродить по городу со странным двойным ощущением — наполовину встречи с прошлым, наполовину прощания с ним.

Во время одной из таких прогулок он встретился с женщиной, вид которой дал всем его чувствам, вышедшим из обычной колеи, новое направление. Женщина ехала верхом, статная блондинка с любопытными, несколько холодноватыми голубыми глазами, крепким налитым телом и цветущим лицом, полным жажды наслаждений и власти, полным чувства собственного достоинства и предвкушения новых чувственных впечатлений. Несколько властно и высокомерно держалась она на своей гнедой лошади, привыкшая повелевать, однако не замкнувшаяся в себе или все отвергающая; об этом говорили подвижные ноздри, открытые всем запахам мира и как бы возмещавшие некоторую холодность ее глаз, а большой чувственный, ненапряженный рот, казалось, в высшей степени был способен брать и давать. В момент, когда Гольдмунд увидел ее, он совершенно проснулся и был полон желания померяться силами с этой гордой женщиной. Завоевать ее казалось ему благородной целью, а сломать на пути к ней шею — неплохой смертью. Он сразу понял, что с этой белокурой львицей они похожи, одинаково богаты чувствами и душой, доступны всем бурям, так же дики, как и нежны, искушены в страстях по опыту крови, унаследованному от далеких предков.

Она проскакала мимо, он смотрел ей вслед; меж развевающимися белокурыми волосами и воротником голубого бархата выступала ее сильная и гордая шея с нежнейшей кожей. Она была, так ему казалось, самой красивой женщиной, которую он когда-либо видел. Эту шею он хотел держать в своих руках, хотел раскрыть тайну ее холодных голубых глаз. Кто она такая, нетрудно было выспросить. Вскоре он узнал, что она живет в замке и что это Агнес, возлюбленная наместника, это его не удивило, она могла быть и самой императрицей. Он остановился у водоема фонтана и посмотрел на свое отражение. Отражение и блондинка походили друг на друга, как брат и сестра, только у него был слишком одичалый вид. В тот же час он разыскал знакомого цирюльника и попросил его коротко остричь и как следует расчесать волосы и бороду.

Два дня длилось преследование. Агнес выходила из замка — незнакомый блондин уже стоял у ворот и восхищенно смотрел ей в глаза. Агнес скакала вокруг укреплений — из ольшаника выходил незнакомец. Агнес была у ювелира — выходя из мастерской, встречала его опять. Она сверкнула на него властным взором, при этом крылья носа ее заиграли, дрожа. На другое утро, найдя его при первом выезде стоящим опять наготове, она улыбнулась ему, принимая вызов.

Графа-наместника он тоже видел: это был статный и смелый мужчина, он был серьезным соперником; но у него уже была седина в волосах, и на лицо легла тень забот, Гольдмунд почувствовал свое превосходство над ним.

Эти два дня сделали его счастливым, он сиял от вновь обретенной молодости. Прекрасно было показать себя этой женщине, предложив ей померяться силами. Прекрасно было утратить свободу ради такой красавицы. Прекрасно и очень увлекательно было чувствовать, что ставишь свою жизнь на эту единственную карту.

Наутро третьего дня Агнес выехала из ворот замка верхом в сопровождении конного слуги. Ее глаза сразу же стали искать преследователя, задорно и несколько беспокойно. Так и есть, он уже тут. Она отправила слугу с поручением; оставшись одна, она медленно поехала вперед, медленно выехала за ворота, проехав мост. Только раз она оглянулась. Увидела, что незнакомец следует за ней. На дороге, ведущей к церкви Святого Витта для паломников, где в это время было совсем пустынно, она ждала его. Ей пришлось ждать с полчаса: незнакомец шел не спеша, он не хотел, чтобы его видели запыхавшимся. Свежий и улыбающийся, он наконец подошел с веточкой ярко-красного шиповника во рту. Она сошла с лошади и привязала ее; прислонившись к увитой плющом отвесной подпорной стене, она встречала преследователя взглядом. Подойдя к ней вплотную, глядя ей прямо в глаза, он остановился и снял шапку.

— Почему ты преследуешь меня? — спросила она. — Что тебе от меня надо?

— О, — ответил он, — я хотел бы скорее подарить тебе кое-что, чем брать у тебя. Я хотел бы предложить тебе, прекрасная женщина, в подарок себя, а ты делай затем со мной что захочешь.

— Хорошо, я посмотрю, что с тобой можно сделать. Но если ты думаешь, что здесь, в безопасности, можешь сорвать цветочек, то ты ошибаешься. Я люблю только таких мужчин, которые в любви при необходимости рискуют жизнью.

— Ты можешь распоряжаться мной.

Медленно сняла она со своей шеи тонкую золотую цепочку и протянула ему:

— Как же тебя зовут?

— Гольдмунд.

— Хорошо, Гольдмунд, я проверю, оправдываешь ли ты свое имя. Слушай меня внимательно: вечером в замке ты покажешь эту цепочку и скажешь, что нашел ее. Ты не должен выпускать ее из рук, я сама получу ее обратно от тебя. Ты придешь в своем обычном виде, неважно, что тебя могут принять за нищего. Если кто-нибудь из слуг накричит на тебя, оставайся спокоен. Имей в виду, что в замке у меня только два надежных человека: конюх Макс и моя камеристка Берта. Одного из них ты должен будешь найти, чтобы попасть ко мне. Со всеми остальными в замке, включая графа, веди себя осторожно: они враги. Я тебя предупредила. Это может тебе стоить жизни.

Она протянула ему руку, с улыбкой он взял ее, нежно поцеловал и слегка потерся щекой о нее. Потом спрятал цепочку у себя и пошел прочь, вниз по направлению к реке и городу. Виноградники были уже голы, с деревьев падал один желтый лист за другим. Гольдмунд, улыбаясь, покачал головой, когда, поглядев вниз на город, нашел его таким приветливым и милым. Всего несколько дней тому назад он был так печален, печален даже из-за того, что и горе, и страдания преходящи. И вот они действительно уже прошли, упали, как золотая листва с ветки. Ему казалось, что никогда еще сияние любви не исходило для него так, как от этой женщины; ее статная фигура и белокурое смеющееся жизнелюбие напомнили ему образ его матери, который он носил в сердце мальчиком в Мариабронне. Позавчера он счел бы невозможным, что мир еще раз так радостно засмеется ему в глаза, что он еще раз почувствует, как поток жизни, радости, молодости так полно и напористо течет в его крови. Какое счастье, что он еще жив, что за все эти страшные месяцы смерть пощадила его!

Вечером он появился в замке. Во дворе было оживленно, расседлывали лошадей, прибывали посыльные, небольшую группу священников и высокопоставленных духовных лиц слуги провожали через внутренние ворота к лестнице. Гольдмунд хотел пройти за ними, но привратник остановил его. Он достал золотую цепочку и сказал, что ему приказано никому не отдавать ее, кроме самой госпожи или ее камеристки. Ему дали в сопровождение слугу, он долго ждал в проходах. Наконец появилась милая расторопная женщина; проходя мимо него, она тихо спросила: «Вы — Гольдмунд?» — и дала знак следовать за собой. Бесшумно исчезла за дверью, появилась через некоторое время опять и дала ему знак войти.

Он вошел в небольшую комнату, где сильно пахло мехом и сладкими духами и висело множество платьев и плащей, женских шляп, надетых на деревянные болванки, всякого рода обувь стояла в открытом ларе. Здесь он остановился и ждал добрых полчаса, вдыхая аромат надушенных платьев, проводя рукой по мехам и с улыбкой рассматривая внимательно все красивые вещи, висевшие тут.

Наконец внутренняя дверь отворилась и вошла не камеристка, а сама Агнес, в светло-голубом платье с белой меховой оторочкой вокруг шеи. Медленно приближалась она к ожидавшему, шаг за шагом; строго глядели на него холодно-голубые глаза.

— Тебе пришлось ждать, — сказала она тихо. — Я думаю, теперь мы в безопасности. У графа представители духовенства, он ужинает с ними и, видимо, будет еще вести долгие переговоры; заседания со священнослужителями всегда затягиваются. В нашем распоряжении час. Добро пожаловать, Гольдмунд.

Она наклонилась ему навстречу, ее жаждущие губы приблизились к его губам, молча приветствовали они друг друга в первом поцелуе. Его рука медленно обвилась вокруг ее шеи. Она провела его через дверь в свою спальню, освещенную высокими яркими свечами. На столе была сервирована трапеза, они сели, заботливо предложила она ему хлеб и масло и что-то мясное и налила белого вина в красивый голубоватый бокал. Они ели, пили оба из этого голубоватого сосуда, играя руками друг с другом и как бы друг друга испытывая.

— Откуда же ты прилетела, моя дивная птица? — спросила она. — Ты воин, или музыкант, или просто бедный странник?

— Я — все, что ты пожелаешь, — засмеялся он тихо, — я весь твой. Если хочешь, я музыкант, а ты моя сладкозвучная лютня, и, если положу пальцы на твою шею и заиграю на тебе, мы услышим ангельское пение. Пойдем, сердце мое, я здесь не для того, чтобы есть твои яства и пить белое вино, я здесь только из-за тебя.

Осторожно снял он с ее шеи белый мех и ласково освободил от одежды ее тело. Пусть придворные и священнослужители совещаются, пусть снуют слуги и тонкий серп луны полностью выплывает из-за деревьев —

любящие ничего не хотели знать об этом. Для них цвел рай: увлекая друг друга, поглощенные друг другом, они забылись в своей благоуханной ночи, знакомились со своими белеющими в сумраке тайнами, срывали нежными благодарными руками заветные плоды. Еще никогда не играл музыкант на такой лютне, еще никогда не звучала лютня под такими сильными и искусными пальцами.

— Гольдмунд, — шептала она ему пылко на ухо, — о, какой же ты волшебник! От тебя, милый Гольдмунд, я хотела бы иметь ребенка. А еще больше я хотела бы умереть от тебя. Выпей меня, любимый, заставь меня растаять, убей меня!

Глубоко в его горле запело счастье, когда он увидел, как растворялась и слабела твердость в ее холодных глазах. Как нежная дрожь умирания, пробежал трепет в глубине ее глаз, угасающий, подобно серебристому ознобу умирающей рыбы, матово-золотистый, подобно блесткам волшебного мерцания в глубине реки. Все счастье, какое только способен пережить человек, казалось ему, сосредоточилось в этом мгновении.

Сразу после этого, пока она, трепещущая, лежала с закрытыми глазами, он тихо поднялся и скользнул в свое платье. Со вздохом сказал ей на ухо:

— Радость моя, я тебя оставляю. Мне не хочется умирать, я не хочу, чтобы меня убил этот граф. Сначала мне хотелось бы еще раз сделать тебя и себя такими счастливыми, какими мы были сегодня. Еще раз, еще много, много раз!

Она продолжала лежать молча, пока он совсем оделся. Вот он осторожно закрыл ее покрывалом и поцеловал в глаза.

— Гольдмунд, — сказала она, — о, тебе нужно уходить! Приходи завтра опять! Если будет опасно, я предупрежу тебя. Приходи, приходи завтра!

Она потянула за шнур колокольчика. У двери гардеробной его встретила камеристка и вывела из замка. Он с удовольствием дал бы ей золотой, в этот момент он постыдился своей бедности.

Около полуночи он был на рыбном рынке и посмотрел вверх на дом. Было поздно, все уже, видимо, спали, вероятно, ему придется провести ночь под открытым небом. К его удивлению, дверь дома оставалась открытой. Путь в его комнату вел через кухню. Там был свет. При крохотном масляном светильнике за кухонным столом сидела Мария. Она только что задремала, прождав два-три часа. Когда он вошел, она испуганно вскочила.

— О, — сказал он, — Мария, ты еще не ложилась?

— Я не ложилась, — ответила она. — Иначе дом заперли бы.

— Мне жаль, Мария, что тебе пришлось ждать. Уже так поздно, не сердись на меня.

— Я никогда не рассержусь на тебя, Гольдмунд. Мне только немного грустно.

— Тебе нечего грустить... А почему тебе грустно?

— Ах, Гольдмунд, как бы мне хотелось быть здоровой, и красивой, и сильной. Тогда тебе не приходилось бы ходить по ночам в чужие дома и любить других женщин. Тогда бы ты, пожалуй, и остался со мной и хоть немного любил бы меня.

Никакой надежды не звучало в ее нежном голосе и никакой горечи, только печаль. Смущенный, он стоял возле нее, ему было жаль ее настолько, что он не нашелся что сказать. Осторожно коснулся он ее головы и погладил по волосам, а она стояла тихо, трепетно чувствуя его руку на своих волосах, затем, немного всплакнув, выпрямилась и сказала робко:

— Иди спать, Гольдмунд. Я сказала глупость спросонья. Спокойной ночи.

Глава шестнадцатая

День, полный счастливого нетерпения, Гольдмунд провел на холмах. Если бы у него была лошадь, он сегодня же поехал бы в монастырь, где находилась прекрасная Мадонна его мастера: ему необходимо было увидеть ее еще раз, ему казалось также, что ночью он видел мастера Никлауса во сне. Ну, он съездит туда потом. Если это счастье с Агнес и будет недолгим и, может, даже приведет к беде, сегодня оно было в расцвете, и ему нельзя было его упускать. Видеть людей и рассеиваться ему не хотелось, ему хотелось провести этот мягкий осенний день под открытым небом, среди деревьев и облаков. Он сказал Марии, что собирается погулять за городом и вернется, видимо, поздно, попросил дать ему кусок хлеба побольше и вечером не дожидаться его. Она ничего не ответила на это, дала полную сумку хлеба и яблок, прошлась щеткой по его старому сюртуку, на котором она в первый же день заштопала дыры, и попрощалась с ним.

Он шел над рекой через опустевшие виноградники по крутым ступенчатым дорогам вверх на холмы, терялся в лесу, не переставая подниматься, пока не достиг последнего круга холмов. Здесь солнце слабо просвечивало сквозь стволы голых деревьев, дрозды вспархивали от его шагов в кусты, сидели, пугливо нахохлившись, и смотрели черными бусинками глаз из чащи, а далеко внизу голубой дугой текла река и лежал город, маленький, будто игрушечный; оттуда не доносилось ни звука, кроме призывного звона к службе. Здесь, наверху, было много небольших, поросших травой валов и холмов — еще с древних языческих времен — не то укреплений, не то могил. На один из таких холмиков он опустился. Здесь хорошо было сидеть на сухой шуршащей траве и обозревать всю далекую долину, а по ту сторону реки — холмы и горы, цепь за цепью, пока горы и небо не сливались в игре голубоватых тонов и были уже неразличимы. Через все эти широко раскинувшиеся земли и те, что лежали далеко за пределами, насколько хватало глаз, прошел он своими ногами; все эти местности, ставшие теперь далью и воспоминанием, были когда-то близкими и настоящими. В этих лесах он тысячу раз спал, собирал ягоды, голодал и мерз, за этим гребнем гор и полосами пустоши он странствовал, бывал радостным и печальным, полным сил и усталым. Где-то в этой дали, по ту сторону видимого, лежали сожженные кости доброй Лене, где-то там, может, все еще бродит его товарищ Роберт, если его не настигла чума, где-то там лежал убитый Виктор, и где-то в волшебной дали лежали и монастырь его юношеских лет, и поместье рыцаря с его прекрасными дочерьми, а где-то металась несчастная, затравленная Ребекка, если она не погибла. Все они, далекие места, поля и леса, города и деревни, поместья и монастыри, все эти люди, живы они или мертвы, были внутри него, в его памяти, в его любви, в его раскаянии, в его тоске, связанные между собой. И если завтра и его настигнет смерть, все это опять распадется и угаснет, вся эта книга образов, столь полная женщин и любви, летних утренних часов и зимних ночей. О, пришло время сделать еще что-то, создать и оставить после себя что-то такое, что переживет его.

Эта жизнь, эти странствия, все эти годы со времени его ухода в мир пока дали немного плодов. Остались несколько фигур, которые он сделал когда-то в мастерской, прежде всего Иоанн, да еще эта книга образов, этот нереальный мир в его голове, прекрасный и скорбный мир воспоминаний. Удастся ли ему спасти что-нибудь из этого внутреннего мира, воплотив его вовне? Или все так и будет идти дальше: все новые города, новые пейзажи, новые женщины, новые переживания, новые образы, нагроможденные друг на друга, из которых он ничего не вынесет, кроме вот этой беспокойной, мучительной, хотя и прекрасной переполненности сердца?

Ведь как постыдно дурачит нас жизнь, хоть смейся, хоть плачь! Или живешь, играя всеми чувствами, впитывая все из груди праматери Евы, но тогда, хотя и испытываешь немало высоких желаний, нет никакой защиты от бренности; становишься грибом в лесу, который сегодня полон прекрасных красок, а назавтра сгнил. Или же, пытаясь защититься, закрываешься в мастерской, желая сделать памятник быстротекущей жизни, — тогда вынужден отказаться от жизни, становясь только инструментом; хотя и стоишь на службе вечного, но иссыхаешь и теряешь свободу, полноту и радость жизни. Так случилось с мастером Никлаусом.

Ах, и вся-то жизнь только тогда и имеет смысл, когда подчинишь себе и то и другое, чтобы жизнь не была раздвоена этим иссушающим «или—или»! Творчество без того, чтобы платить за него жизнью! Жизнь, чтобы не отказываться из-за нее от благородного творчества! Неужели же это возможно?

Возможно, были люди, способные на это. Возможно, были мужья и отцы семейства, которых верность не лишала чувственного наслаждения? Возможно, были оседлые люди, которым недостаток свободы и опасности не иссушил душу? Возможно. Встречать таких ему еще не пришлось.

Казалось, все бытие зиждется на двойственности, на противоположностях: ты — или женщина, или мужчина, или бродяга, или обыватель, силен или разумом, или чувствами, — нигде вдох и выдох, мужское начало и женское, свобода и порядок, инстинкт и духовность не могли испытываться одновременно, всегда за одно надо было платить утратой другого, и всегда одно было столь же важно и желанно, как другое! Женщинам в этом смысле было, пожалуй, легче. Женщин природа создала так, что чувственное желание несло с собой свой плод, и из счастья любви получался ребенок. У мужчин вместо этой простой плодовитости была вечная тоска. Неужели Бог, так все сотворивший, зол и враждебен и неужели Он злорадно посмеялся над Своим творением? Нет, Он, создавший ланей и оленей, рыб и птиц, лес, цветы, времена года, не мог быть злым. Но трещина прошла через Его творение: то ли оно не удалось и было несовершенным, то ли Бог имел особые намерения, наделяя бытие человека именно этим недостатком и томлением, то ли это было семя дьявола, первородный грех? Но почему же это томление и эта неудовлетворенность должны быть грехом? Разве не возникло из них все прекрасное и святое, что создал человек и что он отдал Богу в качестве благодарственной жертвы?

Подавленный своими мыслями, он взглянул на город, увидел рыночную площадь и рыбный рынок, мосты, церкви, ратушу. А вот и замок, гордый дворец епископа, где теперь правил граф Генрих. За этими башнями и островерхими крышами жила Агнес, его прекрасная царственная возлюбленная, которая выглядела так высокомерно, но была способна так самозабвенно отдаваться. С радостью думал он о ней, с радостью и благодарностью вспоминая прошлую ночь. Чтобы пережить счастье этой ночи, чтобы суметь сделать счастливой эту восхитительную женщину, ему понадобилась вся его жизнь, весь любовный опыт, все странствия и беды, холод зимних ночей и дружба с доверчивыми животными, цветами, деревьями, водами, рыбами, бабочками. Ему понадобились все обостренные страстью и опасностью чувства, весь мир образов, накопившихся за бездомные годы. Пока его жизнь была садом, в котором цвели такие дивные цветы, как Агнес, он не имел права жаловаться.

Целый день провел он среди осенних холмов, блуждая, отдыхая, вкушая хлеб, думая об Агнес и вечере. Перед наступлением ночи он опять был в городе и подошел к замку. Стало прохладно, покойно лился красноватый свет из окон домов, ему встретилась небольшая процессия поющих мальчиков, которые несли на палках выдолбленные тыквы с вырезанными рожицами и вставленными внутрь свечками. От этого маленького карнавала повеяло зимой; улыбаясь, Гольдмунд смотрел им вслед. Долго слонялся он возле замка. Депутация священников была еще здесь, тут и там можно было видеть у окна кого-нибудь из духовенства. Наконец ему удалось проскользнуть во внутренний двор и найти камеристку Берту. Его опять спрятали в гардеробной, пока не появилась Агнес и не увела его в свою комнату. Ласково встретила она его, ласково было ее прекрасное лицо, но не радостно: она была грустна, ее одолевали заботы, страхи. Ему пришлось очень стараться, чтобы немного развеселить ее. Медленно, под действием его поцелуев и слов любви она обрела немного уверенности.

— Ты умеешь быть таким милым, — высказала она ему свою благодарность. — У тебя в голосе такие глубокие тона, птица моя дорогая, когда ты с нежностью воркуешь и болтаешь, я люблю тебя, Гольдмунд. Быть бы нам далеко отсюда! Мне здесь больше не нравится. Правда, и так скоро все кончится: графа отзывают, скоро вернется этот глупый епископ. Граф сегодня злой, священники ему надоели. Ах, только бы он не увидел тебя! Тогда ты и часа не проживешь. Мне так страшно за тебя.

В его памяти возникли полузабытые речи — когда-то, много лет тому назад, он это уже слышал. Так говорила ему Лидия, тоже любя и страшась, так же нежно-печально. Она приходила по ночам в его комнату, тоже полная любви и страха, полная забот, ужасных картин, нарисованных страхом. Он слушал с удовольствием эту нежно-пугливую песню. Что значила бы любовь без тайны! Что была бы она без риска!

Мягко притянул он Агнес к себе, держал ее руку, тихо нашептывая нежности, целуя веки. Его трогало и восхищало, что она так боялась и беспокоилась за него. С благодарностью принимала она его ласки, почти смиренно, она прижималась к нему, полная любви, но веселой не стала.

И вдруг она сильно вздрогнула, слышно было, как неподалеку хлопнула дверь и к комнате кто-то стал приближаться быстрыми шагами.

— Господи, помилуй, это он! — вскрикнула она в отчаянии. — Это граф. Быстро, через гардеробную ты можешь убежать. Беги! Не выдавай меня!

Она уже толкнула его в гардеробную, он стоял там один и осторожно ступал в темноте. За стеной он слышал, как граф громко разговаривает с Агнес. Он пробирался меж платьев, бесшумно ступая к выходу. Он был уже у двери, которая вела в коридор, и пытался тихо открыть ее. И только в этот момент, найдя дверь запертой снаружи, он тоже испугался, его сердце начало бешено и болезненно биться. Могло быть несчастной случайностью, что кто-то запер дверь, пока он был здесь. Но он этому не верил. Он попал в ловушку, он пропал. Это будет стоить ему жизни. Дрожа, он стоял в темноте и тут же вспомнил прощальные слова Агнес: «Не выдавай меня!» Нет. Он ее не выдаст. Сердце его колотилось, но решение сделало его твердым, он упрямо стиснул зубы.

Все это длилось несколько мгновений. Вот дверь открылась изнутри, и из комнаты Агнес вошел граф со светильником в левой руке и обнаженным мечом в правой. В то же мгновение Гольдмунд резко схватил несколько висевших вокруг него платьев и плащей и перекинул через плечо. Его можно было принять за вора: наверно, это был выход.

Граф сразу же увидел его. Медленно подошел:

— Кто ты? Что делаешь здесь? Отвечай или я убью тебя!

— Простите, — прошептал Гольдмунд, — я бедный человек, а вы так богаты! Я все возвращаю, что взял, господин, смотрите!

И он положил вещи на пол.

— Так-так, значит, ты хотел украсть? Неумно из-за старого плаща рисковать жизнью. Ты здешний?

— Нет, господин, у меня нет дома. Я бедный человек, сжальтесь надо мной...

— Перестань! Я хотел бы, пожалуй, узнать, не хватило ли у тебя, чего доброго, наглости обеспокоить госпожу. Но тебя все равно повесят, а потому не стоит расследовать. Достаточно воровства.

Он резко постучал в закрытую дверь и крикнул:

— Есть кто? Откройте!

Дверь снаружи открылась, трое слуг стояли с обнаженными клинками.

— Связать его хорошенько! — крикнул граф голосом, полным презрения и высокомерия. — Этот бродяга осмелился здесь воровать. Запереть негодяя, а завтра утром повесить!

Гольдмунду связали руки, он не сопротивлялся. Его повели через длинный ход, вниз по лестницам, через внутренний двор, слуга впереди нес факел. Перед круглым, обитым железом входом в подвал они остановились: оказалось, что не было ключа, после споров и рассуждений один из сопровождавших взял факел, слуга же побежал обратно, за ключом. Так стояли они, трое вооруженных и один связанный, и ждали у входа. Тот, что был с факелом, с любопытством посветил пленнику в лицо. В этот момент мимо проходили двое из священников, которых так много гостило в замке. Они шли из церкви замка и остановились перед группой, внимательно рассматривая ночную сцену: трех слуг и одного связанного, стоящих и ожидающих.

Гольдмунд не замечал ни священников, ни своих охранников. Он не мог ничего видеть, кроме пылающего, слепящего огня, поднесенного близко к его лицу. А за светом, в сумраке, полном жути, ему виделось нечто бесформенное, огромное, призрачное: бездна, конец, смерть. Он стоял с остановившимся взглядом, ничего не видя и не слыша. Один из священников шептался со слугами по поводу случившегося. Когда он услышал, что это вор, который должен умереть, он спросил, исповедался ли тот уже. Нет, ответили ему, он попался недавно с поличным.

— Так я приду к нему утром, — сказал священник, — до утренней мессы, со святым причастием и исповедаю его. Обещайте мне, что до этого его не уведут. С господином графом я переговорю сегодня же. Хотя человек этот и вор, он имеет право любого христианина на исповедника и причастие.

Слуги не рискнули возражать. Они знали важного священника: он принадлежал к одной прибывшей сюда депутации и они не раз видели его за столом графа. Да почему бы и не разрешить бедному бродяге причаститься?

Священники ушли. Гольдмунд стоял, уставившись перед собой. Наконец вернулся слуга с ключом и отпер дверь. Пленника ввели в сводчатый подвал; спотыкаясь, он спустился на несколько ступеней вниз. Здесь стояли несколько треногих табуреток и стол, это было помещение перед винным погребом. Подтолкнув к столу табуретку, ему приказали сесть.

— Утром рано придет поп, ты сможешь исповедаться, — сказал один из слуг.

Затем они ушли, тщательно заперев тяжелую дверь.

— Оставь мне свет, друг, — попросил Гольдмунд.

— Нет, братец, ты с ним еще беды наделаешь. И так хорошо. Будь благоразумен и смирись. Да и сколько он прогорит-то, свет? Через час все равно погаснет. Доброй ночи!

Теперь он был в темноте один, сидел на табурете, положив голову на стол. Плохо было так сидеть, и перевязанные руки болели, однако эти ощущения лишь позднее дошли до его сознания. Сначала он только сидел, положив голову на стол, как на плаху, ему хотелось сделать с телом и душой то, что было у него на сердце: сдаться перед роком, отдаться неизбежности смерти.

Целую вечность просидел он так, горестно склонившись и пытаясь принять возложенное на него наказание, впитать его в себя, осознать и проникнуться им. Теперь был вечер, начиналась ночь, а конец этой ночи принесет с собой и его конец. Он должен был попытаться понять это. Завтра он уже не будет жить. Его повесят, он станет предметом, на который будут садиться птицы и который они будут клевать, он станет тем, чем стал мастер Никлаус, чем стала Лене в сожженной хижине и все те, кого он видел в вымерших домах и на переполненных трупами телегах. Было нелегко осознать это и проникнуться этим. Именно осознать это было невозможно. Слишком много было всего, с чем он еще не расстался, не простился. Ночь была дана ему для того, чтобы сделать это.

Ему нужно было проститься с прекрасной Агнес, никогда больше не увидит он ее статную фигуру, ее мягкие золотистые волосы, ее холодные голубые глаза, не увидит, как, слабея, высокомерие отступает в этих глазах, не увидит больше прелестный золотой пушок на ее благоухающей коже. Прощайте, голубые глаза, прощайте, влажные трепетные уста! Он надеялся еще долго целовать их. О, как еще сегодня на холмах в лучах осеннего солнца мечтал он о ней, принадлежал ей, тосковал по ней! Но прощаться приходится и с холмами, солнцем, голубым в белых облаках небом, с деревьями и лесами, странствиями, с разными временами суток, разными временами года. Наверно, Мария еще сидела в ожидании его, бедная Мария с добрыми, любящими глазами и походкой хромоножки, сидела в ожидании на кухне, засыпая и просыпаясь вновь, а Гольдмунд так и не вернулся.

Ах, а бумага и карандаш, а надежда сделать все эти фигуры! Все пропало! А надежда на встречу с Нарциссом, дорогим апостолом Иоанном, и ей не сбыться!

Приходилось прощаться и с собственными руками, собственными глазами, с чувством голода и жажды, едой и питьем, с любовью, с игрой на лютне, со сном и бодрствованием — со всем. Завтра мелькнет птица в воздухе, а Гольдмунд ее не увидит, запоет девушка в окне, а он ее не услышит, будет течь река, и безмолвно будут плавать темные рыбы, поднимется ветер, гоня желтые листья по земле, будет светить солнце, а в небе — звезды, молодежь пойдет на танцы, ляжет первый снег на далекие горы; и все будет жить дальше· деревья — давать тень, люди — смотреть радостно или печально своими живыми глазами, будут лаять собаки, мычать коровы в деревенских хлевах, и всё без него, всё это уже не будет принадлежать ему, от всего он будет оторван.

Он чувствовал запах утра в поле, он пробовал сладкое молодое вино и молодые крепкие лесные орехи, через его стесненное сердце пробежало воспоминание, вспыхнуло отражение всего красочного мира; уходя, на прощание через все его чувства молнией промчалась еще раз вся его прекрасная путаная жизнь, и, сжавшись от невыносимого горя, он почувствовал, как слезы покатились из его глаз. Всхлипывая, он отдался волне, слезы струились; теряя все, он вновь отдавался бесконечному пути. О вы, долины и лесистые горы, ручьи в зеленом ольшанике, о девушки, лунные вечера на мосту, о ты, прекрасный, сияющий красками мир, как же мне тебя оставить! Плача, лежал он на столе, безутешное дитя. Из глубины сердца вырвался вздох и молящий зов:

— О мать, о мать!

И когда он произнес заветное слово, из недр памяти в ответ всплыл образ — образ матери. Это был образ не той матери, что была рождена его размышлениями и художественными мечтаниями, а его собственной матери, прекрасный и живой образ, какого он еще никогда не видел со времени жизни в монастыре. К ней-то и обратил он свою жалобу, ей выплакал это невыносимое страдание неизбежности смерти, он отдавал ей себя, лес, солнце, глаза, руки, ей возвращал все свое существо и жизнь, отдавал в ее материнские руки.

В слезах он заснул; по-матерински обняли его изможденность и сон. Проспав час или два, он избавился от скорби.

Проснувшись, он снова ощутил сильные боли. Мучительно горели связанные кисти рук, тянущая боль пронзала спину и затылок. С трудом он выпрямился, пришел в себя и опять вспомнил о своем положении. Вокруг была совершенно черная темнота, он не знал, как долго проспал, не знал, как долго ему еще оставалось жить. Может быть, уже в следующее мгновение за ним придут и отведут отсюда на смерть. Тут он вспомнил, что ему обещали прислать священника. Он не думал, что его причащение может ему помочь. Он не знал, может ли самое искреннее покаяние и отпущение грехов привести его на небо. Он не знал, есть ли небо, Бог Отец, и суд, и вечность. Он давно уже больше не был уверен, что вещи эти существуют.

Но есть вечность или нет, не она ему была нужна, он не хотел ничего, кроме этой ненадежной, преходящей жизни, этого дыхания, этого привычного бытия в своей коже, он не хотел ничего, кроме жизни. Он стремительно встал, качаясь в темноте, дошел до стены, прислонился к ней и стал размышлять. Должно же все-таки быть спасение! Может быть, оно было в священнике, может, убедившись в его невиновности, тот замолвит за него словечко или поможет в отсрочке или побеге? С ожесточением углублялся он в эти мысли все снова и снова. А если из этого ничего не выйдет, он все равно не сдастся, игру надо все-таки выигрывать. Итак, сначала он попытается склонить священника на свою сторону, он очень постарается очаровать его, растрогать, убедить, подольститься к нему. Священник был единственной выигрышной картой в его игре, все остальные возможности только мечты. Бывает, правда, случайное стечение обстоятельств: у палача начинаются колики, виселица рушится, появляется непредвиденная возможность для побега. Во всяком случае, Гольдмунд отказывался умирать; он напрасно пытался свыкнуться с судьбой и принять ее, это ему не удалось. Он будет защищаться и бороться до конца, подставит ножку стражнику, столкнет вниз палача, он будет до последнего момента, до последней капли крови отстаивать свою жизнь.

О, если бы ему удалось уговорить священника развязать ему руки! Тогда можно было бы бесконечно много выиграть.

Между тем он попытался, не обращая внимания на боль, зубами развязать веревки. С бешеным усилием, по прошествии долгого времени ему удалось их немного ослабить. Он стоял задыхаясь во тьме своей тюрьмы, распухшие руки и кисти очень болели. Когда дыхание наладилось, он пошел, осторожно ощупывая стену, все дальше обследуя шаг за шагом сырую стену подвала в поисках какого-нибудь выступающего края. Тут он вспомнил о ступенях, по которым его спустили в это подземелье. Он поискал и нашел их. Встав на колени, он попытался перетереть веревку об одну из каменных ступеней. Дело шло с трудом, вместо веревки все время на камень попадали его руки, боль обжигала, он чувствовал, что потекла кровь. Все-таки он не сдавался. Когда между дверью и порогом стала виднеться едва заметная тонкая серая полоса рассвета, дело было сделано. Веревка перетерлась, он мог пошевелить пальцами, кисти опухли и затекли, а руки до плеч свела судорога. Он стал упражняться, принуждая их к движению, чтобы кровь опять прилила к ним. Теперь у него возник план, показавшийся ему хорошим.

Если не удастся уговорить священника помочь ему, то придется, оставшись с ним вдвоем хотя бы совсем ненадолго, убить его. Можно табуреткой. Задушить он не сможет, для этого в руках недостаточно силы. Итак, ударить его, быстро переодеться в его платье и в нем выйти! Пока другие обнаружат убитого, ему нужно выбраться из замка и бежать, бежать! Мария пустит его и спрячет. Он должен попытаться. Это возможно.

Еще никогда в жизни Гольдмунд так не следил за рассветом, не ждал его с таким нетерпением и не боялся в то же время, как в этот час. Дрожа от напряжения и решимости, вглядывался он глазами охотника в темноту, замечая, как слабая полоска света под дверью медленно, медленно становилась все светлее. Он вернулся обратно к столу, продолжая упражнения, сел на табуретку, положил руки на колени, чтобы нельзя было сразу заметить отсутствие веревки. С тех пор как его руки были свободны, он больше не думал о смерти. Он решил пробиться, даже если при этом весь мир разлетится на куски. Он решил жить любой ценой. Его ноздри дрожали от жажды свободы и жизни. И кто знает, может, помощь придет извне? Агнес была женщиной, и ее сила была невелика, возможно, что и мужество — тоже, и вероятно, она бросит его в беде. Но она любила его, быть может, она все-таки сделала что-нибудь. Может, сюда проникнет камеристка Берта, а потом был еще конюх, которого она считала преданным себе. Если же никто не появится и не подаст ему знак, ну что ж, тогда он приведет в исполнение свой план. Если же и он не удастся, то Гольдмунд убьет табуреткой охранников — двоих, троих, сколько бы их ни пришло. Одно преимущество у него было определенно: его глаза уже привыкли к темноте, теперь в сумраке он узнавал все формы и размеры, в то время как другие будут здесь поначалу совершенно слепы.

Как в лихорадке сидел он за столом, тщательно обдумывая, что скажет священнику, чтобы тот помог ему, потому что с этого нужно было начать. Одновременно он жадно следил за постепенным возрастанием света в щели. Момента, которого Гольдмунд несколько часов тому назад так боялся, он теперь страстно ждал, едва сдерживаясь: невероятное напряжение он не мог дольше выносить. Да и силы его, его внимание, решительность и осторожность будут постепенно опять слабеть. Охранник со священником должны прийти, пока эта напряженная готовность, эта решительная воля к спасению еще в полной силе.

Наконец мир снаружи стал пробуждаться, наконец враг приблизился. По мощеному двору раздались шаги, в замочную скважину вставили и повернули ключ, каждый этот звук раздавался в долгой мертвенной тишине, как гром.

И вот тяжелая дверь медленно приоткрылась и заскрипела на петлях. Вошел священник, без сопровождения, без охраны. Он пришел один, неся светильник с двумя свечами. Все было иначе, чем представлял себе узник.

И как волнующе, как удивительно: на вошедшем, за которым невидимые руки закрыли дверь, было орденское одеяние монастыря Мариабронн, такое знакомое, родное, какое когда-то носили настоятель Даниил, патер Ансельм, патер Мартин!

Увидев это, Гольдмунд почувствовал странный удар в сердце, ему пришлось отвести глаза. Появление этого посланца из монастыря обещало хорошее, могло быть добрым знаком. Но, возможно, все-таки не было иного выхода, кроме смертельного удара. Он стиснул зубы. Ему было бы очень трудно убить брата этого Ордена.

Глава семнадцатая

Слава Иисусу Христу! — сказал священник и поставил светильник на стол.

Гольдмунд невнятно ответил, глядя перед собой.

Священник молчал. Он стоял в ожидании, продолжая молчать, пока Гольдмунд не забеспокоился и не поднял испытующий взгляд на стоявшего перед ним человека.

Его смутило, что человек этот носил не только одеяние патера Мариабронна — на нем был знак отличия аббатского звания.

И вот он взглянул аббату в лицо. Это было худое лицо, с твердыми и ясными чертами, очень тонкими губами. Это было лицо, которое он знал. Как завороженный смотрел Гольдмунд на это лицо, исполненное, казалось, только Духа и воли. Неуверенной рукой он взял светильник, поднял его к лицу незнакомца, чтобы разглядеть его глаза. Он увидел их, и светильник задрожал в его руке, когда он ставил его обратно.

— Нарцисс, — прошептал он едва слышно.

Все начало вертеться вокруг него.

— Да, Гольдмунд, когда-то я был Нарциссом, но уже давно сменил я это имя, ты, верно, это забыл. Со времени моего пострижения меня зовут Иоанн.

Гольдмунд был потрясен до глубины души. Весь мир переменился вдруг, и неожиданный прорыв нечеловеческого напряжения грозил задушить его, он дрожал и чувствовал, что голова его кружится, подобно пустому шару, желудок свело. Глаза жгло подступившее рыдание. Расплакаться, упасть в слезах, лишившись сил, — вот чего хотелось ему в этот момент всем существом.

Но из глубины юношеского воспоминания, вызванного взглядом Нарцисса, в нем поднялось предостережение:

когда-то, мальчиком, он плакал и дал волю чувствам перед этим прекрасным строгим лицом, перед этими темными всезнающими глазами. Он не смел это сделать еще раз. Вот он опять появился, этот Нарцисс, подобно привидению, в самый неожиданный момент его жизни, возможно, чтобы спасти ему эту жизнь, — а он опять разразится рыданиями и упадет в обморок? Нет, нет, нет. Он сдержит себя. Он овладеет сердцем, пересилит желудок, прогонит головокружение. Ему нельзя теперь показывать слабость.

Неестественно сдержанным голосом ему удалось произнести:

— Ты позволишь мне называть тебя по-прежнему Нарциссом?

— Называй меня так, дорогой. А ты не подашь мне руки?

Гольдмунд опять превозмог себя. С мальчишеским упрямством и слегка ироничным тоном, совсем как когда-то в школьные годы, он вымолвил в ответ холодно и немного напыщенно:

— Извини, Нарцисс. Я вижу, ты стал аббатом. Я же по-прежнему всего лишь бродяга. И кроме того, наша беседа, как ни желательна она для меня, к сожалению, не может продлиться долго. Потому что, видишь ли, Нарцисс, я приговорен к смерти и через час или раньше я, видимо, буду уже на виселице. Я говорю это тебе только для того, чтобы объяснить ситуацию.

Лицо Нарцисса не изменилось. Некоторая мальчишеская бравада в поведении друга позабавила и одновременно тронула его. Гордость же, стоявшую за этим и воспретившую Гольдмунду броситься в слезах ему на грудь, он понял и от души одобрил. По правде, он представлял себе их встречу иначе, но он был искренне согласен с этим маленьким притворством. Ничем другим Гольдмунд не завоевал бы опять его сердце быстрее.

— Ну да, — сказал он, тоже разыгрывая равнодушие. — Впрочем, в отношении виселицы я могу тебя успокоить. Ты помилован. Мне поручено сообщить это тебе и взять тебя с собой. Потому что здесь, в городе, тебе не разрешено оставаться. Так что у нас будет достаточно времени порассказать друг другу то да се. Ну, так как же: теперь ты подашь мне руку?

Они подали друг другу руки и долго крепко держали и пожимали их, чувствуя сильное волнение, однако в их словах еще некоторое время продолжала звучать притворная чопорность.

— Хорошо, Нарцисс, итак, мы покинем это малопочтенное убежище и я присоединюсь к твоей свите. Ты возвращаешься в Мариабронн? Да? А как? Верхом? Отлично. Значит, нужно будет и для меня достать лошадь.

— Достанем, друг, и через два часа уже выезжаем. О, но что с твоими руками! Господи, помилуй, все содранные и распухшие, и в крови! О Гольдмунд, как же они с тобой обошлись!

— Не беспокойся, Нарцисс. Я сам это сделал. Я ведь был связан и старался освободиться. Должен признаться, это было нелегко. Между прочим, очень смело было с твоей стороны войти ко мне без охраны.

— Почему смело? Ведь это не было опасно.

— О, маленькая опасность была — быть убитым мной. Именно так я все себе придумал. Мне сказали, что придет священник. Я бы убил его и бежал в его одежде. Недурной план.

— Значит, ты не хотел умирать? Ты хотел бороться?

— Конечно, хотел. Что этим священником будешь именно ты, я, конечно, не мог предвидеть.

— И все-таки, — сказал Нарцисс, помедлив, — в сущности это был отвратительный план. Неужели ты в самом деле убил бы священника, который пришел тебя исповедовать?

— Тебя, конечно, нет, Нарцисс, и, возможно, никого из твоих патеров, если бы на нем была ряса Мариабронна. Но любого другого священника, о да, будь уверен!

Вдруг его голос стал печальным и глухим:

— Это был бы не первый человек, которого я убил.

Они помолчали. Обоим стало не по себе.

— Об этих вещах, — сказал Нарцисс холодно, — мы поговорим после. Ты можешь, если захочешь, как-нибудь исповедаться мне. Или просто расскажешь о своей жизни. И я расскажу тебе кое о чем. Буду рад этому... Ну, пошли?

— Постой-ка, Нарцисс! Мне пришло в голову сейчас, что когда-то я называл тебя уже Иоанном.

— Не понимаю тебя.

— Нет, конечно. Ты ведь ничего не знаешь. Это было несколько лет тому назад, когда я дал тебе имя Иоанн, и оно навсегда останется с тобой. Я ведь был скульптором и резчиком по дереву и думаю опять стать им. А лучшая фигура, которую я тогда сделал, была фигура апостола из дерева, в натуральную величину, это твое изображение, но называется оно не Нарцисс, а Иоанн. Это апостол Иоанн у распятия.

Он встал и пошел к двери.

— Так ты, значит, еще помнил обо мне? — спросил Нарцисс тихо.

Так же тихо Гольдмунд ответил:

— О да, Нарцисс, я помнил о тебе. Всегда, всегда.

Он резко толкнул тяжелую дверь, заглянуло блеклое утро. Они больше не разговаривали. Нарцисс взял его с собой в комнату для приезжих гостей. Молодой монах, сопровождавший его, укладывался к отъезду. Гольдмунду дали поесть, его руки обмыли и перевязали. Вскоре привели лошадей.

Когда они садились на лошадей, Гольдмунд сказал:

— У меня еще одна просьба. Давай проедем мимо рыбного рынка: у меня там есть дело.

Они отъехали, и Гольдмунд поднял глаза ко всем окнам замка в надежде заметить в одном из них Агнес, но нигде ее не увидел. Они поскакали к рыбному рынку. Мария очень беспокоилась за него. Он попрощался с ней и ее родителями, горячо поблагодарил их, обещал как-нибудь приехать опять и ускакал. Мария долго стояла в дверях дома, пока всадник не исчез. Медленно проковыляла она обратно в дом.

Они ехали вчетвером: Нарцисс, Гольдмунд, молодой монах и конный слуга.

— Помнишь мою лошадку Блесса? — спросил Гольдмунд. — Она стояла в монастырской конюшне.

— Конечно, но ее бы ты у нас уже больше не встретил, да и вряд ли мог на это рассчитывать. Лет семь или восемь тому назад нам пришлось ее зарезать.

— И ты это помнишь!

— О да, помню.

Гольдмунда не очень опечалила смерть Блесса. Но он был рад, что Нарцисс так хорошо осведомлен о его лошадке, он, который никогда не интересовался животными и наверняка не знал кличек других монастырских лошадей. Гольдмунд был очень обрадован.

— Тебе, наверно, смешно, — начал он снова, — что первое существо в вашем монастыре, о ком я тебя спросил, — бедная лошадь. Нехорошо с моей стороны. Собственно, я хотел спросить совсем о другом, прежде всего о нашем настоятеле Данииле. Но я ведь понял, что он умер и ты стал его преемником. А начинать с разговора о смерти мне не хотелось. После прошедшей ночи не могу спокойно говорить о смерти, да и из-за чумы тоже: слишком уж нагляделся тогда на смерть. Но, уж если зашел разговор, да и когда-нибудь он же должен был состояться, скажи мне, когда и как умер аббат Даниил. Я очень чтил его. И скажи еще, живы ли патер Ансельм и патер Мартин. Я готов все дурное услышать. Как я рад, что тебя-то чума пощадила. Но, по правде говоря, никогда не думал, что ты можешь умереть, и твердо верил в нашу встречу. Но вера может обмануть, я это, к сожалению, знаю. Моего мастера, резчика Никлауса, я тоже не мог представить себе мертвым, твердо надеялся увидеться с ним и снова поработать у него. И все-таки я не застал его в живых.

— Это недолгий рассказ, — ответил Нарцисс. — Аббат Даниил умер вот уже как восемь лет, не болея и не страдая. Я не сразу стал его преемником, только год как настоятель. Его преемником был патер Мартин, при нас управлявший школой, он умер в прошлом году в неполные семьдесят лет. И патера Ансельма нет в живых. Он любил тебя, часто говорил о тебе. В последнее время перед смертью он совсем не мог ходить, а лежать для него было мучительно, он умер от водянки. Да, чума побывала и у нас, многие умерли. Не будем лучше говорить об этом! Хочешь еще что-нибудь спросить?

— Конечно, и очень много. Прежде всего: как ты попал сюда, в епархиальный город и к наместнику?

— Это длинная история, и она тебе наскучит, она связана с политикой. Граф — фаворит императора и в некоторых вопросах его уполномоченный, а сейчас в отношениях императора и нашего Ордена нужно было кое-что уладить. Орден направил меня вести переговоры с графом. Успех невелик.

Он замолчал, и Гольдмунд больше ничего не спрашивал. Да ему и не следовало знать, что вчера вечером, когда Нарцисс просил у графа сохранить жизнь Гольдмунду, жестокосердый граф вынудил его заплатить за эту жизнь несколькими уступками.

Они ехали; Гольдмунд вскоре почувствовал усталость и с трудом держался в седле.

Через некоторое время Нарцисс спросил:

— А это правда, что тебя схватили за воровство? Граф утверждал, что ты забрался в замок, во внутренние покои, и там что-то украл.

Гольдмунд засмеялся:

– Ну, действительно все выглядело так, будто я вор. А на самом деле у меня было свидание с возлюбленной графа, и он, несомненно, знал об этом. Удивляюсь, как это он меня отпустил.

— Ну, с ним удалось договориться

Они не смогли осилить расстояние, которое наметили проехать за день. Гольдмунд был слишком изможден, его руки не могли больше держать поводья. Они остановились в деревне; Гольдмунда уложили в постель, его не много лихорадило, и он еще и следующий день провел лежа. Потом он смог продолжать путь. А когда вскоре его руки опять были здоровы, езда верхом стала доставлять ему наслаждение. Как давно он не ездил верхом! Он ожил, снова стал молодым и проворным, скакал со слугой наперегонки и во время бесед забрасывал своего друга Нарцисса сотнями нетерпеливых вопросов. Сдержанно, но с радостью отвечал на них Нарцисс: он опять был очарован Гольдмундом, ему нравились его вопросы, такие стремительные. такие детские. полные безграничного доверия к душе и уму друга.

– Один вопрос, Нарцисс. Вы сжигали когда-нибудь евреев?

Сжигали евреев? Как это? Да у нас и нет евреев.

— Ах да! Но скажи: был бы ты в состоянии жечь евреев? Можешь представить себе, что такой случай возможен?

— Нет, зачем я должен это делать? Ты что, считаешь меня фанатиком?

— Пойми меня, Нарцисс! Я имею в виду: можешь ты себе представить, чтобы в каком-то случае ты отдал бы приказ об уничтожении евреев или дал согласие на это? Ведь сколько герцогов, бургомистров, кардиналов, епископов и других власть имущих отдавали такие приказы!

— Я не отдал бы такого приказа. Но могу себе представить случай, когда мне пришлось бы быть свидетелем подобной жестокости и смириться с ней.

— Так ты бы смирился?

— Конечно, если бы у меня не было власти помешать этому. Ты, видимо, присутствовал при сожжении евреев, Гольдмунд?

— Ах да.

— Ну и помешал ты этому? Нет? Ну вот видишь.

Гольдмунд подробно рассказал историю Ребекки и при этом очень разгорячился.

— Ну так вот, — заключил он решительно, — что же это за мир, в котором нам приходится жить? Разве это не ад? Разве это не возмутительно и не отвратительно?

— Разумеется. Мир таков.

— Так! — воскликнул Гольдмунд сердито. — А сколько раз ты раньше утверждал, что мир божественный, он великая гармония кругов, в центре которой восседает Творец, и все сущее хорошо и так далее. Ты говорил, что так рассуждали Аристотель или святой Фома. Мне очень интересно услышать, как ты объяснишь эти противоречия.

Нарцисс засмеялся:

— Твоя память поразительна, и все-таки ты немного ошибаешься. Я всегда почитал совершенным Творца, но никогда — творение. Я никогда не отрицал зла в мире. Что жизнь на земле гармонична и справедлива и что человек добр, этого, мой милый, не утверждал ни один настоящий мыслитель. Больше того, что помыслы и желания человеческого сердца злы, недвусмысленно записано в Священном Писании, и мы каждодневно видим тому подтверждение.

— Очень хорошо. Теперь я по крайней мере знаю, как считаете вы, ученые. Итак, человек зол, и жизнь на земле полна низости и свинства, это вы признаёте. А где-то в ваших мыслях и ученых книгах существуют еще справедливость и совершенство. Они есть, их можно доказать, но только нельзя использовать.

— У меня накопилось много неприязни к нам, теологам, милый друг! Но ты все еще не стал мыслителем, у тебя в голове путаница. Тебе придется кое-чему еще поучиться. Но почему ты считаешь, что мы не используем идею справедливости? Каждый день и каждый час мы делаем это. Я, например, настоятель и должен управлять монастырем, а в этом монастыре все идет столь же несовершенно и небезгреховно, как в миру. И все-таки, признавая первородный грех, мы постоянно идем навстречу идее справедливости, пытаемся мерить нашу несовершенную жизнь по ней, пытаемся исправлять зло и постоянно стремимся связывать нашу жизнь с Богом.

— Ах да, Нарцисс. Я ведь имел в виду не тебя и не то, что ты плохой настоятель. Но я думал о Ребекке, о сожженных евреях, об общих могилах, о великой смерти, об улицах и домах, в которых лежали чумные трупы, обо всем этом ужасном запустении, о бездомных, осиротевших детях, о дворовых собаках, околевавших с голоду на своих цепях; и когда я обо всем этом думаю и вижу перед собой эти картины, у меня болит душа и мне кажется, что наши матери родили нас в безнадежно жестокий и дьявольский мир, и лучше было бы, если бы они этого не делали, а Бог не создал бы этот ужасный мир и Спаситель не умер бы напрасно за него на кресте.

Нарцисс дружелюбным кивком головы ответил другу.

— Ты совершенно прав, — сказал он участливо, — выговорись полностью, скажи мне все. Но в одном ты очень ошибаешься: ты считаешь, что говоришь, выражая мысли, а это — чувства! Это чувства человека, которого беспокоит жестокость существования. Но не забывай, что этим печальным и отчаянным чувствам противостоят ведь и совсем другие! Когда ты, здоровый, скачешь по красивой местности или достаточно легкомысленно пробираешься вечером в замок, чтобы поухаживать за возлюбленной графа, мир выглядит для тебя совсем иначе и никакие чумные дома и сожженные евреи не мешают тебе искать наслаждений. Разве не так?

— Конечно, так. Поскольку мир так жесток, полон смерти и ужаса, я постоянно ищу утешения для сердца, срывая прекрасные цветы, которые встречаются мне среди этого ада. Я наслаждаюсь и на час забываю об ужасе. От этого его меньше не становится.

— Ты очень хорошо сказал. Значит, ты считаешь, что окружен смертью и ужасом, и бежишь от этого в наслаждение. Но наслаждение не вечно, оно опять приводит тебя к опустошению.

— Да, это так.

— С большинством людей происходит то же самое, только немногие воспринимают это с такой силой и горячностью, как ты. А скажи-ка, кроме этого отчаянного качания маятника между наслаждением и ужасом, кроме метания между жаждой жизни и чувством смерти, — не пытался ли ты идти каким-нибудь другим путем?

— О да, разумеется. Я пытался заниматься искусством. Я ведь тебе уже говорил, что стал, кроме прочего, художником. Однажды, это было года через три после того, как я ушел в мир и все время странствовал, в одной монастырской церкви я увидел деревянную Божью Матерь; Она была так прекрасна и вид Ее так поразил меня что я спросил, кто мастер, и разыскал его. Это был знаменитый мастер. Я стал его учеником и проработал у него несколько лет.

— Об этом ты мне еще подробнее расскажешь потом. А вот что же тебе дало искусство и что оно для тебя значит?

— Преодоление бренности. Я видел, что от дурацкой игры и пляски смерти в человеческой жизни что-то оставалось и продолжало жить: произведения искусства. И они, разумеется, тоже когда-то исчезают, их жгут, или портят, или разбивают. Но все-таки они продолжают жить после человека и образуют за гранью мимолетности молчаливое царство картин и святынь Участвовать в работе над этим кажется мне добрым и утешительным делом, потому что при этом как бы увековечиваешь преходящее.

— Это мне очень нравится, Гольдмунд. Я думаю, ты создашь еще много прекрасных произведений, я очень верю в твои силы, и, надеюсь, ты долгое время будешь моим гостем в Мариабронне и позволишь соорудить для тебя мастерскую: в нашем монастыре давно не было художника. Но мне кажется, что твое определение не исчерпывает чуда искусства. Мне думается, искусство состоит не только в том, чтобы благодаря камню, дереву или краскам вырвать у смерти существующее, но смертное и продлить этим его существование. Я видел немало произведений искусства, некоторых святых и мадонн, и не думаю, что они не более чем верные изображения какого-то определенного человека, жившего когда-то, формы или краски которого сохранил художник.

— В этом ты прав, — воскликнул Гольдмунд живо, — я и не предполагал, что ты так хорошо разбираешься в искусстве! В хорошем произведении искусства прообраз не является действительной, живой моделью, хотя она и может послужить поводом. Прообраз состоит не из плоти и крови, он духовен. Это образ, который рождается в душе художника, и во мне, Нарцисс, живут такие образы, которые я надеюсь как-то воплотить и показать тебе.

— Чудесно! А сейчас, мой друг, ты, сам того не зная, углубился в философию и выдал одну из своих тайн.

— Ты смеешься надо мной.

— О нет! Ты говорил о прообразах, то есть образах, которых нет нигде, кроме как в творческом духе, но которые могут воплощаться материально и становиться видимыми. Задолго до того как художественный образ станет видимым и обретет существование, он как образ поселяется в душе художника! Так вот этот образ, этот прообраз как две капли воды похож на то, что древние философы называли идеей.

— Да, это звучит вполне правдоподобно.

— Ну а поскольку ты признаёшь себя причастным к идеям и прообразам, ты попадаешь в духовный мир, в наш мир философов и теологов, и соглашаешься, что среди запутанной, сложной и болезненной жизни с ее борьбой среди бесконечного и бессмысленного танца смерти во имя плотского существования есть творческий дух. Видишь ли, к этому духу в тебе я постоянно обращался, когда ты был мальчиком. У тебя он дух не мыслителя, а художника. Но это дух, и он укажет тебе дорогу из темного хаоса чувственного мира, из вечного качания между наслаждением и отчаянием. Ах, друг, я счастлив услышать от тебя это признание. Я ждал этого с тех пор, как ты покинул своего учителя Нарцисса и нашел мужество стать самим собой. Теперь мы опять будем друзьями.

В эту минуту Гольдмунду показалось, что жизнь его обрела смысл, что он посмотрел на нее как бы сверху, увидев три важные ступени: зависимость от Нарцисса, освобождение от нее — время свободы и странствий — и возвращение, углубление в себя, начало зрелости и подведения итогов.

Видение исчезло. Но теперь он обрел подобающее отношение к Нарциссу, отношение не зависимости, но свободы и равенства. Отныне он мог, не чувствуя себя униженным, гостить у его превосходящего духа, так как тот признал в нем равного, признал творца. Показать ему себя, свой внутренний мир в художественных произведениях — этой возможности он радовался с возрастающей силой. Но иногда у него возникали и сомнения.

— Нарцисс, — предостерег он друга, — я боюсь, ты не знаешь, кого, собственно, везешь в свой монастырь. Я не монах и не хочу им стать. Я, правда, знаю три великих обета и с бедностью охотно мирюсь, но я не люблю ни целомудрия, ни послушания, эти добродетели кажутся мне не очень достойными мужчины. А от прежней набожности у меня ничего не осталось, я вот уж сколько лет не исповедовался, не молился, не причащался.

Нарцисс остался невозмутим:

— Ты, кажется, стал язычником. Но это не страшно. Своими многочисленными грехами не следует гордиться. Ты вел обычную мирскую жизнь, ты как блудный сын пас свиней, ты уже не знаешь, что такое закон и порядок.

Конечно, из тебя вышел бы очень плохой монах. Но ведь я приглашаю тебя совсем не для того, чтобы ты вступил в Орден: я приглашаю тебя, чтобы ты просто был нашим гостем и устроил себе у нас мастерскую. И еще одно: не забывай, что тогда, в наши юношеские годы, именно я разбудил тебя и побудил уйти в мир. Хорошим или плохим стал ты, за это наряду с тобой несу ответственность и я. Я хочу видеть, что́ же из тебя вышло; ты покажешь мне это словами, жизнью, своими произведениями. Когда ты это сделаешь, но я увижу, что наш монастырь не место для тебя, я первый же попрошу тебя покинуть его.

Гольдмунд был во всяком случае полон восхищения, услышав такие речи друга, который выступил как настоятель, со скромной уверенностью и неким налетом иронии по отношению к людям мира и мирской жизни, потому что только теперь он увидел воочию, что вышло из Нарцисса: это был муж. Правда, муж Духа и церкви, с нежными руками и лицом ученого, но человек, полный уверенности и мужества, руководитель, тот, кто несет ответственность. Этот муж Нарцисс уже не был юношей прежней поры и не был также нежным, кротким апостолом Иоанном, и этого нового Нарцисса, этого мужественного рыцаря ему хотелось изобразить своими руками. Много фигур ждало его: Нарцисс, настоятель Даниил, патер Ансельм, мастер Никлаус, красавица Ребекка, красавица Агнес и еще немало других — друзей и врагов, живых и мертвых. Нет, он не собирался становиться ни членом Ордена, ни набожным человеком, ни ученым мужем: он хотел творить, и то, что родина его былой юности станет родиной его произведений, делало его счастливым.

Была прохладная поздняя осень, и однажды, когда утром голые деревья стояли все в инее, они выехали на холмистую местность с пустыми красноватыми болотами и странно знакомыми линиями длинных цепей холмов; вот и высокий осинник, и устье ручья, и старый сарай, при виде которого у Гольдмунда радостно заныло сердце; он узнал холмы, по которым прогуливался верхом когда-то с дочерью рыцаря Лидией, и поле, по которому однажды, изгнанный и глубоко опечаленный, уходил странствовать сквозь редкий снег. На горизонте поднимались ольшаник, и мельница, и замок, со странной болью узнал он окно кабинета, в котором тогда, в сказочную пору юности, он слушал рассказы рыцаря о паломничестве и должен был исправлять его латынь. Они проехали во двор, здесь была намечена остановка. Гольдмунд попросил аббата не называть здесь его имени и разрешить есть вместе со слугой у прислуги. Так и получилось. Старого рыцаря уже не было в живых, и Лидии тоже, но кое-кто из егерей и прислуги еще находились там, а в доме жила и правила вместе с супругом очень красивая, гордая и властная госпожа, Юлия. Она сохранила свою красоту, удивительную и несколько злую; ни она, ни прислуга не узнали Гольдмунда. После еды он осторожно подошел в вечерних сумерках к саду и посмотрел через забор на выглядевшие уже по-зимнему клумбы, вернулся к двери конюшни и взглянул на лошадей. Вместе со слугой он спал на соломе; груз воспоминаний лежал у него на груди, и он много раз просыпался. О, какой раздробленной и бесплодной казалась ему его жизнь, богатая чудесными картинами, но разбитая на столько черепков, такая незначительная, такая бедная любовью. Утром при отъезде он робко поднял глаза к окнам в надежде увидеть еще раз Юлию. Так смотрел он недавно во дворе епископского дворца, не покажется ли Агнес. Она не подошла, и Юлия не показалась больше. Так всю жизнь, казалось ему: прощаешься, бежишь прочь, тебя забывают, и вот стоишь с пустыми руками и стынущим сердцем. Весь день это преследовало его, он не говорил ни слова, мрачно сидя в седле. Нарцисс предоставил его самому себе.

Но вот они приблизились к цели, и через несколько дней она была достигнута. Незадолго до того как стали видны башни и крыши монастыря, они проскакали по каменистому брошенному полю, где он как-то — о, сколько лет тому назад! — собирал траву зверобоя для патера Ансельма и цыганка Лизе сделала его мужчиной. И вот они проехали в ворота Мариабронна и слезли с лошадей под итальянским каштаном. Нежно коснулся

Гольдмунд его ствола и наклонился за одним из лопнувших колючих плодов, которые лежали на земле, коричневые и увядшие.

Глава восемнадцатая

Первые дни Гольдмунд жил в самом монастыре, в одной из келий для гостей. Потом по его просьбе ему устроили жилье напротив кузницы в одной из хозяйственных построек, окружавших, как рыночную площадь, большой двор.

Встреча захватила его с такой чарующей страстью, что он подчас сам удивлялся этому. Никто его здесь не знал, кроме настоятеля, никто не ведал, кто он такой, братья, как и послушники, жили по твердому распорядку и были заняты своим делом, оставив его в покое.

Но его знали деревья во дворе, его знали порталы и окна, мельница с водяным колесом, каменные плиты переходов, увядшие розовые кусты в обходной галерее, гнезда аистов на крышах амбара и трапезной. Из каждого уголка сладостно и трогательно неслось навстречу благоухание его прошлого, первых юношеских лет, с любовью смотрел он на все это опять, слушал все звуки, колокол ко всенощной и воскресный звон к мессе, шум темного мельничного ручья в его узком замшелом ложе, звук сандалий, стучащих по каменным плитам, вечером звон ключей на связке, когда привратник шел запирать ворота. Рядом с каменными водостоками, по которым сбегала дождевая вода с крыши трапезной для послушников, все еще бурно росли те же невысокие травы, герань и подорожник, а старая яблоня в саду у кузнеца по-прежнему ровно держала свои далеко раскинувшиеся ветви. Но сильнее, чем все остальное, волновал его каждый раз звук маленького школьного колокольчика, когда на перемену сбегали по лестницам и резвились во дворе ученики из монастырской школы. Как юны и бездумны, как прелестны были эти ребячьи лица — неужели и он в самом деле был когда-то так же юн, так же неотесан, так же по-детски прелестен?

Но кроме этого хорошо знакомого монастыря, он вновь встретился еще и с другим, которого, в общем, почти не знал и который уже в первые дни бросился ему в глаза, становясь все важнее и лишь постепенно увязываясь с хорошо знакомым. Правда, и здесь не прибавилось ничего нового — все стояло на своем месте, как во времена его ученичества и сотни лет до того, но он смотрел на это не глазами ученика. Он видел и чувствовал соразмерность этих зданий, сводов церкви, старую живопись, каменные и деревянные скульптуры на алтарях и порталах и, хотя не было ничего, что не стояло бы на своем месте уже тогда, он только теперь постиг красоту этих вещей и Дух, создавший их. Он смотрел на каменную Богоматерь в верхней часовне, мальчиком он тоже любил Ее и срисовывал, но только теперь он увидел Ее прозревшими глазами, видел, что перед ним чудо, которое он никогда не сможет превзойти самыми лучшими и удачными своими работами. И таких чудесных вещей было множество, и каждая стояла не сама по себе, не случайно, но, происходя от того же самого Духа, стояла меж древних стен, колонн и сводов, как в своей естественной отчизне. Все, что здесь было построено, изваяно, нарисовано, пережито, продумано и преподано за несколько столетий, было одного рода, одного Духа и подходило друг другу, как ветви одного дерева.

Среди этого мира, этого безмолвного мощного единства Гольдмунд чувствовал себя совсем ничтожным, прежде всего тогда, когда видел, как управляет этим огромным, однако спокойно-дружелюбным, упорядоченным миром настоятель Иоанн, его друг Нарцисс. Пусть ученый тонкогубый аббат Иоанн и простодушный скромный настоятель Даниил так сильно отличались друг от друга как личности, каждый из них служил одному и тому же единству, тем же мыслям, тому же порядку, обретая через них свое достоинство, принося свою личность в жертву. Это делало их похожими точно так же, как подчеркивало их сходство монастырское одеяние.

В этом своем монастыре Нарцисс казался Гольдмунду невероятно великим, хотя гость не относился к нему иначе, как к другу и гостеприимному хозяину. Скоро

Гольдмунд уже едва решался обращаться к нему на «ты» и «Нарцисс».

— Послушай, настоятель Иоанн, — сказал как-то ему Гольдмунд, — когда-то мне ведь все-таки придется привыкнуть к твоему новому имени. Должен тебе сказать, мне очень нравится у вас. Иногда мне почти хочется исповедаться тебе во всем и после покаяния просить принять меня послушником. Но, видишь ли, тогда нашей дружбе пришел бы конец: ты — настоятель, а я послушник. Жить же так возле тебя, на твои труды, и ничего не делать самому! Этого я дольше не выдержу. Я тоже очень хочу работать и показать тебе, на что я способен, чтобы ты увидел, стоило ли освобождать меня от виселицы.

— Я очень рад этому, — ответил Нарцисс, излагая свою мысль точнее и отточеннее, чем когда-либо. — Ты можешь в любой момент начинать устраивать себе мастерскую, я тотчас же прикажу кузнецу и плотнику быть в твоем распоряжении. Располагай материалом для работы, который есть здесь, а на то, что нужно привезти, составь список. А теперь выслушай, что я думаю о тебе и твоих намерениях! Дай мне немного времени, чтобы выразить себя; я ученый и попытаюсь изложить дело на философском языке, другого у меня пока нет. Послушай меня еще раз, терпеливо, как ты это делал в прежние времена.

— Я постараюсь. Говори.

— Вспомни, как я еще в наши школьные годы иногда говорил, что считаю тебя художником. Тогда мне казалось, что из тебя вышел бы поэт: на уроках чтения и письма у тебя была определенная антипатия к понятиям и абстракциям, и ты особенно любил в языке слова и звуки, которым свойственны чувственно-поэтические качества, то есть слова, при помощи которых можно себе что-то представить.

Гольдмунд перебил его:

— Прости, но эти понятия и абстракции, которые ты предпочитаешь, разве они не представления и образы? Или ты употребляешь и любишь для выражения мысли действительно слова, за которыми ничего нельзя себе представить? Разве можно вообще мыслить, не представляя себе что-нибудь при этом?

— Хорошо, что ты спрашиваешь! Но, разумеется, можно мыслить без представлений! Мышление не имеет с представлениями ничего общего. Оно осуществляется не в образах, а в понятиях и формулах. Именно там, где кончаются образы, начинается философия. Это и было как раз то, о чем мы так часто спорили в юности: для тебя мир состоял из образов, для меня — из понятий. Я все время говорил тебе, что ты не годишься в мыслители, и я говорил также, что это не является недостатком, потому что зато ты владеешь миром образов. Будь внимателен, я поясню. Если бы ты, вместо того чтобы идти в мир, стал мыслителем, то могло бы случиться непоправимое. Ты бы стал мистиком. Мистики — это, коротко и несколько грубо говоря, те мыслители, которые не смогли освободиться от представлений, то есть вообще не мыслители. Они втайне художники — поэты без стихов, живописцы без кисти, музыканты без звуков. Среди них есть в высшей степени одаренные и благородные умы, но они все без исключения несчастные люди. Таким мог стать и ты. Но ты, слава Богу, стал художником и овладел миром образов, где ты можешь быть творцом и господином, вместо того чтобы оставаться незадачливым мыслителем.

— Боюсь, — сказал Гольдмунд, — мне никогда не удастся постичь твой мир мыслей, где думают без представления.

— О, напротив, ты сразу все поймешь. Слушай: мыслитель пытается познать и представить сущность мира путем логики. Он знает, что наш разум и его инструмент, логика, несовершенны, точно так же, как знает умный художник, что его кисть или резец никогда не сможет в совершенстве выразить сияющую сущность ангела или святого. И все-таки оба пытаются добиться чего-то — и мыслитель, и художник, каждый по-своему. Они не могут и не смеют иначе. Ведь стремясь осуществить себя с помощью данных ему природой даров, человек делает самое высокое и единственно осмысленное, что может. Поэтому я так часто говорил тебе раньше: не пытайся подражать мыслителю или аскету, а будь собой, стремись осуществить себя самого!

— Я тебя почти понял. Но что значит, собственно говоря, осуществить себя?

— Это философское понятие, я не могу это выразить иначе. Для нас, последователей Аристотеля и святого Фомы, наивысшим из всех понятий является совершенное бытие. Совершенное бытие есть Бог. Все остальное, что есть, есть лишь наполовину, отчасти, оно в становлении, смешано, состоит из возможностей. Но Бог не смешан. Он един. Он не имеет возможностей, являясь целиком и полностью действительностью. Мы же преходящи, мы в становлении, мы являемся возможностями, для нас нет совершенства, нет полного бытия. Но там, где мы перешагиваем от потенции к делу, от возможности к осуществлению, мы участвуем в истинном бытии, становимся на одну йоту ближе к совершенному и божественному. Это значит осуществлять себя. Ты должен знать этот процесс по собственному опыту. Ведь ты художник и создал немало фигур. Если какая-то фигура тебе действительно удалась, если ты освободил портрет какого-то человека от случайного и пришел к чистой форме, тогда ты как художник осуществил образ этого человека.

— Я понял.

— Меня ты видишь, друг Гольдмунд, в таком месте и на таком служении, где моей природе легче всего осуществить себя. Община, в которой я живу, традиция, которой я следую, соответствуют моей натуре и мне помогают. Монастырь не небо, и здесь сколько угодно несовершенства, и все-таки благопристойная монастырская жизнь для людей моего склада несравненно более способствует осуществлению, чем жизнь в миру. Я не хочу говорить о морали, но даже просто практически чистое мышление, упражняться в котором и учить которому является моей задачей, требует защиты от мира. Так что здесь, в нашем монастыре, мне было гораздо легче осуществить себя, чем то пришлось тебе. То, что ты несмотря на это нашел путь и стал художником, просто восхищает меня. Ведь тебе было намного труднее.

Гольдмунд смущенно покраснел от радости, которую ему доставляла похвала. Чтобы увести разговор в сторону, он перебил друга:

— Твои слова мне в основном понятны. Но одно все-таки не умещается у меня в голове: то, что ты называешь чистым мышлением, то есть твое так называемое мышление без образов и оперирование словами, за которыми ничего нельзя себе представить.

— Ну, на одном примере ты поймешь это. Подумай-ка о математике! Какие представления содержат числа? Или знаки плюс и минус? Какие образы содержит уравнение? Ведь никаких! Когда ты решаешь арифметическую или алгебраическую задачу, тебе не поможет никакое представление, а ты решаешь при помощи выученных форм мышления формальную задачу.

— Так, Нарцисс. Если ты напишешь мне ряд чисел и знаков, то безо всяких представлений я смогу решить задачу, руководствуясь плюсом и минусом, квадратами, скобками и так далее. Вернее, я мог это когда-то, сегодня я уже не в состоянии это сделать. Но я не могу помыслить, чтобы решение таких формальных задач могло иметь какое-то другое значение, кроме ученических упражнений. Научиться считать — это, конечно, очень хорошо. Но, по-моему, бессмысленным ребячеством было бы всю жизнь просидеть за такими задачками и вечно исписывать бумагу рядами цифр.

— Ты ошибаешься, Гольдмунд. Ты предполагаешь, что этот прилежный счетовод все время решает новые школьные задачи, которые задает ему учитель. Но ведь он и сам может ставить перед собой задачи, они могут возникать у него как настоятельная необходимость. Нужно вычислить и измерить некоторое действительное и некоторое мнимое пространство, прежде чем решиться думать о проблеме пространства вообще.

— Ну да. Но проблема пространства как проблема чистого мышления кажется мне тоже не тем предметом, которому человек должен отдать свой труд, тратя на это годы. Слово «пространство» для меня ничто и не стоит размышления, пока я не представлю себе действительное пространство, что-нибудь вроде звездного пространства; рассматривать и измерять его кажется мне во всяком случае не пустой задачей.

Улыбнувшись, Нарцисс вставил:

— Ты, собственно, хочешь сказать, что ни во что не ставишь мышление, но признаешь применение мышления в практическом и видимом мире. Я могу тебе ответить: у вас нет недостатка в случаях применения нашего мышления и в воле к нему. Мыслитель Нарцисс, к примеру, находил применение своему мышлению как по отношению к своему другу Гольдмунду, так и к любому из своих монахов сотни раз и делает это постоянно. Но как же он мог бы применить что-то, не изучив и не узнав на опыте? И художник ведь постоянно тренирует свой глаз и фантазию, и мы узнаем о его опытности, когда он даже в немногих действительных произведениях проявит себя. Ты не можешь отбрасывать мышление как таковое, одобряя его применение! Противоречие налицо. Итак, позволь мне спокойно думать и суди мое мышление по его воздействию, точно так же как я буду судить о твоем искусстве по твоим произведениям. Ты сейчас неспокоен и возбужден, потому что между тобой и твоими произведениями еще есть препятствия. Устрани их, найди или сделай себе мастерскую и приступай к делу! Многие вопросы решатся тогда сами собой!

Гольдмунд и не желал ничего лучшего.

Он нашел помещение возле ворот во двор, которое пустовало и подходило для мастерской. Заказал плотнику стол для рисования и другие необходимые вещи, которые точно ему нарисовал. Составил список предметов, которые постепенно должны были привезти ему из ближайших городов монастырские возчики, длинный список. Просмотрел у плотника и в лесу все запасы срубленного дерева, отобрал некоторые куски для себя и приказал разложить их на траве позади мастерской для просушки, а сам сделал над ними навес. Много дел было у него и в кузнице; сын кузнеца, молодой и мечтательный, был совершенно очарован им и во всем держал его сторону. Он по полдня простаивал с ним у кузнечного горна, у наковальни, у холодильного чана и точильного камня, здесь они делали всякие кривые и прямые ножи, резцы, сверла и скребки, нужные Гольдмунду для обработки дерева. Сын кузнеца Эрих, юноша лет двадцати, стал другом Гольдмунда, он во всем помогал ему и был полон горячего участия и любопытства. Гольдмунд обещал научить его играть на лютне, чего тот страстно желал, да и не прочь был попробовать заняться резьбой. Если временами в монастыре и у Нарцисса Гольдмунд чувствовал себя довольно бесполезным и угнетенным, то с

Эрихом он отдыхал, а тот робко любил его и почитал без меры. Часто он просил рассказывать ему о мастере Никлаусе и епархиальном городе, иногда Гольдмунд охотно делал это и потом вдруг удивлялся, что вот он сидит здесь и, как старик, рассказывает о путешествиях и делах минувших, когда жизнь его только теперь начинается по-настоящему.

То, что за последнее время он сильно изменился и выглядел гораздо старше своих лет, заметно не было, — ведь никто здесь не знал его раньше.

Лишения странничества и беспорядочной жизни уже давно изнурили его; а потом время чумы с ее многочисленными ужасами и, наконец, заключение у графа и та страшная ночь в подвале замка потрясли его до глубины души, и все это оставило свой след: седину в белокурой бороде, тонкие морщины на лице, временами плохой сон и иногда глубоко в сердце некую усталость, ослабление желаний и любопытства, серое безразличие удовлетворенности и пресыщенности. Готовясь к своей работе, беседуя с Эрихом, хлопоча у кузнеца и плотника, он отходил, оживлялся и молодел, все восхищались им и любили его, но в промежутках он нередко по полчаса и по целому часу, усталый, улыбаясь в полусне, отдавался апатии и равнодушию.

Очень важным для него был вопрос, когда же он начнет работать. Первое произведение, которое он хотел здесь сделать, отплатив тем самым за гостеприимство монастыря, не должно было быть случайным, поставленным где-нибудь любопытства ради: оно должно было быть подобно имевшимся здесь старым произведениям, полностью подходить к постройкам и к стилю жизни монастыря и стать его частью. Охотнее всего он сделал бы алтарь или кафедру, но в обоих случаях не было ни надобности, ни места. Зато он придумал кое-что иное. В трапезной патеров была высокая ниша, откуда во время трапез молодой брат всегда читал из Жития святых. Эта ниша была без украшения. Гольдмунд решил украсить пульт и ведущие к нему ступеньки деревянными фигурами, создав при этом подобие кафедры. Он поделился своим планом с настоятелем, и тот отозвался о нем с похвалой.

И вот, когда наконец можно было начинать работать – лежал снег, и Рождество уже прошло, — жизнь Гольдмунда преобразилась. Для монастыря он как бы исчез, никто больше его не видел, он не поджидал уже больше после занятий ватагу учеников, не бродил по лесу, не прогуливался по галерее. Еду он брал теперь у мельника, это был уже не тот, которого он когда-то часто посещал мальчиком. И в свою мастерскую Гольдмунд не пускал никого, кроме своего помощника Эриха, да и тот иной день не слышал от него ни слова.

Для своего первого произведения, кафедры для чтеца, после долгих размышлений он набросал план: из двух частей, которые составляли произведение, одна должна была являть собой мир, другая — божественное Слово Нижняя часть, лестница, поднимаясь из крепкого дубового ствола и обвивая его, должна была представлять творение, образы природы и простой патриархальной жизни. Верхняя часть, парапет, будет поддерживаться фигурами четырех свангелистов Одному из евангелистов он хотел придать черты покойного настоятеля Даниила, другому — покойного патера Мартина, его последователя, а в образе Луки он хотел увековечить своего мастера Никлауса.

Он столкнулся с немалыми трудностями, бóльшими, чем ожидал. Они беспокоили его, но то было сладостное беспокойство, он поступал со своим произведением так, как будто завоевывал неприступную женщину: восхищенный и отчаявшийся, он боролся с ним ожесточенно и нежно, как борется удильщик с огромной щукой, всякое сопротивление было поучительным и заставляло более тонко чувствовать. Он забыл все остальное, забыл монастырь, почти забыл Нарцисса. Тот появлялся несколько раз, но не увидел ничего, кроме рисунков.

Зато однажды Гольдмунд поразил его просьбой — хотел исповедаться ему.

— До сих пор я не мог принудить себя к этому, — признался он, — я казался себе слишком ничтожным, чувствовал себя перед тобой и без того достаточно униженным. Теперь мне легче, теперь у меня есть работа и я больше не ничтожество. А уж поскольку я живу в монастыре, мне хотелось бы подчиняться порядку.

Он чувствовал, что пришло время, и не хотел больше ждать. А в покойной жизни первых недель, отдаваясь опять всему увиденному и юношеским воспоминаниям да и рассказывая по просьбе Эриха о своей прошлой жизни, он привел ее в определенный порядок и внес в нее ясность.

Нарцисс принял его исповедь без торжественности. Она продолжалась около двух часов. С неподвижным лицом выслушал настоятель рассказ о приключениях, страданиях и грехах своего друга, задал кое-какие вопросы, ни разу не перебил его и даже ту часть исповеди, где Гольдмунд признавался в утрате веры в Бога, справедливости и добра выслушал равнодушно. Он был потрясен некоторыми признаниями исповедовавшегося, видел, сколько раз тот испытывал потрясения и ужас и был близок к гибели. Затем он опять улыбался и был тронут невинной детскостью друга, когда тот раскаивался и беспокоился о неблагочестивых мыслях, которые по сравнению с его собственными сомнениями и безднами в мыслях были безвинны.

К удивлению, даже разочарованию Гольдмунда, духовник не счел его подлинные грехи слишком тяжкими, но сделал ему внушение и наказал его без пощады за пренебрежение молитвой, исповедью и причастием.

Он наложил на него покаяние: перед причастием четыре недели жить умеренно и целомудренно, каждое утро бывать на ранней мессе, а каждый вечер читать три раза «Отче наш» и один раз хвалу Богородице.

После этого он сказал ему:

— Я предупреждаю тебя и прошу не относиться легко к этому покаянию. Не знаю, помнишь ли ты еще хорошо текст мессы. Ты должен следить за каждым словом и проникаться его смыслом. «Отче наш» и некоторые гимны я сегодня же разъясню тебе сам, скажу, на какие слова и значения нужно обратить особое внимание. Святые слова нельзя произносить и слушать как обычные. Если ты поймаешь себя на том, что машинально читаешь слова, а это происходит чаще, чем ты думаешь, то тут же, вспомнив мое предостережение, начинай сначала и произноси слова так и так принимай их сердцем, как я тебе покажу.

Был ли то счастливый случай, или настоятель так хорошо понимал чужие души, но только после исповеди и покаяния для Гольдмунда настало счастливое время полноты и мира. Несмотря на работу, полную напряжения, забот, но и удовлетворения, он каждое утро и каждый вечер освобождался от дневных волнений благодаря нетрудным, исполняемым на совесть духовным упражнениям, уносившим все его существо к более высокому порядку, вырывавшим его из опасного одиночества творца и уводившим его, как ребенка, в царство Божие. Если борьбу со своим произведением он должен был выдерживать в одиночку, отдавая ему всю страсть своих чувств и души, то час молитвы опять возвращал его к невинности Часто во время работы, возбужденный до ярости и нетерпения или восхищенный до наслаждения, он погружался в благочестивые молитвы, как в прохладную воду, смывавшую с него высокомерие как восторга, так и отчаяния.

Это удавалось не всегда. Иной раз вечером после страстной работы он не находил покоя и не мог сосредоточиться и несколько раз забыл про молитвы, и зачастую, когда старался погрузиться в них, ему мешала мучительная мысль, что чтение молитв всего лишь ребяческое стремление к Богу, которого нет или который все равно не может ему помочь. Он жаловался другу.

— Продолжай, — говорил Нарцисс, — ты же обещал и должен выдержать. Тебе не нужно думать о том, слышит ли Бог твою молитву или есть ли вообще Бог, которого ты как-то представляешь себе. Не следует думать и о том твоем якобы ребяческом стремлении к Богу По сравнению с Тем, к Кому обращены наши молитвы, все наши дела — ребячество. Ты должен совсем запретить себе эти глупые мысли маленького ребенка во время молитвы. Ты должен так читать «Отче наш» и хвалу Марии, так отдаваться их словам и так исполняться ими, будто поешь или играешь на лютне, — ведь в этих случаях ты не предаешься каким-то умным мыслям и рассуждениям, а извлекаешь звуки и совершаешь одно движение пальцами за другим как можно чаще и совершеннее. Когда поют, ведь не думают, полезно пение или нет а просто поют. Точно так же ты должен молиться.

И опять дело шло на лад. Опять напряженное и жадное «я» Гольдмунда угасало в какой-то дали, опять священные слова проходили над ним и через него, как звезды.

С большим удовлетворением настоятель заметил, что Гольдмунд по окончании покаяния и после причастия продолжал ежедневные молитвы неделями и месяцами.

Между тем его творение продвигалось. От основания винтовой лестницы устремлялся вверх целый мир фигур, растений, животных, людей, в середине праотец Ной меж листьев и гроздий винограда; книга образов во славу творения и его красоты, свободно играющая и в то же время подчиняющаяся тайному порядку. В течение всех этих месяцев никто не видел произведения, кроме Эриха, который имел право лишь на подсобную работу и ни о чем другом не помышлял, как только стать художником. Иногда и он не смел входить в мастерскую. В другие дни Гольдмунд занимался с ним, давал указания и разрешал попробовать себя, радуясь возможности иметь единомышленника и ученика. Когда произведение будет закончено и если оно окажется удачным, думал Гольдмунд, он попросит отца юноши отпустить его к нему в качестве постоянного подмастерья.

Над фигурами евангелистов он работал в свои лучшие дни, когда на сердце было спокойно и никакие сомнения не бросали тень на душу.

Лучше всего, так ему казалось, удалась фигура, которой он придал черты настоятеля Даниила; ее он очень любил: лицо изображенного излучало невинность и доброту. Фигурой мастера Никлауса он был меньше доволен, хотя Эрих восхищался ею больше всего. Эта фигура несла печать двойственности и печали, она, казалось, была полна высоких творческих замыслов и одновременно отчаянного знания о ничтожности творчества, была полна печали по утраченному единству и невинности.

Когда фигура настоятеля Даниила была готова, он попросил Эриха прибраться в мастерской. Он завесил остальную часть произведения и выставил на свет только одну фигуру. Потом пошел к Нарциссу, но тот был занят, и пришлось терпеливо ждать до следующего дня. И вот к обеду он привел друга в мастерскую и оставил перед фигурой.

Нарцисс стоял и смотрел. Он стоял, а время шло, с вниманием и тщательностью ученого рассматривал он фигуру, Гольдмунд стоял сзади, молча пытаясь совладать с бурей в своем сердце. «О, если теперь, — думал он, — один из нас не выдержит, то дело плохо. Если моя фигура недостаточно хороша или он не сможет ее понять, то вся моя работа здесь потеряет смысл. Наверно, не надо было с этим спешить».

Минуты казались ему часами, он вспомнил то время, когда мастер Никлаус держал в руках его первый рисунок, от напряжения он сцепил влажно-горячие руки.

Нарцисс повернулся к нему, и он сразу почувствовал облегчение. Он видел, как на узком лице друга что-то расцвело, как это бывало когда-то в мальчишеские годы: улыбка, почти робкая улыбка на этом умном и волевом лице, улыбка любви и увлеченности, сияние, как будто на мгновение пробившееся через одиночество и гордость этого лица и излучавшее только полную любви душу.

— Гольдмунд, — сказал Нарцисс совсем тихо, даже теперь взвешивая слова, — ты ведь не ждешь, что я вдруг стану знатоком искусств. Я им не являюсь, ты это знаешь. Не могу сказать о твоем мастерстве что-то такое, что не показалось бы тебе смешным. Но одно позволь мне сказать: с первого взгляда я узнал в этом евангелисте нашего настоятеля Даниила, и не только его самого, но и все, что он значил для нас тогда: достоинство, доброту, простодушие. Каким блаженной памяти отец Даниил был в наших благоговейных мальчишеских глазах, таким стоит он здесь передо мной со всем тем, что было тогда для нас свято и что делает то время незабываемым. Ты так богато одарил меня, мой друг, показав мне его, ты показал мне не только нашего настоятеля Даниила, ты в первый раз раскрыл мне всего себя. Теперь я знаю, кто ты. Не будем больше говорить об этом, я не смею. О Гольдмунд, неужели этот час настал!

В мастерской царила тишина. Гольдмунд видел, что его друг взволнован до глубины души. Смущение сдавило ему дыхание.

— Да, — сказал он коротко, — я рад этому. Теперь, однако, как раз время обеда, тебе надо идти.

Глава девятнадцатая

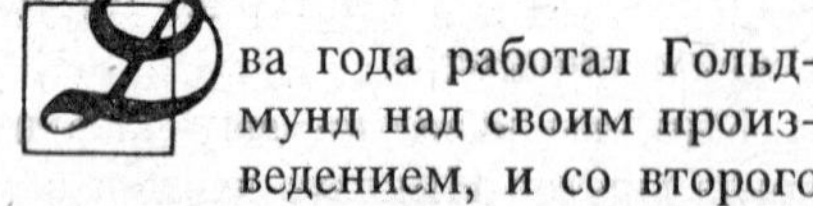

ва года работал Гольдмунд над своим произведением, и со второго года Эрих стал в полном смысле слова его учеником. Украшая резьбой лестницу, Гольдмунд создал маленький рай, с удовольствием изобразил прелестную чащу из деревьев, листьев и трав, с птицами в ветвях, с головами и туловищами животных, повсюду выступавшими в промежутках. Среди этого мирно поднимавшегося первобытного сада он воссоздал некоторые сцены из жизни патриархов. Изредка эта размеренность нарушалась. Наступал день, когда он не мог работать из-за беспокойства или пресыщения своим произведением. Тогда он, дав работу ученику, уходил или уезжал верхом прочь подышать в лесу манящим воздухом свободы и бродячей жизни, отыскивал где-нибудь деревенскую девушку, ходил на охоту и часами лежал в траве, уставившись в купол лесных вершин или буйные заросли папоротника и дрока. Никогда он не отсутствовал больше одного-двух дней. Потом он принимался за дело с новой страстью, с удовольствием вырезал буйно разросшиеся растения, осторожно и нежно извлекал из дерева человеческие головы, сильным движением создавая рот, глаза, волнистую бороду. Кроме Эриха о произведении знал только Нарцисс, часто приходивший сюда, мастерская стала для него самым любимым местом в монастыре. С радостью и удивлением наблюдал он, как расцветало то, что его друг носил в своем беспокойном, упрямом и детском сердце, росло и расцветало творение, небольшой бьющий ключом мир — возможно, игра, но, во всяком случае, она была не хуже, чем игра с логикой, грамматикой и теологией.

Как-то он задумчиво сказал:

— Я многому учусь у тебя, Гольдмунд. Начинаю понимать, что такое искусство. Раньше мне казалось, его нельзя принимать особенно всерьез по сравнению с мышлением и наукой. Я рассуждал примерно так: поскольку человек есть сомнительный плод смешения Духа и материи и Дух открывает ему познание вечного, материя же только тянет вниз, приковывая к преходящему, нужно стремиться от чувственного к духовному, возвысив тем самым жизнь и придав ей смысл. Я, правда по привычке, притворялся, что уважаю искусство, но, собственно, смотрел на него свысока. Только теперь я вижу, как много есть путей познания и путь Духа не единственный и, возможно, не лучший. Это, разумеется, мой путь, я останусь на нем. Но вижу, что твоим, противоположным путем, путем чувств, можно прийти к такому же глубокому постижению тайны бытия и выразить ее гораздо живее, чем удается большинству мыслителей.

— Тебе ясно теперь, — сказал Гольдмунд, — почему я не могу понять, что такое мышление без представлений?

— Мне давно это ясно. Наше мышление — это постоянное абстрагирование, игнорирование чувственного опыта, попытка построения чисто духовного мира. Ты же принимаешь в сердце как раз самое непостоянное и самое смертное и провозглашаешь смысл мира именно в преходящем. Ты не отворачиваешься от него, ты отдаешься ему, и благодаря твоей отдаче оно становится высшим началом, подобием вечного. Мы, мыслители, пытаемся приблизиться к Богу, отделяя мир от него. Ты приближаешься к нему, любя его творение и воссоздавая его еще раз. И то и другое — дело рук человеческих, и при этом несовершенное, но искусство более невинно.

— Не знаю, Нарцисс. Но справиться с жизнью, защититься от отчаяния, кажется, лучше удается все-таки вам, мыслителям и теологам. Я давно уже не завидую твоей учености, друг мой, но я завидую твоему спокойствию, твоей уравновешенности, миру в твоей душе.

— Можешь не завидовать, Гольдмунд. Нет такого мира, который ты себе представляешь. Есть мир, конечно, но не такой, что постоянно живет в наших душах и никогда нас не покидает. Есть только такой мир, который завоевывается в вечной борьбе, и эта борьба заново ведется изо дня в день. Ты не видишь, как я сражаюсь, ты не знаешь моей борьбы ни во время занятий, ни во время молитв. И хорошо, что не знаешь. Ты только видишь, что я меньше тебя подвержен настроениям, и считаешь это миром. Но это борьба, это борьба и жертва, как любая праведная жизнь, как и твоя тоже.

— Не будем спорить об этом. И ты видишь не все, с чем я борюсь. И не знаю, поймешь ли ты, как бывает у меня на сердце, когда я подумаю о том, что ведь скоро это произведение будет готово. Оно будет вынесено и выставлено, и мне выскажут несколько похвальных слов, и я вернусь в голую, пустую мастерскую, опечаленный теми неудачами в этой работе, которых вы, другие, вовсе не замечаете, и буду таким же опустошенным и ограбленным внутри, как эта мастерская.

— Может быть, так, — ответил Нарцисс, — и никому из нас не дано до конца понять другого в этом. Но всем людям доброй воли свойственно одно: наши дела по окончании смущают нас, мы всегда должны начинать сначала, приносить жертву вновь и вновь.

Через несколько недель большая работа Гольдмунда была готова и выставлена. Повторилось то, что он давно уже пережил: его произведением стали владеть другие, работу рассматривали, обсуждали, хвалили, прославляя мастера и оказывая ему честь; но его сердце и его мастерская были пусты, и он не знал, стоило ли жертвовать своим произведением. В день открытия он был приглашен к столу патеров: была праздничная трапеза с самым старым вином; Гольдмунд насладился хорошей рыбой и дичью, что же касается дорогого вина, то его больше согрели участие и радость, с какими приветствовал и почтил произведение друга Нарцисс.

По желанию настоятеля была намечена и заказана новая работа — алтарь для часовни Марии в Нойцелле, которая относилась к монастырю и управлялась одним мариаброннским патером. Для этого алтаря Гольдмунд хотел сделать фигуру Девы Марии, увековечив в ней один из незабываемых образов своей юности: прекрасную боязливую дочь рыцаря Лидию. В остальном заказ этот не был для него важен, но он подходил для того, чтобы Эрих выполнил в нем свою часть работы в роли подмастерья. Если Эрих оправдает его надежды, думал Гольдмунд, то он будет в его лице всегда иметь хорошего помощника, который сможет заменять его и освобождать для работ, какие ему по душе. Теперь он искал дерево для алтаря вместе с Эрихом, и тот должен был готовить его к работе. Часто Гольдмунд оставлял его одного: он опять начал свои блуждания и прогулки по лесу; когда же его как-то не было несколько дней в монастыре, напуганный Эрих сказал об этом настоятелю, и тот тоже был несколько взволнован: не покинул ли, мол, он их навсегда. Между тем Гольдмунд вернулся, поработал с неделю над фигурой Лидии, а потом опять ушел бродить.

Он был озабочен; с тех пор как была закончена большая работа, в его жизни наступил разлад, он пропускал утреннюю мессу, был глубоко обеспокоен и недоволен собой. Он много думал теперь о мастере Никлаусе и о том, не станет ли он сам скоро таким же, как Никлаус, — прилежным, добросовестным и искусным, но несвободным и немолодым. Недавно один незначительный случай заставил его задуматься. Блуждая, он встретил молодую крестьянскую девушку по имени Франциска, которая очень понравилась ему, и он постарался очаровать ее, принялся ухаживать, употребив все свое былое искусство. Девушка охотно выслушивала его сладкие речи, смеялась, счастливая, его шуткам, но ухаживания его отклонила, и впервые он почувствовал, что показался молодой женщине стариком. Он больше не ходил туда, но не забыл этого. Франциска права, он стал другим, он чувствовал это сам, и дело было не в несколько преждевременно поседевших волосах или морщинах у глаз, а скорее в его существе, в душе он считал себя старым, неприятно похожим на мастера Никлауса. С неудовольствием наблюдал он за самим собой, недоумевая по поводу себя: он стал несвободным и оседлым, он уже не был ни орлом, ни зайцем, он стал домашним животным. Когда он бродил, то скорее вспоминал свои бывшие странствия, чем осуществлял новые; обретая вновь свободу, он искал аромат прошлого, искал страстно и недоверчиво, подобно собаке, потерявшей след. А если день или два он пропадал, загулявшись, его неудержимо тянуло обратно: мучимый совестью, он чувствовал, что мастерская ждет, и его начинала угнетать ответственность за начатый алтарь, за подготовленное дерево, за помощника Эриха. Он утратил свободу и не был больше юным. Он твердо решил: когда фигура Лидии-Марии будет готова, он отправится в путешествие и еще раз попробует страннической жизни. Нехорошо так долго жить в монастыре среди одних мужчин. Для монахов это хорошо, для него — нет. С мужчинами можно прекрасно и умно разговаривать, и они разбираются в работе художника, но все остальное — болтовня, нежность, игра, любовь, безумство — этого не водится среди мужчин, для этого нужны женщины, и странствие, и бродяжничество, и все новые картины. Все здесь вокруг него было немного серым и серьезным, немного тяжелым и мужским, и он заразился этим, это проникло ему в кровь.

Мысль о путешествии утешала его; он усердно работал, чтобы скорее освободиться. А когда постепенно из дерева выступил образ Лидии, когда он заставил строгие складки одежды ниспадать с ее благородных коленей его пронзила глубокая и щемящая радость, грустная влюбленность в образ, в прекрасную робкую девичью фигуру, в воспоминание о прошлом, о его первой любви, первых странствиях, о своей юности. Благоговейно работал он над этим нежным образом, наполняя его лучшим, что было в нем самом, своей юностью, своими самыми приятными воспоминаниями. Счастьем было создавать ее склоненную голову, ее дружелюбно-скорбный рот, аристократичные руки, длинные пальцы с красиво закругленными кончиками ногтей. И Эрих старался улучить минуту, чтобы с восхищением и благоговейной влюбленностью взглянуть на эту фигуру

Когда она была почти готова, Гольдмунд показал ее настоятелю. Нарцисс сказал:

— Это твое самое прекрасное произведение, милый, во всем монастыре нет ничего, что сравнилось бы с ним. Должен тебе признаться, в эти последние месяцы я не раз беспокоился за тебя. Я видел, что ты взбудоражен и страдаешь, а иной раз, когда ты исчезал дольше чем на день, я с тревогой думал: «А вдруг он не вернется». И вот ты сделал чудную фигуру! Я рад за тебя и горжусь тобой!

— Да, — ответил Гольдмунд, — фигура получилась неплохая. Но выслушай меня, Нарцисс! Для того чтобы эта фигура удалась, мне потребовалась вся моя юность, мои странствия, моя влюбленность, мое ухаживание за многими женщинами. Это источник, из которого я черпал. Источник скоро иссякнет, у меня будет сухо в сердце. Я доделаю эту фигуру Марии, а потом возьму на какое-то время отпуск, я не знаю, надолго ли, и встречусь вновь со своей юностью и со всем, что когда-то любил. Можешь ты это понять? Да, вот еще что. Ты знаешь, я был твоим гостем и никогда не брал денег за свою работу...

— Я не раз предлагал их тебе, — вставил Нарцисс.

— Да, а теперь возьму. Закажу себе новое платье, и когда оно будет готово, попрошу у тебя коня да несколько талеров и уеду в мир. Не говори ничего, Нарцисс, и не печалься. Ведь дело не в том, что мне здесь не нравится, мне нигде не могло бы быть лучше. Дело в другом. Исполнишь мое желание?

Об этом нечего было и говорить. Гольдмунд заказал себе простое платье наездника и сапоги и по мере приближения лета заканчивал фигуру Марии, последнее свое произведение; с бережностью любящего придавал он рукам, лицу, волосам окончательную завершенность. Могло даже показаться, что он затягивает отъезд и что ему доставляет особое удовольствие все снова и снова приниматься за эту тонкую завершающую работу. Проходил день за днем, а он находил все новые дела. Нарцисс, хотя ему тяжело было предстоящее прощание, иной раз слегка улыбался при мысли об этой влюбленности Гольдмунда и о том, что он никак не может расстаться с фигурой Марии.

Но однажды Гольдмунд застал его все-таки врасплох, неожиданно придя прощаться. За ночь решение было принято. В новом платье, новом берете явился он к Нарциссу, чтобы попрощаться. Уже до того он исповедался и причастился. Теперь он пришел сказать «прощай» и получить напутственное благословение. Обоим прощание было тяжело, и Гольдмунд притворялся более решительным и спокойным, чем было у него на сердце.

— Увижу ли я тебя вновь? — спросил Нарцисс.

— О, конечно! Если твоя прекрасная лошадь не сломает мне шею, непременно увидишь. А то ведь некому будет называть тебя Нарциссом и доставлять тебе беспокойство. Положись на это. Не забудь присматривать за

Эрихом. И чтобы никто не дотрагивался до моей Марии! Она останется в моей комнате, как я сказал, и ты позволь мне не отдавать ключ.

— Ты рад, что уезжаешь?

Что-то вспыхнуло в глазах у Гольдмунда.

— Ну, я радовался, это так. Но теперь, когда я должен уезжать, все кажется мне не таким веселым, как думалось. Ты можешь смеяться надо мной, но расставание дается мне нелегко, и эта привязанность мне не нравится. Это как болезнь, у молодых и здоровых людей этого не бывает. Мастер Никлаус был тоже такой. Ах, ни к чему этот разговор! Благослови меня, дорогой, и я поеду.

Он ускакал.

В мыслях Нарцисс был долго занят другом: он беспокоился о нем и тосковал по нему. Вернется ли он, выпорхнувшая птица, милый легкомысленный человек? Вот он опять пошел своим кривым безвольным путем, этот странный и любимый человек, опять будет бродить по свету, жадно предаваясь сладострастию, следуя своим сильным темным инстинктам, бурно и ненасытно, большой ребенок. Да пребудет Бог с ним, да вернется он невредимым назад! Вот он опять полетел, мотылек, порхать туда-сюда, опять грешить, соблазнять женщин, следуя страсти, попадет еще опять в смертельную опасность или тюрьму, да и погибнет там. Сколько беспокойства доставлял этот белокурый мальчик — жаловался, что стареет, а смотрел такими детскими глазами! Как же за него не бояться! И все-таки Нарцисс был искренне рад за него. В глубине души ему нравилось, что это упрямое дитя так трудно было обуздать, что у него были такие капризы, что он опять вырвался на свободу и все никак не перебесится.

Каждый день в какую-нибудь минуту мысли аббата возвращались к другу — с любовью и тоской, с благодарностью, иногда даже с сомнениями и самобичеванием. Может быть, нужно было больше открыться другу в том, как сильно он его любит, сколь мало он желает, чтобы тот был другим, насколько богаче стал он благодаря ему и его искусству? Он мало говорил ему об этом, слишком мало, может быть, — кто знает, не удержал ли бы он его?

Но благодаря Гольдмунду он стал не только богаче. Он стал и беднее, беднее и слабее, и хорошо, конечно, что он не показал этого другу. Мир, в котором он жил и обрел родину, его мир, его жизнь в монастыре, его служение, его ученость, столь, казалось бы, стройное и прочное здание его философии зачастую сотрясались, становясь сомнительными благодаря другу. Нет сомнений: с точки зрения служения монастырю, рассудка и морали, его собственная жизнь была лучше, она была правильнее, постоянней, размеренней и более образцовой; это была жизнь порядка и строгого служения, длящаяся жертва, все новое стремление к ясности, справедливости; она была много чище и лучше, чем жизнь художника, бродяги и совратителя женщин. Но, глядя сверху, с божественной точки зрения, был ли этот порядок и воспитание в отдельной жизни — отказ от мира и чувственного счастья, удаление от грязи и крови, уход в философию и богослужение — действительно лучше жизни Гольдмунда? Разве в самом деле человек создан для того, чтобы вести размеренную жизнь, часы и дела которой возвещает молитвенный колокол? Разве человек действительно создан для того, чтобы изучать Аристотеля и Фому Аквинского, знать греческий, убивая свои чувства и убегая от мира? Разве не создан он Богом с чувствами и инстинктами, с темными тайнами крови, способным на грех, наслаждение, отчаяние? Вокруг этих вопросов кружились мысли настоятеля, когда он думал о своем друге.

Да, возможно, дело не только в том, что жизнь, какой живет Гольдмунд, можно объяснить особенностями детской и вообще человеческой натуры, но, в конце концов, может быть, даже мужественнее и возвышеннее отдаваться жестокому потоку и хаосу, грешить и принимать на себя последствия этого, чем вести чистую жизнь в стороне от мира, с умытыми руками, насаждая прекрасный сад из мыслей, полный гармонии, и прогуливаться безгрешно меж его ухоженных клумб. Возможно, трудней, смелей и благородней бродить в разорванных башмаках по лесам и дорогам, терпеть зной и дождь, голод и нужду, радостно играя чувствами и расплачиваясь за них страданиями.

Во всяком случае, Гольдмунд показал ему, что человек, предназначенный для высокого, может очень глубоко опуститься в кровавый, пьянящий хаос жизни и запачкать себя пылью и кровью, не став, однако, мелким и подлым, не убив в себе божественного начала, что он может блуждать в глубоком мраке, не погашая божественного света и творческой силы в том, что именуется святая святых души. Глубоко заглянул Нарцисс в сумбурную жизнь своего друга, и ни его любовь к нему, ни его уважение не стали от этого меньше. О нет, а с тех пор как из запятнанных рук Гольдмунда вышли эти дивные, безмолвно живые, просветленные внутренней формой и порядком фигуры, эти искренние, светящиеся душой лица, эти невинные растения и цветы, эти молящие или благословляющие руки, все эти смелые и нежные, гордые или святые жесты, — с тех пор он хорошо знал, что в этом беспокойном сердце художника и соблазнителя живет полнота света и божеской милости.

Ему нетрудно было казаться превосходящим друга в их разговорах, противопоставляя его страсти свою выдержку и упорядоченность в мыслях. Но не был ли любой легкий жест какой-нибудь фигуры Гольдмунда, любой взгляд, любой рот, любое вьющееся растение и складка платья больше, действительнее, живее и незаменимее, чем все, чего может достичь мыслитель? Разве этот художник, чье сердце так полно противоречий и крайностей, не выразил для бесконечного числа людей, сегодняшних и будущих, символы их нужды и стремлений, образы, к которым могли обратиться в молитве и благоговении, в сердечном волнении и тоске несметные полчища страждущих, находя в них утешение, поддержку и укрепление?

С грустной улыбкой вспоминал Нарцисс все случаи с ранней юности, когда он руководил другом и поучал его. С благодарностью принимал это друг, всегда соглашаясь с его превосходством и руководительством. И вот он без громких слов выставил произведения, рожденные из его исхлестанной бурями и страданиями жизни; не слова, не поучения, не объяснения и назидания, а настоящую возвышенную жизнь. Как жалок был он сам со своим знанием, своей строгой монастырской жизнью, своей диалектикой по сравнению со всем этим!

Вот те вопросы, вокруг которых кружились его мысли. Как когда-то, много лет тому назад, он вмешался в жизнь Гольдмунда, потрясая и увещевая, так со времени своего возвращения друг, доставляя ему хлопоты, часто глубоко потрясал его, принуждая к сомнению и проверке себя. Они были равны: ничего не дал ему Нарцисс, чего бы он не вернул сторицей.

Уехавший друг дал ему много времени для размышлений. Шли недели, давно отцвел каштан, давно потемнела молочная бледно-зеленая листва бука, став коричневой и твердой, давно прилетели аисты высиживать птенцов на башне ворот, вывели их и учили летать. Чем дольше отсутствовал Гольдмунд, тем больше видел Нарцисс, кем для него был тот. В монастыре были некоторые ученые патеры: один — знаток Платона, другой — превосходный грамматист, один или два — вдумчивые теологи. Среди монахов было несколько преданных, честных людей, которые все воспринимали всерьез. Но не было ни одного равного ему, ни одного, с кем бы он серьезно мог померяться силами. Это незаменимое давал ему только Гольдмунд. Опять лишиться его было для него очень трудно. Он истосковался по уехавшему.

Он часто заходил в мастерскую, подбадривая помощника Эриха, который продолжал работать над алтарем и очень ждал возвращения мастера. Иногда настоятель отпирал комнату Гольдмунда, где стояла фигура Марии осторожно снимал покрывало с фигуры и оставался возле нее. Он ничего не знал о ее происхождении: Гольдмунд никогда не рассказывал ему историю Лидии.

Но он все чувствовал, он видел, что образ этой девушки долго жил в душе его друга. Может быть, он ее соблазнил, может, обманул и покинул. Но он взял ее в свою душу и сохранил вернее, чем любой супруг, и в конце концов, возможно, много лет спустя, не видя ее больше, он воссоздал ее трогательную фигуру, вложив в ее лицо, позу, руки всю нежность, восхищение и страсть любящего. И в фигурах кафедры для чтеца в трапезной он всюду читал историю своего друга. Это была история бродяги и раба страстей, бездомного и неверного, но все, что осталось от этого здесь, было полно добра и верности, живой любви. Как таинственна была эта жизнь, как мутно и бурно неслись ее потоки, и вот какое благородство и какую чистоту она породила!

Нарцисс боролся. Он владел собой, он не изменял своему пути, он не упускал ничего в своем строгом служении. Но он страдал от сознания, что его сердце, которое дожно было принадлежать лишь Богу и служению Ему, настолько привязано к другу

Глава двадцатая

Лето прошло, маки и васильки, полевые гвоздики и астры увяли и исчезли, утихли лягушки в пруду, и аисты летали высоко, готовясь к прощанию. Тогда-то и вернулся Гольдмунд!

Он прибыл после полудня, под тихим дождем и прошел не в монастырь, а от ворот прямо в свою мастерскую. Пришел он пешком, без лошади

Эрих испугался, когда увидел его. Хотя он узнал его с первого взгляда и сердце его забилось при встрече, все-таки казалось, что вернулся совсем другой человек - не тот Гольдмунд, а кто-то, кто был намного старше, с полуугасшим, пыльным, серым лицом, впалыми щеками больными, страдающими глазами, в которых, однако, читалась не скорбь, а улыбка — добродушная, старческая, терпеливая улыбка. Он шел с трудом, тащился, казался больным и очень усталым

Странно смотрел этот изменившийся, чужой Гольдмунд в глаза своему молодому помощнику. Он не устраивал вокруг своего возвращения никакого шума, делал вид, будто пришел всего лишь из соседней комнаты и только что был здесь. Он подал руку и ничего не сказал: никакого приветствия, никаких вопросов, никаких рассказов. Он произнес лишь.

— Мне нужно поспать.

Он казался невероятно усталым. Отпустил Эриха и вошел в свою комнату рядом с мастерской. Тут он снял шапку и уронил ее, снял сапоги и подошел к кровати Сзади под покрывалом он увидел свою Мадонну; он кивнул Ей, но не стал снимать покрывала и приветствовать Ее. Вместо этого он подошел к окошку, увидел на дворе смущенного Эриха и крикнул ему:

— Эрих, никому не говори, что я вернулся. Я очень устал. Можно подождать до завтра.

Потом он, не раздеваясь, лег в постель. Через некоторое время, так как сон не приходил, он встал, с трудом подошел к стене, где висело маленькое зеркало, и посмотрелся в него. Внимательно вглядывался он в того Гольдмунда, что смотрел на него из зеркала, усталого Гольдмунда, утомленного, старого и увядшего мужчину с сильно поседевшей бородой. Из маленького мутного зеркала на него смотрел старый одичавший человек; хорошо знакомое лицо, ставшее, однако, чужим, казалось ему не совсем настоящим, оно вроде бы не имело к нему отношения. Оно напоминало некоторые знакомые лица, немного мастера Никлауса, немного старого рыцаря, когда-то заказавшего для него платье пажа, немного даже святого Иакова в церкви, старого бородатого святого Иакова, выглядевшего в своей шляпе пилигрима таким древним и седым, но все-таки радостным и добрым.

Тщательно разглядывал он лицо в зеркале, как будто хотел все разузнать об этом чужом человеке. Он кивнул ему и узнал его: да, это был он сам, все соответствовало его представлению о самом себе. Очень усталый и немного безразличный ко всему старый человек вернулся из путешествия, невзрачный мужчина, таким не щегольнешь, и все-таки он не имел ничего против него, он все-таки ему нравился: что-то было в его лице, чего не было у прежнего красавца Гольдмунда, при всей усталости и разбитости, черта удовлетворенности или же уравновешенности. Он тихо засмеялся про себя и увидел смеющееся отражение: ну и спутника привел он с собой из своего путешествия! Порядком изношенным и опаленным вернулся он домой из своего небольшого вояжа, лишившись не только своего коня, походной сумки и своих талеров, — пропало и оставило его также и другое: молодость, здоровье, самоуверенность, румянец на лице и острота взгляда. И все-таки это отражение нравилось ему: этот старый слабый человек в зеркале был ему милее того Гольдмунда, которым он был так долго. Этот был старше, слабее, был более жалким, но и безобидным, довольным, с ним легче было поладить. Он засмеялся и подмигнул себе, прикрывая глаза морщинистыми веками. Затем лег опять на постель и теперь заснул.

На другой день он сидел в своей мастерской, склонившись над столом, и пробовал рисовать, когда Нарцисс пришел навестить его. В дверях он остановился и сказал:

— Мне передали, что ты вернулся. Слава Богу, я очень рад. Ты ко мне не зашел, и вот я явился к тебе сам. Я не помешаю тебе?

Он подошел ближе; Гольдмунд оторвался от бумаги и протянул ему руку. Хотя Эрих и подготовил Нарцисса, сердце защемило у него при виде друга. Тот приветливо улыбнулся ему в ответ:

— Да, я опять здесь. Приветствую тебя, Нарцисс, мы какое-то время не виделись. Извини, что я еще не навестил тебя.

Нарцисс посмотрел ему в глаза. Он тоже увидел не только угасание и плачевное увядание этого лица, он увидел также другое: эту странно приятную черту уравновешенности, даже равнодушия, смирения и доброго настроения старца. Опытный чтец человеческих лиц, он видел также, что в этом ставшем таким чужим и так изменившемся Гольдмунде есть что-то нездешнее, и подумал, что его душа или ушла далеко от действительности и идет теперь путями грез, или она уже на пороге ворот, ведущих в мир иной.

— Ты болен? — спросил он заботливо.

— Да, и болен тоже. Я заболел уже в начале своего путешествия, в первые же дни. Но, понимаешь, не мог же я вернуться сразу. Вы бы меня изрядно высмеяли, если бы я вернулся так быстро и стянул с себя походные сапоги. Нет, этого мне не хотелось. Я отправился дальше и еще немного пошатался, мне было стыдно, что путешествие мое не удалось. Я переоценил себя. Итак, мне было стыдно. Ну да ты же понимаешь, ты же умный человек. Извини, ты что-то спросил? Прямо чертовщина какая-то: я все время забываю, о чем идет речь. Но с моей матерью — это у тебя здорово получилось. Хотя было очень больно, но...

Его бормотание угасло в улыбке.

— Мы тебя выходим, Гольдмунд, у тебя все будет. Но что же ты не вернулся сразу, как только почувствовал себя плохо? Тебе, право, не надо было нас стыдиться. Тебе нужно было сразу же вернуться.

Гольдмунд засмеялся:

— Да, теперь-то я знаю. Я не решался так просто вернуться. Это обернулось бы позором. Но вот я пришел. И теперь мне опять хорошо.

— Было часто больно?

— Больно? Да, болей было достаточно. Но, видишь ли, боли — это хорошо: они меня образумили. Теперь мне не стыдно, даже перед тобой. Тогда, когда ты зашел ко мне в тюрьму, чтобы спасти мою жизнь, мне пришлось стиснуть зубы, так мне было стыдно перед тобой. Теперь это совсем прошло.

Нарцисс положил руку ему на плечо, тот сразу замолчал и, улыбаясь, закрыл глаза. Он мирно заснул. Расстроенный, вышел настоятель и пригласил монастырского врача, патера Антона, посмотреть больного. Когда они вернулись, Гольдмунд спал, сидя за своим рабочим столом. Они отнесли его в постель, врач остался при нем.

Он был, по мнению врача, безнадежно болен. Его отнесли в одну из больничных комнат, Эрих постоянно дежурил возле него.

Всю историю его последнего путешествия никто никогда не узнал. Кое-что он рассказал, кое о чем можно было догадаться. Часто лежал он безучастный, иногда его лихорадило, и он говорил путано, иногда он приходил в себя, и тогда каждый раз звали Нарцисса, для которого эти последние беседы с Гольдмундом стали очень важны. Некоторые отрывки из рассказов и признаний Гольдмунда передал Нарцисс, другие — Эрих.

— Когда начались боли? Это было еще в начале путешествия. Я ехал по лесу и упал вместе с лошадью, упал в ручей и всю ночь пролежал в холодной воде. Там, внутри, где сломаны ребра, с тех пор болит. Тогда я был еще недалеко отсюда, но не хотел возвращаться; может быть, я рассуждал по-детски, но мне казалось, что это будет смешно. Я поехал дальше, а когда уже не смог сидеть на лошади из-за боли, продал ее и потом долго лежал в больнице.

Теперь я останусь здесь, Нарцисс, ездить на лошади мне уже не придется. Не придется и странствовать. И с танцами покончено, и с женщинами. Ах, иначе я еще долго отсутствовал бы, еще годы. Но когда я увидел, что там, за стенами монастыря, нет для меня никаких радостей, я подумал: пока не отдал Богу душу, надо еще немного порисовать и сделать несколько фигур, — ведь хочется иметь хоть какую-то радость.

Нарцисс сказал ему:

— Я так рад, что ты вернулся. Мне так не хватало тебя, я каждый день думал о тебе и часто боялся, что ты уже больше не захочешь вернуться.

Гольдмунд покачал головой:

— Ну, потеря была бы невелика.

Нарцисс, чье сердце горело от горя и любви, медленно наклонился к нему и сделал то, чего не делал никогда за многие годы их дружбы: он коснулся губами волос и лба Гольдмунда. Сначала удивленно, затем с волнением Гольдмунд осознал, что произошло.

— Гольдмунд, — прошептал ему на ухо друг, — прости, что я раньше не мог сказать тебе это. Я должен был это сделать, когда посетил тебя в тюрьме, в резиденции епископа, или когда увидел твои первые фигуры, или еще когда-нибудь. Позволь мне сказать тебе сегодня, как сильно я тебя люблю, сколь многим ты был для меня всегда, какой богатой ты сделал мою жизнь. Для тебя это не имеет такого значения. Ты привык к любви, для тебя она не редкость, ты был любим многими женщинами и избалован. У меня же все иначе. Моя жизнь была бедна любовью. Мне не хватало самого лучшего. Наш настоятель Даниил сказал мне как-то, что я держу себя высокомерно, вероятно, он был прав. Я не бываю несправедливым к людям, я стараюсь быть справедливым и терпимым к ним, но никогда не любил их. Из двух ученых в монастыре более ученый приятнее мне; никогда я, к примеру, не мог полюбить слабого ученого — мне мешала его слабость. Если же я все-таки знаю, что такое любовь, то это благодаря тебе. Тебя я мог любить, тебя одного среди людей. Ты не знаешь, что это означает. Это означает источник в пустыне, цветущее дерево в дикой глуши. Тебе одному я признателен за то, что сердце мое не иссохло, что во мне осталось место, до которого может добраться милость.

Гольдмунд улыбнулся радостно и немного смущенно. Тихим, спокойным голосом, который бывал у него в часы просветлений, он сказал:

— Когда ты спас меня тогда от виселицы и мы ехали сюда, я спросил тебя о моей лошади Блессе, и ты мне все рассказал. Тогда я догадался, что ты, хотя едва различаешь лошадей, заботился о моем Блессе. Ты делал это из-за меня, и я был очень рад этому. Теперь я знаю, что это было действительно так и что ты действительно любишь меня. И я всегда любил тебя, Нарцисс, половину своей жизни я добивался твоей любви. Я знаю, что тоже нравлюсь тебе, но никогда не надеялся, что ты когда-нибудь скажешь мне об этом, ты, гордый человек. Теперь вот ты мне сказал, в тот момент, когда у меня нет больше ничего другого, когда странствия и свобода, мир и женщины — все позади. Я принимаю твое признание и благодарю тебя за него.

Мадонна-Лидия стояла в комнате и смотрела на них.

— Ты все время думаешь о смерти? — спросил Нарцисс.

— Да, я думаю о ней и о том, что вышло из моей жизни. Мальчиком, когда я был еще твоим учеником, у меня было желание стать таким же исполненным духовности человеком, как ты. Ты мне показал, что у меня нет призвания к этому. Тогда я бросился в другую сторону жизни — в чувства, и женщины помогали мне найти в этом наслаждение: они так сговорчивы и страстны. Но мне не хотелось бы говорить о них презрительно и о чувственных наслаждениях тоже, я ведь часто бывал очень счастлив. И я имел также счастье испытать одухотворение чувственности. Из этого возникает искусство. Но сейчас угасли оба пламени. У меня нет больше животного желания счастья, и оно не появилось бы, даже если бы женщины бегали за мной. И творить мне больше не хочется: я сделал достаточно фигур, дело не в количестве. Поэтому для меня пришло время умирать. Я не хочу противиться, мне даже любопытно.

— Почему любопытно? — спросил Нарцисс.

— Ну, пожалуй, это немного глупо. Но мне действительно любопытно. Речь не о потустороннем мире, Нарцисс, об этом я мало думаю и, откровенно говоря, уже не верю в него. Нет никакого потустороннего мира. Засохшее дерево мертво навсегда, замерзшая птица никогда не вернется к жизни, а тем более человек, если умрет. Какое-то время его будут помнить, когда его не станет, но и то недолго. Нет, смерть любопытна мне потому, что я все еще надеюсь или мечтаю оказаться на пути к моей матери. Я верю, что смерть — это большое счастье, да, счастье, такое же огромное, как счастье первой любви. Я не могу отделаться от мысли, что вместо смерти с косой придет моя мать, которая возьмет меня к себе и вернет в невинность бытия.

В одно из своих посещений, после того как Гольдмунд несколько дней ничего не говорил больше, Нарцисс застал его опять бодрым и разговорчивым.

— Патер Антон говорит, что у тебя, должно быть, часто бывают сильные боли. Как это тебе удается, Гольдмунд, так спокойно переносить их? Мне кажется, теперь ты примирился.

— Ты хочешь сказать: примирился с Богом? Нет, это не так. Я не хочу мириться с Ним. Он плохо устроил мир: такой мир нам нечего расхваливать, да ведь и Богу-то безразлично, восхваляю я его или нет. Плохо устроил Он мир. А с болью в груди я примирился, это верно. Раньше я плохо переносил боль, и хотя думал, что мне будет легко умирать, это было заблуждение. Когда она угрожала мне всерьез в ту ночь в тюрьме графа Генриха, все обнаружилось: я просто не мог умереть — я был еще слишком сильным и необузданным, им пришлось бы каждый сустав во мне убивать дважды. Сейчас — другое дело.

Разговор утомил его, голос стал слабеть. Нарцисс попросил его поберечь себя.

— Нет, — возразил Гольдмунд, — я хочу тебе рассказать. Раньше мне было стыдно признаться тебе. Ты посмеешься. Видишь ли, когда я, оседлав коня, ускакал отсюда, это было не совсем бесцельно. Прошел слух, что граф Генрих опять в наших краях и с ним его возлюбленная, Агнес. Знаю, тебе это кажется неважным, сейчас и мне это неважно. Но тогда эта весть прямо-таки обожгла меня, и я не думал ни о чем, кроме Агнес: она была самой красивой женщиной, которую я знал и любил, я хотел увидеть ее опять, я хотел еще раз быть счастливым с ней. Я поехал и через неделю нашел ее. Вот тогда-то, в тот час, все изменилось во мне. Итак, я нашел Агнес, она была не менее красивой, я улучил случай показаться ей и поговорить. И представляешь, Нарцисс: она не хотела ничего больше знать обо мне! Я был для нее слишком стар, я не был больше красивым и веселым, она не обольщалась на мой счет. На этом мое путешествие, собственно, и закончилось. Но я поехал дальше, мне не хотелось возвращаться к вам таким разочарованным и смешным, и вот когда я так ехал, силы, и молодость, и благоразумие уже совсем оставили меня, поэтому я и упал с лошади в ручей, сломал ребра и остался лежать в воде. Вот тогда я впервые узнал настоящую боль. При падении я сразу почувствовал, как что-то сломалось у меня внутри, в груди, и это меня обрадовало, я с удовольствием почувствовал это, я был доволен. Я лежал в воде и понимал, что должен умереть, но теперь все было иначе, чем тогда, в тюрьме. Я не имел ничего против, смерть не казалась мне больше несносной. Я чувствовал сильные боли, которые с тех пор бывают часто, и увидел сон или видение, называй как хочешь. Я лежал, и в груди у меня нестерпимо жгло, и я сопротивлялся и кричал, но вдруг услышал чей-то смеющийся голос — голос, который я не слышал с самого детства. Это был голос моей матери, низкий женский голос, полный сладострастия и любви. И тогда я увидел, что это была она, возле меня была мать, и держала меня на коленях, и открыла мою грудь, и погрузила свои пальцы глубоко мне в грудь меж ребер, чтобы вынуть сердце. Когда я это увидел и понял, мне это не причинило боли. Вот и теперь, когда эти боли возвращаются, это не боли, это пальцы матери, вынимающие мое сердце. Она прилежна в этом. Иногда она жмет и стонет как будто в сладострастии. Иногда она смеется и издает нежные звуки. Иногда она не рядом со мной, а наверху, на небе, меж облаков вижу я ее лицо, большое, как облако, тогда она парит и улыбается печально, и ее печальная улыбка высасывает меня и вытягивает сердце из груди.

Он все снова и снова говорил о ней, о матери.

— Знаешь что еще? — спросил он в один из последних дней. — Как-то я забыл свою мать, но ты напомнил мне. Тогда тоже было очень больно, как будто звери грызли мне внутренности. Тогда мы были еще юношами, красивыми, молодыми мальчиками были мы. Но уже тогда мать позвала меня, и я последовал за ней. Она ведь всюду. Она была цыганкой Лизе, она была прекрасной Мадонной мастера Никлауса, она была жизнью, любовью, сладострастием, и она же была страхом, голодом, инстинктом. А теперь она — смерть, она вложила мне пальцы в грудь.

— Не говори так много, дорогой, — попросил Нарцисс, — подожди до завтра.

Гольдмунд посмотрел с улыбкой ему в глаза, с той новой, появившейся после путешествия улыбкой, которая была такой старческой и немощной, а порой даже немного слабоумной, иногда исполненная доброты и мудрости.

— Мой дорогой, — шептал он, — я не могу ждать до завтра. Я должен попрощаться с тобой, а на прощание сказать все. Послушай меня еще немного. Я хотел рассказать тебе про мать и про то, что она держит свои пальцы на моем сердце. Вот уже несколько лет моей любимой тайной мечтой было создать фигуру матери, она была для меня самым святым образом из всех, я всегда носил его в себе — образ, полный любви и тайны. Еще недавно мне было бы совершенно невыносимо помыслить, что я могу умереть, не создав ее фигуры: моя жизнь показалась бы мне бесполезной. А теперь видишь, как удивительно все получается с ней: вместо того чтобы мои руки создавали ее, она создает меня. Ее руки у меня на сердце, и она освобождает его и опустошает меня, она соблазняет меня на смерть, а со мной умрет и моя мечта, прекрасная фигура, образ великой Евы-матери. Я еще вижу его и, если бы у меня были силы в руках, я бы воплотил его. Но она этого не хочет, она не хочет, чтобы я сделал ее тайну видимой. Ей больше хочется, чтобы я умер. Я умру охотно, она мне поможет.

Ошеломленный, слушал эти слова Нарцисс, ему пришлось наклониться к самому лицу друга, чтобы понять их. Некоторые он слышал с трудом, некоторые — хорошо, но смысл их остался скрытым для него.

И вот больной еще раз открыл глаза, вглядываясь в лицо своего друга. И сделав такое движение, будто хотел покачать головой, он прошептал:

— А как же ты будешь умирать, Нарцисс, если у тебя нет матери? Без матери нельзя любить. Без матери нельзя умереть.

Что он еще прошептал, нельзя было разобрать. Двое последующих суток Нарцисс сидел у его постели днем и ночью и видел, как он угасал. Последние слова Гольдмунда пламенели в его сердце.

Паломничество
в Страну
Востока

1

Раз уж суждено мне было пережить вместе с другими нечто великое, раз уж имел я счастье принадлежать к Братству и быть одним из участников того единственного в своем роде странствия, которое во время óно на диво всем явило свой мгновенный свет подобно метеору, чтобы затем с непостижимой быстротой стать жертвой забвения, хуже того, кривотолков, — я собираю всю свою решимость для попытки описать это неслыханное странствие, на какое не отваживался ни единый человек со дней рыцаря Гюона и Неистового Роланда вплоть до нашего примечательного времени, последовавшего за великой войной, — времени мутного, отравленного отчаянием и все же столь плодотворного. Не то чтобы я хоть сколько-нибудь обманывался относительно препятствий, угрожающих моему предприятию: они весьма велики, и притом не только субъективного свойства, хотя и последние уже были бы достаточно существенными.

В самом деле, мало того, что от времен нашего странствия у меня не осталось решительно никаких записей, никаких помет, никаких документов, никаких дневников, — протекшие с той поры годы неудач, болезней и суровых тягот отняли у меня и львиную долю моих воспоминаний; среди ударов судьбы и все новых обескураживающих обстоятельств как сама память моя, так и мое доверие к этой некогда столь драгоценной памяти стали постыдно слабы. Но даже если отвлечься от этих личных трудностей, в какой-то мере руки у меня связаны обетом, который я принес как член Братства: положим, обет этот не ставит мне никаких границ в описании моего личного опыта, однако он возбраняет любой намек на то, что есть уже сама тайна Братства. Пусть уже много, много лет Братство не подает никаких признаков своего осязаемого существования, пусть за все это время мне ни разу не довелось повстречать никого из прежних моих собратий, — в целом мире нет такого соблазна или такой угрозы, которые подвигли бы меня преступить обет. Напротив, если бы меня в один прекрасный день поставили перед военным судом и перед выбором: либо дать себя умертвить, либо предать тайну Братства, — о, с какой пламенной радостью запечатлел бы я однажды данный обет своею смертью!

Позволю себе попутно заметить: со времени путевых записок графа Кайзерлинга появилось немало книг, авторы которых отчасти невольно, отчасти с умыслом создавали видимость, будто и они принадлежали к Братству и совершали паломничество в Страну Востока. Даже авантюрные путевые отчеты Оссендовского вызвали это подозрение, не в меру для них лестное. На деле все эти люди не состоят с нашим Братством и с нашим паломничеством ни в каком отношении, или разве что в таком, в каком проповедники незначительных пиетистских сект состоят со Спасителем, с апостолами и со Святым Духом, на особую близость к каковым они, однако же, притязают. Пусть граф Кайзерлинг и впрямь объехал свет со всеми удобствами, пусть Оссендовский и вправду исколесил описанные им страны, в любом случае их путешествия не явились чудом и не привели к открытию каких-либо неизведанных земель, между тем как некоторые этапы нашего паломничества в Страну Востока, сопряженные с отказом от банальных удобств современного передвижения, как-то: железных дорог, пароходов, автомобилей, аэропланов, телеграфа и прочая, — вправду знаменовали некий выход в миры эпоса и магии. Ведь тогда, вскоре после мировой войны, для умонастроения народов, в особенности побежденных, характерно было редкое состояние нереальности и готовности преодолеть реальное, хотя и дóлжно сознаться, что действительные прорывы за пределы действия законов природы, действительные предвосхищения грядущего царства психократии совершались лишь в немногих точках. Но наше тогдашнее плавание к Фамагусте через Лунное море, под предводительством Альберта Великого, или открытие Острова Бабочек в двенадцати линиях по ту сторону Дзипангу, или высокоторжественное празднество на могиле Рюдигера — все это были подвиги и переживания, какие даются людям нашей эпохи и нашей части света лишь однажды в жизни.

Уже здесь, как кажется, я наталкиваюсь на одно из важнейших препятствий к моему повествованию. Те уровни бытия, на которых совершались наши подвиги, те пласты душевной реальности, которым они принадлежали, было бы сравнительно нетрудно сделать доступными для читателя, если бы только дозволено было ввести последнего в недра тайны Братства. Но, коль скоро это невозможно, многое, а может быть, и все покажется читателю немыслимым и останется для него непонятным. Однако нужно снова и снова отваживаться на парадокс, снова и снова предпринимать невозможное. Я держусь одних мыслей с Сиддхартхой, нашим мудрым другом с Востока, сказавшим однажды: «Слова наносят тайному смыслу урон, все высказанное незамедлительно становится слегка иным, слегка искаженным, слегка глуповатым — что ж, и это неплохо, и с этим я от души согласен: так и надо, чтобы то, что для одного — бесценная мудрость, для другого звучало как вздор». Впрочем, еще века тому назад деятели и летописцы нашего Братства распознали это препятствие и отважно вступили с ним в борьбу, и один между ними — один из величайших — так высказался на эту тему в своей бессмертной октаве:

Кто речь ведет об отдаленных странах,
Ему являвших чудеса без меры,
Во многих будет обвинен обманах
И не найдет себе у ближних веры,
Причисленный к разряду шарлатанов;
Тому известны многие примеры.
А потому надеяться не смею,
Что чернь слепую убедить сумею.

Сопротивление «слепой черни», о котором говорит поэт, имело одним из своих последствий то, что наше странствие, некогда поднимавшее тысячи сердец до экстаза, сегодня не только предано всеобщему забвению, но на память о нем наложено форменное табу. Что ж, история изобилует случаями такого рода. Вся история народов часто представляется мне не чем иным, как книжкой с картинками, запечатлевшими самую острую и самую слепую потребность человечества — потребность забыть. Разве каждое поколение не изгоняет средствами запрета, замалчивания и осмеяния как раз то, что представлялось предыдущему поколению самым важным? Разве мы не испытали сейчас, как невообразимая, страшная война, длившаяся из года в год, из года в год уходит, выбрасывается, вытесняется, исторгается, как по волшебству, из памяти целых народов и как эти народы, едва переведя дух, принимаются искать в занимательных военных романах представление о своих же собственных недавних безумствах и бедах? Что ж, для деяний и страданий нашего Братства, которые нынче забыты или превратились в посмешище для мира, тоже настанет время быть заново открытыми, и мои записи призваны хоть немного помочь приближению такого времени.

К особенности паломничества в Страну Востока принадлежало в числе другого и то, что хотя Братство, предпринимая это странствие, имело в виду совершенно определенные, весьма возвышенные цели (каковые принадлежат сфере тайны и постольку не могут быть названы), однако каждому отдельному участнику было дозволено и даже вменено в обязанность иметь еще свои, приватные цели; в путь не брали никого, кто не был бы воодушевлен такими приватными целями, и каждый из нас, следуя, по-видимому, общим идеалам, стремясь к общей цели, сражаясь под общим знаменем, нес в себе как самый скрытый источник сил и самое последнее утешение свою собственную, неразумную детскую мечту. Что до моей приватной цели, о которой мне был задан вопрос перед моим принятием в Братство у престола Высочайшего Присутствия, то она была весьма проста, между тем как некоторые другие члены Братства ставили себе цели, вызывающие мое уважение, но не совсем для меня понятные. Например, один из них был кладоискатель и не мог думать ни о чем, кроме как о стяжании благородного сокровища, которое он именовал «Дао», между тем как другой, еще того лучше, забрал себе в голову, что должен уловить некую змею, которой он приписывал волшебные силы и давал имя «Кундалини». В противность всему этому для меня цель путешествия и цель жизни, возникавшая передо мной в сновидениях уже с конца отрочества, состояла в том, чтобы увидеть прекрасную принцессу Фатмэ, а если возможно, и завоевать ее любовь.

В те времена, когда я имел счастье быть сопричтенным к Братству, то есть непосредственно после окончания великой войны, страна наша была наводнена всякого рода спасителями, пророками, последователями пророков, предчувствиями конца света или упованиями на пришествие Третьего Царства. Наш народ, получив встряску от войны, доведенный до отчаяния нуждой и голодом, глубоко разочарованный кажущейся ненужностью всех принесенных жертв, был открыт для кошмаров больной мысли, но и для каких-то подлинных восторгов души, кругом появлялись то вакхические сообщества танцоров, то боевые группы анабаптистов, появлялись самые разные вещи, которые имели то общее, что говорили о потустороннем и о чуде, хотя бы и мнимом; влечение к индийским, древнеперсидским и прочим восточным тайнам и культам было тогда тоже широко распространено, и совокупность всех этих причин повела к тому, что и наше

Братство, древнее как мир, показалось одним из этих торопливо разраставшихся порождений моды, и оно вместе с ними через несколько лет было отчасти забыто, отчасти стало жертвой злословия. Для тех его учеников, кто соблюл верность, это не может послужить соблазном.

Как хорошо помню я тот час, когда по прошествии года, данного мне для испытания, я предстал перед престолом Высочайшего Присутствия и глашатай открывал мне замысел паломничества в Страну Востока; когда же я предложил на служение этому замыслу себя и самую свою жизнь, дружелюбно спросил меня: чего я жду для себя от этого странствия в мир сказки? Краснея, но с полной откровенностью и без стеснения сознался я перед собравшимися старейшинами в желании моего сердца: своими глазами увидеть принцессу Фатмэ. И тогда глашатай, изъясняя жест того, кто был сокрыт под завесою, ласково возложил руку мне на темя, благословил меня и произнес ритуальные слова, скреплявшие мое приобщение к Братству. «Anima pia»[1], — обращался он ко мне, заклиная меня хранить твердость в вере, мужество перед лицом опасности, любовь к собратьям. Тщательно подготовясь за время испытания, я произнес текст присяги, торжественно отрекся от мира и всех лжеучений его и получил на палец кольцо, на котором были выгравированы слова из одной чудной главы летописей нашего Братства:

«Все силы четырех стихий смиряет
Оно одним явлением своим,
Зверей лютейших покоряет,
И сам Антихрист дрогнет перед ним»

— и прочая, и прочая.

Радость моя была тем больше, что немедленно после приема в Братство я сподобился одного из тех духовных озарений, вероятность коих обещана новоначальным братьям вроде меня. Едва лишь, следуя велению старейшин, я присоединился к одной из групп, какие по всей стране собирались по десять человек и пускались в путь, дабы в совокупности образовать общее шествие Братст-

[1] Благочестивая душа (*лат.*).

ва, — стоило мне сделать это, и одна из тайн такого шествия до конца раскрылась моему внутреннему взору. Мне стало ясно: да, я присоединился к паломничеству в Страну Востока, то есть, по видимости, к некоему определенному начинанию, имеющему место сейчас, и никогда более, — однако в действительности, в высшем и подлинном смысле, это шествие в Страну Востока было не просто мое и не просто современное мне; шествие истовых и предавших себя служению братьев на Восток, к истоку света, текло непрестанно, оно струилось через все столетия навстречу свету, навстречу чуду, и каждый из нас, участников, каждая из наших групп, но и все наше воинство в целом и его великий поход были только волной в вечном потоке душ, в вечном устремлении Духа к своей отчизне, к утру, к началу. Познание пронизало меня как луч, и тотчас в сердце моем проснулось слово, которое я вытвердил наизусть за год моего послушничества и всегда особенно любил, хотя еще не понимал, как должно, слово поэта Новалиса: «Так куда идем мы? Все туда же — домой».

Между тем наша группа двинулась в путь, вскоре мы начали встречаться с другими группами, и нас все больше и больше наполняло блаженством чувство единства и общей цели. В соответствии с нашим уставом жили мы, как должно пилигримам, не пользуясь ни одним из тех удобств, которые порождены миром, обезумевшим под властью золота, числа и времени, и опустошают человеческую жизнь; сюда относятся прежде всего механизмы, как-то: железные дороги, часы и тому подобное. Другое из наших единодушно соблюдаемых основоположений повелевало нам посещать и почитать все памятные места, связанные с тысячелетней историей Братства и с его верой. Все святые места и монументы, церкви, досточтимые могилы, лежавшие подле нашего пути, получали от нас дань благоговения, капеллы и алтари были украшаемы цветами, руины — почитаемы пением или безмолвным размышлением, умершие — поминаемы музыкой и молитвой. Нередко мы при этих занятиях встречали насмешки и глумления от неверующих, но часто бывало, что священники дарили нам благословение и звали в гости, что дети вне себя от радости шли за нами, разучивали наши песни и провожали нас слезами, что старик показывал нам позабытые реликвии былых времен или рассказывал местную легенду, что юноши вызывались пройти вместе с нами часть пути и просили о принятии в Братство. Этим последним бывал преподан совет и сообщены первые обязательства и упражнения их послушничества. Совершались первые чудеса, порой прямо у нас на глазах, порой же о них внезапно распространялись вести. В один прекрасный день, когда я был совсем новичком, все и каждый внезапно заговорили о том, что в шатре наших предводителей гостит великан Аграмант и пытается уговорить последних направить путь в Африку, чтобы там вызволить из плена у мавров некоторых членов Братства. Другой раз кто-то видел Фруктового Человечка, Смоловика, Утешителя, и возникло предположение, что маршрут наш отклонится в сторону озера Блаутопф. Но первое чудесное явление, которое я лицезрел собственными глазами, было вот какое: мы предавались молитве и роздыху у полуразрушенной капеллы в селении Шпайхендорф, на единственной невредимой стене капеллы проступал исполинского роста святой Христофор, державший на плече младенца Христа, чья фигурка почти стерлась от времени. Предводители наши, как они делали иногда, не просто назначили нам путь, которым должно следовать, но призвали всех нас высказать на сей счет наше мнение, ибо капелла лежала на перекрестке трех путей, и у нас был выбор. Лишь немногие из нас отважились высказать какой-нибудь совет или пожелание, однако один указал налево и горячо убеждал нас выбрать такой путь. Мы замолчали и ждали решения наших предводителей; но тут сам святой Христофор на стене поднял руку с длинным, грубо сработанным посохом и простер ее в том же направлении, то есть налево, куда устремлялся наш собрат. Мы все лицезрели это в молчании, в молчании же предводители повернули налево и вступили на эту дорогу, и мы последовали за ними с самой сердечной радостью.

Мы еще не успели особенно долго пробыть в Швабии, как для нас уже стала осязаемой сила, о которой нам не приходилось прежде думать и влияние которой мы некоторое время чувствовали весьма сильно, не зная, благожелательная это сила или враждебная. То были Хранители короны, искони блюдущие в этом краю память и наследие Гогенштауфенов. Мне неведомо, знали ли наши предводители об этом предмете больше нашего и насколько они располагали соответствующими предписаниями. Мне известно только, что с этой стороны к нам многократно приходили ободрения или предостережения, например когда на холме по дороге в Бопфинген навстречу нам важно выступил седовласый латник со смеженными веждами, потряс убеленной головой и незамедлительно исчез неведомо куда. Наши предводители приняли это предостережение, мы тотчас повернули назад и так и не увидели Бопфингена. Напротив, поблизости от Ураха случилось, что посланец Хранителей короны, словно возникнув из-под земли, явился посреди шатра предводителей и пытался обещаниями и угрозами понудить последних, чтобы они поставили наш поход на службу власти Штауфенов, а именно занялись подготовкой завоевания Сицилии. Поскольку предводители наши заявили решительный отказ связать себя подобного рода вассальными обязательствами, он, как передают, изрек ужасающее проклятие Братству и нашему походу. Но рассказ мой передает лишь то, что передавалось шепотом из уст в уста; сами предводители никогда не говорили про это ни слова. В любом случае представляется возможным, что наши зыбкие отношения с Хранителями короны способствовали тому, что Братство наше некоторое время имело незаслуженную репутацию секретного сообщества, имеющего целью восстановление монархии.

Однажды мне довелось пережить вместе с другими, как один из моих товарищей переменил свой образ мыслей, попрал ногами свой обет и вернулся во тьму безверия. Это был молодой человек, который мне определенно нравился. Личный мотив, увлекавший его в направлении Страны Востока, состоял в том, что ему хотелось увидеть гроб пророка Мухаммеда, будто бы, как он слыхал, свободно витающий в воздухе. Когда мы задержались в одном из швабских или алеманских городишек, чтобы переждать препятствовавшее нашему дальнейшему пути зловещее противостояние Сатурна и Луны, этот злополучный человек, уже и ранее являвший черты уныния и скованности, повстречал одного старого своего учителя, к которому со школьных годов привык относиться с обожанием; и этому учителю удалось заставить юношу снова увидеть наше дело в таком свете, как оно представляется неверующим. После визита к учителю несчастный вернулся на наш привал в ужасающем возбуждении, с перекошенным лицом, он яростно шумел перед шатром предводителей, и когда глашатай вышел к нему, он крикнул тому в гневе, что не хочет больше участвовать в этом шутовском шествии, которое никогда не придет на Восток, что ему надоело прерывать путешествие на целые дни из-за нелепых астрологических опасений, что ему осточертело безделье, осточертели праздники цветов и ребяческие процессии, осточертело важничание с магией и привычка смешивать поэзию и жизнь, что он порывает со всем этим, швыряет под ноги предводителям свое кольцо и покорнейше раскланивается, чтобы при помощи испытанной железной дороги вернуться на свою родину, к своей полезной работе. Это было неприятное и печальное мгновение, у нас сжимались сердца от стыда за безумца и одновременно от жалости к нему. Глашатай доброжелательно выслушал его и с улыбкой наклонился за брошенным кольцом, а затем сказал голосом, прозрачное спокойствие которого должно было бы устыдить шумливого бунтаря:

— Итак, ты распростился с нами и вернешься к железной дороге, к рассудку и к полезному труду. Ты распростился с Братством, распростился с шествием на Восток, распростился с волшебством, с праздниками цветов, с поэзией. Ты свободен, ты разрешен от твоего обета.

— И от клятвы хранить молчание? — беспокойно выкрикнул свой вопрос отступник.

— И от клятвы хранить молчание, — ответил ему глашатай. — Припомни: ты поклялся не говорить перед неверующими о тайне Братства. Но, поскольку мы видим, что ты забыл тайну, ты никому не сможешь ее поведать.

— Разве я что-то забыл? Ничего я не забыл! — вскричал юноша, но им овладела неуверенность, и, едва глашатай повернулся к нему спиной и удалился в шатер, он неожиданно пустился в бегство.

Нам всем было жаль его, но дни наши были так густо насыщены переживаниями, что я позабыл его необычно быстро. Однако еще некоторое время спустя, когда о нем, по-видимому, не думал уже никто из нас, нам случалось во многих деревнях и городах, через которые проходил наш путь, слышать от местных жителей рассказы об этом самом юноше. Был тут, говорили нам, один молодой человек — и они описывали его в точности и называли по имени, — который повсюду вас разыскивает. Сначала, по слухам, он рассказывал, будто принадлежит к Братству и просто отстал и сбился с пути на переходе, но затем принялся плакать и поведал, что был нам неверен и дезертировал, однако теперь-де видит, что жизнь без Братства для него невозможна, он хочет и должен нас разыскать, чтобы кинуться предводителям в ноги и вымолить у них прощение. То тут, то там нам снова и снова рассказывали эту историю; куда бы мы ни пришли, несчастный, как выяснялось, только что ушел оттуда. Мы спросили глашатая, что он об этом думает и чем это кончится.

— Не думаю, что он найдет нас, — ответил глашатай кратко. И тот вправду нас не нашел, мы его больше не видели.

Однажды, когда один из наших предводителей вступил со мной в конфиденциальную беседу, я набрался храбрости и задал вопрос, как все-таки обстоит дело с этим отпавшим братом. Ведь он же раскаялся и силится нас найти, говорил я, необходимо помочь ему исправить свою ошибку, и в будущем, возможно, он покажет себя вернейшим между собратьями.

Предводитель ответил так:

— Если он найдет путь возврата, это будет для нас радостью. Облегчить ему поиски мы не можем. Он сам затруднил себе вторичное обретение веры, и я боюсь, что он нас не увидит и не узнает, даже если мы пройдем рядом с ним. Он сделал себя незрячим. Раскаяние само по себе не пользует нимало, благодати нельзя купить раскаянием, ее вообще нельзя купить. Подобное случалось уже со многими, великие и прославленные люди разделили судьбу нашего юноши. Однажды в молодые годы им светил свет, однажды им дано было увидеть звезду и последовать за ней, но затем пришел насмешливый разум мира сего, пришло малодушие, пришли мнимые неудачи, усталость и разочарование, и они снова потеряли себя, снова перестали видеть. Многие из них всю свою жизнь продолжали нас искать, но уже не могли найти, а потому возвещали миру, что наше Братство — всего лишь красивая сказка, которой нельзя давать соблазнить себя. Другие стали заклятыми врагами, они извергали против Братства все виды хулы и причиняли ему все виды вреда, какие могли измыслить.

Это был всякий раз чудесный праздник, когда мы встречались на нашем пути с другими частями братского воинства пилигримов; в такие дни на нашем привале бывали собраны сотни, подчас даже тысячи братьев. Ведь шествие наше совершалось не в жестком порядке, не так, чтобы все участники были распределены по более или менее замкнутым маршевым колоннам и двигались бы в одном и том же направлении. Напротив, в пути были одновременно неисчислимые маленькие сообщества, каждое из которых следовало за своими предводителями и за своей звездой, каждое из которых ежеминутно было готово раствориться в более широком единстве и некоторое время оставаться его частью, но было столь же готово идти дальше само по себе. Подчас брат шел своим путем совершенно один, и мне приходилось делать переходы в одиночестве, когда какое-нибудь знамение или какой-нибудь призыв направлял меня особой тропою.

Я вспоминаю отменное маленькое сообщество, с которым мы несколько дней пробыли вместе на пути и на привале; сообщество это взяло на себя попытку вызволить из рук мавров принцессу Изабеллу и братьев, плененных в Африке. О нем говорили, будто оно обладает волшебным рогом Гюона, и его членами были в числе других поэт Лаушер, состоявший со мной в дружбе, художник Клингзор и художник Пауль Клее; они не говорили ни о чем другом, кроме Африки, кроме плененной принцессы, их

Библией была книга о подвигах Дон Кихота, во славу которого они намеревались посетить Испанию.

Всегда прекрасно было повстречать подобное сообщество друзей, делить с ними их торжества и духовные упражнения, приглашать их к участию в наших, слушать их рассказы о своих деяниях и замыслах, благословлять их на прощание и при этом неотступно помнить: они следуют своим путем, как мы следуем нашим, у каждого из них в сердце своя греза, свое желание, своя тайная игра, и все же они движутся, образуя вместе с нами струение единого потока, они тайными нитями связаны с нами, они несут в своих сердцах то же благоговение, ту же веру, что и мы, они давали тот же обет, что и мы! Я встречал волшебника Юпа, надеявшегося отыскать блаженство своей жизни в Кашмире, я встречал Коллофино, заклинателя табачного дыма, который цитировал излюбленные места из приключений Симплициссимуса, я встречал Людовика Жестокого, чьей мечтой было разводить маслины и владеть рабами в Святой Земле, — он проходил, держа в своей руке руку Ансельма, вышедшего на поиски голубого ириса своих детских лет. Я встречал и любил Нинон, по прозванию Иноземка, темно глядели ее глаза из-под темных волос, она ревновала меня к Фатмэ, принцессе моего сновидения, но весьма возможно, что она-то и была Фатмэ, сама этого не зная. Так, как мы шли теперь, в свое время шли паломники, монархи и крестоносцы, чтобы освобождать Гроб Господень или учиться арабской магии, это был путь паломничества испанских рыцарей и немецких ученых, ирландских монахов и французских поэтов.

Поскольку я по профессии являл собою всего лишь скрипача и рассказчика сказок, в мои обязанности входило заботиться о музыке для нашей группы паломников, и я испытал на собственном опыте, как великое время поднимает маленького индивида выше его будничных возможностей и удесятеряет его силы. Я не только играл на скрипке и руководил хоровым пением, я также собирал старинные песни и хоралы, сочинял шестиголосные и восьмиголосные мадригалы и мотеты и разучивал их с певцами. Но не об этом я намерен рассказывать.

Многие между моими собратьями и старейшинами были весьма мною любимы. Но едва ли хоть один из них занимает с тех пор мою память так сильно, как Лео, человек, на которого я тогда, по видимости, обращал мало внимания. Лео был одним из наших слуг (разумеется, таких же добровольцев, как мы сами), он помогал в дороге нести поклажу и часто нес личную службу при особе глашатая. Этот скромный человек имел в себе так много приветливости, ненавязчивого обаяния, что все мы его любили. Работу свою он делал весело, все больше напевая или насвистывая, попадался на глаза исключительно тогда, когда в нем нуждались, как приличествует идеальному слуге. Всех зверей к нему тянуло, почти всегда с нами была какая-нибудь собака, увязавшаяся за нашим воинством из-за него; он умел также приручать диких птиц и приманивать бабочек. Что влекло его к Стране Востока, так это желание выучиться понимать птичий язык по Соломонову Ключу. По контрасту с некоторыми фигурами нашего Братства, при всей высоте своих достоинств и верности своему обету все же являвшими в себе нечто нарочитое, нечто чудаческое, торжественное или причудливое, этот слуга Лео поражал несравненной простотой и естественностью, краснощеким здоровьем и дружелюбной непритязательностью.

Что особенно затрудняет ход моего повествования, так это необычайное разноречие картин, предлагаемых мне памятью. Я уже говорил, что мы иногда шли небольшим отрядом, порой образовывали многолюдное сонмище или целое воинство, но порой я оставался в каком-нибудь месте с единственным спутником или в полном одиночестве, без шатров, без предводителей, без глашатая. Рассказ мой дополнительно затруднен и тем, что шли мы, как известно, не только через пространства, но и через времена. Мы направлялись на Восток, но мы направлялись также к Средневековью или в Золотой Век, мы бродили по Италии, по Швейцарии, но нам случалось также останавливаться на ночь в X столетии и пользоваться гостеприимством фей или патриархов. В те времена, когда я оставался один, я часто обретал ландшафты и лица из моего собственного прошлого, прогуливался с невестой былых лет по лесистым берегам над верховьями Рейна, бражничал с друзьями юности в Тюбингене, в Базеле или во Флоренции, или был снова мальчиком и пускался со школьными товарищами на ловлю бабочек, или подслушивал шорох крадущейся выдры, или же общество мое состояло из персонажей любимых книг, рука об руку со мной на конях ехали Альманзор и Парцифаль, Витико, или Гольдмунд, или Санчо Панса, или еще мы гостили у Бармекидов. Когда я после всего этого нагонял в какой-нибудь долине наш отряд, слушал гимны Братства и располагался для ночлега перед шатром предводителей, мне сейчас же делалось ясно, что мой возвратный путь в детство или моя прогулка верхом в компании Санчо строго необходимым образом принадлежат к паломничеству, ибо ведь целью нашей была не просто Страна Востока, или, лучше сказать, наша Страна Востока была не просто страна, не географическое понятие, но она была отчизной и юностью души, она была везде и нигде, и все времена составляли в ней единство вневременного. Но сознавал я это всякий раз лишь на мгновение, и как раз в этом состояло великое блаженство, которым я тогда наслаждался. Ибо позднее, когда блаженство ушло от меня, я стал отчетливо видеть все эти связи, из чего, однако, не мог извлечь для себя ни малейшей пользы или радости. Когда нечто бесценное и невозвратимое погибло, у нас часто является чувство, как будто нас вернули к яви из сновидения. В моем случае такое чувство до жути точно. Ведь блаженство мое в самом деле состояло из той же тайны, что и блаженство сновидений, оно состояло из свободы иметь все вообразимые переживания одновременно, играючи перемешивать внешнее и внутреннее, распоряжаться временем и пространством как кулисами. Подобно тому, как мы, члены Братства, совершали наши кругосветные путешествия без автомобилей и пароходов, как силой нашей веры мы преображали сотрясенный войной мир и претворяли его в рай, в акте такого же чуда мы творчески заключали в одном мгновении настоящего все прошедшее, все будущее, все измышленное.

Вновь и вновь, в Швабии, на Бодензее, в Швейцарии и повсюду нам встречались люди, которые нас понимали или, во всяком случае, были нам так или иначе благодарны за то, что мы вместе с нашим Братством и нашим паломничеством существуем на свете. Между трамвайными линиями и банковскими строениями Цюриха мы наткнулись на Ноев ковчег, охраняемый множеством старых псов, которые все имели одну и ту же кличку, и отважно ведомый сквозь мели нашего трезвого времени Гансом К., отдаленным потомком Ноя и другом вольных искусств; а в Винтертуре, спустясь по лестнице из волшебного кабинета Штёклина, мы гостили в китайском святилище, где у ног бронзовой Майи пламенели ароматические палочки, а Черный король отзывался на дрожащий звук гонга нежной игрой на флейте. А у подножия холма Зонненберг мы отыскали Суон Мали, колонию сиамского короля, где нами, благодарными гостями, среди каменных и железных статуэток Будды принесены были наши возлияния и воскурения.

К числу самого чудесного должно отнести праздник Братства в Бремгартене, тесно сомкнулся там около нас магический круг. Принятые Максом и Тилли, хозяевами замка, мы слышали, как Отмар играет Моцарта под сводами высокой залы во флигеле, мы посетили парк, населенный попугаями и прочими говорящими тварями, у фонтана нам пела фея Армида, и голова звездочета Лонгуса, овеянная струящимися черными локонами, никла рядом с милым ликом Генриха фон Офтердингена. В саду кричали павлины, и Людовик Жестокий беседовал по-испански с Котом в сапогах, между тем как Ганс Резом, потрясенный разверзшимися перед ним тайнами маскарада жизни, клялся совершить паломничество к могиле Карла Великого. Это был один из триумфальных моментов нашего путешествия: мы принесли с собой волну волшебства, которая ширилась и все подхватывала, местные жители коленопреклоненно поклонялись красоте, хозяин произносил сочиненное им стихотворение, где трактовались наши вечерние подвиги, в молчании слушали его, теснясь подле стен замка, звери лесные, между тем как рыбы, поблескивая чешуей, совершали торжественное шествие в глубине реки, а мы угощали их печеньем и вином.

Как раз об этих лучших переживаниях можно по-настоящему дать понятие лишь тому, кто был причастен их духу; так, как их описываю я, они выглядят бедными, даже вздорными; но каждый, кто вместе с нами пережил праздничные дни Бремгартена, подтвердит любую подробность и дополнит ее сотней других, еще более дивных. То, как при восходе луны с высоких ветвей свешивались переливчатые павлиньи хвосты, как на затененном берегу меж скал сладостным серебряным мерцанием вспыхивали поднимавшиеся из влаги тела ундин, как под каштаном у колодца на первой ночной страже высился худощавый Дон Кихот, между тем как над замком последние брызги фейерверка мягко падали в лунную ночь, а мой коллега Пабло в венке из роз играл девушкам на персидской свирели, останется в моей памяти навсегда. О, кто из нас мог подумать, что волшебный круг так скоро распадется, что почти все мы — и я, и я тоже! — сызнова заблудимся в унылых беззвучных пространствах нормированной действительности, точь-в-точь чиновники или лавочники, которые, придя в себя после попойки или воскресной вылазки за город, сейчас же нагибают голову под ярмо деловых будней!

В те дни никто не способен был на такие мысли. В окно моей спальни в башне Бремгартенского замка долетал запах сирени, сквозь деревья мне слышалось журчание потока, глубокой ночью спустился я через окно, пьянея от блаженства и тоски, проскользнул мимо бодрствовавших рыцарей и уснувших бражников вниз, к берегу, к шумящим струям, к белым, мерцающим морским девам, и они взяли меня с собой в лунную глубину, в холодный, кристаллический мир их отчизны, где они, не ведая искупления, не выходя из грез, вечно тешатся коронами и золотыми цепями своей сокровищницы. Мне казалось, что месяцы прошли над моей головой в искрящейся бездне, но, когда я вынырнул, чуя глубоко пронизавшую меня прохладу, и поплыл к берегу, свирель Пабло все еще звучала далеко в саду и луна все еще стояла высоко на небосклоне. Я увидел, как Лео играет с двумя белыми пуделями, его умное мальчишеское лицо светилось от радости. В роще я повстречал Лонгуса, он сидел, разложив на коленях пергаментую книгу, в которую вписывал греческие и еврейские знаки — слова, из каждой буквицы которых вылетали драконы и вились разноцветные змейки. Меня он не увидел, он в полном самозабвении чертил свои пестрые змеиные письмена, я долго, долго всматривался через его согнутое плечо в книгу, видел, как драконы и змейки вытекают из строк, струятся, беззвучно исчезают в ночных кустах.

— Лонгус, — позвал я тихонько, — милый мой друг!

Он меня не услышал, мой мир был далек от него, он ушел в свой собственный. А поодаль, под лунными ветвями, прогуливался Ансельм, держа в руке ирис, неотступно глядя с потерянной улыбкой в фиолетовую чашечку цветка.

Одна вещь, которую я уже многократно наблюдал за время нашего паломничества, как следует над ней не задумываясь, снова бросилась мне в глаза там, в Бремгартене, озадачив меня и слегка опечалив. Среди нас было много людей искусства, много живописцев, музыкантов, поэтов, передо мной являлись яростный Клингзор и беспокойный Гуго Вольф, неразговорчивый Лаушер и блистательный Брентано — но, сколь бы живыми, сколь бы обаятельными ни были образы этих людей, другие образы, рожденные их фантазией, все без исключения несли в себе куда больше жизни, красоты, радости, так сказать, реальности и правильности, чем их же творцы и создатели. Пабло восседал со своей флейтой в дивной невинности и веселости, между тем как измысливший его поэт скитался по берегу как тень, полупрозрачная в лунном свете, ища уединения. Подвыпивший Гофман язычком пламени метался от одного гостя к другому, ни на минуту не умолкая, маленький, словно кобольд, — ах, и его образ тоже был лишь наполовину реальным, лишь наполовину сбывшимся, недостаточно плотным, недостаточно подлинным; и в это же самое время архивариус Линдхорст, для потехи корчивший дракона, с каждым выдохом изрыгал огонь, и дыхание его было полно мощи, как дыхание локомобиля. Я спросил Лео, почему это художники по большей части выглядят лишь как половинки людей, между тем как созданные ими образы являют столь неопровержимую жизненность. Лео посмотрел на меня, удивляясь моему вопросу. Затем он спустил на землю пуделя, которого перед этим держал на руках, и ответил:

— То же самое бывает с матерями. Произведя на свет детей и отдав им вместе с молоком свою красоту и силу, они сами делаются невзрачными, и никто их больше не замечает.

— Но это печально, — сказал я, не утруждая особо своего ума.

— Я думаю, что это не печальнее, нежели многое другое, — возразил Лео. — Может быть, это печально, однако ведь и прекрасно. Так хочет закон.

— Закон? — переспросил я с любопытством. — О каком законе ты говоришь, Лео?

— Это закон служения. Что хочет жить долго, должно служить. Что хочет господствовать, живет недолго.

— Почему же тогда многие рвутся стать господами?

— Потому что не знают этого закона. Лишь немногие рождены для господства, им это не мешает оставаться радостными и здоровыми. Но другие, те, что стали господами просто потому, что очень рвались к этому, они все кончают в нигде.

— В нигде? Как это понять, Лео?

— Ну, например, в санаториях.

Я ничего не понял, и все же слова врезались мне в память, а в сердце осталось ощущение, что этот Лео много знает, что он, возможно, знает больше, чем мы, по видимости его господа.

2

Что за причина побудила нашего верного Лео нежданно покинуть нас в опасном ущелье Морбио Инфериоре — над этим, надо полагать, ломал голову каждый участник незабвенного путешествия, но прошло немало времени, пока в моих смутных догадках передо мной забрезжили кое-какие глубинные связи, и тогда обнаружилось, что исчезновение Лео событие лишь по видимости маловажное, на деле же полное решающего значения, было отнюдь не случайностью, но звеном в целой цепи преследований, посредством коих древний враг силился обратить в ничто наши замыслы. В то холодное осеннее утро, когда пропал наш слуга Лео и все поиски оставались безрезультатными, едва ли один я почуял недоброе предвестие и угрозу рока.

Вот как тогда все выглядело: пройдя отважным маршем пол-Европы и в придачу добрый кусок Средневековья, мы расположились лагерем в глубокой долине между крутых скалистых обрывов, на дне дикого ущелья у самой итальянской границы; время шло в поисках непостижимо исчезнувшего слуги Лео, и чем дольше мы его искали, тем слабее становилась от часа к часу надежда обрести его вновь, тем тоскливее сжимала сердце каждому из нас догадка, что это не просто потеря всеми любимого, приятного человека из числа наших служителей, то ли ставшего жертвой несчастного случая, то ли бежавшего, то ли похищенного у нас врагами, — но начало некоей борьбы, первая примета готовой разразиться над нами бури. Весь день до глубоких сумерек провели мы в попытках найти Лео, все ущелье было обыскано вдоль и поперек, затраченные усилия измучили нас, в каждом нарастало настроение тщетности и безнадежности, и при этом совершалось нечто непонятное и жуткое: течение часов прибавляло пропавшему слуге все больше значения, а нашей утрате — все больше тяжести. Конечно, любому из нас, паломников, да и любому из слуг было попросту жаль расстаться с таким милым, приветливым и услужливым молодым человеком, но к этому дело не сводилось, нет; чем несомненнее делалась утрата, тем необходимее представлялся он сам — без Лео, без его приветливого лица, без его веселости и его песен, без его веры в наше великое предприятие само это предприятие по какой-то неизъяснимой причине казалось обессмысленным. Во всяком случае, со мной было так. До этого, за все предшествующие месяцы нашего путешествия, вопреки всем трудностям и кое-каким маленьким разочарованиям, мне еще ни разу не пришлось пережить минут внутренней слабости, серьезного сомнения: никакой победоносный полководец, никакая ласточка на пути перелетной стаи к Египту не имеет такой уверенности в своей цели, в своем призвании, в правильности своих действий и своих усилий, какую имел я с начала пути. Но теперь, на этом роковом месте, когда в продолжение целого октябрьского дня, блиставшего синевою и золотом, я неотступно прислушивался к перекличке нашей стражи, неотступно ожидал с возраставшим напряжением то возврата гонца, то прибытия вести, чтобы снова и снова терпеть разочарование и видеть растерянные лица, — теперь я впервые ощутил в моем сердце нечто вроде уныния и сомнения, и чем сильнее становились во мне эти чувства, тем отчетливее выяснялось и другое: увы, я терял веру не только в обретение Лео, все становилось зыбким и недостоверным, все угрожало лишиться своей ценности, своего смысла — наше товарищество, наша вера, наша присяга, наше паломничество, вся наша жизнь.

Если я заблуждаюсь, приписывая эти чувства не одному себе, но всем моим спутникам, более того, если я задним числом впал в заблуждение относительно собственных моих чувств, собственного внутреннего опыта и многое, что мне на деле довелось пережить лишь позднее, ошибочно отношу к тому дню, — что ж, вопреки всему остается фактом диковинное обстоятельство, касающееся багажа Лео! Уж тут на деле, помимо чьего бы то ни было личного настроения, присутствовало нечто странное, фантастическое, внушавшее все большую тревогу: еще длился роковой день в ущелье Морбио, еще не успели окончиться усердные розыски без вести пропавшего, а уже то один, то другой из нас обнаруживал, что в его поклаже недостает какой-то важной, необходимой вещи, причем отыскать эту вещь ни разу не удалось, однако косвенные умозаключения приводили к мысли, что она в багаже Лео; и хотя у Лео, как у всех наших людей, только и было что обычный полотняный мешок за плечами, один мешок среди прочих таких же мешков, каковых всего было в это время около тридцати, казалось, будто как раз в этом единственном, ныне пропавшем мешке собраны решительно все представлявшие реальное значение вещи, какие только мы взяли с собой в путь! Положим, это распространенная человеческая слабость — предмет, отсутствие коего только что обнаружено, представляется несообразно ценнее и необходимее всего, что осталось у нас в руках; положим, что многие из вещей, пропажа которых так ужаснула нас тогда в ущелье Морбио, либо со временем нашлись, либо оказались вовсе не столь уж необходимы; и все-таки, увы, остается правдой, что мы принуждены были с безусловно обоснованной тревогой констатировать утрату целого ряда вещей первостепенной важности.

Необычным и жутким было еще вот что: недостававшие предметы, безразлично, были они впоследствии отысканы или нет, образовывали в соответствии со своим значением некий иерархический ряд, и мы неизменно находили в наших запасах именно то, о пропаже чего мы сожалели неосновательно и о ценности чего наши представления являли собой грубую ошибку. Выговорим сразу и до конца самое существенное и необъяснимое: в продолжение дальнейшего нашего странствия, к стыду нашему, выяснилось, что все пропавшие тогда инструменты, драгоценности, карты и документы были нам вовсе не нужны, более того, оставалось впечатление, что тогда каждый из нас истощал всю свою фантазию, чтобы внушить себе мысль об ужасающих, невосстановимых утратах, что каждый только к тому и стремился, чтобы счесть потерянным и оплакать предмет, именно ему представлявшийся самым важным: для кого-то это была подорожная, для кого-то — ландкарта, для кого-то — кредитное письмо на имя халифов, для этого одно, для того другое. И под конец, когда вещи, почитавшиеся утраченными, оказались либо вовсе не утраченными, либо излишними и ненужными, речь должна была идти, по сути говоря, только об одной драгоценности, но это был впрямь чрезвычайно важный, основополагающий, безусловно необходимый документ, который был действительно потерян, и притом без всякой надежды его найти. Впрочем, мнения о том, находился ли этот документ, исчезнувший вместе со слугою Лео, вообще когда-либо в нашем багаже, безнадежно разошлись. Если касательно высокой ценности документа и полнейшей невосполнимости его утраты господствовало всеобщее согласие, то лишь немногие среди нас (и в их числе я сам) решались определенно утверждать, что документ был взят нами в дорогу. Один заверял, что хотя нечто подобное лежало в полотняном мешке Лео, однако это был, как и естественно себе представить, никоим образом не оригинал, всего лишь копия; другие готовы были рьяно клясться, что никому и в голову не приходило брать с собою в путь не только сам документ, но и копию, ибо это явило бы прямую насмешку над самым смыслом нашего путешествия. Последовали горячие споры, в ходе которых выяснилось, что и о существовании оригинала как такового (безразлично, имелась ли копия в нашем обладании и затем была утрачена или нет) ходили разнообразные, противоречившие друг другу толки. Если верить одним, документ сдан на сохранение правомочной инстанции в Кифхойзере. Нет, отвечали другие, он покоится в той же урне, которая содержит прах нашего покойного мастера. Что за вздор, возражали третьи, каждый знает, что мастер начертал хартию нашего Братства, пользуясь одному ему понятной тайнописью и она была сожжена вместе с его бренными останками по его же приказу, да и сам вопрос об этом первозданном оригинале хартии вполне праздный, коль скоро после кончины мастера он все равно не был проницаем ни для одного человеческого ока; напротив, что необходимо, так это выяснить, где обретаются переводы хартии, изготовленные еще при жизни мастера и под его наблюдением, в количестве четырех (другие говорили — шести). По слухам, существовали китайский, греческий, еврейский и латинский переводы и они сохраняются в четырех древних столицах. Наряду с этим возникали также другие утверждения и мнения, одни упрямо стояли на своем, другие давали себя ежеминутно переубедить то одним, то другим аргументом своих противников, чтобы так же быстро сменить новую точку зрения еще на одну. Короче говоря, с этого часа в нашей общности больше не было ни устойчивости, ни единомыслия, хотя наша великая идея пока еще не давала нам разбрестись.

Ах, как хорошо помню я наши первые споры! Они были чем-то совершенно новым и неслыханным в нашем доселе столь ненарушимо единодушном Братстве. Их вели со взаимным уважением, с учтивостью, по крайней мере сначала, на первых порах, они еще не вели ни к стычкам, ни к личным попрекам или оскорблениям; пока мы еще готовы были стоять против всего мира как неразрывно сроднившиеся братья. Мне все еще слышатся голоса, мне все еще мерещится место нашего привала, где велись самые первые из этих дебатов, и я словно вижу, как между необычно серьезными лицами то тут, то там перепархивают золотые осенние листья, как они остаются лежать на колене одного из нас, на шляпе другого. Ах, я и сам прислушивался к спорам, ощущал себя все более подавленным, все более испуганным — и все еще, среди разноголосицы всех мнений, оставался внутренне тверд, печально тверд в моей вере: я не сомневался, что в багаже Лео хранился оригинал, хранилась подлинная древняя хартия нашего Братства и что она исчезла и была утрачена вместе с ним. Какой бы удручающей ни была такая вера, все же это была вера, в ней была устойчивость и защищенность. Впрочем, тогда мне казалось, что я с охотой променял бы эту веру на какую-нибудь иную, более утешительную. Лишь позднее, когда я утратил эту печальную веру и сделался беззащитен перед всеми мыслимыми мнениями, я понял, как много она мне давала.

Но я вижу, что так существа дела не расскажешь. А как ее вообще можно было бы рассказать, эту историю ни с чем не сравнимого странствия, ни с чем не сравнимой общности душ, столь чудесно воодушевленной и одухотворенной жизни? Мне так хотелось бы, как одному из последних осколков нашего товарищества, спасти хоть малую толику от воспоминаний о нашем великом деле; я кажусь сам себе похожим на какого-нибудь престарелого, пережившего свой век служителя, хотя бы на одного из паладинов Карла Великого, который сберегает в своей памяти блистательную череду подвигов и чудес, память о коих исчезнет вместе с ним, если ему не удастся передать потомству нечто в слове или образе, в повествовании или песне. Но как, при помощи каких уловок искусства найти к этому путь, как мыслимо сделать историю нашего паломничества в Страну Востока сообщимой читателю? Я этого не знаю. Уже самое начало, вот этот мой опыт, предпринятый с самыми благими намерениями, уводит в безбрежное и невразумительное. Я хотел всего-навсего попытаться перенести на бумагу то, что осталось у меня в памяти о ходе и отдельных происшествиях нашего паломничества в Страну Востока, казалось, ничто не может быть проще. И вот, когда я еще почти ничего не успел рассказать, я уже застрял на одном-единственном незначительном эпизоде, о котором поначалу даже не подумал, на эпизоде исчезновения Лео, и вместо ткани у меня в руках тысячи перепутанных нитей, распутать и привести в порядок которые было бы работой для сотен рук на многие годы, даже и в том случае, если бы не каждая нить, едва до нее дотронешься и попробуешь осторожно потянуть, оказывалась такой ужасающе неподатливой и рвалась у нас между пальцев.

Как я представляю себе, нечто подобное происходит с любым историографом, когда он приступает к описанию событий некоей эпохи и при этом всерьез хочет быть правдивым. Где средоточие происшествий, где точка схода, с которой соотносятся и в которой становятся единством все факты? Чтобы явилось некое подобие связи, причинности, смысла, чтобы нечто на земле вообще могло стать предметом повествования, историограф принужден измыслить какой-то центр, будь то герой, или народ, или идея, и все, что в действительности совершалось безымянно, отнести к этому воображаемому центру.

Но уж если так трудно изложить в осмысленной связи даже последовательность реально происшедших и документально засвидетельствованных событий, в моем случае все много труднее, ибо здесь все при ближайшем рассмотрении оказывается недостоверным, все ускользает и распадается, как распалась сама наша общность, самое крепкое, что было в мире. Нигде нет единства, нет средоточия, нет оси, вокруг которой вращалось бы колесо.

Наше путешествие в Страну Востока и лежавшее в его основе наше сообщество, наше Братство — это самое важное, единственно важное, что было в моей жизни, нечто, в сравнении с чем моя собственная личность просто ничего не значит. И вот теперь, когда я силюсь записать и запечатлеть это единственно важное или хотя бы малую его долю, передо мной распадающаяся на обломки масса образов, однажды отразившихся в некоем зеркале, и это зеркало — мое собственное «я», и это «я», это зеркало, всякий раз, когда я пытаюсь задавать ему вопросы, оказывается просто ничем, пустотой, лишенной глубины поверхностью стеклянной глади. Я кладу перо, положим, с намерением и с надеждой продолжить завтра или в другой раз, нет, еще раз начать все сызнова, но за этим намерением и этой надеждой, за моим неудержимым порывом рассказывать и рассказывать нашу историю лежит смертельное сомнение. Это исстари знакомое сомнение, которое началось в часы, когда мы разыскивали Лео по долине Морбио. Сомнение это не ограничивается вопросом: вправду ли можно рассказать то, что было? Оно ставит другой вопрос: вправду ли было то, что я хочу рассказать? Стоит вспомнить примеры, как даже участники мировой войны, у которых нет ни малейшего недостатка в фиксированных фактах, в засвидетельствованной истории, подчас должны были испытать то же сомнение.

3

тех пор как было написано все предшествующее, я снова и снова возвращался мыслями к моей задаче и искал какого-нибудь подступа к ее решению. Решения по-прежнему нет, передо мною все еще хаос. Но я дал самому себе слово не отступаться, и в то мгновение, когда я приносил этот обет, на меня сошло, словно солнечный луч, одно счастливое воспоминание. Именно так, пришло мне на ум, точно так уже было у меня на сердце однажды — в те дни, когда начинали мы наше странствие; и тогда мы брались за дело, по всем обычным соображениям неосуществимое, и тогда мы шли, казалось, в темноту, не зная пути, без малейшего расчета на успех, — и все же в наших сердцах ярко сияла, затмевая любую действительность, любую видимость неизбежного, вера в смысл и в необходимость предпринятого нами. Отголосок прежнего чувства пробежал по моему сердцу, как дрожь, и, пока длилось мгновение этой блаженной дрожи, все было осиянно, все снова представлялось возможным.

Ну, как бы то ни было: я принял решение не отступать от выбора моей воли. Пусть мне придется по десять, по сто раз начинать сызнова мою не поддающуюся пересказу историю и сызнова оказываться перед той же пропастью, мне ничего не останется, как начать ее в сто первый раз; если уж мне не дано собрать распавшиеся образы в осмысленное целое, я постараюсь хотя бы как можно вернее сохранить каждый отдельный осколок образа. И при этом я сохраню верность, если это сегодня еще мыслимо, одной из первейших заповедей нашего великого времени: только не рассчитывать, только не давать запугать себя соображениями рассудка, но помнить, что вера сильнее, нежели так называемая действительность.

Правда, я должен сознаться, что с тех пор сделал одну попытку подступиться к моей цели путем разумным и практическим. Я посетил одного друга моей юности, который живет в этом же городе и работает редактором какой-то газеты, его фамилия Лукас; он был участником мировой войны и написал об этом книгу, которая нашла немало читателей. Лукас принял меня приветливо, больше того, ему явно доставило радость повидать старого школьного товарища. У меня было с ним два долгих разговора.

Я попытался разъяснить ему, с чем, собственно, пришел. От каких-либо околичностей я отказался. Без утайки сообщил я ему, что в моем лице он видит перед собой одного из участников того великого предприятия, о котором и до него должны были дойти вести, — так называемого «паломничества в Страну Востока», оно же «поход Братства», и прочее, под какими бы еще именами ни было оно известно общественности. Ах да, усмехнулся он с дружелюбной иронией, еще бы, об этой затее он слыхал, среди его приятелей принято именовать ту эпоху, может быть слишком уж непочтительно, «Крестовым походом детей». В его кругу, продолжал он, принимают это движение не слишком всерьез, примерно так, как принимали бы еще одно движение теософов или очередную попытку установить на земле братство народов, хотя, впрочем, отдельным успехам нашего предприятия немало дивились: о дерзновенном марше через Верхнюю Швабию, о триумфе в Бремгартене, о передаче тессинской деревни Монтаг кое-кто читал с большим волнением и временами задавался мыслью, нельзя ли поставить движение в целом на службу республиканской политике. Однако затем дело, по всей очевидности, потерпело фиаско, многие из прежних вождей отступились от него, даже начали его стыдиться и не хотят о нем вспоминать, вести стали все реже и все более странно противоречат друг другу, так что в итоге затея положена под сукно и предана забвению, разделив судьбу столь многих эксцентрических движений послевоенного времени в политие, религии, художественном творчестве. Сколько пророков, сколько тайных сообществ с мессианскими упованиями, с мессианскими претензиями объявилось в ту пору, и все они канули в вечность, не оставив никаких следов.

Отлично, его точка зрения была мне ясна, это была точка зрения благожелательного скептика. В точности так, как Лукас, должны были думать о нашем Братстве и о нашем паломничестве в Страну Востока все, кто был наслышан об истории того и другого, но ничего не пережил изнутри. Я менее всего был намерен обращать Лукаса, хотя вынужден был кое в чем его поправить, например указать ему на то, что наше Братство отнюдь не порождено послевоенными годами, но проходит через всю мировую историю в виде линии, порой уходящей под землю, но ни в одной точке не прерывающейся; что некоторые фазы мировой войны также суть не что иное, как этапы истории Братства; далее — что Зороастр, Лаоцзы, Платон, Ксенофонт, Пифагор, Альберт Великий, Дон Кихот, Тристрам Шенди, Новалис и Бодлер — основатели Братства и его члены. Он улыбнулся в ответ именно той улыбкой, которой я ожидал.

— Прекрасно, — сказал я, — я пришел не для того, чтобы вас поучать, но для того, чтобы учиться у вас. Мое самое жгучее желание — не то чтобы написать историю Братства, для чего понадобилась бы целая армия ученых, вооруженных всеми возможностями знания, но беспритязательно поведать об истории нашего странствия. И вот мне никак не удается хотя бы приступить к делу. Едва ли мне недостает литературных способностей, кажется, они у меня есть, а с другой стороны, я в этом пункте вовсе лишен честолюбия. Нет, происходит вот что: реальность, которую я пережил некогда вместе с моими товарищами, уже ушла, и, хотя воспоминания о ней — самое ценное и самое живое, что у меня осталось, сама она кажется такой далекой, настолько иная на ощупь, по всему своему составу, словно ее место было на других звездах и в другие тысячелетия или словно она прибредилась мне в горячечном сновидении.

— Это я знаю! — вскричал Лукас с живостью. Только теперь беседа наша начала его интересовать. — Ах, как хорошо я это знаю! Видите ли, для меня это же самое произошло с моими фронтовыми переживаниями. Мне казалось, что я пережил войну основательно, меня разрывало от образов, скопившихся во мне, лента фильма, прокручивавшегося в моем мозгу, имела тысячи километров в длину. Но стоило мне сесть за мой письменный стол, на мой стул, ощутить крышу над головой и перо в руке, как все эти скошенные ураганным огнем леса и деревни, это содрогание земли под грохотом канонады, эта мешанина дерьма и величия, страха и геройства, распотрошенных животов и черепов, смертного ужаса и юмора висельника — все, все отступило невообразимо далеко, стало всего-навсего сновидением, не имело касательства ни к какой реальности и ускользало при любой попытке его ухватить. Вы знаете, что я, несмотря ни на что, написал книгу о войне, что ее сейчас много читают, что о ней много говорят. Но поймите меня: я не верю, что десять таких книг, будь каждая из них в десять раз лучше моей, пронзительнее моей, могли бы дать самому благорасположенному читателю какое-то представление о том, что же такое война, если только он сам ее не пережил.

А ведь таких, которые действительно пережили войну, совсем не так много. Среди тех, кто в ней «принял участие», далеко не каждый ее пережил. И даже если многие на самом деле ее пережили, — они уже успели все забыть. Я думаю, что после потребности в переживании у человека сильнее всего потребность забыть пережитое.

Он замолчал и посмотрел отрешенным, невидящим взглядом, его слова подтвердили мои собственные мысли, мой собственный опыт.

Помолчав, я осторожно задал вопрос:

— Как же сумели вы написать вашу книгу?

Он несколько секунд приходил в себя, возвращаясь из глубины обуревавших его мыслей.

— Я сумел это лишь потому, — ответил он, — что не смог без этого обойтись. Я должен был или написать свою книгу, или отчаяться, у меня не было другого шанса спастись от пустоты, от хаоса, от самоубийства. Под этим давлением возникла книга, и она принесла мне желанное спасение одним тем, что была написана, безразлично, удалась она или нет. Это во-первых, и это главное. А во-вторых: пока я ее писал, я не смел ни на миг представить себе другого читателя, кроме как себя самого или в лучшем случае нескольких фронтовых товарищей, причем я никогда не думал о выживших, а только о тех, которые не вернулись с войны. Пока я писал, я находился в горячке, в каком-то безумии, меня обступало трое или четверо мертвецов, их изувеченные тела — вот как родилась моя книга.

И вдруг он сказал — это был конец нашей первой беседы:

— Извините, я не могу больше говорить про это. Нет-нет, ни слова, ни единого слова. Не могу, не хочу. До свиданья!

Он выставил меня за дверь.

Во время второй встречи он был снова спокоен и холоден, снова улыбался легкой иронической улыбкой и все же, по всей видимости, принимал мою заботу всерьез и неплохо понимал ее. Он дал мне кое-какие советы, которые в мелочах помогли мне. А под конец нашей второй, и последней, беседы он сказал как бы между прочим:

— Послушайте, вы снова и снова возвращаетесь к эпизоду с этим слугой Лео, это мне не нравится, похоже на то, что в нем для вас камень преткновения. Постарайтесь как-то освободиться, выбросьте вы этого Лео за борт, а то как бы он не стал навязчивой идеей.

Я хотел возразить, что без навязчивых идей книг вообще не пишут, но он меня не слушал. Вместо этого он испугал меня совершенно неожиданным вопросом:

— А его в самом деле звали Лео?

У меня пот выступил на лбу.

— Ну конечно, — отвечал я, — конечно, его звали Лео.

— Это что же, его имя?

Я осекся.

— Нет, его звали... его звали... Я уже не могу сказать, как его звали, я забыл. Лео — это была его фамилия, мы никогда не называли его иначе.

Я еще не кончил говорить, как Лукас схватил со своего письменного стола толстую книгу и принялся ее листать. Со сказочной быстротой он отыскал нужное место и теперь держал палец на приоткрытой странице. Это была адресная книга, и там, где лежал его палец, стояла фамилия «Лео».

— Глядите-ка! — засмеялся он. — Одного Лео мы уже нашли. Лео, Андреас, Зайлерграбен, дом 69а. Фамилия редкая, может быть, этот человек знает что-нибудь про вашего Лео. Ступайте к нему, может быть, он скажет вам то, что вам нужно. Я ничего не могу вам ответить. У меня нет времени, простите, пожалуйста, очень приятно было увидеться.

У меня в глазах темнело от волнения и растерянности, когда я закрывал за собой дверь его квартиры. Он был прав, мне больше нечего было у него искать.

В тот же самый день я поспешил на улицу Зайлерграбен, отыскал дом и осведомился о господине Андреасе Лео. Мне ответили, что он живет в комнате на четвертом этаже, вечерами и по воскресным дням бывает дома, по будним дням уходит на работу. Я спросил о его профессии. Он занимается то одним, то другим, сообщили мне, он знает толк в уходе за ногтями, педикюре и массаже, приготовляет целебные мази и настойки трав; в худые времена, когда нет работы, он иногда нанимается дрессировать или стричь собак. Я ушел, приняв решение, по возможности, не знакомиться с этим человеком или, во всяком случае, не говорить ему о моих планах. Однако он вызывал у меня сильное любопытство, меня тянуло хотя бы посмотреть на него. Поэтому во время прогулок я направлялся вести наблюдение за его домом, да и сегодня намерен пойти туда же, ибо до сих пор мне не посчастливилось взглянуть на этого Андреаса Лео ни единым глазом.

Ах, все это положительно доводит меня до отчаяния, но одновременно делает и счастливым или хотя бы ожившим, возбужденным, снова заставляет принимать себя самого и свою жизнь всерьез, чего со мной так давно не было.

Возможно, правы те психологи и знатоки жизни, которые выводят всякое человеческое действие из эгоистических мотивов. Положим, мне не совсем понятно, почему человек, который всю жизнь кладет на служение своему делу, забывает о собственных удовольствиях, о собственном благополучии, приносит себя ради чего-то в жертву, ничем, по сути дела, не отличается от другого, который торгует рабами или оружием и тратит нажитое на сладкую жизнь; но я не сомневаюсь, что в любой словесной стычке психолог взял бы надо мной верх и доказал бы, что ему надо, — на то он и психолог, чтобы брать верх. Не спорю, пусть они правы. В таком случае все, что я считал добрым и прекрасным и во имя чего приносил жертвы, тоже было всего-навсего маскировкой моего эгоистического аффекта. Что же до моего плана написать историю нашего паломничества, то здесь я, во всяком случае, ощущаю эгоистическую основу с каждым днем все отчетливее: сначала мне представлялось, будто я беру на себя трудное служение во имя благородного дела, но мне приходится все яснее видеть, что и я с моим описанием паломничества стремился совершенно к тому же, к чему господин Лукас со своей книгой о войне, — спасти собственную жизнь, сызнова возвращая ей какой-то смысл.

Если бы мне только увидеть путь! Если бы мне только сделать хоть один шаг вперед!

«Выбросьте вы этого Лео за борт, освободитесь вы от Лео!» — сказал мне Лукас. С таким же успехом я мог бы попытаться выбросить за борт свою голову или свой желудок и освободить себя от них!

Господи, помоги же мне хоть немного...

4

Вот и снова все приобрело иной облик, и я, по правде говоря, не знаю, на пользу это моему делу или во вред, но я нечто пережил, со мной нечто произошло, нечто совершенно неожиданное... Или нет, разве я этого не ожидал, не предчувствовал, не надеялся на это, не страшился этого? Ах, так оно и было. И все же случившееся остается достаточно странным и неправдоподобным.

Я уже многократно, раз двадцать или более, в удобные для меня часы прогуливался по улице Зайлерграбен, многократно кружил подле дома N 69а, последнее время всякий раз с одной и той же мыслью: «Попытаю счастья еще, а уж если ничего не выйдет, больше сюда не приду». Разумеется, я приходил снова и снова, и вот позавчера вечером желание мое исполнилось. Да, но как оно исполнилось!

Когда я подошел к дому, на серовато-зеленой штукатурке которого успел изучить каждую трещину, из окна сверху зазвучала легко насвистываемая мелодия простенькой песенки или танца, немудреный уличный мотив. Я еще ничего не знал, но уже прислушивался, звуки что-то внушали мне, и смутное воспоминание начало подниматься во мне, словно из глубин сна. Мелодия была банальная, но звуки, слетавшие с губ, были непостижимо утешительны, в них жило легкое и отрадное дыхание, они радовали слух необычной чистотой и естественностью, словно пение птицы. Я стоял и вслушивался, завороженный, но со странно стеснившимся сердцем, не имея в голове еще ни одной мысли. Если мысль и была, то разве что такая: это, должно быть, очень счастливый и очень располагающий к себе человек, если он может так насвистывать. Несколько минут я провел на улице в полной неподвижности, заслушавшись. Мимо прошел старик с осунувшимся больным лицом, он поглядел, как я стою, на один миг прислушался к звукам вместе со мной, потом уже на ходу понимающе улыбнулся мне, его чудный дальнозоркий старческий взгляд, кажется, говорил: «Постой еще, дружище, такое услышишь не каждый день». Взгляд старика согрел мою душу, мне было жаль, что он ушел. Но в ту же секунду мне пришло на ум, что это насвистывание — исполнение всех моих желаний, что звуки не могут исходить ни от кого другого, кроме как от Лео.

Уже вечерело, но еще ни в одном окне не зажгли света. Мелодия с ее простодушными вариациями подошла к концу, воцарилась тишина. «Сейчас он у себя наверху зажжет свет», — подумал я, но все оставалось темным. И вот я услышал, как наверху открылась и закрылась дверь, затем услышал шаги по лестнице, дверь подъезда тихо раскрылась, и на улицу вышел некто, и походка его в точности такая, каким было его насвистывание: легкая, играющая, но одновременно собранная, здоровая и юношеская. Тот, кто шел такой походкой, был невысокий, но очень стройный человек с обнаженной головой, и теперь мое сердце признало его с несомненностью: это был Лео, не просто Лео из адресной книги, это был сам Лео, наш милый спутник и слуга в паломничестве, который во время óно, десять или более лет тому назад, своим исчезновением заставил нас так страшно потерять присутствие духа и мужество. В первый миг радостной неожиданности я едва его не окликнул. И теперь, только теперь мне вспомнилось, что ведь и его насвистывание было мне знакомо, я столько раз слышал его во время нашего паломничества. Это были те же звуки, что тогда, и все же до чего по-иному, как странно отзывались они во мне! Я ощутил чувство боли, словно удар по сердцу: до чего иным стало с тех пор все — небо, воздух, времена года, сновидения и само состояние сна, день и ночь! Как глубоко и как страшно переменилось для меня все, если звук насвистываемой мелодии, ритм знакомых шагов одним тем, что напоминал мне о потерянном былом, мог с такой силой ранить меня в самое сердце, мог причинять мне такую радость и такую боль.

Он прошел мимо меня, упруго и легко нес он свою обнаженную голову на обнаженной шее, выступавшей из открытого ворота синей рубашки, дружелюбно и весело удалялся он по вечерней улице, его ноги шагали почти неслышно, не то в легких сандалиях, не то в обуви гимнаста. Я пошел за ним, не имея при этом никаких намерений. Разве мог я не пойти за ним? Он спускался по улице вниз, и какой бы легкой, упругой, юношеской ни была его походка, она одновременно была вечерней, имела в себе тональность сумерек, звучала в лад часу, составляла единое целое с ним, с приглушенными звуками из глубины затихающего города, с неясным светом первых фонарей, которые в это время как раз начинали загораться.

Дойдя до сквера, что у ворот церкви Святого Павла, он свернул, исчез между высокими круглящимися кустами, и я прибавил шагу, боясь его потерять. Тут он появился снова, он неторопливо шествовал под ветвями акаций и сирени. Дорожка в этом месте змеится двумя извивами между низкорослых деревьев, на краю газона стоят две скамейки. Здесь, в тени ветвей, было уже по-настоящему темно. Лео прошел мимо первой скамейки, на ней сидела парочка, следующая скамейка была пуста, он сел на нее, прислонился, запрокинул голову и некоторое время глядел вверх на листву и на облака. Затем он достал из кармана маленькую круглую коробочку из белого металла, поставил ее рядом с собой на скамейку, отвинтил крышку и принялся не спеша выуживать что-то из коробочки своими ловкими пальцами, отправлять себе в рот и с удовольствием поедать. Я сначала расхаживал взад и вперед у края кустов; потом подошел к его скамейке и присел на другой конец. Он взглянул в мою сторону, посмотрел своими светлыми серыми глазами мне в лицо и продолжал есть. Он ел сушеные фрукты, несколько слив и половинок абрикосов. Он брал их, одну за другой, двумя пальцами, чуть-чуть сжимал и ощупывал каждую, отправлял в рот и жевал медленно, с наслаждением. Прошло порядочно времени, пока он взял и вкусил последнюю дольку. Тогда он снова закрыл коробочку и положил ее в карман, откинулся и вытянул ноги; я увидел, что у его матерчатых туфель были плетеные подошвы.

— Сегодня ночью будет дождь, — сказал он неожиданно, и я не знал, обращается он ко мне или к себе самому.

— Возможно, — отозвался я с некоторым смущением, ибо если он до сих пор не узнал меня ни по облику, ни по походке, то мне казалось вероятным, более того, почти несомненным, что теперь он узнает меня по голосу.

Но нет, он отнюдь меня не узнал, даже по голосу, и, хотя это отвечало моему первоначальному желанию, я почувствовал, что глубоко разочарован. Он меня не узнал. В то время как сам он за десять лет остался прежним, словно бы даже не изменился в возрасте, со мной, увы, дело обстояло иначе.

— Вы отлично насвистываете, — сказал я, — я слышал вас еще там, наверху, на улице Зайлерграбен. Мне очень понравилось. Видите ли, я прежде был музыкантом.

— Музыкантом? — переспросил он дружелюбно. — Прекрасное занятие. Вы что же, его бросили?

— Да, с некоторых пор. Я даже продал скрипку.

— Вот как? Жаль. Вы бедствуете? Я хотел сказать: вы не голодны? У меня еще есть дома еда и несколько марок в кармане.

— О нет, — сказал я торопливо, — я не это имел в виду. Я живу в полном достатке, у меня есть больше, чем мне нужно. Но я вам сердечно благодарен, это так мило с вашей стороны, что вы хотите меня угостить. Доброжелательных людей встречаешь так редко.

— Вы думаете? Что ж, возможно. Люди бывают разные, подчас они весьма странны. Вы тоже странный человек.

— Я? Почему так?

— Хотя бы потому, что у вас есть деньги, а вы продаете скрипку! Выходит, музыка вас больше не радует?

— Знаете, иногда случается, что человека перестает радовать именно то, что прежде было ему дорого. Случается, что музыкант продает свою скрипку или разбивает ее о стену или что живописец в один прекрасный день сжигает все свои картины. Вы никогда о таком не слышали?

— Слышал. Стало быть, от отчаяния. Это бывает. Мне случалось даже знать двух человек, которые на себя руки наложили. Бывают на свете глупые люди, на них и смотреть больно. Некоторым уже нельзя помочь. Так что же вы теперь делаете, когда у вас нет скрипки?

— Что придется. Делаю я, по правде сказать, немного, я уже не молод и часто болею. Почему вы все говорите о скрипке? Разве это так важно?

— О скрипке? Да так, мне вспомнился царь Давид.

— Как вы сказали? Царь Давид? Он-то тут при чем?

— Он тоже был музыкант. Когда он был совсем молод, ему случалось играть перед царем Саулом и разгонять своей игрой черные мысли Саула. А потом он сам стал царем, очень великим, ужасно серьезным царем, так что у него хватало своих забот и своих черных мыслей. Он носил корону, вел войны, и прочая, и прочая, иногда делал вещи совсем противные и очень прославился. Но когда я думаю о его жизни, мне больше всего по душе молодой Давид со своей арфой и как он утешал бедного Саула своей музыкой, и мне просто жаль, что позднее он стал царем. Он был куда счастливее и симпатичнее, когда оставался музыкантом.

— Конечно, — вскричал я в некоторой запальчивости. — Конечно, тогда он был моложе, счастливее и симпатичнее. Но человек не остается молодым вечно, и ваш Давид все равно стал бы со временем старше, безобразнее, озабоченнее, даже если бы продолжал быть музыкантом. И зато он стал великим Давидом, он совершил свои деяния и написал свои псалмы. Жизнь, знаете ли, не только игра!

Лео поднялся и раскланялся.

— Скоро ночь, — сказал он, — и скоро пойдет дождь. Я уже немного знаю, какие деяния совершил Давид и вправду ли они были такими великими. И о его псалмах, честно говоря, я теперь знаю немного. Против них мне не хотелось бы ничего говорить. Но что жизнь не только игра, этого мне не докажет никакой Давид. Именно игра и есть жизнь, когда она хороша! Конечно, из нее можно делать что угодно еще, например обязанность, или войну, или тюрьму, но лучше она от этого не станет. До свидания, приятно было побеседовать.

Своей легкой, размеренной, дружелюбной походкой двинулся он в путь, этот непостижимый, любимый человек, и он уже готов был исчезнуть, как мне окончательно изменили выдержка и самообладание. Я отчаянно помчался за ним и возопил из глубины сердца:

— Лео! Лео! Вы же Лео. Неужели вы меня не узнаете? Когда-то мы были членами Братства и должны были остаться ими всегда. Мы вместе совершали путешествие в Страну Востока. Неужели вы меня забыли, Лео? Неужели вы вправду ничего больше не знаете о Хранителях короны, о Клингзоре и о Гольдмунде, о празднестве в Бремгартене, об ущелье Морбио Инфериоре? Лео, сжальтесь надо мною!

Он не бросился бежать от меня, как я опасался, но и не повернул ко мне головы; он спокойно продолжал идти, словно ничего не слышал, однако оставлял мне возможность его догнать и, по видимости, ничего не имел против того, чтобы я к нему присоединился.

— Вы так волнуетесь и так спешите, — сказал он успокаивающим тоном. — Это нехорошо. Это искажает лицо и причиняет болезни. Мы пойдем совсем медленно, это успокаивает наилучшим образом. И несколько дождевых капель на лоб... Чудесно, правда? Словно одеколон из воздуха.

— Лео, — возопил я, — имейте сострадание! Скажите мне одно-единственное слово: узнаете вы меня?

— Ну, ну, — сказал он таким тоном, каким разговаривают с больным или пьяным, — опять вы за старое. Вы слишком возбуждены. Вы спрашиваете, знаю ли я вас? Разве какой-нибудь человек знает другого или даже самого себя? А я, видите ли, вообще не знаток людей. Люди меня не занимают. Собаки — это да, их я знаю очень хорошо, птиц и кошек — тоже. Но вас, сударь, я вправду не знаю.

— Но вы же принадлежите к Братству? Вы были тогда с нами в странствии?

— Я всегда в странствии, сударь, и я всегда принадлежу к Братству. Там одни приходят, другие уходят, мы и знаем, и не знаем друг друга. С собаками это куда проще. Подойдите сюда, постойте одно мгновение!

Он увещательно поднял палец. Мы стояли на погруженной в ночь дорожке сада, которую все больше и больше заволакивала спускавшаяся на нее легкая сырость. Лео вытянул губы вперед, издал протяжный, вибрирующий, тонкий свист, подождал некоторое время, засвистел снова, и мне пришлось пережить некоторый испуг, когда совсем рядом, за оградой, у которой мы стояли, из кустов внезапно выскочил огромный волкодав и с радостным повизгиванием прижался к ограде, чтобы пальцы Лео могли сквозь переплет решетки погладить его шерсть. Глаза сильного зверя горели ярым зеленым огнем, и, когда взгляд его наткнулся на меня, в недрах его гортани зазвучало едва уловимое рычание, словно отдаленный гром.

— Это волкодав Неккер, — сказал Лео, представляя его мне, — мы с ним большие друзья. Неккер, вот это бывший скрипач, ты не должен его трогать и даже лаять на него.

Мы стояли, и Лео любовно почесывал сквозь решетку влажную шкуру пса. Это была, в сущности, трогательная сцена, мне искренне понравилось, каким другом он был зверю, как он одарял его радостью этого ночного свидания; но в то же время на душе у меня было тоскливо, мне казалось непереносимым, что Лео состоит в столь нежной дружбе вот с этим волкодавом и, вероятно, еще со многими, может быть, даже со всеми собаками в округе, между тем как от меня его отделяет целый мир отчужденности. Та дружба, то доверие, которых я с такой мольбой, с таким унижением домогался, принадлежали, по-видимому, не только этому псу Неккеру, они принадлежали каждому животному, каждой капле дождя, каждому клочку земли, на который Лео вступал, он дарил себя непрестанно, он состоял в некоей текучей, струящейся связи и общности со всем, что его окружало, он все узнавал в лицо, сам был узнан всем и любим всем — и только ко мне, так его любившему и так остро в нем нуждавшемуся, от него не шло никакой тропы, только меня одного он отсекал от себя, смотрел на меня холодно и отчужденно, не пускал меня в свое сердце, вычеркивал меня из своей памяти.

Мы медленно пошли дальше, волкодав из-за ограды сопровождал Лео тихими звуками, выражавшими приязнь и радость, но не забывал, однако, и о моем ненавистном присутствии, так что ему не раз пришлось по воле Лео подавлять в своей гортани злобный тон отпора и вражды.

— Простите меня, — заговорил я снова. — Я все докучаю вам и отнимаю у вас время, а вам, конечно, уже хочется вернуться домой и лечь в постель.

— Почему же? — улыбнулся он. — Я готов бродить так всю ночь, у меня есть и время, и охота, если только для вас это не тягостно.

Последние слова были сказаны просто, очень доброжелательно, по-видимому, без всякой задней мысли. Но едва они прозвучали, как я внезапно ощутил в голове и во всех моих суставах, до чего я устал, ужасающе устал, сколь тяжело достался мне каждый шаг этого бесполезного и для меня постыдного ночного блуждания.

— Что правда, то правда, — сказал я убито, — я очень устал, только теперь я это чувствую. Да и какой смысл бегать ночью под дождем и надоедать другим людям.

— Как вам угодно, — ответил он учтивым тоном.

— Ах, господин Лео, тогда, во время братского паломничества в Страну Востока, вы говорили со мной не так. Неужели вы вправду все забыли?.. Да что там, это бесполезно, не смею вас больше задерживать. Доброй ночи.

Он мигом исчез в ночной темноте, я остался один, я чувствовал себя глупцом, проигравшим игру. Он меня не узнавал, не хотел узнавать, он надо мной потешался.

Я пошел назад той же дорогой, за оградой заливался осатанелым лаем пес Неккер. Среди влажной теплыни летней ночи меня знобило от усталости, уныния и одиночества.

И прежде я знавал такие часы, мне случалось основательно распробовать их горечь. Но прежде подобное отчаяние выглядело для меня самого так, как будто я, сбившийся с пути пилигрим, добрел наконец до предельного края мира и теперь не остается ничего другого, как повиноваться последнему порыву и броситься с края мира в пустоту — в смерть. Со временем отчаяние возвращалось, и не раз, но бурная тяга к самоубийству преобразилась и почти пропала. «Смерть» перестала означать ничто, пустоту, голое отрицание. Многое другое также изменило свой смысл. Часы отчаяния я принимаю теперь так, как все мы принимаем сильную физическую боль: ее терпишь, жалуясь или сжав зубы, следишь, как она прибавляется и нарастает, и чувствуешь то яростное, то насмешливое любопытство — как далеко это зайдет, насколько может боль становится злее?

Вся горечь моей разочарованной жизни, которая с момента моего одинокого возвращения из неудавшегося паломничества в Страну Востока неудержимо становилась все более бесцельной и унылой, мое неверие в себя самого и в свои способности, моя пропитанная завистью и раскаянием тоска по лучшим и более великим временам — все это росло во мне как волна боли, вырастало до высоты дерева, до высоты горы, расширялось, и при этом все было связано с моей нынешней задачей, с моей начатой историей паломничества и Братства. Не могу сказать, что предполагаемый результат сам по себе продолжал представляться мне особенно желанным или ценным. Что сохраняло для меня цену, так это одна надежда: через мой труд, через мое служение памяти о тех возвышенных временах как-то очистить и оправдать собственное бытие, восстановить свою связь с Братством и со всем пережитым.

Дома я зажег свет, засел за письменный стол, как был, в мокрой одежде, не сняв с головы шляпы, и написал письмо Лео, написал десять, двенадцать, двадцать страниц, наполненных жалобами, укоризнами себе, отчаянными мольбами к нему. Я описывал ему свое бедственное состояние, я пытался вызвать в его душе связывавшие нас воспоминания и образы наших старых друзей, я жаловался ему на нескончаемые, дьявольские препятствия, не дающие осуществиться моему благородному предприятию. Наваливавшаяся на меня только что усталость улетучилась, я сидел, как в жару, и писал. Несмотря на все трудности, писал я, я скорее подвергну себя наихудшей участи, нежели выдам хоть одну из тайн Братства. Я заверял, что наперекор всему не оставлю работы над моей рукописью, ради памяти о паломничестве в Страну Востока, ради прославления Братства. Словно в лихорадке, марал я страницу за страницей торопливыми каракулями, у меня не было ни возможности опомниться, ни веры в смысл моего занятия, жалобы, обвинения и самообвинения выливались из меня, как вода из треснувшего кувшина, без надежды на ответ, из одной потребности выговориться. Тут же, ночью, я опустил сбивчивое, распухшее письмо в ближайший почтовый ящик. Затем, уже почти под утро, я наконец-то выключил свет, отправился в маленькую спаленку в мансарде рядом с моей комнатой и улегся в постель. Заснул я тотчас и спал тяжелым и долгим сном.

5

На другой день, наконец-то придя в себя после многократных пробуждений и новых приступов забытья, с головной болью, но чувствуя себя отдохнувшим, я увидел, к своему великому изумлению, восторгу, но и замешательству, что в комнате сидит Лео. Он примостился на краю стула, и заметно было, что он провел в ожидании уже изрядное время.

— Лео, — вскричал я, — так вы пришли?

— Я послан за вами, — ответил он. — Нашим Братством. Вы ведь писали мне касательно него, я передал ваше письмо старейшинам. Вас приглашают в Высочайшее Присутствие. Так идем?

В растерянности поспешил я натянуть башмаки. Неприбранный письменный стол хранил еще с ночи отпечаток какого-то безумия и беспокойства, я не в силах был припомнить в настоящий момент, что́ это я строчил несколько часов тому назад столь тревожно и яростно. Однако, что бы там ни было, написанное, по-видимому, оказалось не вовсе бесполезным. Нечто произошло — пришел Лео.

И только тут до меня дошел смысл его слов. Итак, Братство, о котором я и знать ничего не знал, продолжало свое бытие без меня и рассматривало меня попросту как отступника! Оно еще существовало, это Братство, существовало Высочайшее Присутствие, существовала коллегия старейшин, которая сейчас посылала за мной! От этой вести меня бросило сразу и в жар, и в холод. Подумать только, из месяца в месяц, из недели в неделю я проживал в этом городе, занимался своими записками о нашем Братстве и нашем паломничестве, спрашивал себя, существуют ли еще где-нибудь обломки этого Братства, или я, может статься, являю собою все, что от него осталось; более того, временами на меня находило сомнение, вправду ли само Братство и моя к нему принадлежность хоть когда-нибудь были реальны. И вот передо мною воочию стоял Лео, посланный Братством, чтобы привести меня. Обо мне помнили, меня вызывали, меня желали выслушать, вероятно, меня требовали к ответу. Что ж, я был готов. Я был готов на деле показать, что соблюл верность Братству, я был готов повиноваться. Соблаговолят старейшины покарать или простить меня, я заранее был готов все принять, во всем признать их правоту, оказать им полное послушание.

Мы выступили в путь, Лео шел впереди, и снова, как в былые дни, при каждом взгляде на него и на его походку я принужден был дивиться, что это за прекрасный, за совершенный слуга. Упруго и терпеливо устремлялся он вперед, опережая меня, указывая мне путь, всецело проводник, всецело исполнитель порученного ему дела, всецело в своей служебной функции. И все же он испытывал мое терпение, и притом весьма серьезно. Как же, Братство вызвало меня, Высочайшее Присутствие ожидало меня, все было поставлено для меня на карту, вся моя будущая жизнь должна была решиться, вся моя прошедшая жизнь должна была получить смысл или окончательно его потерять; я дрожал от ожидания, от радости, от страха, от сжимавшей мое сердце неизвестности. Поэтому путь, которым вел меня Лео, представлялся моему нетерпению прямо-таки несносно растянутым, ибо я должен был более двух часов сряду следовать за своим проводником по самому диковинному и, как мне казалось, капризно выбранному маршруту. Дважды Лео заставлял меня подолгу дожидаться его у дверей церкви, куда он заходил молиться; в продолжение времени, показавшегося мне бесконечным, он сосредоточенно рассматривал старую ратушу и повествовал мне о том, как она была основана одним достославным членом Братства в XV столетии; и хотя каждый шаг его, казалось, был окрылен сосредоточенностью, усердием в служении, целеустремленным порывом, у меня в глазах темнело от тех кружений, окольных блужданий и нескончаемых зигзагов, какими продвигался он к своей цели. Мы потратили все утро, чтобы одолеть расстояние, которое без труда можно было пройти за какие-нибудь четверть часа.

Наконец он привел меня на заспанную улочку предместья, к очень большому притихшему строению, походившему то ли на внушительное присутственное здание, то ли на музей. Внутри мы поначалу не встретили ни души, коридоры и лестничные проемы зияли пустотой и гулко звучали в ответ нашим шагам. Лео начал поиски в переходах, на лестницах, в передних. Однажды он осторожно приотворил высокую дверь, за ней открылась мастерская живописца, вся уставленная свернутыми холстами, перед мольбертом стоял в блузе художник Клингзор — о, сколько лет я не видел его любимых черт! Но я не посмел его приветствовать, для этого еще не пришло время, ведь меня ожидали, я был приглашен. Клингзор уделил нам не слишком много внимания; он бегло кивнул Лео, меня то ли не увидел, то ли не узнал и тут же приветливо, но решительно указал нам на дверь, не сказав ни слова, не терпя ни малейшего перерыва в своей работе.

В конце пути на самом верху необъятного здания мы отыскали мансарду, где пахло бумагой и картоном и где со стен на нас смотрели, выстроившись на много сотен метров, дверцы шкафов, переплеты книг, связки актов: неимоверный архив, колоссальная канцелярия. Никто не заметил нас, все вокруг было поглощено беззвучной деятельностью: казалось, отсюда направляют или по крайней мере наблюдают и регистрируют бытие всего мира вкупе со звездным небом. Долго простояли мы в ожидании, вокруг нас беззвучно мелькали архивные и библиотечные служители с каталожными карточками и номерками в руках, возникали приставляемые к верхним полкам лестницы и фигуры на этих лестницах, плавно и мягко двигались тележки и подъемные устройства. Наконец Лео начал петь. С волнением слушал я звуки, некогда родные для меня: это была мелодия одного из хоралов нашего Братства.

В ответ на песнь все незамедлительно пришло в движение. Служители куда-то отступили, зала протянулась в синеющие дали, маленькими и призрачными виднелись среди исполинского архивного ландшафта на заднем плане фигурки хлопотливых тружеников, между тем как передний план сделался пространным и пустым, праздничны и обширна была зала, посредине в строгом порядке стояло множество кресел, и старейшины начали один за другим выходить то из глубины, то из многочисленных дверей помещения, неспешно подходили они к креслам, поочередно занимали свои места. Один ряд кресел заполнялся за другим, ряды постепенно поднимались, их вершиною был высокий престол, который оставался пуст. Вплоть до подножия престола были заполнены седалища торжественного синедриона. Лео посмотрел на меня, призывая взглядом к терпению, к благоговению и молчанию, и скрылся среди множества, неприметно исчез, так что я не мог больше его отыскать. Но между старейшинами, собиравшимися перед престолом Высочайшего Присутствия, я различил знакомые лица, то строгие, то улыбающиеся, различал черты Альберта Великого, перевозчика Васудевы, художника Клингзора и прочих.

Затем воцарилась тишина и на середину вышел глашатай. Одинокий и маленький, стоял я напротив престола, приготовившись ко всему, ощущая глубокий страх, но и столь же глубокое согласие с тем, что меня ждет и что будет относительно меня решено.

Звучно и спокойно разносился по зале голос глашатая. Я услышал, как он объявлял: «Самообвинение беглого собрата!» У меня задрожали колени. Дело шло о моей жизни. Что ж, все было правильно, все должно было прийти в порядок.

Глашатай продолжал:

— Ваше имя Г. Г.? Вы проделали переход через Верхнюю Швабию и присутствовали на торжествах в Бремгартене? Вы совершили дезертирство тотчас после Морбио Инфериоре? Вы сознаетесь в намерении описать историю паломничества в Страну Востока? Вы жалуетесь на помеху в виде принесенного вами обета не разглашать тайн Братства?

Я давал утвердительный ответ на один вопрос за другим, какое бы недоумение или какой бы ужас он мне ни внушал.

Некоторое время старейшины совещались между собою шепотом и жестами, затем снова выступил глашатай и объявил:

— Самообвинитель сим получает полномочие обнародовать все ведомые ему законы Братства и тайны Братства. Кроме того, в его неограниченное распоряжение предоставляется для работы весь архив Братства.

Глашатай отступил назад, старейшины разошлись и мало-помалу исчезли, частью в глубинах помещения, частью в дверях и выходах, по всей колоссальной зале сделалось совсем тихо. Робко оглядевшись, я приметил на одном из столов канцелярии листы бумаги, которые показались мне знакомыми, и, когда я к ним притронулся, я опознал в них мою работу, мое трепетно лелеемое дитя, мою неоконченную рукопись. На голубой папке стояло: «История паломничества в Страну Востока, составленная братом Г. Г.». Я бросился к рукописи, я проглядывал ее экономные, убористо исписанные бисерным почерком, испещренные исправлениями страницы, меня снедало нетерпение, переполняло усердие, горло перехватывало от чувства, что теперь, когда я располагаю высочайшим дозволением, более того — содействием, мне наконец-то дано будет справиться с делом всей моей жизни. Стоило только вспомнить, что никакой обет не сковывает более моего языка, стоило вспомнить, что в мое распоряжение предоставлена вся неисчерпаемая сокровищница архива, и мое дело представлялось мне более важным и более почетным, чем когда-либо ранее.

Чем дальше, однако, перечитывал я страницы моей рукописи, тем меньше нравился мне этот труд, даже в часы чернейшего отчаяния он не представлялся мне таким ненужным и нелепым. Все было так бессвязно, так бессмысленно, самые очевидные смысловые связи спутаны, самое необходимое позабыто, передний план отдан каким-то случайным, маловажным подробностям! Нет, все надо было начинать сначала. Проглядывая манускрипт, я принужден был вычеркивать фразу за фразой, и по мере вычеркивания написанное крошилось, отчетливые заостренные формы букв играючи распадались на составные части, на штрихи и точки, на кружочки, цветочки, звездочки, целые страницы покрывались, словно обои, красивым и бессмысленным сплетением орнаментов. Вскоре весь мой текст без остатка исчез, но зато тем больше стало неисписанной бумаги для предстоящей работы. Я взял себя в руки. Я уразумел: конечно, до сих пор полное и ясное изложение событий было для меня невозможно, поскольку все вращалось вокруг тайн, обнародование которых возбранялось мне обетом. Ну да, я пытался найти выход в том, чтобы отвлечься от внеличного взгляда на историю и без оглядок на высшие смысловые связи, мотивы и цели попросту ограничить себя тем, что было пережито мною лично. Теперь ясно, к чему это вело. В противность этому отныне долг молчания не связывал меня, я был уполномочен свыше, и в придачу необозримый архив открывал мне свои недра.

Сомнений не оставалось: даже если бы моя доселе проделанная работа не растеклась в орнаменты, мне все равно пришлось бы сызнова начинать, сызнова обосновывать, сызнова строить целое. Я решил начать с краткой истории Братства, его основания и его устава. Нескончаемые, исполинские, на километры растянувшиеся собрания карточек, которые располагались на всех этих столах, терявшихся где-то в туманной дали, должны были обеспечить ответ на любой вопрос.

Для начала я счел за лучшее подвергнуть каталог нескольким экспериментальным пробам, ведь мне еще предстояло выучиться обращению с этим неимоверным аппаратом. Естественно, первое, поиски чего я предпринял, была хартия Братства.

«Хартия Братства, — сообщила каталожная карточка, — смотри отделение „Хризостом", цикл V, строфа 39, 8». Все было верно, и отделение, и цикл, и строфа отыскались будто сами собой, архив содержался в самом восхитительном порядке. И вот я уже держал в руках хартию! Что она, может статься, окажется для меня не столь уж удобочитаемой, — с этой перспективой мне еще надо было свыкнуться. Но дело обстояло так, что я ее вовсе не мог прочесть. Она была написана, как мне показалось, греческими буквами, а по-гречески я кое-как понимал; но отчасти это было очень старинное, диковинное письмо, знаки которого при всей своей кажущейся четкости оставались для меня почти сплошь невнятными, отчасти сам текст, по-видимому, был составлен на каком-то диалекте или на тайном наречии адептов, так что мне лишь изредка удавалось разобрать то одно, то другое слово, да и то окольными путями догадок и аналогий. Но я все еще не был окончательно обескуражен. Пусть смысл хартии оставался для меня непроницаемым, — от письмен ее передо мной ярко возникали воспоминания давней поры, я до осязаемости отчетливо видел старого моего друга Лонгуса, как он некогда в ночном саду чертил греческие и еврейские письмена, и начертания эти уходили в ночь, оборачиваясь птицами, змеями и драконами.

При беглом проглядывании каталога меня бросало в дрожь при мысли о том, какое преизобилие лежало передо мной. Время от времени мне встречалось то сроднившееся с сердцем слово, то исстари знакомое имя. С забившимся сердцем наткнулся я и на свое собственное имя, но не посмел навести касательно него справки в архиве; для кого было бы по силам узнать суждение о нем самом этого всеведущего судилища? Иное дело, когда мне попадалось хотя бы имя художника Пауля Клее, которого я знал со времен нашего странствия и который дружил с Клингзором. Я отыскал его номер в архиве. Передо мной была пластина из золота с наведенным финифтью узором, по всей видимости, необычайно старинная, на ней был изображен трилистник клевера, один из листочков которого представлял голубой кораблик под парусом, второй — рыбу в многоцветных чешуйках, а третий выглядел как формуляр телеграммы, и на нем читались слова:

Снегов голубее,
Кто Пауль, кто Клее.

Для меня было меланхолическим удовольствием навести справки о Клингзоре, о Лонгусе, о Максе и Тилли, я поддался побуждению распространить свое любопытство и на Лео. На каталожной карточке Лео стояло:

Cave!
Arhiepisc. XIX. Diacon. D. VII
Cornu Ammon. 6
Cave![1]

Двукратное предостережение «cave!» подействовало на меня, и этой тайны я не в силах был коснуться. Между тем с каждой новой пробой я начинал все яснее и яснее видеть, какое неимоверное изобилие материалов, какое богатство сведений, какое многообразие магических формул содержалось в этом архиве. Он обнимал, как мне представлялось, ни больше ни меньше как все мироздание.

После опьяняющих или озадачивающих вылазок в различные области знания вновь и вновь возвращался я к карточке «Лео», и любопытство снедало меня все нестерпимее. Каждый раз двойное «cave!» заставляло меня отступить назад. Взамен мне попалось на глаза, когда я

[1] Берегись! Архиепископ XIX. Диакон Б[ожий] VII
Рог Амона. 6. Берегись! *(лат.)*

перебирал карточки в других ящичках, имя «Фатмэ», сопровожденное справкой:

princ. orient. 2
noct. mill. 983
hort. delic. 07[1]

Я стал искать и нашел соответствующее отделение архива. Там лежал совсем маленький медальон, который можно было открыть и увидеть миниатюрный портрет, восхитительно красивый портрет принцессы, во мгновение ока приведший мне на память всю тысячу и одну ночь, все сказки моей юности, все грезы и порывы того незабвенного времени, когда я отслужил время моего искуса и торжественно просил о приеме в члены Братства, дабы искать Фатмэ в Стране Востока. Медальон был завернут в лиловый платочек, тонкий как паутинка, я обонял его, он благоухал несказанно нежно, словно из далеких далей, и запах его говорил о принцессе, о Востоке. И пока вдыхал я это далекое и тонкое, это волшебное благоухание, мне внезапно и со страшной силой сделалось ясно все: какое светлое волшебство окутывало меня в дни, когда я присоединился к сонму паломников в Страну Востока, как паломничество это потерпело неудачу в силу коварных и, по сути дела, неизвестных причин, как после волшебство все больше и больше отлетало и какая скука, пустота, унылая безнадежность отовсюду обступили меня и проникли в меня с тех пор! Я уже не мог видеть ни платочка, ни портрета, до того сгустилась пелена слез на моих глазах. Увы, сегодня, думалось мне, уже недостаточно призрака арабской принцессы, чтобы дать мне силу против мира и ада и сделать из меня рыцаря и крестоносца, сегодня для этого было бы потребно иное, более сильное волшебство. Но каким сладостным, каким невинным, каким священным было видение, на зов которого пошла моя юность, которое сделало меня читателем сказок, музыкантом, наконец, послушником и которое довело меня до Морбио!

---

[1] Принцесса Востока 2. Тысяча [и одна] ночь 983. Сад услад 07 *(лат.)*.

Легкий шорох отвлек меня от моих грез, таинственно и жутко глядели на меня со всех сторон необозримые глубины архива. Новая мысль, новая боль пронизала меня с быстротой молнии: и это я в моем неразумии хотел писать историю Братства, между тем как мне не под силу расшифровать или тем паче понять хотя бы одну тысячную долю всех этих миллионов рукописей, книг, изображений и эмблем! Я был уничтожен, я был несказанно посрамлен, смешон самому себе, непонятен самому себе, обращен в сухую, бесплодную пылинку, а вокруг меня лежали все эти сокровища, с которыми мне дано было немного поиграть, чтобы я восчувствовал, что такое Братство — и что такое я сам.

Через множество дверей в залу шли старейшины, число их было необозримо; как ни застили мне взор слезы, некоторых я мог узнать в лицо. Я узнал волшебника Юпа, узнал архивариуса Линдхорста и Моцарта в наряде Пабло. Высокое собрание занимало места по рядам кресел, отступавших все дальше ввысь и в глубину и оттого представлявшихся глазу все более узкими; над высоким престолом, венчавшим амфитеатр, я приметил поблескивание золотого балдахина. Глашатай выступил вперед и объявил:

— Устами своих старейшин Братство готово изречь приговор над самообвинителем Г., мнившим себя призванным хранить наши тайны, а ныне усмотревшим, сколь несообразно и сколь кощунственно было его намерение писать историю странствия, для которого у него недостало сил, а равно историю Братства, в существовании коего он изверился и верности коему не соблюл.

Он обратился ко мне и вопросил отчетливым, звонким голосом:

— Самообвинитель Г., готов ли ты признать правомочность суда и подчиниться его приговору?

— Да, — отвечал я.

— Самообвинитель Г., — продолжал он, — согласен ли ты, чтобы суд старейшин изрек над тобой приговор в отсутствие первоверховного, или желаешь, чтобы первоверховный судил тебя самолично?

— Я согласен, — молвил я, — принять приговор старейшин, будет ли он вынесен под председательством первоверховного или же в его отсутствие.

Глашатай приготовился отвечать. Но тогда из самых глубоких недр залы прозвучал мягкий голос:

— Первоверховный готов изречь приговор самолично.

Странная дрожь охватила меня при звуке этого мягкого голоса. Из отдаленнейших глубин залы, от пустынных, терявшихся во мраке далей архива шествовал некто, поступь его была тихой и умиротворенной, одежда его переливалась золотом, при общем молчании всех собравшихся подходил он все ближе и ближе, и я узнал его поступь, узнал его движения, узнал, наконец, черты его лица. То был Лео. В торжественном и великолепном облачении, подобном папскому, поднимался он через ряды старейшин к престолу Высочайшего Присутствия. Словно драгоценный цветок неведомых стран, возносил он блеск своего наряда все выше по ступеням, и один ряд старейшин за другим поочередно вставал ему навстречу. Он нес свое излучающееся достоинство со смиренным и сосредоточенным рвением служителя, как благоговейный Папа или патриарх несет регалии своего сана.

Меня держало в пронзительном напряжении то, что мне предстояло выслушать и покорно принять приговор, несущий кару или помилование; я был не менее глубоко потрясен и растроган тем, что именно Лео, некогда известный мне как носильщик и слуга, оказывается, стоял во главе всей иерархии Братства и готовился судить меня. Но еще острее потрясало, изумляло, смущало и радовало меня великое открытие этого дня: Братство пребывало таким же несокрушимым, таким же великим, и это не Лео и не Братство покинули и разочаровали меня, но по своей же глупости, по своей немощи я дошел до того, чтобы ложно истолковать собственный опыт, усомниться в Братстве, рассматривать паломничество в Страну Востока как неудачу, а себя возомнить последним ветераном и хронистом навсегда исчерпанной и ушедшей в песок истории, между тем как на деле я был не что иное, как беглец, нарушитель верности, дезертир. Понять это было страшно и радостно. Умалившись, поникнув, стоял я у подножия того самого престола, перед которым некогда совершилась церемония моего принятия в Братство, перед которым я получил посвящение в послушники и с ним кольцо Братства, чтобы вместе со слугою Лео идти в паломничество. И тут сердце мое было уязвлено мыслью об еще одном моем грехе, еще одном непостижимом упущении, еще одном позоре: у меня больше не было кольца, я его потерял, и я даже не помнил где и когда, мне до сих пор не пришло на ум хотя бы хватиться его!

Между тем первоверховный старейшина, между тем Лео в золотом своем убранстве начал говорить своим красивым, мягким голосом, слова его струились с высоты, как осчастливливающая милость, согревали душу, как сияние солнца.

— Самообвинитель, — произнес он со своего престола, — имел случай освободиться от некоторых своих заблуждений. Против него говорит многое. Положим, можно признать понятным и весьма извинительным, что он нарушил свою верность Братству, что он приписал ему свою же собственную вину, собственное свое неразумие, что он усомнился в самом его существовании, что странное честолюбие внушило ему мысль стать историографом Братства. Все это весит не так уж тяжело. Если самообвинитель позволит мне так выразиться, это всего лишь обычные глупости послушника. Вопрос будет исчерпан тем, что мы улыбнемся над ними.

Я глубоко вздохнул, и все ряды досточтимого собрания облетела легкая, тихая улыбка. То, что самые тяжкие мои грехи, даже безумное предположение, что Братства более не существует и один я сохраняю верность, были, по суждению первоверховного, всего лишь «глупостями», ребяческим вздором, снимало с моей души несказанное бремя и одновременно очень строго указывало мне мое место.

— Однако, — продолжал Лео, и тут его мягкий голос стал печальнее и серьезнее, — однако обвиняемый изобличен и в иных, куда более серьезных прегрешениях, и хуже всего то, что в них он не обвиняет себя, более того, по всей видимости, даже не думает о них. Да, он глубоко раскаивается в том, что несправедливо мыслил о Братстве, он не может себе простить, что не увидел в слуге Лео первоверховного владыку Льва, он даже недалек от того, чтобы усмотреть, сколь велика его собственная неверность

Братству. Но если эти мысленные грехи, эти ребячества он принимал чересчур всерьез и только сейчас с великим облегчением убедился, что с вопросом о них может быть покончено улыбкой, он упорно забывает о действительных своих винах, имя коим легион и каждая из которых по отдельности настолько тяжела, что заслуживает строгой кары.

Сердце в моей груди испуганно затрепетало. Лео заговорил, обращаясь ко мне:

— Обвиняемый Г., в свое время вам еще будут указаны ваши проступки, а равно и способ избегать их впредь. Единственно для того, чтобы стало понятно, как мало уяснили вы себе свое положение, я спрошу вас: помните ли вы, как вы шли по городу со слугою по имени Лео, отряженным к вам в качестве вестника, чтобы проводить вас в Высочайшее Присутствие? Отлично, вы помните это. А помните ли вы, как мы проходили мимо ратуши, мимо церкви Святого Павла, мимо собора и этот слуга Лео зашел в собор, чтобы преклонить колена и вознести свое сердце; вы же не только уклонились от обязанности войти вместе с ним и разделить его молитвы, нарушая тем самым четвертый параграф вашего обета, но предавались за дверями беспокойной скуке, дожидаясь конца досадной церемонии, которая представлялась вам совершенно излишней — не более чем неприятным испытанием для вашего эгоистического нетерпения? Так-так, вы все помните. Уже одним вашим поведением у врат собора вы попрали наиважнейшие принципы и обычаи Братства — вы пренебрегли религией, вы посмотрели свысока на собрата, вы раздраженно отвергли повод и призыв к самоуглублению и сосредоточенности. Такому греху не было бы прощения, если бы в вашу пользу не говорили особые смягчающие обстоятельства.

Теперь он попал в самую точку. Теперь было названо по имени самое главное — уже не частности, не простые ребячества. Возразить было нечего. Удар был нанесен в сердце.

— Мы не желаем, — продолжал первоверховный, — исчислять все проступки обвиняемого, он не должен быть судим по букве закона, и нам ясно, что увещания нашего достаточно, дабы пробудить совесть обвиняемого и сделать из него кающегося самообвинителя. При всем том, самообвинитель Г., я вынужден посоветовать вам представить на суд вашей совести еще несколько ваших поступков. Надо ли мне напоминать вам о том вечере, когда вы разыскали слугу Лео и упорно желали, чтобы он узнал в вас собрата, хотя это было решительно невозможно, ибо вы же сами стерли в себе черты принадлежности к Братству? Надо ли мне напоминать, что вы сами же рассказали слуге Лео? О продаже вашей скрипки? О вашей безнадежной, бестолковой, унылой жизни, жизни самоубийцы, которую вы вели уже много лет? И еще об одном, собрат Г., я не вправе умолчать. Вполне возможно, что в тот вечер слуга Лео помыслил о вас несправедливо. Допустим, так оно и было. Слуга Лео был, может статься, отчасти не в меру строг, не в меру рассудителен, может статься, ему недоставало юмора и снисхождения к вам и вашему состоянию. Но существуют инстанции более высокие, судьи более непогрешимые, чем слуга Лео. Каково суждение твари Божьей о вас, обвиняемый? Помните ли вы пса по имени Неккер? Помните ли вы, как он отверг и осудил вас? Он неподкупен, он не заинтересованная сторона, он не член Братства.

Наступила пауза. Ах да, этот волкодав Неккер! Еще бы, он-то меня отверг и осудил. Я согласился. Приговор надо мной был давно изречен, уже волкодавом, уже мною самим.

— Самообвинитель Г.! — сызнова заговорил Лео, и теперь голос его звучал из золотого блеска его облачения и балдахина так холодно и ясно, так пронзительно, как голос Командора, когда тот в последнем акте является перед дверьми Дон Жуана. — Самообвинитель Г., вы меня выслушали, вы ответили согласием. Вы, как нам представляется, уже сами вынесли себе приговор.

— Да, — ответил я тихо, — да.

— Мы полагаем, что приговор, который вы себе вынесли, вас осуждает!

— Да, — прошептал я.

Теперь Лео встал со своего престола и мягким движением распростер руки:

— Я обращаюсь к вам, старейшины. Вы все слышали. Вы знаете, что сталось с нашим братом Г. Такая судьба вам не чужда, не один из вас испытал ее на себе. Обвиняемый до сего часа не знал или не имел сил по-настоящему поверить, что ему попущено было отпасть и сбиться с пути ради испытания. Он долго упорствовал. Он годами соглашался ничего не знать о Братстве, оставаться в одиночестве и видеть разрушение всего, во что он верил. Но под конец он уже не мог прятаться от нас и совершать над собой насилие, его боль сделалась слишком велика, а вы знаете, что, когда боль достаточно велика, дело идет на лад. Брат Г. доведен своим искусом до ступени отчаяния, того отчаяния, которое есть исход любой серьезной попытки постичь и оправдать человеческое бытие. Отчаяние — исход любой серьезной попытки вытерпеть жизнь и выполнить предъявляемые ею требования, полагаясь на добродетель, на справедливость, на разум. По одну сторону этого отчаяния живут дети, по другую — пробужденные. Обвиняемый Г. — уже не ребенок, но еще не до конца пробужденный. Он еще пребывает в глубине отчаяния. Ему предстоит совершить переход через отчаяние и таким образом пройти свое второе послушничество. Мы сызнова приглашаем его в лоно Братства, постичь смысл которого он более не притязает. Мы возвращаем ему его потерянное кольцо, которое сберег для него слуга Лео.

Тем временем глашатай поднес кольцо, поцеловал меня в щеку и надел кольцо мне на палец. Едва я увидел кольцо, едва ощутил его металлический холодок на моем пальце, как мне припомнились в бесконечном множестве мои непостижимые упущения. Мне припомнилось прежде всего, что по кольцу на равном расстоянии друг от друга вставлены четыре камня и что устав Братства и обет каждого его члена повелевают хотя бы единожды в день медленно поворачивать кольцо на пальце и при взгляде на каждый из четырех камней сосредоточивать свою мысль на одном из четырех кардинальных предписаний обета. Я не только потерял кольцо, даже не удосужившись заметить пропажи, — я за все эти страшные годы ни разу не повторял себе самому четырех предписаний и не вспоминал о них. Немедля я попытался мысленно произнести их про себя. Я чувствовал их, они еще были во мне, они принадлежали мне так, как принадлежит человеку имя, которое он вспомнит в ближайшее мгновение, но которое он сразу никак не отыщет в своей памяти. Ах, молчание внутри меня длилось, я не мог повторить правил, я позабыл их текст. Подумать только, я их забыл, я столько лет не повторял их наизусть, столько лет не соблюдал их, не следовал им — и мог воображать, будто сохраняю верность Братству!

Мягким движением глашатай похлопал меня по руке, заметив мое смущение, мой глубокий стыд. И вот я уже слышал, как первоверховный заговорил снова:

— Обвиняемый и самообвинитель Г., вы оправданы. Но вам следует еще знать, что брат, оправданный в процессе такого рода, обязан вступить в число старейшин и занять место в их кругу, предварительно доказав свою веру и свое послушание в некоем трудном деле. Выбор этого дела предоставлен ему самому. Итак, брат Г., отвечай мне: готов ли ты в доказательство твоей веры усмирить свирепого пса?

Я в испуге отпрянул.

— Нет, на это я неспособен! — вскричал я тоном самозащиты.

— Готов ли ты и согласен ли ты по нашему приказу незамедлительно предать огню весь архив Братства, как глашатай на твоих глазах предаст огню малую его часть?

Глашатай выступил вперед, протянул руки к строго расставленным ящикам с карточками, выхватил полные пригоршни, многие сотни карточек, и сжег их, к моему ужасу, над жаровней.

— Нет, — отказался я, — это тоже не в моих силах.

— Cave, frater, — громко воззвал ко мне первоверховный, — предостерегаем тебя, неистовый брат! Я начал с самых легких задач, для которых достаточно самой малой веры. Каждая последующая задача будет все труднее и труднее. Отвечай: готов ли ты и согласен ли ты вопросить суждение нашего архива о тебе самом?

Я похолодел, дыхание мое пресеклось. Но мне стало ясно: вопросы будут следовать один за другим и каждый последующий будет труднее, любая попытка уклониться поведет только к худшему. Я тяжело вздохнул и ответил согласием.

Глашатай повел меня к столам, на которых стояли сотни каталожных ящиков с карточками, я начал искать и нашел букву «Г», нашел свою фамилию, но сначала это была фамилия моего предшественника Эобана, который за четыре столетия до меня тоже был членом Братства; затем шла уже собственно моя фамилия, сопровождавшаяся отсылкой:

Chattorum r. gest. XC.
Civ. Calv. infid. 49[1]

Карточка задрожала в моей руке. Между тем старейшины один за другим поднимались со своих мест, подходили ко мне, протягивали мне руку, после чего каждый удалялся прочь, вот и престол в вышине тоже опустел, самым последним сошел со своего трона первоверховный, протянул мне руку, посмотрел мне в глаза, улыбнулся своей смиренной улыбкой епископа и слуги, вслед за другими вышел из залы. Я остался один, наедине с карточкой в левой руке, наедине с безднами архива передо мною.

Мне не удалось сейчас же принудить себя сделать требуемый шаг и навести справки о самом себе. Оттягивая время, стоял я в опустевшей зале и видел уходящие вдаль ящики, шкафы, ниши и кабинеты — средоточие всего знания, которое стоило бы искать на земле. Как из страха перед моей собственной карточкой, так и под действием вспыхнувшей во мне жгучей любознательности я позволил себе немного повременить со своим собственным делом и для начала разузнать кое-что важное для меня и моей истории паломничества в Страну Востока. Правда, я давно уже знал в глубине моего сердца, что эта моя история подпала приговору и предана погребению, что мне никогда не дописать ее до конца. Но любопытным я пока оставался.

---

[1] «Деяния хаттов XC.
Неверный гражд[анин] Кальва 49» *(лат.)*.

Из одного ящика косо торчала карточка, которую недостаточно аккуратно вставили. Я подошел к ящику, вытащил ее и прочел стоявшие на ней слова:

МОРБИО ИНФЕРИОРЕ

Никакая другая формула не могла бы короче и точнее обозначить самое существо предмета, волновавшего мое любопытство. Сердце мое слегка заколотилось, я начал искать указанный на карточке раздел архива. Это была полка, на которой лежало довольно много документов. Поверх всего находилась копия описания ущелья Морбио из одной старой итальянской книги. Затем шел инкварто с рассказами о роли этого места в истории Братства. Все рассказы относились к паломничеству в Страну Востока, и притом специально к той группе паломников, в которую входил и я. Наша группа, как гласили документы, дошла в своем пути до Морбио, но там была подвергнута искусу, которого не сумела выдержать и который состоял в исчезновении Лео. Хотя нас должен был вести устав Братства и хотя на случай, если бы группа паломников осталась без провожатого, существовали специальные предписания, с особой настоятельностью повторенные нам перед нашим выступлением в путь, — стоило нам обнаружить, что Лео нас покинул, и вся наша группа потеряла голову и утратила веру, предалась сомнениям и бесполезным дебатам и кончила тем, что в противность самому духу Братства распалась на партии и все разошлись по своим углам. Такое объяснение злосчастных событий в Морбио уже не могло особенно удивить меня. Напротив, я был до крайности озадачен тем, что мне пришлось прочитать далее об обстоятельствах раскола нашей группы. Оказалось, что не менее трех участников паломничества предприняли попытку представить историю нашего странствия и описать наши переживания в Морбио. Одним из этих трех был я сам, аккуратный беловой список моей рукописи лежал на той же полке. Оба других отчета я прочитал со странным чувством. И тот и другой автор излагал события памятного дня, по существу, не намного иначе, чем это сделал я, и все же — как неожиданно звучало это для меня!

У одного из них я прочел:

«Исчезновение слуги Лео послужило причиной того, что внезапно и безжалостно мы были ввергнуты в бездны разобщения и помрачения умов, разрушившего наше единство, которое доселе казалось таким незыблемым. Притом некоторые из нас знали или хотя бы догадывались, что Лео не свалился в пропасть и не дезертировал из наших рядов, но отозван тайным приказом высших авторитетов Братства. Но до чего худо вели мы себя перед лицом этого искуса, никто из нас, как я полагаю, не сможет и помыслить без чувства глубочайшего раскаяния и стыда. Едва Лео нас покинул, как вере и единомыслию в нашем кругу пришел конец; словно красная кровь жизни покидала нас, вытекая из невидимой раны. Начались разноречия, а затем и открытые пререкания вокруг самых бесполезных и смешных вопросов. Примера ради упомяну, что наш всеми любимый и заслуженный капельмейстер, скрипач по имени Г. Г., ни с того ни с сего принялся утверждать, будто дезертировавший Лео прихватил в своем рюкзаке наряду с другими ценными предметами еще древнюю, священную хартию Братства — протограф, начертанный рукой самого мастера! Правда, если понять абсурдное утверждение Г. символически, оно неожиданно обретает смысл: и впрямь все выглядит так, как если бы с уходом Лео от нашего маленького воинства отлетела благодать, почившая на Братстве в целом, как если бы связь с этим целым оказалась утраченной. Печальный пример тому являл только что упомянутый музыкант Г. Г. Вплоть до рокового часа в Морбио Инфериоре один из самых твердых в вере и верности членов Братства, притом любимый всеми за свое искусство, несмотря на некоторые недостатки характера, выделявшийся среди братьев полнотой искрившейся в нем жизни, он впал теперь в ложное умствование, в болезненную, маниакальную недоверчивость, стал более чем небрежно относиться к своим обязанностям, начал делаться капризным, нервическим, придирчивым. Когда в один прекрасный день он отстал во время перехода и больше не показывался, никому и в голову не пришло сделать из-за него остановку и начинать розыски, дезертирство было слишком очевидно. К сожалению, так поступил не он один и под конец от нашего маленького отряда не осталось ничего...»

У другого историографа я нашел такое место:

«Как смерть Цезаря знаменовала закат старого Рима, а предательство Вильсона — гибель демократической концепции человечества, так злополучный день в Морбио Инфериоре знаменовал крушение нашего Братства. Настолько, насколько здесь вообще позволительно говорить о вине и ответственности, в крушении этом были виновны двое по видимости безобидных братьев: музыкант Г. Г. и Лео, один из слуг. Оба они, прежде всеми любимые и верные приверженцы Братства, не понимавшие, впрочем, всемирно-исторической важности последнего, — оба они в один прекрасный день бесследно исчезли, не забыв прихватить с собою кое-какие ценные предметы и важные документы из достояния нашего ордена, из чего возможно заключить, что несчастные были подкуплены могущественными недругами Братства...»

Если память этого историографа была до такой степени омрачена и наводнена ложными представлениями, хотя он, судя по всему, писал свой отчет с самой чистой совестью и без малейших сомнений в своей правдивости, — какую цену могли иметь мои собственные записи? Когда бы сыскалось еще десять отчетов других авторов о Морбио, о Лео и обо мне, все они, надо полагать, так же противоречили бы друг другу и друг друга оспаривали. Нет, во всех наших историографических потугах не было толку, не стоило эти труды продолжать, не стоило их читать, их можно было преспокойно оставить на своем месте покрываться архивной пылью.

Я ощутил форменный ужас перед всем, что мне, может быть, еще предстояло испытать в этот час. До чего каждый, решительно каждый предмет отдалялся, изменялся, искажался в этих зеркалах, до чего насмешливо и недостижимо скрывала истина свое лицо за всеми этими утверждениями, опровержениями, легендами! Где была правда, чему еще можно было верить? И что останется, когда я наконец узнаю приговор этого архива о себе самом, о моей личности и моей истории?

Я должен был приготовиться ко всему. И внезапно мне стало невтерпеж выносить далее неопределенность и боязливое ожидание, я поспешил к отделу «Chattorum res gestae», разыскал номер своего собственного подраздела и стоял перед полкой, надписанной моим именем. Это была, собственно, ниша, и, когда я откинул скрывавшую ее тонкую завесу, обнаружилось, что в ней не было никаких письменных материалов. В ней не было ничего, кроме фигурки — судя по виду, старой и сильно пострадавшей от времени статуэтки из дерева или воска, со стершимися красками; она показалась мне каким-то экзотическим, варварским идолом, с первого взгляда я не сумел понять в ней ровно ничего. Фигурка, собственно, состояла из двух фигурок, у которых была общая спина. Некоторое время я вглядывался в нее, чувствуя разочарование и озадаченность. Тут мне попала на глаза свеча, укрепленная подле ниши в металлическом подсвечнике. Огниво лежало тут же, я зажег свечу, и теперь странная двойная фигурка предстала перед моими глазами в ясном освещении.

Лишь спустя время открылся мне ее смысл. Лишь мало-помалу начал я понимать, сначала смутно, затем все отчетливее, что же она изображала. Она изображала знакомый образ, это был я сам, и мой образ являл неприятные приметы немощи, ущербности, черты его были размыты, во всем его выражении проступало нечто безвольное, расслабленное, тронутое смертью или стремящееся к смерти, он смахивал на скульптурную аллегорию Бренности, Тления или еще чего-нибудь в том же роде. Напротив, другая фигура, сросшаяся воедино с моей, обнаруживала во всех красках и формах цветущую силу, и едва я начал догадываться, кого же она мне напоминает — а именно слугу Лео, первоверховного старейшину Льва, — как мне бросилась в глаза вторая свеча на стене, и я поспешил зажечь ее тоже. Теперь я видел двойную фигуру, представлявшую намек на меня и Лео, не только отчетливее, с более явными чертами сходства, но я видел и нечто другое: поверхность обеих фигур была прозрачна, через нее можно было заглянуть вовнутрь, как через стекло бутылки или вазы. И в глубине фигур я приметил какое-то движение, медленное, бесконечно медленное движение, как может шевелиться задремавшая змея. Там совершалось очень тихое, мягкое, но неудержимое таяние или струение, и притом струение это было направлено из недр моего подобия к подобию Лео, и я понял, что мой образ будет все больше и больше отдавать себя Лео, перетекать в него, питать и усиливать его. Со временем, надо думать, вся субстанция без остатка перейдет из одного образа в другой, и останется только один образ — Лео. Ему дóлжно возрастать, мне дóлжно умаляться.

Пока я стоял, смотрел и пытался понять то, что вижу, мне пришел на ум короткий разговор, который был у меня с Лео во время óно, в праздничные дни Бремгартена. Мы говорили о том, как часто образы, созданные поэтами, сильнее и реальнее, чем образы самих поэтов.

Свечи догорели и погасли, на меня навалилась невообразимая усталость и сонливость, и я ушел на поиски места, где я мог бы прилечь и вволю выспаться.

Индийская
судьба

Один из главных демонов, которого Вишну, а точнее сказать, Рама — вочеловечившаяся часть Вишну — поразил смертоносной стрелой в одной из своих кровавых битв, вновь вступил в круговорот превращений и, приняв человеческий облик, жил на берегах великого Ганга воинственным царем по имени Равана. Он-то и был отцом Дасы. Мать Дасы умерла рано, и едва новая жена царя, женщина красивая и тщеславная, успела подарить ему сына, как маленький Даса стал ей помехой: вместо него, перворожденного, она замыслила сделать преемником царя своего собственного сына Налу и теперь искусно подтачивала узы отцовской любви к Дасе, вознамерившись при первом же удобном случае избавиться от пасынка. Злонамеренность ее, однако, не укрылась от глаз одного из придворных брахманов, мудрого жреца Васудевы, и он сумел помешать исполнению коварного плана. Ему стало жаль маленького принца, который, по его мнению, унаследовал от матери приверженность к благочестию и чувство справедливости. Он стал приглядывать за мальчиком, дабы с тем ничего не случилось, и искать способ отнять его у мачехи.

А было у раджи Раваны стадо предназначенных Брахме коров, которые почитались священными и из молока и масла которых приносились богу частые и обильные жертвы. Для них отведены были лучшие пастбища во владениях раджи. И вот однажды один из пастухов, заботившихся об этих предназначенных Брахме коровах, сдав доставленное масло, поведал о том, что местности, в которой до сих пор паслось их стадо, угрожает засуха и что они, пастухи, решили отогнать стадо подальше к горам, где даже в самую засушливую пору нет недостатка в источниках и свежей траве. Васудева, давно знавший этого пастуха, человека приветливого и надежного, доверил ему судьбу мальчика: когда на следующий день маленький Даса, сын Раваны, бесследно исчез и все попытки разыскать его оказались тщетными, — лишь Васудева и пастух знали тайну его исчезновения. Мальчик же, увезенный пастухом к зеленым холмам, по склонам которых лениво кочевало стадо коров, легко и радостно принял свою новую жизнь среди пастухов и животных и вырос подпаском, помогая доить, пасти и перегонять коров с пастбища на пастбище; он пил сладкое молоко, играл с телятами, барахтался в траве среди цветов, и нагие пятки его всегда были выпачканы коровьим пометом. Здесь все ему было в радость, он узнал жизнь пастухов и коров, узнал лес, его деревья и плоды, он полюбил манго, лесную смоковницу и дерево варинга; он доставал из зеленых озер сладкий корень лотоса, украшал свою голову в дни празднеств венком из алых цветов огнянки, он научился остерегаться лесных хищников, избегать встреч с тигром, подружился с умным мунго и веселым ежом; в сезон дождей он, забравшись с другими детьми в сумрачную хижину, коротал время в играх и пении или плетении корзин и циновок. Он не совсем еще забыл свою прежнюю родину, свою прежнюю жизнь, но она вскоре стала казаться ему полузабытым сновидением.

И вот однажды — они только что перегнали стадо в другую местность — Даса отправился в лес, на поиски меда. Лес был необычайно дорог его сердцу с тех самых пор, как он впервые увидел его, а этот незнакомый лес показался ему особенно прекрасным: солнце пронизало листву и кружево ветвей золотыми нитями, и так же, как наполнявшие чащу звуки — крики птиц, шепот деревьев, голоса обезьян — переплелись и сплавились в восхитительный, сладостный гимн, под стать пестрому солнечному ковру меж стволов, так же дивно слились и лесные запахи: они рождались, перемешивались и вновь исчезали — запах листьев, цветов, воды, древесины, терпкий и сладкий, буйный и трепетный, бодрящий и дремотный, веселый и печальный. Там тихо журчал на дне лощины невидимый ручей, здесь плясал над белыми головками зонтиков бархатно-зеленый мотылек, покрытый черными и желтыми пятнами, а то вдруг в синеватом сумраке зарослей с треском обрушивалась ветвь, и листва тяжело опадала на землю, или далеко в темной чаще раздавался утробный рык дикого зверя, или какая-нибудь сварливая обезьяна вдруг принималась браниться со своими сородичами. Позабыв про мед, жадно внимая крохотным птицам с пестрым, блестящим опереньем, Даса заметил вдруг некий след, некое подобие дорожки, едва приметную тропку, теряющуюся меж высокими папоротниками, которые похожи были на густой маленький лес, занесенный в этот, большой, неведомо откуда. Бесшумно раздвинув ветви и осторожно ступая, он пошел по незнакомой тропе, и вскоре она привела его к многоствольному дереву, и под деревом этим он обнаружил маленькую хижину в форме остроконечного шатра, сплетенную из ветвей папоротника, а подле хижины неподвижно сидящего на земле человека. Он сидел прямо, руки его покоились меж скрещенных ног; из-под седых волос над широким челом видны были опущенные долу недвижные, безмолвствующие глаза — открытые, но обращенные внутрь. И Даса понял, что пред ним — святой человек, йог. Это был не первый йог, которого видел Даса, он давно уже знал, что йоги — досточтимые, богоизбранные мужи, что относиться к ним надлежит с благоговением и что приносить им дары есть благое деяние. Но этот, сидящий перед своей так ловко укрытой от посторонних глаз хижиной, прямо и неподвижно, с бессильно повисшими руками, и занятый самоуглублением, понравился мальчику больше других и показался необычнее и достойнее всех когда-либо встречавшихся ему йогов. Человек этот, который, казалось, воспарил над землей и, несмотря на отрешенность взгляда, все видел и знал, окружен был ореолом святости, стеной величия, охвачен был огненным кольцом собранной воедино силы йоги, приблизиться к которому или погасить которое возгласом или приветствием мальчик не решался. Достоинство и величие погруженного в себя отшельника, сияющий внутренним светом лик его, запечатленные в его чертах собранность и железная неуязвимость излучали незримые, но осязаемые волны, и посреди этих волн он восседал, словно на троне; могучий дух его, его пламенная воля окутали его таким волшебством, что, казалось, даже не поднимая взора, одним лишь желанием, одной лишь мыслью он способен умертвить всякого, кто приблизится, и вновь возвратить его к жизни.

Неподвижнее дерева — ибо дерево все же дышит и трепещет листвой, — неподвижный, словно каменное изваяние бога, сидел йог перед своей хижиной, и столь же неподвижно с того самого мгновения, когда увидел его, стоял Даса, словно вросший в землю, словно закованный в тяжкие узы, плененный колдовской силой открывшегося ему зрелища. Он стоял и неотрывно смотрел на мудрого отшельника, он видел пятно солнечного света на плече его и другое пятно на одной из его покойно лежащих рук; пятна света медленно передвигались и исчезали, уступив место другим, и в безмолвном изумлении своем мальчик вдруг понял, что солнечные пятна не имеют к этому человеку никакого отношения, как не имеют к нему никакого отношения ни щебет птиц, ни голоса обезьян, ни бурая лесная пчела, что опустилась на лицо погруженного в себя мудреца, проползла по щеке его, обоняя кожу, и вновь воспарила и улетела прочь, ни весь этот многообразный лесной мир. Все это, чувствовал Даса, все, что видят глаза и слышат уши, все прекрасное и безобразное, кроткое и устрашающее — все это пребывало вне всякой связи с этим святым пустынножителем: дождь не охладит его и не раздосадует, огонь не опалит; весь окружающий его мир стал для него лишь поверхностью, утратил значение. В сознании завороженного принца-подпаска метнулось летучей тенью подозрение, что, быть может, весь мир и в самом деле есть только игра, только поверхность, только легкий вздох ветра, только водяная рябь над неведомыми глубинами; это была не мысль, а всего лишь мгновенный телесный трепет, легкое головокружение, ощущение ужаса и грозящей опасности и одновременно страстное, жадное стремление подчиниться неумолимо влекущему, притягивающему зову. Ибо йог — он чувствовал это — погрузился сквозь поверхность мира, сквозь поверхностный мир на дно бытия, в тайну вещей, прорвал колдовскую сеть человеческих чувств, преодолел игру света, звуков, красок, ощущений, стряхнул с себя остатки ее и теперь пребывал в Существенном и Неизменяемом, пустив в них прочные корни. Мальчик, хотя и воспитанный некогда брахманами и одаренный лучом духовного света, не мог понять этого разумом и не сумел бы облечь это в слова, но он чувствовал это, как чувствуют в благословенную минуту близость божественного, он чувствовал это как благоговейный трепет и восторг пред лицом этого человека, как любовь к нему и стремление в жизнь истинную, какою, должно быть, жил этот погруженный в себя отшельник. Так стоял он среди папоротников, чудесным образом вспомнив при виде старца о своем происхождении, о своем княжестве и царстве, с растревоженным сердцем, не замечая ни полета птиц, ни ласково перешептывающихся деревьев, позабыв про лес и про оставшееся далеко позади стадо, покорившись колдовской силе и молча взирая на медитирующего йога, плененный непостижимой тишиной и неприступностью его образа, просветленным покоем его лика, источающей силу и собранность позой его, его устрашающей верностью суровому долгу самоотречения.

Позже он едва ли смог бы сказать, сколько времени провел он перед хижиной — два или три часа, а может быть, два или три дня? Когда узы колдовства упали с его плеч и он бесшумно отправился назад по тропе сквозь гущу папоротника и все время, пока он искал обратную дорогу из леса к открытым лугам, где паслось их стадо, он не помнил себя и не ведал, где он и что с ним, душа его была очарована, и очнулся он, лишь когда его окликнул один из пастухов. Он набросился на мальчика с громкой бранью, разгневанный его долгим отсутствием, но, когда тот изумленно возвел на него глаза, он тотчас же смолк, пораженный непривычно чужим взглядом и торжественно-горделивой позой мальчика. Спустя некоторое время он спросил его:

— Где же ты был, дорогой? Уж не увидел ли ты случайно кого-нибудь из богов? А может быть, тебе повстречался демон?

— Я был в лесу, — отвечал ему Даса. — Меня потянуло туда, я хотел поискать меду. Но потом я совсем позабыл про него: я увидел там человека, отшельника, он сидел погруженный в раздумье или молитву, и когда я увидел его, увидел, как сияет его лицо, я остановился и долго смотрел на него. Я бы хотел вечером сходить туда еще раз, с дарами, ибо этот человек — святой.

— Верно, — одобрил его желание пастух, — сходи к нему и отнеси молока да масла в придачу. Надо почитать святых и приносить им дары.

— Но как мне обратиться к нему?

— Тебе незачем обращаться к нему, Даса, ты только поклонись ему и положи перед ним свои дары, большего от тебя и не требуется.

Так мальчик и поступил. Ему понадобилось немало времени, чтобы отыскать жилище отшельника. Место перед хижиной, где он сидел, было пусто, а в хижину Даса войти не посмел и, положив дары свои на землю у самого входа, удалился.

И пока пастухи со своим стадом не покинули эти места, он каждый вечер отправлялся к обители йога с дарами, а однажды побывал там и днем и вновь нашел благочестивого подвижника сидящим в позе самоуглубления и не удержался от соблазна подойти ближе, чтобы еще раз благоговейно лицезреть святого и причаститься лучей блаженства и силы его. И позже, когда они перегнали стадо на новое пастбище, Даса долго еще не мог забыть о том, что приключилось с ним в лесу, и, как это бывает со всеми мальчиками, оставаясь один, он предавался мечтам, воображая себя отшельником, преуспевшим в йоге. Однако время шло, и постепенно воспоминание это, а вместе с ним и мечта померкли; к тому же Даса незаметно превратился в крепкого юношу, который теперь все охотнее посвящал свой досуг играм и состязаниям со сверстниками. И все же в душе его остался едва заметный след, неосознанное предчувствие, что взамен утраченного княжества, великородного происхождения он когда-нибудь обретет силу и величие йоги.

Однажды — они как раз находились неподалеку от города — кто-то из пастухов принес весть о том, что готовится небывалый праздник: старый владыка Равана, одряхлевший и утративший прежнюю силу, назначил день, когда сын его Нала провозглашен будет раджей и сменит его у кормила власти. Даса тотчас же возжелал посетить этот праздник, чтобы увидеть город своего детства, который еще жил в душе его в виде бесконечно далекого, расплывчатого воспоминания, насладиться музыкой, полюбоваться праздничным шествием и состязаниями благородных, а еще — чтобы заглянуть в этот незнакомый мир горожан и князей, о котором слагалось такое множество легенд и сказок и к которому, как ему было известно, — а может быть, это тоже была всего лишь легенда или сказка, или и того меньше, — он некогда, целую вечность тому назад, принадлежал и сам. Пастухам велено было доставить ко двору масло для жертвоприношений по случаю празднества, и Даса, к радости своей, оказался в числе трех счастливцев, назначенных старшим пастухом для поездки в город.

Они прибыли во дворец вечером накануне торжества и передали масло брахману Васудеве, ибо он был начальствующим над жрецами во время жертвенных обрядов, и старый брахман не узнал юношу. Наутро трое пастухов с жадной радостью приняли участие в празднике, поспешив сперва к жертвеннику, где уже под ревнивым оком Васудевы начиналась церемония и горы золотистого масла, охваченные языками пламени, спустя миг уподоблялись исполинским факелам, которые в угоду тридесяти богам воссылали в поднебесье, в бесконечность безумную пляску огня и дым, пропитанный жиром. Они видели посреди праздничного шествия слонов с золочеными крышами над башенками, в которых сидели наездники, видели убранную цветами царскую колесницу и молодого раджу Налу, слышали гром литавр. Все было великолепно и ослепительно и вместе с тем немного смешно, во всяком случае так показалось молодому Дасе; он был восхищен, оглушен и опьянен этим шумом, этими нарядными колесницами и лошадьми, всей этой роскошью и хвастливым расточительством; он восхищен был танцовщицами, предшествовавшими царской колеснице, стройными и гибкими, как стебли лотоса; он поражался величине и красоте города, и все же, несмотря ни на что, в самом водовороте радости и хмельного веселья он видел все это одновременно и трезвым рассудком пастуха, который, в сущности, презирает горожан. О том, что ведь это он, он сам был перворожденным сыном раджи, что здесь на глазах его происходит обряд помазания, посвящения и величания его сводного брата Налы, совершенно забытого им; о том, что ведь это он сам, Даса, должен был бы сидеть на его месте в украшенной цветами колеснице, он не думал. А этот молодой Нала ему очень не понравился: он показался ему глупым и злым в своей избалованности и невыносимо тщеславным в своем чванливом самопочитании; он охотно сыграл бы какую-нибудь шутку с этим играющим в царя юношей, чтобы как следует проучить его, но такого случая не представилось, и он вскоре забыл о нем за всем тем, что можно было видеть, слышать, над чем можно было посмеяться и чему — порадоваться. Хороши были горожанки с их дерзкими, волнующими взглядами, движениями и речами; иные слова из их уст еще долго не давали трем пастухам покоя. Правда, в этих словах нетрудно было расслышать и насмешку, ибо горожанин относится к пастуху так же, как пастух относится к горожанину: один презирает другого; и все же они нравились городским женщинам, эти красивые, сильные юноши, выросшие на молоке и сыре и почти круглый год живущие под открытым небом.

Возвратившись с праздника мужчиной, Даса отныне не давал девушкам прохода, и на долю его выпало немало тяжелых рукопашных битв с соперниками. И вот однажды пришли они в незнакомую местность, изобилующую пологими пастбищами и тихими водами среди камыша и бамбука. Здесь повстречал он девушку по имени Правати и воспылал безумной любовью к юной красавице. Она была дочерью кортомщика, и страсть Дасы оказалась столь велика, что он обо всем позабыл и все бросил, чтобы завладеть ею. Когда стадо вновь покидало эту местность, он не внял советам и увещеваниям пастухов и простился с ними и со своей пастушьей жизнью, которую очень любил, стал оседлым и добился того, чтобы ему отдали в жены Правати. Он возделывал просяные и рисовые поля тестя, помогал на мельнице и в лесу, на заготовке дров, построил жене своей хижину из бамбука и глины и держал ее там взаперти. Поистине могучей должна быть сила, способная заставить молодого человека отказаться от друзей и товарищей и от своих привычек, изменить свою жизнь и взять на себя незавидную роль зятя под кровом жены, в окружении чужих людей. Красота Правати была столь ослепительна, а обещание страстных любовных утех, излучаемое лицом и фигурой ее, столь щедрым и соблазнительным, что Даса не замечал вокруг ничего, кроме жены своей, жил только ею и испытал в объятиях ее величайшее блаженство. О некоторых богах и святых рассказывают, что они, очарованные какими-нибудь восхитительными красавицами, целыми днями, месяцами и даже годами не выпускали их из своих объятий, сливались с ними, с головой окунувшись в страсть, презрев все земные дела свои. Такой же судьбы и такой же любви желал бы себе и Даса. Однако ему выпал другой жребий, и блаженство его продлилось недолго. Оно продлилось всего около года, но и это время наполнено было отнюдь не одним только блаженством, в нем оставалось довольно места и для другого: для докучливых поучений тестя, для колкостей шурьев, для капризов молодой жены. Но стоило ему возлечь с супругой на брачное ложе, как все это в тот же миг предавалось забвению, обращалось в ничто, — так призывно улыбались ему ее пьянящие уста, так сладко было ему ласкать ее стройное тело, так дивно благоухал вертоград сладострастия, сокрытый в ее юных прелестях.

Счастью их не исполнилось и года, как в местность, в которой они жили, внезапно нагрянули шум и тревожная суета. Появились глашатаи верхом на лошадях и возвестили прибытие молодого раджи, а вскоре показался с воинами, лошадьми и обозом и сам раджа Нала, пожелавший заняться охотой в этих краях; затрепетали на ветру шатры, захрапели кони, затрубили охотничьи рога.

Даса мало заботился об этом, он трудился на своем поле, молол на мельнице зерно и избегал встреч с охотниками и царедворцами. Когда же в один из этих дней, воротившись домой, в свою хижину, он не нашел в ней своей жены, которой на все это время строго-настрого запретил покидать ее, в сердце его, словно уязвленном тернием, родилось предчувствие, что над ними нависла беда. Он поспешил к тестю, но и там не нашел Правати, и все, кого он ни спрашивал, отвечали, что не видели ее в этот день. Боль в сердце его росла. Он обыскал поля, огород, где зеленели капустные грядки, он метался два дня и две ночи между своей хижиной и домом тестя, караулил жену на пашне, опускался в колодец, молился, громко звал ее по имени, манил с лаской в голосе, проклинал, искал следы ее ног. Наконец самый младший из его шурьев, еще мальчик, открыл ему тайну: Правати была у раджи, она жила в его шатре, ее видели скачущей на его лошади. Даса принялся кружить, словно хищник, вокруг шатров Налы, невидимый, вооруженный пращой, которую смастерил себе когда-то еще в своей пастушьей жизни. Как только царский шатер хоть на миг, днем или ночью, оставался без охраны, он подбирался ближе, но тут каждый раз вновь появлялась стража, и ему приходилось скрываться. Забравшись на дерево и укрывшись в ветвях, он наблюдал за лагерем и не раз видел раджу, лицо которого ему знакомо было с того самого праздника и внушало отвращение; он увидел однажды, как тот сел на коня и ускакал прочь, а когда вернулся обратно спустя несколько часов, спешился и откинул полог шатра, навстречу ему шагнула молодая женщина и приветствовала возвратившегося царя, и, узнав в этой женщине жену свою, Правати, Даса едва не упал с дерева. Теперь он знал правду и боль в его сердце стала еще сильней. Велико было счастье любви, дарованное ему Правати, и так же велико, а может, еще больше было его горе, была его ярость, его боль утраты и горечь оскорбления. Такое случается с людьми, когда всю любовь свою, весь запас нежности они изливают на один-единственный предмет, с утратой которого для них рушится весь мир и они остаются нищими и пустыми посреди обломков.

Весь день и всю ночь блуждал Даса по окрестным лесам; едва успевал он под гнетом усталости опуститься на землю в надежде хоть немного передохнуть, как безутешное горе вновь поднимало его на ноги и немилосердно гнало прочь, он не мог не шевелиться, не мог не двигаться, ему казалось, что он уже не остановится, пока ноги не принесут его на край света, на край его жизни, утратившей ценность и блеск. Однако шел он не на край света, не в неизвестность — он бродил по тем местам, где его постигло несчастье: вдоль полей, вокруг мельницы и своей хижины, вокруг царского шатра. Наконец он, вновь взобравшись на дерево напротив шатра, затаился и стал ждать, отчаянно, жадно, как изголодавшийся хищник в засаде, пока не настал тот миг, ради которого он напряг свои последние силы, — пока раджа не вышел из шатра. Тогда он бесшумно соскользнул с высокой ветви, вскинул пращу, раскрутил ее над головой и угодил тяжелым полевым камнем прямо в лоб ненавистному обидчику, так что тот упал навзничь и остался неподвижно лежать на земле. Никого из людей его не было видно; сквозь ураган сладострастного упоения свершившейся местью в сознании Дасы грянула на миг — устрашающе и непостижимо — глубокая тишина. И прежде чем вокруг убитого поднялся шум и сбежались со всех сторон многочисленные слуги, он уже был в роще, а еще через миг скрылся в прилегающих к ней по склону долины бамбуковых зарослях.

В ту минуту, когда он спрыгнул с дерева, когда, объятый хмельной жаждой мести, раскручивал свою пращу и посылал врагу смерть, ему казалось, будто он тем самым уничтожает и свою собственную жизнь, будто вместе с камнем он выпускает из рук последнюю свою силу и сам ввергает себя, летя вместе с орудием смерти, в бездну небытия, согласный на гибель, — лишь бы враг его пал хоть на мгновение раньше. Теперь же, после того как ответом на содеянное им был неожиданный миг тишины, жажда жизни, о которой он минуту назад и не подозревал, повлекла его прочь от разверстой бездны, древний инстинкт завладел его чувствами и телом, погнал его в лес, в бамбуковые заросли, приказал ему скрыться, стать невидимым. Лишь когда он достиг прибежища и первая опасность миновала, он осознал то, что с ним произошло. Он в изнеможении опустился на землю и долго не мог отдышаться, хмельной туман возбуждения, побежденный обессилевшей плотью, рассеялся, уступив место отрезвлению, и Даса испытал вначале чувство разочарования, горькое сожаление о том, что он остался жив и скрылся от погони. Но едва дыхание его успокоилось, едва возвратились силы в его дрожащее от усталости тело, как дряблое, гадкое чувство это вытеснили воля к жизни и упрямство, а сердце вновь преисполнилось исступленной радости о содеянном.

Вскоре неподалеку от него послышался шум приближающейся погони. Охота на убийцу продолжалась весь день, и он не попал в руки преследователей только потому, что, затаив дыхание, беззвучно сидел в зарослях, углубляться в которые враги его не решались, опасаясь тигров. Он забылся в коротком сне, проснувшись, полежал немного, тревожно вслушиваясь в лесные звуки, пополз дальше и вновь отдыхал и полз вперед, пока наконец, на третий день после случившегося, не оказался за цепью холмов и не устремился, не щадя сил, дальше в предгорья.

Лишенный родины, он исходил немало дорог; бесприютная жизнь сделала его сердце более суровым и бесстрастным, а ум более мудрым и угрюмым; и все же по ночам он вновь и вновь видел во сне Правати и свое былое счастье или то, что он называл счастьем, он часто видел свое бегство и погоню, жуткие, леденящие душу сны; ему снилось однажды, будто он бежит через лес, позади — барабаны и охотничьи рога преследователей, а он что-то бережно несет через топи и болота, по гнилым, рассыпающимся в прах мосткам, сквозь терновые заросли — некую ношу, узелок, что-то замотанное в тряпицу, сокрытое, неведомое, нечто, о чем он знал лишь одно: что оно бесценно и что с ним нельзя расставаться, некое сокровище, которому грозит опасность, быть может, нечто украденное, закутанное в цветной плат с багряно-синими узорами, такими, какие были на праздничном платье Правати; и он, обремененный этой таинственной ношей, — то ли найденным кладом, то ли воровской добычей, — преследуемый, преодолевающий препятствие за препятствием, то бежал, то крался под низким пологом ветвей, под нависшими кручами, мимо змей, по устрашающе узким тропинкам над реками, кишащими крокодилами, и вот наконец, затравленный, обессилевший, остановился и стал торопливо распутывать узлы на веревках, которыми стянута была его ноша, и развязал их один за другим, и, сняв узорчатый плат, увидел, что сокровище в его задрожавших от ужаса руках — его собственная голова.

Он жил скрытно, жизнью странника, который, не страшась людей, все же старается избегать с ними встреч. И вот однажды путь его лежал через холмистую местность, изобилующую густыми травами, и местность эта, прекрасная и светлая, казалось, приветствует его, как старого знакомого: все это он уже видел однажды — этот луг, серебрящийся на ветру, эти ракиты, и все напоминало ему о том светлом, невинном времени, когда он еще не ведал, что такое любовь и ревность, ненависть и месть. Это было то самое пастбище, на котором он со своими товарищами когда-то пас коров, это было самое светлое время его юности, оно взирало на него из далеких, туманных пределов безвозвратности. Сладкой грустью ответствовало сердце его всем этим приветствующим его голосам: шепоту ветра, ласкающему звонкие кудри ивы, бодрым, стремительным маршам ручьев, пению птиц и низкому, золотому гудению шмелей. Ароматы и звуки эти манили, сулили пристанище и родину; никогда еще он, привыкший к кочевой пастушеской жизни, не встречал мест, которые показались бы ему такими близкими сердцу и родными.

Сопровождаемый и ведомый этими голосами, исполненный чувств, похожих на те, что испытывает человек, вернувшийся под родной кров, шел он по щедрой, приветливой земле, впервые за много месяцев опасностей и лишений не как беглец, всем чужой и обреченный на гибель, а с открытым сердцем, свободный от мыслей, свободный от желаний, отрешившийся от прошлого и полностью отдавшийся кроткой радости настоящего, тому, что его окружало, воспринимающий, благодарный и немного удивленный — самому себе и этому новому, непривычному, впервые и с восторгом испытанному состоянию души, этой открытости без желаний, этой радости без напряжения, этому проникнутому благодарным вниманием, созерцательному наслаждению. Ноги сами понесли его по зеленым лугам к лесу, под сень деревьев, в прохладные, расцвеченные мелкими солнечными пятнами сумерки, и здесь чувство вновь обретенной родины усилилось и повело его по тропинкам, которые словно сами просились ему под ноги; и наконец, миновав папоротниковые заросли, похожие на маленький густой лес, занесенный неведомо откуда в самое сердце чащи, он очутился перед крохотной хижиной, а перед хижиной неподвижно сидел на земле тот самый йог, за которым он когда-то тайно наблюдал и которому приносил молоко.

Словно вдруг воспрянув ото сна, Даса остановился. Здесь все осталось по-прежнему, время не коснулось этой обители, здесь не было ни убийств, ни страданий; казалось, время остановилось здесь и жизнь застыла навеки, обратившись в прочный кристалл. Он смотрел на старика, и в сердце его медленно возвращались то восхищенное удивление, та любовь и тоска, которые он испытал, увидев его в первый раз. Он смотрел на хижину и думал, что ее следовало бы починить до того, как наступит пора дождей. Потом, набравшись храбрости, он осторожно подошел ближе, заглянул в хижину и окинул взором все, что было внутри; там было не много вещей, там не было почти ничего: ложе из сухих листьев, сделанная из тыквы чаша для воды и пустая сума, сплетенная из лыка. Он взял суму, отправился в лес, набрал плодов и сладких кореньев, затем, вернувшись, взял чашу и сходил за свежей водой. Все, что можно было сделать, он сделал. Так мало, оказывается, нужно человеку для жизни. Усевшись на землю, Даса погрузился в грезы. Ему приятны были этот безмятежный покой в лесном безмолвии, его собственные сны наяву, он был доволен собой и тем внутренним голосом, что привел его сюда, где он однажды, еще юношей, испытал что-то похожее на мир, счастье и познал чувство родины.

Так он и остался с безмолвным отшельником. Он устроил ему новое ложе из свежих листьев, стал заботиться о пище для него и для себя, починил старую хижину и начал строить неподалеку от нее новую, в которой хотел поселиться сам. Старик, казалось, не имел ничего против пришельца, хотя Даса никак не мог понять, заметил ли тот вообще его присутствие. Он прерывал свои занятия самоуглублением лишь для того, чтобы утолить голод и жажду, отдохнуть в хижине или прогуляться по лесу. Даса жил подле него, как живет подле своего господина слуга, как живет рядом с человеком маленькое домашнее животное, ручная птица или мунго — преданно и незаметно. Так как долгое время он должен был скрываться и жизнь его — жизнь беглеца — полна была опасностей и тревог, сомнений и укоров совести и постоянного ожидания погони, его новая, спокойная жизнь в лесу, легкий труд и соседство человека, который, похоже, вовсе не замечал его, благотворно подействовали на него: он спал без кошмарных сновидений и подолгу, порой целыми днями, не вспоминал о том, что с ним приключилось. О будущем он не заботился, а если его и одолевала на миг тоска, если рождалось в нем желание, то лишь одно-единственное: остаться здесь, добиться расположения старца, чтобы тот открыл ему тайну, посвятил в секреты подвижничества, самому стать йогом, обрести прибежище в учении йоги, в гордой отрешенности от земной суеты. Он стал подражать досточтимому отшельнику, пытаясь перенять его позу, научиться сидеть подобно ему, неподвижно, со скрещенными ногами, устремив взор свой в неведомый, надреальный мир, и быть недоступным для всего, что окружает. При этом он скоро уставал, руки и ноги его ныли от неподвижности, ломило спину, и, одолеваемый комарами, с раздраженной, зудящей кожей, он принужден был шевелиться, отмахивался от насекомых, чесался и в конце концов вставал. Однако несколько раз ему все же удавалось почувствовать себя пустым и невесомым, плавно воспарившим над землей, как это бывает порой в сновидениях: ноги едва-едва касаются земли, а затем мягко отталкиваются от нее, и тело, легкое как пушинка, плывет по воздуху. В эти редкие мгновения ему казалось, будто он догадывается, к чему дóлжно стремиться, чтобы продлить этот миг парения, чтобы тело и душа освободились бы от собственной тяжести и, объятые великим дыханием жизни иной, чистой, солнечной, вознеслись бы в мир запредельный, пребывающий вне времени, растворились в Неизменном. Но это были всего лишь мгновения и догадки. И каждый раз, возвращаясь из этих мгновений назад, к тому, что было давно знакомо и привычно, он укреплялся в желании стать учеником мудрого отшельника, дабы тот научил его своим упражнениям, помог ему овладеть сокровенным искусством, сделал его йогом. Но как добиться этого? Глядя на старика, трудно было поверить в то, что он когда-нибудь обратит на него свой взор, что они когда-нибудь обменяются речами. Старик, живущий вне времени и пространства, казалось, был бесконечно далек и от речей.

И все же случилось так, что Даса однажды нарушил молчание. В те дни к нему вновь ночь за ночью приходили сновидения — то ошеломляюще сладкие, то ошеломляюще мерзкие — о его жене Правати или о полной ужасов жизни беглеца. И днем его тоже преследовали неудачи, он то и дело тщетно пытался упражняться в самоуглублении, его отвлекали назойливые мысли о женщинах, о любви; чтобы избавиться от них, он долго бродил по лесу. Причиной тому, верно, была погода: душная, с жаркими порывами ветра. И вот стоял один из таких удушливых дней, гудели комары; Даса вновь видел ночью тяжелый, оставляющий после себя страх и тяжесть на сердце сон, содержание которого он уже не помнил, но который теперь, после пробуждения, показался ему жалким и, по существу, запретным и глубоко постыдным падением в болото прежних состояний и жизненных вех. Весь день он бродил как неприкаянный вокруг хижины или сидел возле нее, угрюмый и полный тревоги, начинал одну работу, брался, не доделав ее до конца, за другую, много раз садился на землю, принимал позу самоуглубления, но каждый раз его тут же охватывало суетливое беспокойство, он то и дело вздрагивал и шевелился, голые ступни его словно щекотали десятки муравьев, шея горела, он едва выдерживал несколько минут и все время косился, робко и пристыженно, в сторону старика, который сидел в совершенной позе и лицо которого, с обращенными внутрь глазами, осиянное недосягаемо чистым светом просветленной кротости, было подобно нежно трепещущей в лазури головке цветка.

Когда же йог наконец поднялся и направил стопы свои к хижине, Даса, давно поджидавший этой минуты, преградил ему путь и молвил с отвагой отчаяния:

— Досточтимый, прости, что я осмелился нарушить твой покой. Я ищу мира, я ищу покоя, я хотел бы жить, как ты, и стать таким же, как ты. Ты видишь, я еще молод, но на долю мою уже выпало много страданий, жестоко обошлась со мною судьба. Я рожден был царем, но меня отдали в пастухи; я стал пастухом, вырос веселым и сильным, как молодой бычок, и сердце мое было свободно от зла и пороков. Потом жизнь раскрыла мне глаза на женщин, и когда я повстречал самую красивую из них, я отдал ей свою свободу: я бы умер, если бы она не стала моей. Я оставил ради Правати своих товарищей, пастухов, я добивался ее руки, и желание мое исполнилось: я стал зятем и батраком; тяжким был мой труд, но зато Правати была со мной и любила меня, а может быть, это мне только казалось; каждый вечер мне открывались ее объятия, ее сердце. И вот в наши края пришел раджа, тот самый, из-за которого меня лишили отчего дома, — пришел и отнял у меня Правати, я видел ее в его шатре. Это была самая страшная рана из всех, что нанесла мне судьба, она преобразила меня и всю мою жизнь. Я убил раджу, я обагрил руки кровью и принужден был влачить жизнь преступника, беглеца; все было против меня, ни на минуту не мог я поручиться за свою голову, пока не попал сюда. Я безумец, о досточтимый, я убийца, — быть может, меня еще схватят и четвертуют. Я не в силах больше жить этой ужасной жизнью, я хотел бы избавиться от нее.

Йог спокойно, с опущенными глазами, выслушал его страстную исповедь. Затем он поднял голову и устремил взор свой на Дасу, ясный, пронзительный, почти невыносимо твердый, сосредоточенный и светлый взор, и, пока он смотрел Дасе в лицо, размышлял о его торопливой повести, уста его медленно сложились в улыбку, и наконец он покачал головой и произнес, беззвучно смеясь:

— Майя! Майя!

Ошеломленный и пристыженный, Даса остался стоять на месте; старик между тем уже прогуливался перед своей скудной вечерней трапезой по тропинке, протоптанной среди папоротников, шагал размеренно, твердой, чеканной поступью взад и вперед; пройдя две-три сотни шагов, он вернулся назад и вошел в хижину, и взор его вновь, как и всегда, был отвращен от мира явлений. Что же это был за смех, которым ответил бедному Дасе этот всегда одинаково неподвижный лик? Долго, должно быть, придется ему думать над этим. Что означал этот ужасный смех в ответ на отчаянное признание и мольбу — благоволение или насмешку, утешение или приговор? Божественный это смех или демонский? Может быть, это просто циничное блеяние выжившего из ума старика? А может быть, смех мудреца, забавляющегося чужой глупостью? Означал ли он отказ, прощание, приказ удалиться? А может быть, следует понимать его как совет, призыв сделать то же и самому посмеяться над собой? Даса не мог найти ключ к этой загадке. Он до поздней ночи был занят раздумьями об этом смехе, в котором старик, похоже, выразил свое отношение к его жизни, к его счастью и боли; мысли его жевали этот смех, словно жесткий, неподатливый корень, имеющий, однако же, некий запах и вкус. И так же неустанно пережевывал и передумывал он это слово, произнесенное стариком так звонко, исторгнутое сквозь смех с таким просветленным, непостижимым весельем: «Майя! Майя!» Что это слово означало, он отчасти знал, отчасти догадывался, и то, как смеющийся йог произнес его, тоже казалось ему объяснимым. Майя — это жизнь Дасы, юность Дасы, счастье его и горькая мука, Майя — это прекрасноликая Правати, Майя — это любовь и вожделение, Майя — это вся жизнь. Жизнь Дасы и жизнь всех людей на свете — все это в глазах старого йога есть Майя, нечто вроде ребячества, забавное зрелище, театр, плод воображения, *ничто*, облеченное в пестрое платье, мыльный пузырь, нечто, над чем можно посмеяться с восторгом, что́ можно одновременно презирать и ни в коем случае нельзя принимать всерьез.

Но если для старого йога жизнь Дасы этим смехом и словом «Майя» была исчерпана и забыта, то сам Даса видел жизнь свою иными глазами, и, как бы ни желал он сам стать йогом и рассмеяться над своей жизнью, не найдя в ней ничего, кроме коварства Майи, — за эти беспокойные дни и ночи в нем вновь проснулось и ожило все, что он, измученный жизнью беглеца, казалось, на время почти забыл в своем прибежище. Надежда на то, что он когда-нибудь и в самом деле овладеет искусством йоги или, паче чаяния, сможет уподобиться самому старику, была невелика. Но тогда... какой же смысл тогда в этой лесной жизни? Этот лес послужил ему прибежищем, он отдохнул здесь, немного пришел в себя, набрался сил, что тоже имело значение, это было не так уж мало. И может быть, за это время охота на убийцу раджи уже прекратилась и он сможет продолжить странствия, не подвергая жизнь свою опасности. Так он и решил поступить, завтра же он тронется в путь: мир велик, он не может всю жизнь просидеть в этой норе. Принятое решение вернуло ему спокойствие духа.

Он хотел отправиться на заре, но, когда он пробудился после долгого сна, солнце уже взошло и йог уже приступил к самоуглублению, а уйти, не попрощавшись с ним, Даса не мог, к тому же у него была еще просьба к старику. И он остался и ждал час за часом, пока тот не поднялся и, потянувшись, не начал ходить взад-вперед по тропинке. Тогда он преградил ему путь, сотворил поклоны и дождался, когда мудрый йог вопросительно посмотрит на него.

— Учитель, — молвил он со смирением, — я продолжаю свой путь, я больше не нарушу твоего покоя. Но позволь мне, о достойнейший, еще один-единственный раз обратиться к тебе с просьбой. Когда я поведал тебе о своей жизни, ты рассмеялся и произнес слово «Майя». Умоляю тебя, открой мне смысл этого слова.

Йог взглядом приказал Дасе следовать за ним. Войдя в хижину, он взял чашу для воды, протянул ее Дасе и молча велел ему вымыть руки. Даса послушно исполнил, что велел учитель. После этого старик выплеснул остатки воды в папоротники, вновь протянул юноше чашу и приказал ему наполнить ее свежей водой. Даса повиновался, и грусть расставания тронула его сердце, когда он в последний раз шел по узкой тропинке к источнику, в последний раз нес невесомую чашу с гладкими, истершимися краями к крохотному озерцу, к этому чистому лесному зеркалу, в котором отражались лишь оленьи губы, кроны деревьев да щемящая небесная синь в белых крапинках облаков и теперь, в последний раз, отразилось и лицо склонившегося над водой Дасы, обрамленное коричневым светом вечерней зари. Он медленно, в задумчивости погрузил чашу в источник, им вновь овладели сомнения, он не мог разобраться в этих странных чувствах, не мог понять, почему ему стало больно оттого, что старик не предложил ему остаться еще ненадолго или остаться навсегда.

Он посидел у источника, выпил глоток воды, осторожно поднялся, стараясь не расплескать воду в чаше, и хотел было отправиться обратно короткой дорогой, как вдруг слуха его коснулся звук, повергший его одновременно в ужас и восторг: это был голос, который он не раз слышал во сне и о котором не раз думал с горючей тоской. Он звучал так сладко, так по-детски наивно и ласково манил сквозь сумерки леса, что сердце Дасы затрепетало от страха и вожделения. Это был голос Правати, его жены.

— Даса! — манила она.

Он, не веря ушам своим, огляделся по сторонам; руки его все еще сжимали чашу с водой; и вдруг меж стволов появилась она, высокая, стройная и гибкая — Правати, его возлюбленная, незабвенная, неверная. Он бросил чашу наземь и побежал ей навстречу. С виноватой улыбкой стояла она перед ним и смотрела на него своими полоненьи кроткими глазами, и только теперь, вблизи, он заметил, что на ногах у нее сандалии из красной кожи, а с плеч ниспадает роскошное, дорогое платье, что запястье ее украшено золотым обручем, а сквозь черные волосы блещут цветные драгоценные камни. Он отшатнулся назад. Неужто она все еще наложница раджи? Разве он не убил этого Налу? Зачем она все еще выставляет напоказ его подарки? Как могла она, украшенная этими камнями и пряжками, явиться перед ним и произносить его имя?

Она же была прекрасней, чем когда-либо прежде, и, вместо того чтобы негодовать и упрекать ее, он заключил ее в свои объятия, спрятал чело в волосах женщины, затем, взяв ее лицо в ладони, прильнул к ее устам, и в этот миг он почувствовал, что вновь обрел все некогда утраченное им — счастье, любовь, блаженство, страсть, радость жизни. В мыслях своих он уже был далеко от леса и старика-отшельника; лес, отшельничество, медитация и йога обратились в ничто, были преданы забвению; не думал он и о чаше для воды, которую должен был отнести старику. Она так и осталась лежать у источника, в то время как Даса с Правати уже покидали лес. И она на ходу, торопливо и сбивчиво, поведала ему о том, что привело ее сюда и как все случилось.

Удивительной была ее повесть, удивительной и прекрасной, словно легенда; словно сказка, открывалась перед Дасой его новая жизнь. Он не только вновь обрел Правати, а тот ненавистный Нала был не только убит, и о поисках убийцы не только забыли и думать — он, Даса, отданный некогда в подпаски принц, был провозглашен законным наследником и раджей: два старика — пастух и брахман — напомнили всем полузабытую историю его исчезновения, так что люди вновь заговорили о ней, и вот его, Дасу, которого долго повсюду разыскивали как человека, убившего Налу, чтобы подвергнуть пыткам и казнить, теперь с еще большим усердием искали по всей стране, чтобы торжественно раскрыть перед ним ворота города и двери отцовского дворца и возвести его на царский престол. Это было похоже на сон, но больше всего изумленный Даса порадовался той счастливой случайности, что из всех посланных за ним именно Правати нашла и первой приветствовала его. На опушке леса он увидел шатры, оттуда доносился запах дыма и жареной дичи. Свита Правати встретила ее громкими приветствиями, когда же она, указав на Дасу, возвестила, что это и есть ее супруг, все возликовали и тотчас же приступили к широкому пиршеству. Среди пирующих был один человек, бывший товарищ Дасы, с которым он некогда вместе пастушествовал; он-то и привел Правати и ее свиту в эти края, в одно из мест, связанных с прежней жизнью Дасы. Человек этот радостно рассмеялся, узнав Дасу, бросился к нему и готов был уже дружески похлопать его по плечу или обнять, но вспомнил в последний миг, что товарищ его теперь — раджа, и замер на бегу, словно пораженный стрелой, затем медленно, учтиво приблизился и приветствовал его глубоким поклоном. Даса поднял его за плечи, ласково называя по имени, обнял и спросил, чем он мог бы порадовать его сердце. Пастух пожелал теленка, и ему тут же пожалованы были три молоденькие коровы из лучшего стада раджи. Новому радже подводили все новых людей — чиновников, егерей, придворных брахманов; он принимал их приветствия, а пир между тем продолжался: звучали барабаны, вины и флейты, и все это веселье, вся эта роскошь казались Дасе сном наяву, он все еще не мог до конца в это поверить, реальностью для него пока была лишь Правати, его жена, которую он держал в своих объятиях.

После нескольких коротких дневных маршей кавалькада приблизилась к городу, куда давно уже были посланы скороходы с радостной вестью о том, что молодой раджа отыскался и направляется в свой дворец, и когда показался город, оттуда уже неслись грохот барабанов и звуки гонга, и навстречу владыке из ворот города торжественно вышла процессия брахманов в белых одеяниях во главе с преемником того Васудевы, который добрых двадцать лет назад отправил Дасу к пастухам и который лишь недавно умер. Они приветствовали его, пели гимны, а перед дворцом, к которому они привели его, уже пылали большие жертвенные костры. Даса переступил порог своего дома; его и здесь встретил хор приветствий и восхвалений, благословений и здравиц. А за стенами дворца до поздней ночи не смолкал шум народных гуляний.

В каждодневном усердии, наставляемый двумя брахманами, Даса быстро овладевал необходимыми науками, участвовал в жертвенных обрядах, вершил суд и упражнялся в рыцарском и воинском искусстве. Брахман Гопала посвятил его в премудрости политики; он поведал ему обо всем, что связано было с его домом, с его правами, с притязаниями будущих его сыновей, и назвал имена врагов. Опаснее всех была его мачеха, та, что когда-то коварством лишила принца Дасу его прав и жаждала его смерти и чье сердце теперь пылало ненавистью к нему как к убийце ее сына Налы. Бежав из дворца, она нашла покровительство в лице могущественного соседа, царя Говинды, и жила в его чертогах, а Говинда этот и род его издавна были врагами и угрозой владениям предков Дасы, у которых они тщились отвоевать часть земель. Южный же сосед, раджа Гайпали, напротив, всегда был дружен с отцом Дасы и с первых же дней невзлюбил покойного Налу; его следовало поскорее навестить, одарить и пригласить на охоту.

Госпожа Правати уже крепко срослась со своим знатным положением, она будто рождена была царицей и выглядела столь восхитительно и величественно в своих роскошных нарядах и украшенная драгоценностями, словно была не менее знатного рода, чем ее господин и супруг. В счастливой любви жили они год за годом бок о бок, и счастье это освещало их неким светом, окружало сиянием, подобным тому, которым боги окружают избранников своих на земле, дабы люди почитали и любили их. И когда Правати подарила ему после долгих бесплодных ожиданий прекрасного сына, которому он в честь отца своего дал имя Равана, счастье его стало совершенным, и все то, чем обладал он — власть и земля, дома и хлева, кладовые, коровы и лошади, — стало для него вдвое важней и значительней, обрело блеск и еще большую ценность: все это достояние было прекрасно и отрадно, чтобы принести его в дар Правати, чтобы одевать ее, украшать и служить ей, теперь же оно стало еще прекрасней, еще отрадней и важнее, обратившись в наследство и будущее счастье его сына Раваны.

В то время как для Правати не было ничего милее празднеств, торжественных шествий, великолепия и роскоши, нарядов и украшений и великого множества слуг, — самой большой радостью для Дасы был сад, где по его велению взращивались редкие и драгоценные деревья и цветы и разводились попугаи и прочие пестрые птицы, кормление которых и забавы с которыми стали его каждодневной привычкой. Другой его слабостью была любовь к знаниям; благодарный ученик брахманов, он знал уже много стихов и изречений, овладел искусством читать и писать и держал при себе писца, преуспевшего в изготовлении свитков из пальмовых листьев, под чьими искусными пальцами начала расти маленькая библиотека. Здесь, среди книг, в небольшом богатом покое, стены которого сделаны были из драгоценного дерева и сплошь покрыты фигурными резными, отчасти золочеными изображениями из жизни богов, устраивал он диспуты, приглашая брахманов, достойнейших ученых и мыслителей среди жрецов, и темой их споров были священные предметы: сотворение мира и Майя великого Вишну, священные Веды, сила жертв и еще более могущественная сила покаяния, через которое смертный мог добиться того, что пред ним трепетали от страха сами боги. Те из брахманов, чьи речи, мысли и доказательства отличались особенной мудростью, получали дорогие подарки; иным доставались в награду за ум и красноречие прекрасные коровы, и было порой смешно и трогательно, когда великие ученые мужи, только что произносившие и толковавшие стихи священных Вед и бесстрашно объяснявшие все загадки Вселенной, гордо, важно выпятив грудь, удалялись со своими дарами или, снедаемые ревнивой завистью к наградам других, затевали ссору.

Впрочем, и все остальное, что связано с жизнью и человеческой сущностью, порой казалось Дасе — окруженному богатством, наслаждающемуся своим счастьем, своим садом, своими книгами — странным и сомнительным, смешным и трогательным, как те тщеславно-мудрые брахманы, светлым и в то же время мрачным, желанным и в то же время презренным. Услаждая взор свой цветами лотоса, растущими на прудах его сада, восхитительной игрой красок в оперении его павлинов, фазанов и птиц-носорогов, золочеными резными украшениями его дворца, он находил их порой божественными, словно очищенными огнем вечной жизни, порой же — и даже в тот самый миг — он чувствовал во всем этом нечто нереальное, ненадежное, сомнительное, видел тягу вещей к бренности и распаду, их готовность низринуться назад, в бесформенное, в хаос. Подобно тому как и сам он, царь Даса, был принцем, стал пастухом, низринулся до участи убийцы и бродяги вне закона и наконец вновь возвысился до царя, ведомый и направляемый неизвестными силами, не зная, что приключится с ним завтра и послезавтра, — жизнь, игралище Майи, таила в себе одновременно высокое и низкое, вечность и смерть, величие и нелепость. Даже она, возлюбленная, даже прекрасная Правати уже не раз, словно расколдованная на миг, представала ему смешной: слишком много колец на запястьях, слишком много триумфа и гордости в глазах, слишком много заботы о достоинстве в походке.

Еще дороже, чем сад и книги, был для него Равана, его маленький сын, смысл любви и бытия его, предмет его нежности и заботы, нежное, прекрасное дитя, настоящий принц, с кроткими, как у матери, глазами, задумчивый и мечтательный, как отец. Порой, когда он видел, как малыш подолгу неподвижно стоит в саду перед каким-нибудь диковинным деревцом или сидит на ковре, самозабвенно разглядывая камешек, вырезанную из дерева игрушку или перо птицы, с поднятыми бровями и тихими, отрешенно-неподвижными глазами, ему казалось, что сын очень похож на него. Как сильна была его любовь к мальчику, он понял, когда впервые должен был расстаться с ним на неопределенное время.

Однажды из тех краев, где владения Дасы граничили с землями враждебного соседа Говинды, прискакал гонец и сообщил, что люди Говинды вторглись в его пределы, угнали скот и забрали в неволю много людей. Даса немедленно собрался и, взяв с собой начальника дворцовой стражи и несколько дюжин лошадей, пустился в погоню за разбойниками; и когда он, прежде чем сесть в седло, взял сына на руки и поцеловал его, любовь в его сердце вспыхнула огненной болью. И из этой огненной боли, чудовищная сила которой поразила его и в которой ему почудилось предостережение из неведомого, родилась во время их долгой скачки некая истина, некое знание. Мысли его всю дорогу заняты были поисками причины, заставившей его так сурово и поспешно вступить в стремя и направить бег боевого коня своего к пограничным землям княжества; какая же именно сила вынудила его совершить все эти деяния? Он долго размышлял и наконец понял: в сущности, для него не так важно и не причиняет ему боль, что где-то на границе у него похитили скот и людей, он понял, что разбой этот и посягание на его права не смогли бы разжечь его гнев и побудить к деяниям и что весть об угоне скота ему следовало бы принять с сочувственной улыбкой и тут же забыть о ней. Но он знал, что это было бы горькой несправедливостью по отношению к гонцу, так спешившему доставить весть во дворец и едва державшемуся от усталости на ногах, и к тем людям, которых ограбили, и к тем, кого пленили, лишили родины, мирной жизни и угнали на чужбину, чтобы продать на невольничьем рынке. И со всеми остальными своими подданными, с головы которых не упал ни один волос, он поступил бы несправедливо, если бы отказался от суровой мести, нелегко было бы им пережить это и понять, почему царь их не радеет о защите страны, они стали бы со страхом думать, что и им нельзя рассчитывать на помощь и отмщение, случись и с ними такая же беда. Он понял: это его долг — отомстить врагу. Но что есть долг? Как часто мы, не дрогнув сердцем, пренебрегаем своим долгом! В чем же причина того, что долг этот, долг мести, ему не был безразличен, что он не мог пренебречь им, не мог исполнить его небрежно, вполдуши, а лишь с усердием и страстью? Не успел он задать себе этот вопрос, как сердце его, вновь пронзенное той болью, что испытал он при расставании с Раваной, юным принцем, уже подсказало ему ответ. Если бы царь — теперь он понял это — позволил угонять своих людей и скот, не давая врагу отпора, разбой и насилие не замедлили бы от границ царства распространиться на другие земли его, и в конце концов враг добрался бы и до него самого и поразил бы его в самое уязвимое место, причинив ему самую сильную и жгучую боль, какую он только способен был испытать, — в его привязанность к сыну! Они лишили бы его сына, они бы отняли его и предали смерти, быть может мучительной, и это был бы высший предел отпущенных ему страданий, еще страшней — гораздо страшней, — чем смерть Правати. Вот почему он сейчас скакал к границе, исполненный решимости и верности своему долгу. Он скакал не из страха потерять земли и скот, не из доброты к своим подданным, не из тщеславной гордости за свое царское имя, он скакал из любви — мучительной, болезненной, безрассудной любви к этому мальчику, из мучительного, безрассудного страха перед болью, которую причинила бы ему утрата сына.

Таковы были мысли и истины, открывшиеся ему во время той скачки. Людей Говинды, ему, однако, не удалось настичь и покарать, ибо они успели скрыться с награбленным добром, а, чтобы показать твердую волю и доказать свое бесстрашие, ему самому пришлось вторгнуться в чужие владения, предать разрушению одну из деревень соседа и захватить часть скота и угнать часть людей в рабство. В ратных заботах прошло несколько дней; возвращаясь же с победой назад, он вновь отдался глубоким раздумьям и прибыл домой тихий и словно печальный, ибо в раздумьях он понял, как прочно опутала и сковала его, со всеми его помыслами и деяниями, коварная сеть, не оставив ему ни капли надежды на избавление. В то время как склонность его к мышлению, потребность в тихом созерцании и в бездеятельности, в невинной жизни беспрестанно росла, с другой стороны — из любви к Раване, из страха и заботы о нем, о его жизни, о его будущем, — росла столь же стремительно и неизбежность деяний и оков зависимости от них; из нежности рождался раздор, из любви — война; вот он уже — пусть справедливости ради и ради возмездия — захватил силой скот, поверг жителей деревни в ужас и угнал в неволю бедных, ни в чем не повинных людей, а это, несомненно, породит новую месть и новое насилие, и так будет продолжаться до тех пор, пока вся жизнь и вся страна его не обратятся в пламя войны и насилия, не огласятся несмолкаемым шумом битв. Это открытие или видение и было причиной его молчаливости и кажущейся печали в тот день, когда он вернулся во дворец.

Враждебный сосед между тем и в самом деле не давал ему покоя. Он вновь и вновь совершал набеги и чинил насилие и грабеж. Дасе приходилось выступать с воинами в поход, отражать и карать врагов, а если они уходили от погони — закрывать глаза на то, что солдаты его и егеря наносят соседу все новый вред. В столице все чаще можно было видеть на улицах пеших и конных ратников, в некоторые пограничные селения посланы были для постоянной охраны отряды солдат; военные совещания и приготовления сеяли беспокойство в умах и сердцах. Даса тщетно старался понять, какой смысл и прок был в этой нескончаемой междоусобице. Его удручали страдания людей, ставших жертвами ее, ему было жаль унесенных ею жизней, жаль своего сада, своих книг, к которым он обращался все реже и реже, жаль ушедшей из его жизни и сердца тишины. Он часто беседовал об этом с Гопалой, брахманом, а иногда и со своей супругой Правати. Необходимо, говорил он, призвать в посредники одного из почитаемых соседних царей, дабы он рассудил их и восстановил мир, и он, Даса, со своей стороны готов был проявить уступчивость и отдать сопернику часть своих пастбищ и деревень, чтобы приблизить желанный мир. Он был огорчен и раздосадован, когда увидел, что ни брахман, ни Правати не желают даже слышать об этом.

Разность суждений об этом его и Правати привела к размолвке и даже к жестокой ссоре. Он страстно, словно произносил заклинания, излагал ей свои помыслы и доводы, она же отвечала на каждое слово его негодованием, будто слово это было направлено не против войны и бессмысленного убийства, а лишь против нее одной. Это и есть, поучала она его в своей пламенной и многословной речи, именно это и есть намерение врага — обратить в свою пользу добронравие Дасы и любовь его к миру (если не сказать — его страх перед войной) и заставить его вновь и вновь заключать мир ценою малых уступок, потери земель и людей; враг ни за что не успокоится до тех пор, пока не ослабит мощь Дасы настолько, чтобы можно было перейти к открытой войне и отнять у него последнее. Ибо речь идет не о стадах и деревнях, выгодах и невыгодах, но о главном: речь идет о спасении или гибели. И если он, Даса, не знает, чем обязан своему царскому сану, своему наследнику и своей жене, то она должна научить его этому. Глаза ее сверкали, голос дрожал, он давно уже не видел ее такой прекрасной и страстной, но в сердце его была лишь печаль.

Меж тем нарушение мира и разбойничьи набеги продолжались и временно прекратились лишь с наступлением сезона дождей. Двор Дасы уже раскололся на два враждебных лагеря. Лагерь сторонников мира был невелик, кроме самого Дасы к нему принадлежала горстка старых брахманов — умудренных знаниями и с головой ушедших в медитацию ученых мужей. Лагерь же приверженцев войны, возглавляемый Правати и Гопалой, включал в себя большинство жрецов и всех военачальников. Они с усердием готовились к будущим сражениям и знали, что воинственный сосед делает то же самое. Старший егерь обучал принца Равану стрельбе из лука, а мать брала с собой мальчика на каждый смотр войска.

В те дни Даса не раз вспоминал лес, в котором он, несчастный беглец, обрел на время прибежище, вспоминал седовласого старца-отшельника, посвятившего дни свои самоуглублению. Он вспоминал о нем, и в нем рождалось настойчивое желание вновь увидеть его, навестить его и спросить у него совета. Но он не знал, жив ли еще старик, а если жив, то захочет ли выслушать его и дать ему совет; впрочем, если бы он и оказался жив и не отказал бы ему в совете, — все равно все пошло бы своим чередом и он ничего не смог бы изменить. Самоуглубление и мудрость суть вещи благородные, но, похоже, они приносят плоды лишь в стороне, на обочине жизни, если же человек плывет в потоке жизни и борется с волнами — деяния и муки его не имеют никакого отношения к мудрости, они неизбежны, они предначертаны судьбой и должны быть совершены и выстраданы. Ведь и боги не могут жить в вечном мире и в вечной мудрости, даже им знакомы опасности и страх, борьба и сражения — он знал это из многих рассказов. И Даса смирился, не спорил более с Правати, скакал на смотр войск, видел, как приближается война, предчувствовал ее в изнуряющих ночных сновидениях, и, исхудав и помрачнев лицом, он видел, как бледнеют и вянут его счастье и радость жизни. Осталась лишь любовь к сыну. Она росла одновременно с заботой, росла одновременно с вооружением и обучением войска, она была алым горящим цветком в его осиротевшем саду. Он удивлялся тому, как много пустоты и безотрадности, оказывается, можно вынести, как быстро можно привыкнуть к тревоге и отвращению, а еще он удивлялся, как жгуче и властно может цвести в его, казалось бы, давно бесстрастном сердце такая пугливая, полная тревоги любовь. Если жизнь его и не имела смысла, то она все же не лишена была некоей сердцевины, некоего ядра, она вертелась вокруг любви к сыну. Ради него он каждое утро покидал свое ложе, чтобы провести день в занятиях и трудах, целью которых была война и которые ему были ненавистны. Ради него проявлял он терпение, руководя совещаниями военачальников, и противился решениям большинства лишь настолько, насколько это было необходимо, чтобы не допустить хотя бы излишней поспешности и губительного безрассудства.

Так же как его радость бытия, его сад, его книги постепенно стали ему чужими, изменили ему — или он изменил им, — так же изменила ему и стала чужой та, что все эти годы была ему счастьем и отрадой. Началось все с политики, и во время той размолвки, внимая страстной речи Правати, в которой она почти открыто высмеивала его боязнь совершить зло и его любовь к миру, считая их трусостью, и с раскрасневшимися щеками, в раскаленных от гнева словах напоминала ему о царской чести, о геройстве, о несмытом позоре, — он с растерянностью и головокружением вдруг почувствовал и увидел, как далеки уже они друг от друга. И с тех пор разверзшаяся меж ними бездна становилась все шире и шире, но ни он, ни она не пытались предотвратить это. Больше того: лишь Дасе, если бы он пожелал, было бы под силу что-либо изменить, ибо только ему видна была эта бездна, и в его представлении она все больше превращалась в бездну всех бездн, во вселенскую пропасть между мужчиной и женщиной, между *да* и *нет*, между душой и плотью. Когда в воспоминаниях своих он оглядывался назад, ему казалось, что он видит все совершенно отчетливо: как забавлялась с ним когда-то Правати, возбудив в нем любовь своей колдовскою красой, пока он не простился со своими товарищами и друзьями, со своей беззаботной пастушеской жизнью и не променял все это ради нее на чужбину и добровольное рабство, став зятем в доме недобрых людей, которые использовали его любовь, чтобы заставить его работать на них. Потом появился Нала и начались его беды. Нала завладел его женой: богатый, нарядный раджа со своими красивыми платьями и шатрами, со своими лошадьми и слугами, соблазнил бедную, не привыкшую к роскоши женщину, наверное, это не стоило ему большого труда. Но смог ли бы он на самом деле так быстро и легко соблазнить ее, если бы она в глубине души своей была верна мужу и благопристойна? Как бы то ни было, раджа соблазнил ее — или просто взял — и причинил ему самую мучительную боль, какую он когда-либо испытывал. Он же, Даса, отомстил обидчику — он убил вора, похитившего его счастье; это был блаженный миг торжества. Но тотчас же после случившегося ему пришлось спасаться бегством; много дней, недель и месяцев прожил он, прячась в кустарниках и камышах, вне закона, не веря никому из людей. А что делала в это время Правати? Они почти никогда не говорили об этом. Ясно было одно: она не убежала вслед за ним, а разыскивать его принялась лишь тогда, когда он, благодаря своему знатному происхождению, провозглашен был царем и понадобился ей, чтобы взойти на трон и зажить во дворце. Тогда-то она и явилась и увела его из леса, от соседства досточтимого отшельника; его облекли в богатые платья и сделали раджей, и жизнь его отныне, казалось, состояла из одного лишь счастья и блеска, в действительности же — что покинул он и на что променял покинутое? Он променял его на блеск и обязанности государя, обязанности, которые были вначале легкими, а затем становились все тяжелей и тяжелей, он променял его на свою потерянную и вновь обретенную красавицу супругу, на сладостные любовные утехи с ней, на сына, на любовь к нему и растущую тревогу за его жизнь и счастье, которым грозила опасность, ибо в ворота дворца уже постучалась война. Вот что принесла с собою Правати, когда отыскала его в лесу у источника. А что он покинул ради всего этого? Он покинул мир лесной обители, благочестивого одиночества, он отдал соседство и пример мудрого йога, отдал надежду стать учеником его и последователем, надежду на глубокий, сияющий, нерушимый покой души мудреца, на освобождение от жизненных битв и страстей. Прельщенный красотой Правати, опутанный ею и зараженный ее тщеславием, он оставил тот единственный путь, что ведет к свободе и миру. Такой представлялась ему сегодня история его жизни, ему очень легко было увидеть ее именно такой, достаточно было лишь нескольких поправок и опущений. Опустил он, например, тот факт, что он вовсе и не был учеником мудрого отшельника и даже готов был уже по своей воле покинуть его. Так легко все меняет формы при взгляде назад.

Правати же видела все это совсем иначе, хотя она несравнимо меньше предавалась подобным раздумьям, чем ее супруг. О том, что связано было с Налой, она не задумывалась. Зато, если память ей не изменяла, — это ведь она, только она и никто другой основала и построила счастье Дасы, вновь сделала его раджей, одарила сыном, осыпала радостями и усладами любви, чтобы в конце концов убедиться, что он не дорос до ее величия, недостоин ее гордых планов. Ибо ей было ясно: исходом предстоящей войны не могло быть ничто другое, кроме гибели Говинды и удвоения их власти и богатства. И вместо того чтобы радоваться вместе с ней и с усердием приближать этот день, Даса совсем не по-царски, как ей казалось, воспротивился войне и захвату чужих земель, желая лишь одного: бездеятельно дожить свой век среди этих дурацких цветов, деревьев, попугаев и книг. Не таков, однако, был полководец Вишвамитра, начальник всей конницы и, не считая ее, Правати, самый пылкий приверженец и проповедник скорейшей войны и победы. Любое сравнение между ними оборачивалось в его пользу.

От Дасы не укрылось, как сблизилась жена его с этим Вишвамитрой, как восхищалась она им и как он восхищался ею, этот веселый и отважный, пожалуй немного поверхностный, быть может даже не слишком умный полководец с красивыми, крепкими зубами, холеной бородой и раскатистым смехом. Он смотрел на это с горечью и в то же время с презрением, с язвительным равнодушием, которое он разыгрывал перед самим собой. Он не шпионил за ними и не желал знать, соблюдает ли дружба эта границы дозволенности и приличия. Он взирал на эту влюбленность Правати в красивого воина, на то, что она предпочла его своему так мало похожему на героя супругу, на выражавшие это предпочтение жесты и взгляды ее с той же самой внешне равнодушной, внутренне же полной горечи небрежностью, с которой он уже привык взирать на все, что происходит вокруг. Что это было — неверность супруги и предательство, которое она вознамерилась совершить в отношении его, или просто способ выразить свое пренебрежение к его взглядам — уже не имело значения: это *было* и развивалось и росло, росло ему навстречу, как и война, надвигалось, словно рок, и не было средства, чтобы предотвратить это, и не оставалось ничего другого, как принимать все как есть, сносить все с небрежной покорностью, — в этом, а не в нападениях и завоеваниях, заключались для Дасы мужская доблесть и геройство.

Преступало восхищение Правати молодым полководцем или его восхищение ею границы благонравия и дозволенности или нет, — в любом случае Правати была, он понимал это, менее виновна, чем он сам. Да, он, мыслящий и сомневающийся, склонен был к тому, чтобы возложить на нее вину за свое безвозвратно уходящее счастье или считать ее одной из причин, по которым он угодил в этот капкан, запутался в сетях любви, тщеславия, мести и разбоя, а в женщине — в любви и вожделении — он даже видел корень всех бед на земле, причину этой пляски, этого разгула страстей и желаний, прелюбодейства, смерти, убийства, войны. Однако он знал при этом, что Правати не есть виновница и причина, но сама — лишь жертва, что не она сама сотворила красу свою и не виновна в его любви к ней, что она лишь пылинка, дрожащая в луче солнца, лишь маленькая волна могучего потока и что в свое время все зависело только от него одного: в его воле было отвергнуть эту женщину, отвергнуть любовь, жажду счастья и тщеславие и либо остаться довольным своей жизнью пастухом, равным среди равных, либо, вступив на сокровенную тропу йоги, преодолеть несовершенство в себе самом. Он упустил эту возможность, не оправдал своих собственных надежд, великие дела оказались не его призванием, а может быть, он изменил своему призванию и жена по праву считала его трусом. Зато он получил от нее своего сына, это прекрасное, нежное дитя, за которое так боялся и жизнь которого все же до сих пор придавала смысл и ценность его собственному существованию, больше того — она была огромным счастьем, болезненным и робким, но все же счастьем, его счастьем. Это счастье ему приходилось теперь оплачивать болью и горечью в сердце, согласием на войну и смерть, сознанием неизбежности злого рока. Где-то неподалеку сидел в своем царстве раджа Говинда, подстрекаемый и наставляемый матерью того самого убитого им Налы, того соблазнителя, оставившего по себе дурную память; все чаще и дерзостней бросал ему вызов Говинда, все чаще и наглее становились его набеги; только союз с могущественным раджой Гайпали мог позволить

Дасе добиться мира и заставить соседа скрепить его грамотой. Но раджа этот, хоть и благоволил к Дасе, был все же родственником Говинды и с неизменной учтивостью пресекал все попытки склонить его к этому союзу. Пути назад не было, и не было надежды на разум или человечность, близился роковой час, и нужно было выстрадать и это, как и все ниспосланное свыше. Даса теперь и сам почти жаждал войны, с нетерпением ждал извержения скопленных молний и ускорения событий, которых нельзя уже было предотвратить. Он вновь навестил раджу Гайпали, безуспешно обменялся с ним любезностями и вернулся ни с чем; он по-прежнему призывал к согласию, к самообузданию, к терпению, но делал это уже без всякой надежды — он и сам готовился к войне. Борьба мнений в совете теперь заключалась лишь в том, что одни предлагали воспользоваться первым же набегом врага для вторжения в его страну и объявления войны, другие требовали дождаться, пока тот сам начнет войну, дабы в глазах народа и всего света он остался противником мира и виновником кровопролития.

Враг же, не утруждая себя подобными заботами, разом покончил со всеми колебаниями, совещаниями и промедлениями и первым нанес удар. Он инсценировал на кордоне крупный набег и выманил Дасу с начальником конницы и лучшими людьми из столицы, сам же со своим главным войском вторгся в земли его, окружил его город и, сокрушив ворота, осадил дворец. Узнав об этом и повернув вспять, Даса помыслами своими был рядом с женой и сыном, в окруженном врагами дворце, вокруг которого в переулках кипела кровавая битва, и сердце его сжималось от жестокой боли при мысли о том, какая опасность нависла над его семьей. Теперь уже никто не смог бы упрекнуть его в нерешительности и уклонении от своего долга полководца: он, охваченный пламенем боли и ярости, в бешеной скачке достиг со своим отрядом столицы, где все улицы, словно могучий поток, затопила грозная сеча, пробился к дворцу, остановил натиск врагов и сражался, не помня себя, пока не рухнул наземь на закате этого кровавого дня, обессилевший и израненный.

Когда к нему вновь возвратилось сознание, он уже был пленником, сражение закончилось победой противника, в городе и во дворце хозяйничали враги. Связанным доставили его к Говинде; тот встретил его насмешливым приветствием и отвел в один из соседних покоев — это была та самая комната с резными и золочеными стенами и множеством свитков. Там на ковре под охраной стражников неподвижно, с окаменевшим лицом сидела жена его Правати, держа на коленях мертвого мальчика; точно сломленный цветок, лежало безжизненное хрупкое тельце его, с серым лицом, в обагренных кровью одеждах. Женщина не повернула лица, когда в комнату ввели ее мужа, не взглянула на него, пустой, неподвижный взор ее попрежнему прикован был к погибшему сыну; Дасе она показалась странно изменившейся — лишь спустя несколько мгновений он заметил, что волосы ее, еще недавно черные как ночь, всюду поблескивали сединой. Должно быть, она уже долго сидела так, держа мальчика на коленях, окаменевшая, с белой маской вместо лица.

— Равана! — вскричал Даса. — Равана, сын мой, цветок мой!

Он упал на колени, опустил лицо на грудь мальчика; словно в молитве, стоял он, коленопреклоненный, перед онемевшей от горя женой и сыном, в безмолвной скорби, в безмолвном раскаянии. Он чувствовал запах крови и смерти, перемешавшийся с благовонием цветочного масла, которым умащены были волосы ребенка. Сверху застывшим взглядом взирала на мужа и сына Правати.

Кто-то коснулся его плеча; это был один из военачальников Говинды; он велел Дасе встать и увел его прочь. Ни он, ни Правати не проронили ни слова.

Его положили связанным на повозку и отвезли в город Говинды, в темницу; узы его ослабили, стражник принес и поставил на каменный пол кувшин с водой, потом его оставили одного, заперев дверь на засов. Рана на плече его горела. Он нащупал в темноте кувшин и смочил водой лицо и руки. Его мучила жажда, но он не стал пить: он надеялся тем самым приблизить свою смерть. Как долго все это еще будет длиться, как долго! Он жаждал смерти, так же как его пересохшее горло жаждало воды. Лишь смерть могла прервать эту пытку в его сердце, лишь она могла стереть в его сознании образ объятой горем матери над убитым сыном. Однако судьба смилостивилась над ним: когда муки его казались уже невыносимыми, усталость и слабость смежили его веки и он задремал.

Медленно всплыв на поверхность действительности со дна этого короткого забытья, он, еще не очнувшийся как следует, хотел протереть ладонями глаза, но не смог этого сделать, ибо руки его были заняты, они что-то крепко сжимали, и когда он наконец стряхнул с себя остатки сна и широко раскрыл глаза, то увидел вместо сумрачных стен темницы залитую ярким светом сочную зелень мхов и листвы. Он замигал, этот свет поразил его, словно беззвучный, но сильный удар; дикий, могильный ужас пронзил его насквозь раскаленной, трепещущей молнией; он мигнул еще и еще раз, сморщился, словно собираясь заплакать, и распахнул глаза еще шире. Он был в лесу, ладони его сжимали чашу с водой, у ног чуть подрагивали отраженные в зеркале источника ветви деревьев, а неподалеку, за разросшимися папоротниками, его ждал в своей хижине йог, велевший ему принести воды, тот самый, который странно смеялся и которого он просил поведать ему о Майе. Ни проигранных им сражений, ни отнятого смертью сына не было, ибо он не был ни раджей, ни отцом, однако желание его старый йог исполнил и раскрыл ему секрет Майи: сад и дворец, книги и птицы, государственные заботы и отцовская любовь, война и ревность, любовь к Правати и болезненное недоверие к ней — все это есть ничто. Нет, не ничто — все это и есть Майя! Потрясенный, стоял Даса у источника, по щекам его струились слезы, из накренившейся чаши в его дрожащих руках, которую он только что наполнил для отшельника, на ноги ему капала вода. Ему словно отсекли руку или ногу или удалили что-то из его головы, он весь наполнился пустотой, все прожитые долгие годы, бережно хранимые сокровища, вкушенные радости, испытанные боли, перенесенный страх, испитая до дна, до близости смерти чаша отчаяния — все это было внезапно отнято у него, вытравлено из его жизни и обратилось в ничто. Но нет, не в ничто! Ибо остались воспоминания, остались картины в его памяти: он все еще видел сидящую на ковре Правати, высокую и застывшую, с внезапно поседевшими волосами, а на коленях у нее лежал сын, так, словно она сама его только что задушила, лежал словно добыча орлицы, и члены его, как увядшие стебли, свисали с ее колен. О, как быстро, как стремительно и жутко, как жестоко и основательно открыл ему старик всю правду о Майе! Все в сознании его сдвинулось, долгие годы, полные событий, в мгновение ока свернулись в один крохотный свиток; сном обернулось все, что еще миг назад казалось властной действительностью, сном было, может быть, и все то, что случилось раньше: история о царском сыне Дасе, о его пастушеской жизни, о женитьбе, о мести, о Нале, о найденном у лесного отшельника прибежище; все это были картины, такие же, как те, что украшают стены дворцовых покоев, — резные изображения обрамленных листвою цветов, звезд, птиц, обезьян и богов. И не было ли то, что он испытывал и лицезрел сейчас, в этот миг, это пробуждение от владычества, ратничества и узничества, эти минуты оцепенения перед источником, эта чаща, из которой он только что пролил себе на ноги воду, и все эти мысли, теснящиеся в голове, — не было ли все это, в сущности, из той же самой материи, не было ли это сном, наваждением, Майей? А то, что он еще испытывает и будет лицезреть и осязать руками своими до того, как придет смерть, — разве это будет из другой материи, иной природы? Все это — игра и иллюзия, морок и призрак, все это — Майя: прекрасная и жуткая, восхитительная и отчаянная игра сменяющих друг друга картин жизни, с ее жгучими радостями, с ее жгучими муками.

Даса все еще стоял, словно оглушенный и скованный столбняком. Чаша в руках его вновь накренилась, влага мягким прохладным шлепком пролилась на его босые ноги и растеклась по траве. Что же ему делать? Еще раз наполнить чашу и отнести ее старику, чтобы тот посмеялся над ним и над пригрезившимися ему страданиями? Это было не очень-то заманчиво. Он опустил чашу, вылил из нее остатки воды и бросил ее в траву. Усевшись на зеленый мох, он стал размышлять. Довольно с него этих грез, этих дьявольских хитросплетений событий, радостей и горестей, которые, кажется, вот-вот раздавят сердце и погасят бегущий по жилам огонь, а потом вдруг оказываются Майей и предоставляют одураченного глупца самому себе, довольно с него желаний: он не желал больше ни жены, ни сына, ни трона, ни власти, ни победы, ни мести, ни счастья, ни ума, ни добродетели. Он не желал ничего, кроме покоя, кроме конца, не помышлял ни о чем, кроме того, ка́к остановить это вечно вращающееся колесо, ка́к прервать и уничтожить эту бесконечную череду картин, он желал бы остановить и уничтожить себя самого, как желал этого в той последней битве, когда, бросившись на врага, он рубил направо и налево, наносил и отражал удары, проливал чужую и свою кровь, пока не упал наземь без чувств. Но что было потом? Потом была краткая передышка, дарованная обмороком или дремотой, а может быть, смертью. И тотчас же вслед за этим вновь наступило пробуждение, и надо было вновь впускать в свое сердце ток жизни, вновь открывать сомкнутые вежды перед этим ужасным, прекрасным и устрашающим, бесконечным и неизбежным потоком картин до следующего бесчувствия, до следующей смерти. Быть может, это будет еще одна остановка, короткая, крохотная передышка, глоток воздуха, а потом все начнется сначала, и вновь нужно быть одной из великого множества тварей, сотрясаемых дикой, безумной, отчаянной пляской жизни. Да, видно, нет способа уйти в небытие, видно, тщетны надежды его приблизиться к концу.

Охваченный суетливым беспокойством, он не мог больше усидеть на месте. Если в этом проклятом хороводе все равно не найти покоя, если его единственное, страстное желание все равно неисполнимо, — почему бы ему не поднять брошенную чашу, не наполнить ее вновь водой и не отнести ее старику, который приказал ему сделать это, хотя он и не был его рабом. Это была просто небольшая служба, которую он должен был сослужить старому йогу, поручение; можно было послушаться и выполнить его, это было лучше, чем сидеть и выдумывать способы самоумерщвления, ведь послушание и служение вообще были гораздо легче и удобнее, гораздо невиннее и полезнее, нежели власть и ответственность, это он знал. Итак, Даса, возьми-ка, дружок, свою чашу, наполни ее водой и отнеси своему господину!

Когда он возвратился к хижине, учитель встретил его странным взглядом, слегка вопросительным, полусочувственным, полунасмешливым взглядом посвященного, тем взглядом, которым юноша встречает младшего товарища, вернувшегося из какого-нибудь нелегкого и отчасти постыдного приключения и подвергшегося при этом испытанию мужества. Правда, этот принц-подпасок, этот приблудившийся к нему бедолага вернулся всего-навсего от источника, принес воды и отсутствовал лишь несколько минут и все же он пришел из темницы, потеряв жену, сына, царство, прожив целую человеческую жизнь, бросив взгляд на вращающееся колесо. Наверное, этот молодой человек когда-нибудь прежде уже пробуждался, и, может быть, даже не раз, иначе бы не пришел сюда и не прожил бы здесь так долго; но теперь он, похоже, пробудился по-настоящему и созрел для того, чтобы отправиться в долгий путь. Понадобится не один год, чтобы научить этого молодого человека хотя бы позам и правильному дыханию.

Так, лишь одним только этим взглядом, заключающим в себе едва заметные признаки благосклонного участия и намек на возникшую меж ними связь, связь учителя и ученика, — лишь одним только этим взглядом посвятил его йог в ученики. Взгляд этот вытеснил ненужные мысли из головы ученика и накинул на него узду послушания и верности. Больше к этой истории прибавить нечего, ибо дальнейшая жизнь Дасы прошла по ту сторону картин и историй. Он больше не покидал леса.

Путь сновидений

ЗАПИСЬ

Жил когда-то один человек, он имел не слишком почтенную профессию автора развлекательных книг, однако же относился к тому довольно редкому типу служителей этого жанра, которые стараются по мере сил и возможностей делать свое дело добросовестно и чей талант поэтому внушает иным поклонникам пиетет, сходный с тем, каким, бывало, окружали себя истинные поэты в минувшие времена, когда были еще живы на свете и поэзия, и поэты. Наш герой писал разные приятные вещицы, рассказы, даже романы, сочинял иногда и стихи, и при этом, как только мог, старался писать хорошо. Тем не менее честолюбие писателя редко находило удовлетворение по той причине, что, считая себя человеком скромным, он все же имел неосторожность самонадеянно сравнивать свое творчество не с другими развлекательными произведениями, написанными его современниками, а подходил к нему с иным мерилом, равняясь на писателей прошлого, то есть на тех, чье творчество уже выдержало проверку временем, и, поступая так, снова и снова с горечью убеждался, что даже самая удачная, самая прекрасная страница из всего написанного им значительно уступает любой самой неприметной фразе или стихотворной строке истинного поэта. Писатель все сильнее ощущал неудовлетворенность и не находил ни малейшей радости в творчестве; если время от времени он еще писал какие-то пустяковые вещицы, то лишь для того, чтобы дать выход своей неудовлетворенности и духовной немощи, прибегнув к язвительной критике своего века и самого себя, но, разумеется, ничто при этом к лучшему не менялось. Случалось иногда, что он возвращался под сень волшебных садов чистой поэзии и тогда восхвалял прекрасное в приятных словесных формах, добросовестно старался увековечить в слове красоту природы, любовь, дружбу, и эти сочинения действительно отличались некой музыкальностью и известным сходством с произведениями истинных поэтов, с истинной поэзией, о которой они напоминали так же, как, скажем, легкий флирт или вдруг нахлынувшее чувство умиления иной раз может напомнить дельцу или бонвивану о том, что и у него когда-то была душа.

Как-то в один из дней, что на исходе зимы предвещают весну, литератор, которому так хотелось быть (и которого многие действительно считали) истинным поэтом, снова сидел за своим письменным столом. Проснулся он, по обыкновению, поздно, около полудня, потому что с вечера полночи провел за работой. Теперь же он сидел и глядел на лист рукописи, где вчера поставил точку. Мудрые там были мысли, мастерство и ловкость сквозили в каждом слове, были там остроумные находки и изящные описания, вспыхивали кое-где на этих строках и листах фейерверки, огненные шутихи, иной раз звучало здесь и тонкое чувство — и все-таки автор вновь испытал разочарование, когда перечитал эти строки, вновь смотрел отчужденно на то, что лишь накануне вечером начал писать с некой радостью и вдохновением, на то, что весь вечер казалось ему поэзией, а теперь, наутро, уже снова превратилось в литературу, стало просто исписанными листами бумаги, которой, в сущности, было жаль.

И снова в этот довольно унылый полуденный час пришли к нему чувства и размышления, которые посещали его нередко; он раздумывал о своеобразном трагикомизме своего положения, о нелепости своих тайных притязаний на истинно поэтическое искусство (потому что нет и не может быть ничего истинно поэтического в нынешней действительности), о наивности и тщете своих безрассудных попыток — исходя из любви к старым поэтам, высокой образованности, умения тонко слышать слово истинного поэта — создать нечто такое, что смогло бы сравниться с истинной поэзией или хотя бы в точности на нее походило (он вполне отдавал себе отчет в том, что благодаря образованности и путем подражания вообще невозможно создать что-то настоящее).

Какой-то частью своего существа он все же осознавал, что тщетное честолюбие и наивные иллюзии, сопровождавшие любые его искания, отнюдь не являются чем-то свойственным лишь ему одному; напротив, он знал, что всякий человек, даже как будто бы вполне благополучный, даже как будто бы преуспевающий и счастливый, таит в душе такое же безрассудство, такой же безысходный самообман; что каждый человек всегда, вечно стремится к чему-то несбыточному; что даже самое невзрачное существо хранит в сердце прекрасный образ Адониса, безнадежный глупец — идеал мудреца, а беднейший из бедняков — мечту о богатствах Креза. Да, какой-то частью своего существа он знал и то, что столь глубоко чтимый идеал «истинной поэзии» на самом деле пустышка; что Гёте взирал на Гомера и Шекспира с безнадежной тоской, видя в них недостижимые вершины, подобно тому как нынешний литератор в свою очередь почитает недостижимой вершиной Гёте, и что слово «поэт» есть лишь прекрасная абстракция; что и Гомер, и Шекспир были всего лишь литераторами, талантливыми работниками, которые сумели придать своим творениям видимость чего-то возвышенного и вечного. Какой-то частью своего существа он все это знал, как знает эти хрестоматийные, эти страшные истины каждый умный и склонный к размышлениям человек. Он знал или чувствовал, что и некоторые из его собственных писательских опытов, возможно, будут казаться истинной поэзией читателям грядущих лет, что литераторы грядущего, возможно, с тоской будут поминать его творчество и его век как золотой век, когда были еще настоящие поэты, были настоящие чувства, настоящие люди, настоящая природа и настоящая духовность. Он знал, что уже в бидермейеровскую эпоху богатые провинциалы, так же как и сытые горожане в средние века, столь же критически и столь же сентиментально сравнивали свой утонченный испорченный век и невинное, простодушное, прекрасное былое, смотрели на своих предков и их жизнь с тем же смешанным чувством зависти и сожаления, с каким современный человек склонен относиться к прекрасным временам, когда не была еще изобретена паровая машина.

Все эти мысли были привычны литератору, все эти истины были ему известны. Он знал: та же самая игра, то же страстное, благородное, безнадежное стремление к чему-то значительному, вечному, самоценному, что заставляло его исписывать лист за листом, подстегивало и других: генерала, министра, депутата, изящную даму, начинающего коммерсанта. Все люди так или иначе — кто с большим умом, кто с большей глупостью — стремились подняться выше своего уровня и возможностей, вдохновленные тайными идеалами, восхищенные чьим-то примером, воодушевленные мечтой. Нет лейтенанта, который не мечтал бы стать Наполеоном, и нет Наполеона, который порой не чувствовал бы, что он болван, что его победы — лишь фишки в игре, а планы — иллюзорны. Нет никого, кто не кружил бы в этом общем рое. И никого, кто хоть однажды, хоть на миг не почуял бы здесь обмана. Бесспорно, были совершенства, были богочеловеки, был Будда, был Иисус, был Сократ. Но и они были совершенны и всеведущи лишь в одно-единственное мгновение, мгновение своей смерти. Ибо их смерть была не чем иным, как последним проникновением в неведомое, последним наконец-то успешным актом самоотдачи. И может быть, любая смерть исполнена этого смысла, может быть, всякий умирающий совершенен, ибо преодолел несовершенства стремящихся и отдал самого себя — и уже не желал быть кем-то.

Такого рода мысли, какими бы они ни казались простыми, изрядно мешают человеку в его устремлениях и поступках, в его игре в те или иные игры. И потому труды честолюбивого поэта не приносили плодов. Не было слова, которое стоило бы записать, не было мысли, которой действительно следовало бы с кем-то поделиться. В самом деле, жаль тратить бумагу, будет лучше, если она останется чистой.

С таким чувством литератор отложил перо и сунул рукопись в ящик письменного стола. Будь под рукой спички, он сжег бы все написанное. В этой ситуации не было ничего нового, это отчаяние он изведал не однажды и почти притерпелся, почти привык уже к нему. Он вымыл руки, надел пальто и шляпу и вышел из дому. Перемена обстановки была надежным целительным средством, он знал, что плохо с таким, как нынче, настроением сидеть в четырех стенах, уставившись на исписанный или чистый лист бумаги. Лучше выйти на улицу, подышать воздухом и попрактиковаться в наблюдении окружающей жизни. Может быть, он увидит красивую женщину или случайно повстречает приятеля, а может, вдруг шумная стайка детей или занятная игрушка в витрине наведет его на какие-то новые мысли; могло случиться и так, что автомобиль кого-нибудь из сильных мира сего собьет его на перекрестке, — так много в жизни возможностей, чтобы как-то изменилось его нынешнее положение, чтобы возникли какие-то новые условия.

Он медленно шел, дыша по-весеннему мягким воздухом, смотрел на кивающие головки крокусов в печальных маленьких сквериках перед фасадами доходных домов, наслаждался влажным мартовским теплом, манившим свернуть с улицы в парк. Там, в парке, под пронизанными солнцем черными деревьями он сел на скамью, закрыл глаза и всецело отдался ощущению этого до времени наставшего весеннего солнечного часа. Как мягко гладил его щеки теплый воздух, каким могучим, еще скрытым жаром горело солнце; чуть горьковатый пар несмело поднимался от земли, весело, будто играя, шуршал порой гравий дорожки под маленькими детскими башмачками, прекрасно и нестерпимо звонко тенькала где-то в голых ветвях синица. Да, все вокруг было прекрасно, но ведь и весна, и солнце, и дети, и синица — все это существует на свете с незапамятных времен, все это дарило людям радость тысячи и тысячи лет тому назад, и, в сущности, было непонятно, что мешает поэту написать сегодня столь же прекрасное стихотворение о весне, как те, что были написаны полвека или век тому назад. И все же из этого ничего не вышло. Мимолетной мысли о «Весенней песне» Уланда (и, конечно же, о музыке вдохновленного ею Шуберта, чьи первые такты невыразимо проникновенны и по-весеннему волнующи) — одной этой мысли оказалось достаточно, чтобы у нашего поэта рассеялись последние сомнения: подобные восхитительные вещи уже созданы и какое-то время никто не сможет ничего к ним добавить, нет смысла пытаться так или иначе подражать этим столь неисчерпаемым, совершенным, исполненным живой красоты творениям.

В этот миг, когда мысли поэта уже устремились было по привычному бесплодному пути, он чуть приоткрыл глаза и из-под полуприкрытых век увидел, вернее, не только зрением, а как-то по-другому воспринял — вспышки и переливы, островки солнечного света, отблески и тени, разводы белого в синеве неба, мерцающий танец подвижных бликов, какие можно различить, если прищурясь глядеть на солнце, но только были они какими-то особенно яркими и словно бы драгоценными, неповторимыми, казалось, некий таинственный смысл претворил эти простые ощущения в нечто необычайное. Оно искрилось многоцветными вспышками, колыхалось, плыло туманом, рябило, взмахивало крылами, это был не просто шквал света извне, он не просто ударил в глаза — это была сама жизнь, внезапный порыв из глубин существа, он бушевал в душе, в судьбе. Такое видение дано поэтам «видящим», такое восхитительное и волнующее ви́дение дано и тем, кого коснулся Эрос. Исчезла мысль об Уланде и Шуберте, о всех «Весенних песнях», не было больше ни Уланда, ни поэзии, ни прошлого, все стало вечным мгновением, переживанием, глубочайшей реальностью.

Отдавшись чуду, которое переживал он уже не впервые в жизни, но которое считал ныне невозможным, ибо давно растратил по пустякам призвание и дар к переживанию чуда, он бесконечно долгое мгновение пребывал вне времени, в согласии души и мира, и чувствовал, как движет облаками каждый его вздох, как поднимается в груди горячее солнце.

Но отдавшись драгоценному переживанию и глядя перед собой из-под полуприкрытых век, полузатворив врата и всех прочих своих чувств — ибо он знал, что прекрасный поток изливается не вне души, а в ее глубинах, — он увидел вблизи себя на земле нечто такое, что приковало его внимание. То была, как понял он не вдруг, не сразу, ножка девочки, маленькой девочки, ребенка, обутая в коричневую кожаную туфельку, твердо и весело бежавшая по дороге, уверенно ступавшая с пятки на носок. Эта маленькая туфелька, коричневый цвет ее кожи, эта детская манера ставить маленькую ножку, эта полоска шелкового носка и тонкая лодыжка что-то напомнили поэту, и в его сердце внезапно всколыхнулось воспоминание о каком-то важном для него переживании, однако уловить связующую нить не удавалось. Детская туфля, детская ножка, носок — какое они имеют к нему отношение? Где здесь разгадка? Где тот родник в его душе, что отозвался именно на этот единственный образ из миллионов других, что только к нему чувствовал любовь, влечение, а значит, воспринимал этот образ как любимый и важный? На мгновение он широко раскрыл глаза и в какую-то долю секунды увидел всю девочку, миловидную девочку, но тут же почувствовал, что этот образ — уже иной, не тот, который имел отношение к нему, был важен для него, и поэт невольно поспешил снова закрыть глаза, но не совсем, а так, что в краткое последнее мгновение еще увидел убегавшую детскую ножку. Потом он закрыл глаза, плотно смежив веки, и принялся размышлять об этой ножке; он чувствовал, что в ней кроется какой-то смысл, но не мог его постичь и мучался тщетностью поиска и был счастлив тем, что так властно захватил этот образ его душу. Где-то когда-то эта картинка, маленькая ножка в коричневой туфельке, была его переживанием и теперь, благодаря переживанию, обрела значимость. Когда же это было? О, наверное, давно, в доисторические времена — таким далеким это было теперь, в такой дали, в такой непостижимой глубине пространства была она, так глубоко опустилась она в бездну его памяти. Возможно, он носил это в себе, потерянное и до сего дня не найденное, носил с самых ранних детских своих лет, с той дивной поры, воспоминания о которой столь размыты и туманны, картины которой столь трудно вызвать в памяти, но они все же ярче, жарче, полней, чем любые воспоминания более поздних лет. Он долго сидел, не открывая глаз, покачивая головой, раздумывая о том и о сем, находил иные нити, которые вдруг проблескивали в памяти, видел то одну, то другую череду, вереницу переживаний, но нигде в них не было ребенка, не было коричневой детской туфельки. Нет, не найти, и продолжать бесплодный поиск не имеет смысла.

Во время этого поиска воспоминаний он казался себе кем-то, кто безуспешно пытается разглядеть предмет вблизи себя, думая, что предмет этот находится далеко, и потому неправильно воспринимает все его очертания. Но, когда он уже решил бросить это занятие и готов был забыть краткое и незначащее переживание «вполглаза», дело обернулось по-новому и детская туфелька заняла вдруг свое место. Глубоко вздохнув, писатель почувствовал, что в переполненном хранилище картин его души детская туфелька лежит не в самом низу, относится не к самым ранним приобретениям, нет, она была совершенно новой, недавней. Совсем, совсем недавно этот ребенок был как-то с ним связан, совсем недавно он видел где-то эту убегающую детскую ножку.

И вдруг он разом все вспомнил. Ну конечно же, вот она, коричневая туфелька, а вот и ребенок, обутый в нее, ребенок из сна, который приснился писателю прошлой ночью. Боже мой, да как же мог он забыть этот сон? Он проснулся среди ночи счастливый, потрясенный таинственной силой сновидения, проснулся с чувством, что пережил нечто важное, исключительное, но вскоре снова заснул, и какого-то часа утреннего сна оказалось достаточно, чтобы начисто изгладилось в памяти исключительное переживание, так что лишь теперь, в эту секунду, оно снова воскресло, пробужденное мимолетным образом детской ножки. Как мимолетны, кратки, как покорны воле случая глубочайшие чудеснейшие переживания нашей души! И ведь что удивительно — теперь ему уже опять не удавалось восстановить целиком свое сновидение. Лишь отдельные картины, почти не связанные между собой, смог он воскресить в памяти — иные были свежи, искривились жизненным светом, другие успели поблекнуть, подернулись туманом, понемногу начали расплываться. А ведь как прекрасен, глубок, одухотворен был этот сон! Как забилось у него сердце в первую секунду после пробуждения среди ночи — восхищенно, несмело, словно в детстве, когда наступали праздники! Как нахлынуло вдруг острое чувство, что во сне он пережил что-то драгоценное, важное, что нельзя забыть, нельзя потерять! А теперь, спустя несколько часов, у него остался лишь крохотный фрагмент, отчасти размытые уже картинки, слабый отзвук в сердце — все остальное утрачено, минуло, оно уже не живет!

И все-таки это немногое было спасено. Писатель тут же решил собрать все, что еще сохранилось в его памяти от вчерашнего сна, и записать все верно и точно, насколько это удастся. Он быстро достал из кармана блокнот и принялся записывать отдельные самые важные слова, чтобы по возможности схватить общую композицию и основные черты сна. Но даже это не удалось. Ни начала, ни конца сна он уже не помнил, а для большинства сохранившихся в памяти фрагментов не мог определить, где было их место в привидевшейся ему истории. Нет, надо было начать иначе. Прежде всего он должен спасти то, что еще можно вспомнить, должен непременно поймать все разрозненные, но пока не потускневшие образы и, главное, детскую туфельку, пока они не упорхнули, эти пугливые волшебные птицы.

И, подобно могильщику, который с помощью немногих уцелевших букв или знаков пытается прочесть надпись, обнаруженную им на древнем надгробии, наш писатель старался прочесть свой сон, соединяя друг с другом его разрозненные фрагменты.

Во сне он каким-то образом был связан с некой девочкой, необыкновенной, пожалуй не красивой в общепринятом понимании, но какой-то удивительной девочкой, лет, наверное, тринадцати или четырнадцати, так ему казалось, но слишком маленького, не по годам, роста. Лицо у нее было загорелое. Глаза? Нет, глаз ее он не помнил. Имя? Неизвестно. Ее отношение к нему, сновидцу? Постой, да вот же она — коричневая туфелька! Он видел во сне, как эта туфелька и ее сестра-близнец переступали, танцевали, делали танцевальные па — шаги бостона. О, теперь он многое вспомнил. Но надо начать все сызнова.

Итак, во сне он танцевал с удивительной и незнакомой маленькой девочкой, ребенком в коричневых туфельках. Не было ли все в ней в коричневых тонах: лицо загорелое, волосы каштановые, глаза карие, платье из коричневой ткани? Нет, этого он не помнил. Пожалуй, можно было бы это предположить, но точно он не помнил. Он должен держаться известного, того, на что его память могла опираться как на факты, иначе перед ним распахнется необъятная ширь. Он уже начал догадываться, что поиски уведут далеко, что он пустился в бесконечно долгое странствие. И тут в памяти всплыл еще один фрагмент.

Да, он танцевал с девочкой или только хотел, только должен был танцевать с ней, и она, пока еще без него, начала танцевать в одиночестве, легко, грациозно, с восхитительной уверенностью в каждом движении. Или все-таки она танцевала не одна, и он тоже танцевал, танцевал с нею? Нет. Он не танцевал, он только хотел танцевать, вернее, между ним и еще кем-то было условлено, что он будет танцевать с маленькой смуглой девочкой. Но начала она без него, в одиночестве, а он смущался или робел, потому что танцевать надо было бостон, — бостон же всегда плохо у него получался. Она же начала танцевать, одна, словно бы играя и удивительно чувствуя ритм; ее маленькие коричневые туфельки с каллиграфической точностью чертили на ковре фигуры танца. Но почему же он не танцевал? А если не танцевал, то почему сперва хотел танцевать? Почему он с кем-то условился, что будет танцевать? Этого он вспомнить не мог.

И тут появился еще один вопрос: на кого была похожа эта миловидная девочка, кого она напоминала ему? Долгое время он тщетно искал ответа, и, казалось, нет надежды найти его, в какой-то момент он почти потерял терпение и начал уже раздражаться, еще немного, и он окончательно бросил бы все эти бесплодные попытки. Но тут внезапно ему вспомнилось еще что-то, блеснула еще одна связующая нить. Эта маленькая девочка была похожа на ту, кого он любил, — ах нет, она не была на нее похожа, его как раз поразило то, что она совершенно не похожа на его любимую, хотя была ее родной сестрой. Погоди! Сестрой? О, тут связующая нить сразу выступила от начала до конца, все обрело смысл, он увидел все ясно и четко. И он снова начал делать записи, в восхищении оттого, что вдруг стали четкими стершиеся строки и вернулись образы, которые он считал безнадежно утраченными.

Вот как все было: в этом сне была и его возлюбленная, Магда, она была не обидчивой и раздражительной, как всегда в последнее время, она была такая ласковая, слишком спокойная пожалуй, но веселая и милая. Магда встретила его с какой-то особенной тихой нежностью, не поцеловала, только подала руку и сказала, что хочет наконец познакомить его со своей матерью и что там, в доме матери, он познакомится с младшей сестрой Магды, девочкой, которой предназначено стать его возлюбленной и женой. Магда сказала, что ее сестра намного моложе, она очень любит танцевать, так что если он хочет ей понравиться, то лучше всего пусть пригласит ее на танец.

Как хороша была Магда в его сне! Как сияли ее живые глаза, ее чистый лоб, ее пышные душистые волосы всем, что было в ее существе особенного, прелестного, духовного, тонкого, всем, что питало созданный им образ Магды в те дни, когда он так сильно ее любил!

И во сне она привела его в дом, свой дом, дом ее матери и ее детства, ее родной дом, чтобы его увидели мать и маленькая сестра, которая была красивей, чем она сама, чтобы он узнал и полюбил сестру, ибо той предназначено было стать его возлюбленной. Но дома этого он не помнил, помнил только пустую его переднюю, где долго ждал, и матери он не помнил, помнил только какую-то старую женщину в темно-сером или, может быть, черном платье, которая стояла в отдалении, наверное, это была гувернантка или няня. А потом появилась девочка, сестра, прелестный ребенок, лет десяти-одиннадцати, но по виду ей можно было дать все четырнадцать. Ножки ее в коричневых туфельках казались такими детскими, такими невинными, резвыми и бесхитростными, такими чуждыми всего дамского и все же такими женственными! Девочка вежливо ответила, когда он поздоровался, и с этой минуты Магда исчезла, с ним осталась только эта маленькая девочка. Он предложил ей потанцевать, вспомнив совет Магды. И лицо девочки осветилось радостью, она кивнула и сразу пошла танцевать, одна, а он не смел подойти и обнять ее, не смел начать танцевать вместе с нею, потому что так хороша, так совершенна была эта девочка, это танцующее дитя, не смел и потому, что танцевала она бостон, танец, который он танцевал довольно плохо.

Собирая по крупицам образы своего сна, писатель в какой-то миг иронически усмехнулся. Он вдруг подумал о том, что только минуту назад грустил над бесплодностью своих попыток сказать стихами что-то новое о весне, потому что все уже давно сказано другими, непревзойденными, но когда он размышлял о ножке танцующей девочки, о легких прекрасных шагах ее коричневых туфелек, о четкости танцевальных па, которые чертили они на ковре, и о том, что над всей этой прелестной грациозностью и уверенностью все же витала тень скованности, дымка девичьей робости, тогда он с ясностью понял, что должен всего лишь воспеть в стихах эту детскую ножку, чтобы превзойти всех поэтов минувшего, которые когда-либо писали о весне, о юности, о предчувствии любви. Но как только его мысли устремились на этот путь, как только он захотел поиграть замыслом стихотворения «Ножка в коричневой туфельке», он в испуге почувствовал, что вот-вот ускользнет и исчезнет его сон, что все его чудесные образы начинают расплываться и таять. В страхе принялся он собирать и составлять по порядку свои мысли, но в то же время чувствовал, что весь сон, даже если бы он его записал, уже не принадлежит ему всецело, а с каждой минутой становится все более чуждым и ветхим. И в тот же миг он почувствовал, что так будет всегда: что эти восхитительные картины будут принадлежать ему и источать благоухание в его душе лишь до тех пор, пока он безраздельно всем сердцем останется им предан и не будет знать никаких иных помыслов, увлечений или забот.

В глубокой задумчивости вышел поэт из парка и направился к своему дому, бережно, словно безмерно вычурную, безмерно хрупкую игрушку из тончайшего стекла, унося с собой свой сон. Ему было страшно за этот сон. Ах, вот если бы ему посчастливилось и он смог бы целиком, полностью воссоздать образ возлюбленной из своего сна! Из коричневой туфельки, танцевальных па, из коричневой тени на лице маленькой девочки, из этих столь малых драгоценных фрагментов выстроить целое — это казалось ему важнее всего на свете. Да разве и не должно это быть для него действительно безмерно важным? Разве не обещано ему в возлюбленные это прелестное воплощение самой весны? Разве не родился ее образ в глубочайших и благороднейших родниках его души, чтобы явиться ему как символ будущей жизни, как предчувствие судьбы и как всецело принадлежащее ему видение счастья? И, несмотря на страх, в глубине души он чувствовал безмерную радость. Разве не чудо, что можно увидеть во сне подобное и носить в себе целый мир, сотканный из легчайшего волшебного вещества, разве не чудо, что в глубине нашей души, где мы так часто и с таким отчаянием, словно в груде развалин, напрасно старались отыскать хоть какие-то остатки веры, радости, жизни, что в глубине нашей души могут еще расцветать такие цветы?

Вернувшись домой, писатель затворил двери и удобно устроился в мягком кресле. Он достал блокнот со сделанной в парке записью, внимательно перечитал каждое слово и понял, что все они никчемны, что они ничего не могут ему дать, а только все заслоняют и загромождают. Он вырвал из блокнота листки с записью и изорвал их на мелкие кусочки, решив, что никогда больше не будет ничего записывать. Он старался побороть неутихавшее волнение, и вдруг ему вспомнился еще один обрывок сна: он вдруг снова увидел себя в незнакомом доме, в пустой передней, где он ждал, увидел в отдалении чем-то озабоченную старую даму в темном платье, которая ходила по комнате, и вновь почувствовал момент судьбы — то, что Магда ушла, чтобы привести к нему его новую, более юную и красивую, истинную и вечную его возлюбленную. Ласково и тревожно глядела на него издали старая женщина — и сквозь ее смутные черты, ее серое платье проступили другие черты и другие одежды, лица нянюшек и служанок его детских лет, лицо и серое домашнее платье его матери. И из этого пласта воспоминаний, из этого материнского, сестринского круга образов — так он чувствовал — поднимался к нему росток будущего, любви. Где-то дальше, за этой пустой передней, под опекой озабоченных, любящих, верных женщин, была взращена девочка, и ее любовь должна была принести ему счастье, блаженство, наполнить его будущее.

И Магду он опять увидел такой, какой она была, когда так странно, без поцелуя, ласково-строго с ним поздоровалась, и лицо ее вновь, словно в златом вечернем свете, озарилось всем волшебством, которое когда-то он находил в ней; в миг прощания и разрыва вновь засияло в ней все, что было любимо им в счастливые времена их любви, и ее лицо, обретшее четкость и ясность, возвестило ему о той юной, прекрасной, истинной, единственной, кого она должна была привести и отдать ему. Казалось, Магда была олицетворением самой любви, ее покорности, ее дара преображения, ее и материнского и детского волшебного могущества. Все, чем он когда-то наделил эту женщину в своих мыслях и мечтах, желаниях и поэтических фантазиях, вся просветленность и все поклонение, которое он когда-то принес ей на вершине своей любви, сосредоточилось сейчас в ее лице, и вся ее душа вместе с его к ней любовью стала ее лицом и ясным светом озарила прекрасные строгие черты; все это светилось печально и ласково в ясном взгляде. Возможно ли расстаться с такой возлюбленной? Но взгляд ее говорил: расставание неизбежно, должно явиться нечто новое.

И, легко ступая маленькими детскими ножками, явилось оно — сестра Магды, но лица ее увидеть было нельзя, ничего в ней нельзя было разглядеть, видно было лишь то, что она маленькая, хрупкая, что на ногах у нее коричневые туфельки, что коричневый цвет оттеняет ее лицо и ее платье и что она умеет танцевать с восхитительным совершенством. Причем бостон — танец, который ее будущий возлюбленный совсем не умел танцевать. Ничто другое не выразило бы лучше это превосходство ребенка над многое пережившим и во многом разочаровавшимся взрослым, как то, что столь свободно, легко и уверенно танцевала она именно бостон, в котором он был слаб, в котором ее превосходство над ним было безмерно!

Весь день писатель думал об этом сне и, все глубже вникая в его смысл, убеждался, что сон его прекраснее и выше, чем любые творения лучших поэтов. Долго, на протяжении многих дней обдумывал он свое намерение, свой замысел — записать сон так, чтобы не только он сам, но и другие увидели эту невыразимую красоту, глубину и проникновенность. Лишь спустя долгое время он отказался от своих замыслов и попыток, осознав, что должен довольствоваться малым: в душе быть истинным поэтом, сновидцем, видящим, и оставаться при своем ремесле простого литератора.

ТРАГЕДИЯ

Когда главному редактору сообщили, что наборщик Иоганнес вот уже целый час ожидает в приемной и не соглашается ни уйти, ни перенести аудиенцию на другой день, он кивнул с несколько меланхоличной и покорной улыбкой и на своем конторском стуле повернулся лицом к бесшумно входящему посетителю. Он заранее знал, какие дела привели к нему честного белобородого наборщика; знал, что история эта безнадежна и так же сентиментальна, как и скучна, что желания этого человека он исполнить не может и не может оказать ему никакой иной любезности, кроме одной: вежливо выслушать его; а поскольку проситель — наборщик, который уже много лет проработал в их газете — был человеком не только внушающим симпатию и уважение, но и образованным, и более того — во времена, предшествовавшие эпохе модерна, высоко ценился как писатель и был почти знаменит, у редактора при его посещениях — которые, как он уже знал из опыта, случались один-два раза в год и проходили всегда одинаково, с одинаковым успехом, вернее неуспехом — появлялось чувство, представляющее собой смесь сострадания и смущения, которое переросло на этот раз в сильнейшую неловкость, когда посетитель тихо вошел и с заботливой вежливостью совершенно бесшумно прикрыл за собой дверь.

— Садитесь, Иоганнес, — сказал главный редактор тоном ободрения (приблизительно тем же тоном, каким он в бытность редактором отдела литературы и искусства говорил с молодыми авторами и какой сегодня применял, беседуя с молодыми политиками). — Как поживаете, всем ли довольны?

Иоганнес робко и печально посмотрел на него глазами, обрамленными бесчисленными крохотными морщинками, детскими глазами на стариковском лице.

— Да у меня все то же самое, — сказал он с кроткой скорбью в голосе. — И становится все хуже и хуже, дело быстро продвигается к полному разложению. Я заметил новые страшные симптомы. То, от чего лет десять назад даже у среднего читателя начинали волосы шевелиться на голове, сегодня принимается читателем не просто благосклонно — все эти сводки новостей и отчеты о спортивных состязаниях, про объявления и говорить нечего, да что там, это проникло даже в раздел литературы и искусства, даже в передовицы, — и у добротных, уважаемых литераторов все эти огрехи, эти кошмары, эти явления вырождения стали чем-то само собой разумеющимся, стали нормой. И у вас тоже, господин главный редактор, извините, но и у вас — тоже. У меня ведь давно уже пропало всякое желание говорить о том, что наш литературный язык стал всего-навсего жаргоном нищих, обеднел и испакостился, что все прекрасные, роскошные, редкие, возвышенные формы исчезли; что я на протяжении многих лет ни в одной передовой статье ни разу не встретил Futurum exaktum, не говоря уже о каком-нибудь богатом, полнозвучном, благородно сложенном, упругим шагом шествующем предложении, о добротном, осмысленно построенном, изящно восходящем к кульминации благозвучном периоде. Я понимаю, это ушло навсегда. Подобно тому как на Борнео и других островах истребили райских птиц, слонов и королевских тигров, — точно так же теперь уничтожили и выдрали с корнем из нашего замечательного языка все благородные предложения, все инверсии, всю его пленительную игру и все тонкие оттенки. Я знаю, спасти уже ничего нельзя. Но ведь есть еще и просто ошибки, запечатленные следы откровенной поспешности, полные равнодушия к основным правилам грамматической логики! Господин редактор, представьте себе, вот они начинают предложение, по старой привычке, с «Невзирая на...» или с «Во-первых...» и забывают уже строчки через две о тех вовсе не столь уж обременительных обязательствах, которые на себя возложили, начав предложение таким образом, комкают главное предложение, сбиваются с пути, сворачивая на другую конструкцию, и в лучшем случае пытаются избежать скандала, прикрывшись тире, или сгладить этот скандал жалким рядочком многоточия. Вы сами знаете, господин главный редактор, ведь тире вошло и в ваш арсенал. Когда-то давно это тире казалось мне злым роком, оно было мне ненавистно, но дошло до того, что я бываю тронут до глубины души, как только замечу его, и я горячо благодарен вам за каждое такое тире, ибо оно, как бы то ни было, есть след минувшего, свидетельство культуры, признак нечистой совести, краткое, зашифрованное признание пишущего в том, что он осознает определенные обязательства по отношению к законам языка и что он в определенной мере скорбит и сожалеет, когда, принуждаемый досадной необходимостью, слишком часто обречен грешить против священного духа языка.

Редактор, который во время этой речи, закрыв глаза, продолжал расчеты по своим калькуляциям, от которых его оторвал визит наборщика, теперь медленно их открыл, спокойно, ясным взором посмотрел на Иоганнеса, благосклонно улыбнулся и сказал неспешно, словно увещевая, явно заботясь — в угоду старику — о приличных формулировках:

— Видите ли, Иоганнес, вы совершенно правы, я ведь и раньше всегда с готовностью это признавал. Вы правы: язык прежних времен, тот искусный, превосходно отточенный язык, которым два-три десятилетия назад более или менее владели многие авторы, — этот язык ныне погиб. Он погиб, как погибали сооружения египтян и системы гностиков, как суждено было погибнуть Афинам и Византии. Это печально, друг мой, это трагедия (при слове «трагедия» наборщик вздрогнул и приоткрыл рот, словно собираясь выкрикнуть какой-то призыв, но справился с собой и покорно занял прежнюю позу), но ведь в том и состоит наше предназначение, на то и должны быть направлены наши устремления, чтобы все неизбежное, что происходит по велению судьбы, воспринимать как должное, каким бы грустным оно ни оказывалось. Я, впрочем, вам и раньше говорил: замечательно, если человек хранит известную верность минувшему, а что касается вас, то я вашу верность не только понимаю, я не устаю восхищаться вами. Но привязанность к тем вещам и тому положению дел, которые давно уже обречены, должно иметь свои пределы; пределы эти устанавливает сама жизнь, и если мы их преступаем, если мы чересчур цепко держимся за старое, то неизбежно вступаем в противоречие с самой жизнью, которая сильнее нас. Я очень хорошо вас понимаю, поверьте. Вы человек, который превосходно владеет тем языком, той унаследованной от предков, прекрасной традицией. Вы, в прошлом — поэт, должны, конечно, больше, чем другие, страдать из-за упадка, из-за неустойчивого состояния, в котором находится наш язык, вся наша прежняя культура. В том, что вам как наборщику приходится ежедневно быть свидетелем этого упадка, более того — в известной степени участвовать в нем, — во всем этом есть какая-то горечь, нечто вроде траг... (в этот момент Иоганнес снова вздрогнул, так что редактор невольно заменил слово), нечто вроде иронии судьбы. Но я или кто-нибудь другой тут может столь же мало помочь, как и вы сами. Нам приходится принять существующий ход вещей и подчиниться ему.

Редактор разглядывал детское, но в то же время озабоченное лицо старого наборщика с чувством симпатии. Нельзя не признать, чем-то они были привлекательны, эти постепенно вымирающие представители старого мира, домодернистской, так называемой «сентиментальной» эпохи: это были приятные люди, несмотря на их жалкий вид. Мягким тоном он продолжал:

— Вы сами знаете, дорогой друг, около двадцати лет назад в нашей стране были напечатаны последние поэтические произведения, какая-то часть — отдельными книжкам и, что, правда, уже тогда встречалось крайне редко, какая-то — на газетных страницах. Затем, собственно говоря совершенно неожиданно, все поняли вдруг, что с этой поэзией что-то не совсем в порядке, что без нее можно обойтись, что она в общем-то не умна. Мы тогда заметили и осознали нечто такое, что давно уже подспудно совершалось, а теперь неожиданно предстало как очевидный факт: время искусства прошло, искусство и поэзия в нашем мире умерли, и теперь самое лучшее — совсем распроститься с ними, а не тянуть этих мертвецов за собой. Для всех нас, в том числе для меня, это было горьким открытием. И все же мы поступили правильно, что не стали ему противиться. Тот, кто хочет читать Гёте или что-нибудь подобное, может читать, как и раньше, он ничего не теряет оттого, что больше не растет день ото дня гора новых, бледных, невыразительных стихов. Мы все как-то приспособились к этому. В том числе и вы, Иоганнес, ведь отказались же вы от профессии поэта и нашли скромный, но надежный кусок хлеба. И если вы сегодня, находясь в столь преклонном возрасте, так уж страдаете оттого, что как наборщик слишком часто вступаете в конфликт со священной для вас традицией и культурой языка, тогда, дорогой мой друг, разрешите предложить вам вот что: откажитесь от этой утомительной и неблагодарной работы!.. Подождите, дайте мне договорить! Вы боитесь потерять заработок? Ну что вы, не думайте, что мы такие варвары! Нет, голодать вам не придется. Вы застрахованы по старости, и сверх того наша фирма — даю слово — определит вам пожизненную пенсию, чтобы обеспечить вам такой доход, какой вы имеете сейчас.

Он был доволен собой. Этот выход с пенсией пришел ему в голову только во время разговора.

— Ну, что вы на это скажете? — улыбаясь спросил он.

Иоганнес не в состоянии был сразу ответить. При последних словах доброжелательного редактора на его старом детском лице появилось выражение невероятного страха, блеклые губы совсем побелели, в глазах застыло выражение замешательства. Самообладание не сразу вернулось к нему. Редактор разочарованно смотрел на него. И тогда старик заговорил; он говорил очень тихо, но с необычайной боязливой проникновенностью, страстно стараясь изложить дело правильно, убедительно, доходчиво. Красные пятна то выступали на лбу и щеках, то исчезали. В глазах и повороте головы к собеседнику была мольба о внимании, о пощаде, морщинистая, тощая шея просительно и страстно вытягивалась над свободным воротничком рубашки. Иоганнес сказал:

— Господин главный редактор, извините, пожалуйста, что я вас обременил. Я никогда больше так не поступлю, никогда. Я-то ведь заговорил об этом с добрыми намерениями, но я сознаю, что очень вам надоедаю. И я понимаю, что помочь вы мне не можете, что мы все в одной лодке. Но только, ради Бога, не отнимайте у меня мою работу. Вы хотите утешить меня тем, что голодать мне не придется, но я этого никогда и не боялся. Я охотно соглашусь и на более низкую оплату — ведь я уже не так проворен в работе, как прежде. Но оставьте мне, пожалуйста, мою работу, не отнимайте — или вы убьете меня!

И совсем тихо, блестя горящими глазами, хрипло и напряженно он добавил:

— У меня ничего нет, кроме этой службы, ведь это единственное, что меня привлекает в жизни! Ах, господин доктор, как вы могли предложить мне такое, вы, единственный человек, который помнит, кем я когда-то был!

Редактор попытался унять пугающее волнение наборщика, похлопывая его по плечу и благодушно что-то бормоча. Не успокоившись, но почувствовав это благодушие собеседника и его участие, Иоганнес после краткого молчания снова заговорил:

— Господин главный редактор, я знаю, что вы когда-то в ранней молодости читали Ницше. Ну вот и я тоже читал. В семнадцать лет, сидя однажды вечером в своей любимой каморке гимназиста, под крышей, при чтении «Заратустры» я дошел до тех страниц, где находится «Ночная песнь». Никогда за все эти почти пятьдесят лет я не забывал тот час, когда впервые прочитал слова: «Вот и ночь. Громче голос бьющих ключей!» Ибо именно в тот час жизнь моя обрела смысл, и я начал свою службу, на которой состою и сегодня, именно в тот час чудо языка, несказанное очарование слова молнией пронзило меня; осмысленным взором смотрел я в бессмертные очи, ощущая божественное присутствие, и отдался ему как своей судьбе, своей любви, своему счастью и долгу. Я принялся тогда за других поэтов, обнаружил слова еще более благородные, еще более священные, чем в той ночной песни; словно влекомый магнитом, открыл я наших великих поэтов, которых теперь уже никто не знает: я обнаружил сладостно-мечтательного, мечтательно-тяжеловесного Новалиса, магические слова которого сплошь словно пропитаны ароматом вина и крови; открыл и Гёте, пламенного, юного и старого Гёте с его таинственной улыбкой, я обнаружил сумрачно-неторопливого, тяжело дышащего Брентано, быстрого, вздрагивающего Гофмана, пленительного Мёрике, неторопливого, добросовестного Штифтера; обнаружил весь этот блеск, все это великолепие: Жан Поль! Арним! Бюхнер! Эйхендорф! Гейне! Я был с ними, стать их младшим братом — вот чего я страстно желал; я припадал к источнику их речи — и это было мое святое причастие, и высокий священный лес их поэзии стал моим храмом. Мне довелось пожить в их мире, какое-то время я считал себя почти равным им, я глубоко познал удивительное наслаждение — перебирать податливую словесную ткань, подобно тому как ветер перебирает нежную весеннюю листву, заставлять слова звенеть, танцевать, делать так, чтобы они шелестели, трепетали, гремели, пели, кричали, зябли, дрожали, бились, замирали. Находились люди, признававшие во мне поэта, в сердце которого мелодии живут, как в арфе. Но довольно, довольно об этом. Настало время, когда все наше поколение отвернулось от поэзии, когда все мы словно в осеннем ознобе почувствовали: теперь все двери храмов закрылись, теперь настал вечер, и священные леса поэзии помрачнели, и ни один из живущих сейчас не найдет заветной тропинки под божественную сень. Сделалось тихо, и тихо затерялись мы, поэты, на отрезвевшей земле, которую навеки покинул великий Пан.

Редактор дернул плечами с ощущением сильнейшей неловкости, охваченный двойственным, мучительным чувством. В какие дебри забрел этот несчастный старик? Он взглянул на Иоганнеса с тайным пониманием, и глаза его говорили: «Да, да, оставь же это, не надо, ведь мы с тобой все понимаем!» Но тот еще не кончил.

— Тогда, — продолжал он тихо и напряженно, — тогда и я распрощался с поэзией, сердце которой больше не билось. Некоторое время я по привычке продолжал жить, бессильно и бессмысленно, пока уменьшение и, наконец, полное исчезновение постоянных доходов от моих произведений не вынудило меня искать другого источника пропитания. Я сделался наборщиком, потому что когда-то случайно выучился этому делу на службе у одного издателя. И я не пожалел, хотя ремесло это в первые годы было для меня горьким хлебом. Но я нашел в нем то, что мне было нужно и что нужно каждому человеку, — свою цель, смысл своего существования. Уважаемый господин редактор, наборщик — тоже служитель храма языка, и его ремесло есть служение слову. Теперь, состарившись, я могу уже признаться вам: в передовицах, в рассказах, в рецензиях, фельетонах, в сообщениях из парламента, в городской и судебной хронике, в происшествиях и в объявлениях я за все эти годы, ни слова не говоря, исправил десятки и сотни тысяч огрехов в языке, выправил и поставил на ноги многие тысячи вывихнутых, криво построенных предложений. О, какую радость я при этом испытывал! Какое удивительно прекрасное чувство охватывало меня, когда в небрежно набросанном диктанте переутомленного редактора или изувеченной цитате полуграмотного парламентария, в деформированном паралитическом синтаксисе репортера после нескольких магических штрихов и поправок вновь проступал чистый, неоскверненный лик нашего прекрасного языка! Но со временем это становилось все труднее, различия между моим литературным языком и языком, который вошел в моду, делались все глубже, а трещины в синтаксических постройках — все шире. Передовая статья, для исцеления которой лет двадцать назад достаточно было самое большее десяти-двенадцати легких прикосновений моей любящей руки, потребовала бы сегодня сотен и даже тысяч поправок, чтобы, в моем понимании, ее можно было читать. Ничего не получалось, и я все чаще вынужден был признавать свое бессилие. Да-да, конечно, как видите, я не такой уж закоснелый реакционер, я тоже, к сожалению, научился идти на уступки, не в силах противостоять великому злу.

Но теперь появилось и еще кое-что: речь идет о том, что я раньше называл своей «маленькой» службой и что уже стало единственным моим занятием. Попробуйте, господин доктор, сравнить колонку, набранную мною, с подобной же в любой другой газете, и разница сразу бросится вам в глаза. Нынешние наборщики, все без исключения, давно приспособились к порче языка, они-то ее и поддерживают, и ускоряют. Вряд ли хоть кто-то из них знает, что существует негласный нерушимый закон, неписаный закон нашего искусства, согласно которому тут ставится запятая, тут двоеточие, а там — точка с запятой. И как ужасно, прямо-таки убийственно уже в рукописях, напечатанных на машинке, а затем — при наборе обращаются с теми словами, которые стоят в конце строки: ведь поскольку они имеют несчастье быть слишком длинными, их, без вины виноватых, расчленяют на две части. Это чудовищно. В нашей собственной газете мне (год от года все чаще и чаще) приходилось встречать сотни тысяч таких бедных слов, неправильно разделенных, разорванных в клочья и опозоренных: обст-оятельства, наблюд-ение, а однажды попалось даже у-бежище! Поле моей битвы теперь, здесь, здесь я могу и сегодня вести свою ежедневную борьбу, делать свое маленькое, но полезное дело. Вы даже не подозреваете, господин редактор, как это прекрасно, с какой добротой и благодарностью взирает на наборщика вызволенное из застенка, просветленное и освобожденное от пыток неправильной пунктуацией предложение! Нет, пожалуйста, никогда больше не требуйте от меня, чтобы я бросил все это на произвол судьбы!

Хотя редактор знал Иоганнеса уже несколько десятков лет, тем не менее никогда не слышал, чтобы тот говорил столь оживленно и откровенно, и, ощущая внутреннее сопротивление против преувеличений и нелепостей, содержавшихся в этой речи, которые его раздражали, он вместе с тем ощущал крошечную, затаенную ценность этого признания. Не могло ускользнуть от него также и то, что в любом случае следует ценить в наборщике столь утонченное чувство ответственности и рвение к труду. Вновь его умное лицо до краев наполнилось доброжелательностью, и он сказал:

— Ну да, Иоганнес, вы ведь меня уже давно убедили. При таких обстоятельствах я, разумеется, беру свое предложение обратно — а оно делалось-то из самых лучших побуждений. Работайте наборщиком и дальше, продолжайте служить! И если я мог бы еще чем-нибудь быть вам полезен, скажите.

Он встал и протянул наборщику руку, уверенный в том, что теперь тот наконец-то уйдет.

Но Иоганнес, с чувством сжав протянутую руку, вновь раскрыл перед редактором душу, сказав:

— Благодарю вас от всего сердца, господин главный редактор, за вашу доброту! На самом деле у меня есть к вам одна просьба, совсем маленькая. Если бы вы хоть чуть-чуть мне помогли!

Не опускаясь опять в кресло, редактор несколько нетерпеливым взглядом призвал его сказать, в чем дело.

— Речь идет, — сказал Иоганнес, — вновь о слове «трагедия» и эпитете «трагический», господин доктор. Вы уже в курсе дела, мы не раз об этом говорили. Вам ведь известна дурная манера репортеров называть трагедией любой несчастный случай, тогда как трагедия — это все-таки... да, пожалуй, сокращу-ка я рассказ, довольно об этом. Итак, каждый сбитый велосипедист, каждый обожженный у плиты ребенок, каждый случай падения сборщика вишен с лестницы обозначается с помощью опошленной «трагедии». Нашего прежнего репортера я от этого отучил, я не оставлял его в покое, я приходил к нему каждую неделю, а он был хороший человек, смеялся; и, то и дело уступая, может быть, он даже понимал, во всяком случае отчасти, о чем я веду речь. А теперь этот новый редактор отдела коротких новостей — я не имею права судить о нем вообще, — но я совсем не преувеличиваю, если говорю: каждая попавшая под колеса курица становится для него долгожданным поводом употребить всуе это сакраментальное слово. Если бы вы дали мне возможность хоть раз всерьез поговорить с ним, если бы вы попросили, чтобы он хотя бы один раз внимательно выслушал меня...

Редактор подошел к пульту, нажал на клавишу и сказал несколько слов в микрофон.

— Господин Штеттинер будет на месте в два часа и, конечно, уделит вам несколько минут. Я предупрежу его. Но постарайтесь говорить кратко, когда придете к нему!

Старый наборщик откланялся с благодарностью. Редактор смотрел, как он неслышно проскальзывает в дверь, видел редкие седые волосы, в беспорядке спадавшие на ворот старого, нелепого суконного пиджака, смотрел на сгорбленную спину верного служителя и совсем не жалел теперь, что ему не удалось уговорить старика уйти на покой. Пусть себе остается! Пусть и дальше один-два раза в год повторяются эти посещения! Он не сердился на него. Он отлично умел находить с ним общий язык. Но этого-то как раз и не умел господин Штеттинер, к которому Иоганнес явился и которого главный редактор в суете повседневных дел совсем позабыл о нем предупредить.

Господин Штеттинер, крайне деловой и весьма молодой сотрудник газеты, который быстро поднялся от репортера до редактора одного из отделов, вовсе не был монстром, а, будучи репортером, научился обходиться с самыми разными людьми. Однако феномен Иоганнеса оказался абсолютно чужд и непонятен этому знатоку жизни, он в самом деле никогда не знал и не подозревал, что существует или существовал подобный тип людей. Кроме того, как редактор, вполне естественно, ни в коем случае не чувствовал себя обязанным выслушивать советы и поучения от наборщика, будь он хоть столетний старец, будь он раньше, в романтические времена, знаменитостью, будь он хоть сам Аристотель. Так вот и случилось непоправимое: уже через несколько минут покрасневший и разъяренный господин стремительно подвел Иоганнеса к двери, и тот вынужден был покинуть кабинет. Далее произошло вот что: полчаса спустя в наборном цехе старый Иоганнес, набрав четверть столбца текста, испещренного неслыханными ошибками, вдруг обмяк и с жалобным стоном упал на рукопись, а через час умер.

Рабочие из наборого цеха, так внезапно лишившиеся своего старшего товарища, чуть-чуть пошептавшись, сошлись на том, что возложат на его гроб общий венок. А господину Штеттинеру выпало на долю дать маленькую заметку в газету с сообщением о кончине наборщика, ведь так или иначе, но когда-то, лет тридцать—сорок назад, Иоганнес был своего рода знаменитостью.

Он написал — «трагический конец поэта», но потом вспомнил, что Иоганнес не переносил слова «трагедия» и эпитета «трагический», а странный старик и его внезапная смерть сразу после их разговора так сильно подействовали на него, что он счел себя обязанным оказать некоторое уважение умершему. Это чувство заставило его перечеркнуть заголовок заметки, заменив словами «Прискорбный случай», но внезапно ему показалось, что и это слабо и бесцветно, он рассердился, потом взял себя в руки и написал окончательный вариант: «Боец старой гвардии».

ДЕТСТВО ВОЛШЕБНИКА

Снова ввысь — и я снова в колодце,
В дивной сказке минувших времен.
И далекая музыка льется,
Тихий смех, тихий плач, золотой давний сон.
Призывно из каменной глуби
Волшебное слово поет;
Сплю, тобою навек околдован,
А твой шепот зовет и зовет.

Меня воспитывали не одни только родители и учителя, но и силы высшие, скрытые и таинственные; среди них был и бог Пан, который в образе маленького танцующего индийского божества стоял за стеклом в шкафу у моего деда. Это божество, а за ним и другие пеклись обо мне в детские годы, и задолго до того, как я научился читать и писать, настолько заполонили мою душу древнейшими восточными образами и мыслями, что позже, сталкиваясь с индийскими и китайскими мудрецами, я всякий раз чувствовал, что встречаюсь со знакомыми, что возвращаюсь домой. И все-таки я европеец, я даже родился под активным знаком Стрельца и на протяжении всей жизни упражнялся в западных добродетелях — горячности, страсти и неутомимой любознательности. К счастью, я, подобно большинству детей, еще до поступления в школу узнал, что́ для жизни необходимо и что́ в ней самое ценное, — меня научили этому яблони, дождь и солнце, река и лес, пчелы и жуки, научил бог Пан, научил танцующий божок из сокровищницы моего деда. Я освоился в мире, я бесстрашно водил дружбу со зверями и звездами, я был своим во фруктовых садах, я знался с рыбами в воде и мог спеть уже немало песен. Владел я уже и искусством волшебства, но, к сожалению, очень скоро разучился, и только позже, когда я стал старше и когда мне пришлось заново этому учиться, в моем распоряжении оказалась вся легендарная мудрость детства.

Вскоре к этому добавились и школьные науки, которые давались мне легко и доставляли удовольствие. Школе хватило мудрости заниматься не теми серьезными навыками, которые необходимы для жизни, а по преимуществу прелестными играми и забавами, в которых я часто находил удовольствие, и знаниями, из которых многие всю жизнь верно служат мне; так, я и сегодня помню много прекрасных, метких латинских слов, стихов и выражений, а также на память могу назвать количество жителей многих городов во всех частях света — естественно, не нынешние цифры, а цифры восьмидесятых годов.

До тридцати лет я ни разу всерьез не задумывался над тем, кем мне предстоит стать и какую профессию я мог бы освоить. Меня восхищали, как и всех мальчишек, некоторые профессии: охотника, плотогона, кучера, канатоходца, исследователя Северного полюса. Однако гораздо охотнее я сделался бы волшебником. Это была глубинная, потаенная суть моих устремлений, своего рода неудовлетворенность тем, что называли «действительностью» и что порой казалось мне всего лишь нелепым сговором взрослых; какой-то протест против этой действительности — то боязливый, то насмешливый — рано появился у меня, и вместе с ним — пламенное желание заколдовать ее, изменить, возвысить. Желание это обращалось в детстве на внешние, детские цели: я хотел, чтобы зимой выросли в саду яблоки и чтобы бездонный кошелек по мановению волшебной палочки наполнялся золотом и серебром; я мечтал о том, чтобы связать своих врагов волшебными путами, а потом посрамить их своим великодушием, и чтобы меня объявили победителем и королем; я хотел найти спрятанные сокровища, воскресить мертвых и сделаться невидимкой. И прежде всего именно эту способность — сделаться невидимкой — я считал высоким искусством и страстно желал им овладеть. Желание овладеть им, так же как и другими волшебными умениями, сопровождало меня всю жизнь в разных обличьях, которые я сам часто не сразу распознавал. Ведь не раз позже, когда я давно уже стал взрослым и избрал профессию литератора, я делал попытки исчезнуть в собственных сочинениях, сменить обличье и укрыться за многозначительными шутливыми именами, — попытки, которые, как ни странно, толковались моими собратьями по перу превратно и понимались неправильно. Стоит мне оглянуться назад, и оказывается, что вся моя жизнь прошла под знаком этого стремления — обладать силой волшебства; то, как менялись со временем цели моих волшебных желаний, как я постепенно отторгал их от внешнего мира и впитывал в себя самого; как я постепенно стал стремиться к тому, чтобы подвергать превращению не вещи, а самого себя; как я затем научился заменять пошлое желание укрыться под шапкой-невидимкой стремлением к невидимости Знающего, Который, познавая, сам всегда остается непознанным, — все это и было истинным содержанием истории моей жизни.

Я был живым и счастливым мальчиком, в вечной игре с прекрасным разноцветным миром, повсюду дома, среди зверей и растений точно так же, как в дремучей чащобе собственных фантазий и видений, проникнутый радостью от ощущения собственных сил и способностей и скорее осчастливленный, нежели изнуренный своими пламенными желаниями. Искусством волшебства, сам того не ведая, я владел тогда с гораздо большим совершенством, чем позже, когда оно снова стало доступно мне. Легко я завоевывал любовь, легко добивался влияния на других, легко входил в роль вожака, или того, кого домогаются, или — человека, окутанного тайной. У приятелей моложе меня и родственников я поддерживал почтительную веру в мое могущество волшебника, в господство над демонами, в мое право на обладание царственными венцами и кладами. Долго жил я в раю, хотя родители рано познакомили меня со змием. Долго длился мой детский сон, мир принадлежал мне, все было в настоящем, и все было выстроено вокруг меня в определенном порядке для чудесной игры. Если же в моей душе поднимались неудовольствие и тоска, если радостный мир начинал затягиваться тенью и становился сомнительным, я по большей части легко отыскивал путь в другой, более свободный, подвластный мне мир фантазий и, возвратившись из него, находил мир внешний уже более привлекательным и милым. Долго жил я в раю.

В небольшом саду у моего отца устроена была загородка, там у меня жили кролики и ручной ворон. Там проводил я нескончаемые часы, долгие, как век Вселенной, в тепле и блаженстве обладания, и жизнью пахли кролики, травой и молоком, кровью и размножением; а в строгом черном глазу ворона горел светильник вечной жизни. На этом самом месте проводил я совсем особенные, бесконечные часы, по вечерам, при горящем огарке, около теплых дремлющих животных, один или с приятелем, и строил планы, как я отрою несметные сокровища, как добуду корень мандрагоры; как отправлюсь в победоносные рыцарские походы ради жаждущего спасения человечества и буду казнить разбойников, одарять несчастных, освобождать пленников, дотла сжигать крепости врагов, распинать на кресте предателей, прощать неверных вассалов; как завою королевскую дочь и научусь понимать язык животных.

В библиотеке у моего деда была одна необыкновенно большая, тяжелая книга, я часто перелистывал и читал ее. И были в этой неисчерпаемой книге старинные, удивительные картинки — иногда они сразу оказывались под рукой, светясь заманчивым светом, как только ты начинал перелистывать книгу, иногда же можно было искать долго и не находить их: они пропадали как заколдованные, словно их здесь никогда и не бывало. И была в этой книге одна история, бесконечно прекрасная и непонятная, и эту историю я часто перечитывал. И она тоже попадалась не всегда, она ждала своего часа, она зачастую пропадала совершенно, таилась и пряталась где-то, притворялась, будто покинула свое жилище, иногда во время чтения она оказывалась на редкость приветливой и почти понятной, в другой раз — совершенно невнятной и недоступной для посторонних, словно дверь на чердак, за которой в сумерках порой раздавались смешки и стоны привидений. Все было настоящим, и все — волшебным, действительность и волшебство доверчиво льнули друг к другу, переплетаясь ветвями, и то и другое принадлежало мне.

И танцующий божок из Индии, который стоял за стеклом в шкафу моего деда, наполненном сокровищами, не всегда оставался одним и тем же, и не всегда у него было одно и то же лицо, и не во всякое время танцевал он один и тот же танец. Порою это был идол, странная и немного нелепая фигура, какие делают и каким поклоняются в чужих, непостижимых странах чужие, непостижимые народы. А то он оборачивался колдуном, надменным и несказанно жутким, алчущим жертв, злобным, суровым, неприступным, насмешливым; он, казалось, дразнил меня, словно подбивая посмеяться над ним, чтобы затем мне же и отомстить. Он и смотреть умел по-разному, хотя сделан был из желтого металла; иногда взгляд его косил. Были и другие часы, когда он полностью превращался в некий символ, не был ни безобразным и ни прекрасным, ни злым и ни добрым, ни потешным и ни страшным, а был прост, стар и безыскусен, как руна, как мох на скале, как узор на булыжнике, и в его обличье, в его лице и образе таилось божество, обитало бесконечное, которое я тогда, будучи мальчишкой и не зная его имени, почитал и знал не менее, чем позже, когда я называл его Шива, Вишну, когда я именовал его Бог, Жизнь, Брахман, Атман, Дао или Вечная Матерь. Это был Отец, это была Мать, Женщина и Мужчина, Солнце и Луна.

А рядом с божком в том же шкафу и в других дедовых шкафах стояло и висело еще множество различных существ и приспособлений: цепочки из деревянных бусин, похожие на четки, свитки из пальмовых листьев с нацарапанными на них древними индийскими письменами, черепахи, вырезанные из зеленого змеевика, маленькие фигурки божков из дерева, из стекла, из кварца, из глины, шелковые и льняные покрывала с вышивкой, оловянные кружки и плошки — и все это из Индии или с Цейлона, райского острова, где папоротниковые деревья, и пальмовые берега, и кроткие сингалезцы с глазами ланей; все это было из Сиама и из Бирмы, и все пахло морем, пряностями и далью, корицей и сандаловым деревом, все прошло через коричневые и желтые руки, все орошено тропическими дождями и водами Ганга, иссушено солнцем экватора, осенено тенью дремучих лесов. И все эти вещицы принадлежали деду, и он, старый, почтенный, могущественный, с окладистой белой бородой, сведущий во всем, обладающий властью большей, чем отец и мать, — он владел, кроме того, еще многими другими вещами и волшебными силами, ему принадлежали не только все эти индийские божки и игрушки, все это резное, расписное, освященное колдовством, все эти кубки из кокоса и сандаловые шкатулки, не только зала и библиотека, он был еще и магом, провидцем, мудрецом. Он знал все человеческие языки, более тридцати языков; возможно, он понимал и языки богов, и языки звезд, он мог писать и говорить на пали и санскрите, он мог петь канарские, бенгальские, индийские и сингалезские песни, знал молитвы и обряды мусульман и буддистов, хотя сам был христианином и верил в божественное триединство; многие годы и десятилетия провел он в жарких и опасных восточных странах, путешествовал на лодках и в повозках, запряженных быками, на лошадях и мулах, никто не знал так хорошо, как он, что наш город и наша страна — лишь очень маленькая часть земли, что тысячи и миллионы людей исповедовали иную веру, чем мы, у них были другие обычаи, языки, другой цвет кожи, другие боги, добродетели и пороки, чем у нас. Его я любил, чтил и боялся, на него я полагался во всем, ему я доверял все, у него и у его переодетого бога Пана, скрывавшегося под одеянием идола, я непрестанно учился. Человек этот, отец моей матери, был оплетен зарослями тайн, так же как лицо его утопало в белых зарослях бороды, а глаза излучали и мировую скорбь, и жизнерадостную мудрость — в зависимости от обстоятельств, одинокое знание и божественное лукавство; люди из многих стран знали, почитали и посещали его, разговаривали с ним на английском, французском, на хинди, итальянском, малайском и после долгих разговоров вновь бесследно исчезали, то ли как его друзья, то ли как его посланники, слуги или доверенные лица. И я понял, что именно от него, Неисчерпаемого, исходит та тайна, которая окутала мою мать, то тайное и древнее, — ведь и она тоже долго пробыла в Индии, и она тоже говорила и пела по-малайски и поканарски и обменивалась со своим мудрым отцом словами и изречениями на чужих, магических языках. И, в точности как у него, у нее на губах порой появлялась чужеземная улыбка, мягкая улыбка мудрости.

Другим был мой отец. Он был сам по себе. Он не принадлежал ни миру деда с его идолами, ни будням города, а оставался в стороне и стоял одиноко, вечно страдающий и вечно ищущий, человек высокообразованный и доброжелательный, чуждый фальши и полный рвения в служении истине, но очень далекий от той улыбки; благородный и тонкий, но ясный без той туманной таинственности. Никогда не покидала его доброта, никогда не изменял ему ум, но ни разу не погружался он в волшебное облако, каким был окружен дед, никогда лицо его не утопало в этой детскости и божественности, переливы которых выглядели то как грусть, то как тоная насмешка, то как молчаливо погруженная в самое себя божественная маска. Мой отец не говорил с матерью на языках Индии, он говорил по-английски, а его немецкий был чист, прозрачен, прекрасен и слегка окрашен балтийским выговором. Именно этот его язык притягивал меня к нему, именно он меня полностью покорил, ему я учился у отца, к нему я стремился порой, полный восхищения и страсти, страсти необычайной, хотя знал, что корни мои гораздо глубже уходят в материнскую почву, в страну тайны, страну темных очей. Моя мать была полна музыки, а отец — нет, петь он не умел.

Рядом со мною росли сестры и два старших брата: большие братья, предмет моей зависти и моего почитания. Вокруг нас был маленький город, старый и горбатый, а кругом него — лесистые горы, суровые и мрачноватые, а через город протекала красивая речка: робея, она виляла из стороны в сторону, — и все это я любил и называл это родиной; а в лесу и на реке я доподлинно знал каждую песчинку и травинку, каждый камень и каждую ямку, каждую птичку, белку, рыбку и лисичку. Все это принадлежало мне, было моим, было родиной, но, кроме того, был застекленный шкаф и библиотека, и добродушная насмешка на проницательном лице дедушки, и темный, теплый взгляд матери, были черепахи и божки, индийские песни и изречения, и все это говорило о том, что мир — шире, родина — больше, род — древнее, а связи — теснее. А вверху, в высокой проволочной клетке, сидел наш серо-красный попугай, старый и умный, с острым клювом, сидел с ученым видом, напевал и разговаривал, и был этот попугай родом — тоже! — из дальних, неведомых краев, он тоненько выводил что-то на языках джунглей и издавал запах экватора. Много миров, разные части земли простирали руки и лучи, встречаясь и пересекаясь в нашем доме. А дом был большой и старый, комнат в нем было много, и часть из них наполовину пустовала; были там и погреба, и большие гулкие коридоры, пахнувшие камнем и прохладой, и бесконечные чердаки, заваленные досками, наполненные яблоками, и сквозняком, и темной пустотой. Разные миры скрестили лучи свои в этом доме. Здесь молились и читали Библию, здесь изучали науки и занимались индийской филологией, здесь часто звучала хорошая музыка, здесь знали о Будде и Лао-цзы; гости приезжали из разных стран, принося на своих одеждах дыхание чужбины, с какими-то особенными чемоданами из кожи и соломки, со звуками чужой речи; здесь кормили бедных и праздновали праздники, наука и сказка были здесь неразлучны. А еще была бабушка, которую мы побаивались и плохо знали, потому что она не говорила по-немецки и читала французскую Библию. Многообразной и не во всем понятной была жизнь этого дома, разными красками переливался свет, богато и многоголосо звучала жизнь. Это было чудесно и нравилось мне, но еще чудеснее был мир моих затаенных желаний, еще богаче переливались мои грезы наяву. Действительности никогда не было достаточно, требовалось волшебство.

Магия была обычным делом в нашем доме и в моей жизни. Помимо дедушкиных шкафов, были еще и мамины, и они ломились от азиатских тканей, платьев и покрывал, магическим был и косой взгляд божка, таинственным — запах в старых кладовках и под лестницей. И во мне самом многое соответствовало окружающему. Имелись вещи и взаимосвязи, которые существовали только во мне самом и для меня одного. Ничто не было столь таинственно, столь мало связано с окружающим, столь далеко от повседневно существовавшего, как они, — и все же не было ничего более реального. Уже одно только своенравное появление и исчезновение картинок и историй в той большой книге было именно таким, каким и перемены в обличье вещей, которые я наблюдал каждый час. Насколько по-разному выглядели входная дверь, беседка и улица воскресным вечером — и утром в понедельник! Насколько менялся облик стенных часов и изображения Христа в гостиной в тот день, когда там царил дух дедушки, нежели тогда, когда правил дух отца, и как все преображалось в те часы, когда вообще никакой посторонний дух не ставил на вещах свою мету, а воцарялся мой собственный дух, когда душа моя играла вещами, давая им новые имена и значения! Тогда хорошо знакомый стул или табурет, тень за печкой или печатные буквы газетного заголовка могли сделаться прекрасными или безобразными и злыми, значительными или банальными, пробудить тоску или напугать, оказаться смешными или печальными. Как все-таки мало прочного, стабильного, устойчивого! Какая живая жизнь кипела вокруг, как все менялось, страстно стремилось к переменам, было настороже в ожидании обновления и возрождения!

Но из всех магических явлений самым важным и самым замечательным был «маленький человек». Не знаю, когда я в первый раз его увидел, я думаю, он был всегда и появился на свет вместе со мной. Маленький человек представлял собой крохотное, серое, призрачное существо — то ли гномик, то ли привидение, то ли домовой, ангел или демон, не знаю; иногда он появлялся и был постоянно у меня перед глазами, и во сне, и наяву, и мне приходилось подчиняться ему больше, чем отцу, больше, чем матери, больше, чем разуму, и зачастую даже больше, чем страху. Когда малютка становился видимым, в мире существовал только он, и куда бы он ни шел и что бы он ни делал, я должен был повторять за ним, а он показывался в минуту опасности. Когда за мной гналась злая собака или кто-нибудь из разозлившихся товарищей постарше и положение мое становилось щекотливым, тогда в самые тяжелые моменты маленький гномик неожиданно появлялся, бежал впереди, показывал дорогу, спасал. Он показывал мне дырку в садовом заборе, сквозь которую мне удавалось убежать в последний, самый страшный момент, он подавал пример, показывая, что мне сейчас нужно делать: упасть, повернуться, помчаться прочь, закричать, промолчать. Он выхватывал у меня из рук то, что я собирался съесть, приводил меня к тому месту, где лежали вещи, которые я потерял. Бывало, я видел его каждый день. Бывало, он исчезал. Это были плохие времена, жизнь становилась вялой и неясной, ничего не происходило, не было никакого движения вперед.

Однажды на рыночной площади человечек бежал передо мною, а я — за ним, он подбежал к огромному фонтану с каменным колодцем глубиной выше человеческого роста, из которого били четыре струи воды, прошел по каменной стенке до самого края колодца — я за ним, — и когда он резво спрыгнул вниз, в водяную глубину, я прыгнул тоже — выбирать не приходилось — и чуть было не утонул. Но на самом деле не утонул, меня вытащили, а вытащила меня молодая миловидная жена соседа, которую я до этого почти не знал и с которой с того дня у меня завязались приятные дружеские отношения с легким поддразниванием, долгое время услаждавшие мою жизнь.

Однажды отец потребовал от меня объяснений за какой-то проступок. Мне более или менее удалось оправдаться, и я, как всегда, страдал оттого, что очень трудно объяснить все так, чтобы взрослым было понятно. Были слезы, назначено было очень мягкое наказание, и под конец, чтобы я навсегда запомнил этот день, отец подарил мне маленький карманный календарик. Несколько пристыженный и неудовлетворенный, я пошел восвояси, и путь мой пролегал по мосту через реку, и вдруг человечек оказался впереди меня, перепрыгнул через перила и знаками приказал мне выбросить подарок отца в реку. Я тут же так и сделал — без малейших сомнений и колебаний: они появлялись лишь тогда, когда человечка не было рядом, когда он бросал меня в беде. Мне вспомнился один день: я шел тогда по улице с родителями, появился человечек, он пошел по левой стороне улицы, я — следом, и сколько бы раз отец ни звал меня, заставляя перейти на другую сторону, человечек не шел со мной, он упорно продолждал идти по левой стороне, и я всякий раз вынужден был перебираться обратно к нему. Отцу все это надоело, и он наконец позволил мне идти там, где мне нравилось, обиделся и лишь позже, дома, спросил, почему же все-таки я был так непослушен и непременно хотел идти по другой стороне улицы. В подобных случаях я приходил в величайшее смущение, я по-настоящему был в отчаянии: ведь нельзя было представить ничего более невероятного, чем обмолвиться хоть словом о человечке. Не могло быть ничего более запретного, дурного, греховного, чем выдать человечка, назвать его вслух, заговорить о нем. Даже подумать о нем, даже окликнуть его или позвать — я не мог. Если он был рядом — все было хорошо и я подчинялся ему. Если его не было, то казалось, что его не было никогда. У человечка не было имени. Но самым невероятным на свете казалось не послушаться человечка, когда он был рядом. Куда он — туда и я: и в огонь, и в воду. И не то чтобы он мне приказывал поступать так-то и так-то или подсказывал. Нет, он просто-напросто поступал так или эдак, а я повторял за ним. Не повторить его действия было так же невозможно, как не может моя тень не повторять все мои движения. Похоже, я был только тенью или зеркальным отражением этого малютки, а может быть, наоборот, он — моим; а то, что я, как мне казалось, делал прежде него, на самом деле я делал раньше него или — одновременно с ним. Только он, к сожалению, не всегда был рядом, а если его не было, то во всем, что я делал, не было естественности и необходимости, тогда все могло складываться по-разному и в каждом шаге открывалась возможность делать его или не делать, возможность для раздумий, для колебаний. Однако все добрые, радостные и счастливые шаги в моей тогдашней жизни были сделаны без раздумья.

Вполне вероятно, что царство свободы есть одновременно и царство заблуждений.

Как прекрасна была моя дружба с веселой соседкой, которая вытащила меня тогда из фонтана! Она была жизнерадостна, молода и красива, а вдобавок — глупа, и глупость ее была пленительна, почти гениальна. Она просила меня рассказывать ей волшебные истории и сказки про разбойников и бывала то слишком легковерна, то недоверчива и при этом принимала меня по меньшей мере за какого-то восточного мудреца, а я и не возражал. Она очень восхищалась мною. Если я рассказывал ей что-нибудь забавное, она смеялась громко, от души и начинала смеяться задолго до того, как до нее доходил смысл. Я говорил ей об этом, я спрашивал:

— Госпожа Анна, послушай, а как это ты смеешься шутке, когда ты еще ничего не поняла? Это ужасно глупо, и потом, это мне обидно. Ты уж, пожалуйста, или изволь понять, что я рассказываю, и тогда смейся, или — если до тебя не дошло — не смейся, пожалуйста, и не делай вид, что ты все поняла.

Она продолжала смеяться.

— Нет, — восклицала она, — ты, ей-Богу, самый смышленый мальчик, каких я когда-либо видела, просто потрясающий мальчишка. Ты обязательно станешь профессором, или министром, или доктором. А что я смеюсь, поверь, за это сердиться не стоит. Я смеюсь просто потому, что радуюсь, на тебя глядючи, и потому что ты самый что ни на есть остроумный человек на свете. А теперь объясни-ка мне свою шутку!

Я обстоятельно объяснял ей все, ей приходилось еще задавать кое-какие вопросы, наконец она действительно начинала понимать, в чем суть, и если до того она уже смеялась от всего сердца, то теперь разражалась таким оглушительным и заразительным смехом, что и я не мог удержаться. Как мы смеялись тогда, как она баловала меня и восхищалась мною, в каком восторге она была от меня! Иногда я брался проговаривать в ее присутствии сложные скороговорки по три раза подряд, быстро-быстро, например: «Карл у Клары украл кораллы, Клара у Карла украла кларнет» или «На дворе трава». Ей тоже приходилось пытаться все это произнести — я настаивал на этом, — но она заранее принималась хохотать, она и двух слов не могла произнести как следует, да и не старалась, и каждая новая попытка заканчивалась очередной потехой. Госпожа Анна была самым довольным человеком, какого я когда-либо встречал. По мальчишескому разумению, я считал ее невероятно глупой, и, по сути дела, так оно и было, но она была человеком счастливым, и я иногда склоняюсь к мысли, что счастливые — это скрытые мудрецы, даже если они выглядят глупцами. Что может быть глупее, что приносит так много несчастий, как не разумность!

Шли годы, и мои отношения с госпожой Анной уже совсем заглохли, я был уже большой мальчик, школьник, и уже попал под власть всех искушений, страданий и опасностей разумности, и в один прекрасный день госпожа Анна мне снова понадобилась. И вновь привел меня к ней именно маленький человечек. Я тогда отчаянно бился над вопросом различия полов и откуда берутся дети, и вопрос этот становился все более насущным и мучил меня, и однажды он сделался уже настолько жгучим и мучительным, что я предпочел бы не жить дальше, чем оставаться в неведении относительно этой страшной загадки. Угрюмо, в ожесточении шел я из школы через рыночную площадь, не поднимая глаз, несчастный и мрачный, и тут неожиданно появился маленький человечек! Он сделался редким гостем, он давно уже не хранил мне верность — или это была моя вина, не знаю, и вот я неожиданно снова увидел его: маленький и юркий, он бежал по земле прямо передо мной, он виден был всего мгновение и тут же вбежал в дом госпожи Анны. Человечек исчез, но я немедленно последовал за ним в дом и уже знал почему, и госпожа Анна вскрикнула, когда я неожиданно ворвался к ней в комнату, потому что она как раз переодевалась, но она не прогнала меня, и скоро я узнал почти все, что было мне так мучительно необходимо знать. Дело кончилось бы любовной интрижкой, не будь я слишком юн для этого.

Эта веселая глупая женщина отличалась от большинства прочих взрослых тем, что была хотя и глупа, но зато проста и естественна, всегда жила настоящим, никогда не лгала и не смущалась. Большинство взрослых оказывались другими. Были и исключения, была моя мать, воплощение всего живого, загадочно привлекательного; был отец, воплощение справедливости и мудрости, и дед, который уже, собственно говоря, и человеком-то не был, он, Таинственный, Всезнающий, Улыбающийся, Неисчерпаемый. Но большинство взрослых, хотя их приходилось почитать и бояться, были совсем глиняными колоссами. Каким потешным выглядело их неумелое актерство, когда они разговаривали с детьми! Как фальшиво звучал у них голос, какой деланной была улыбка! Как они важничали, какого высокого мнения были они о себе и своих делах и предприятиях, с какой преувеличенной серьезностью, шагая по улице, несли они свои инструменты, портфели, книги, крепко зажав их под мышкой, с каким нетерпением они ждали, когда их узнают, поздороваются с ним, как ждали они почитания! Иногда по воскресеньям к моим родителям приходили люди «с визитом»: мужчины с цилиндрами в неловких руках, втиснутых в лайковые перчатки, важные, полные достоинства, изнемогающие от собственной важности, — адвокаты и судьи, священники и учителя, директора и инспектора со своими чуть-чуть испуганными, чуть-чуть подавленными женами. Они сидели на стульях, выпрямив твердые спины, их всегда приходилось уговаривать, они не могли обойтись без чужой помощи, когда раздевались, когда входили, когда усаживались, обменивались вопросами и ответами, когда уходили. Мне легко удавалось не принимать этот бюргерский мир слишком всерьез, как он того требовал, потому что родители мои к нему не принадлежали и сами находили его смешным. Но даже когда они не актерствовали, даже без перчаток и визитов, большинство взрослых представлялись мне достаточно странными и смешными. Как они носились со своей работой, со своими ремеслами и службами, какими великими и священными они казались самим себе! Если какой-нибудь кучер, полицейский или мостовщик мешал проходу на улице, это было дело святое, тогда, разумеется, все уступали им дорогу и даже помогали. Но что до детей с их занятиями и играми, то они были совершенно не важны, от них отмахивались, на них кричали. А разве в их делах меньше было правильного, доброго, меньше важного, чем у старших? Да нет же, наоборот, но только старшие были могущественны, они приказывали, они правили. При этом у них, в точности как и у детей, были свои игры: они играли в учебную пожарную тревогу, в солдатики, ходили на заседания своих союзов и в рестораны, но делали все это с такими важными и значительными лицами, словно все это так и надо и в мире нет ничего более прекрасного и совершенного.

Среди них, следует признать, встречались и разумные люди, даже среди учителей такие были. Но не было ли странным и подозрительным уже то, что среди всех этих «больших» людей, которые ведь сами когда-то были детьми, находилось так мало таких, кто не до конца об этом забыл и до сих пор помнит, что такое ребенок, как он живет, трудится, играет, думает, что́ ему мило и что́ больно? Находились немногие, очень немногие, кто до сих пор это помнил. На свете водились не только тираны и грубияны, которые относились к детям со злобой и отвращением, отовсюду прогоняли их, смотрели на них косо, кипя ненавистью, а иногда, казалось, испытывали к ним нечто вроде страха. Но, однако, и те, другие, кто не таил зла на детей, кто порой с удовольствием снисходил до разговора с ними, — и они, как правило, не осознавали, с кем имеют дело, и им — почти всем — приходилось с трудом, с натугою приспосабливаться к детям, если им хотелось войти в наш круг, — но приспосабливались-то они не к настоящим детям, а к выдуманным ими глупым карикатурам.

Все эти взрослые, почти все, жили в другом мире и дышали другим воздухом, чем мы, дети. Они часто оказывались не умнее нас и очень часто не имели перед нами никакого преимущества, кроме этой таинственной власти. Они были сильнее, да: если мы не подчинялись добровольно, они могли нас заставить, могли наказать. Но разве в этом было истинное превосходство? Разве бык или, скажем, слон не превосходили в силе такого вот взрослого? Но в их руках была власть, они приказывали, их мир и их порядки считались правильными. И тем не менее — и для меня это было как-то особенно странно и временами даже жутко, — тем не менее часто встречались взрослые, которые, казалось, завидовали нам. Они могли иногда так наивно, прямо, с каким-то вздохом сказать: «Да, дети, не жизнь у вас, а малина!» Если это была правда, а это была правда — когда я слышал эти слова, то ясно ощущал их искренность, — тогда получалось, что взрослые, могущественные, почитаемые и повелевающие, были вовсе не счастливее нас — тех, кому приходилось слушаться их и выражать им свое почтение. В музыкальном альбоме, пьесы из которого я разучивал, действительно была песня со странным припевом: «О детство! О детство! Какое блаженство!» Здесь скрывалась тайна. Было нечто, чем обладали мы, дети, и чего не было у старших, они были не просто больше и сильнее, в каком-то смысле они были еще и беднее нас! И это они, кому мы часто завидовали из-за их высокого роста, полного достоинства вида, их кажущейся свободы и самостоятельности, — они, в свою очередь, завидовали нам, маленьким, завидовали даже в песнях, которые пели!

Но до поры до времени я, несмотря ни на что, был счастлив. В мире было много такого, что я желал бы видеть иным, даже в школе такое было; но тем не менее я был счастлив. Конечно, со всех сторон меня уверяли, мне внушали, что человек скитается по земле не так просто, для своего удовольствия, и что истинное счастье выпадает там, в мире ином, на долю людей много испытавших и искушенных. Эта мысль высказывалась в многочисленных изречениях и стихах, которые я учил и которые часто представлялись мне красивыми и трогательными. Однако все эти соображения, которые немало беспокойств доставляли и моему отцу, не очень-то меня занимали, и когда мне бывало плохо, когда я заболевал, или у меня появлялись неосуществленные мечты, или я не ладил с родителями, я в таких случаях редко обращался к Богу, я находил другие обходные пути, которые вновь выводили меня к свету. Если привычные забавы вдруг переставали меня занимать, если железная дорога, игра в магазин и сказки надоедали и вызывали скуку, — именно тогда мне приходили в голову новые чудесные развлечения. А если не оставалось ничего другого, кроме как улечься вечером в постель, закрыть глаза и погрузиться в волшебное созерцание выплывающих из темноты радужных кругов, — с какой новой силой вспыхивало тогда счастливое и таинственное озарение, какими предчувствиями и обещаниями полнился мир!

Первые школьные годы прошли, не очень меня переменив. Я обнаружил, что доверие и искренность могут быть вредны, у нескольких равнодушных учителей я обучился началам лжи и притворства; с этого все и началось. Медленно, но верно увяли и в моей душе первые цветы, постепенно, сам того не подозревая, и я выучил известную фальшивую песню жизни, обрел умение склоняться перед «действительностью», перед законами взрослых, научился приспосабливаться к миру — «такому, какой он есть». Я давно уже знаю, почему в песенниках у взрослых стоят эти слова: «О детство! О детство! Какое блаженство!» — и у меня в жизни тоже часто бывали часы, когда я завидовал тому, кто был еще ребенком.

Когда в двенадцать лет речь зашла о том, учить ли мне греческий, я, не раздумывая, согласился, ибо мне непременно хотелось стать со временем таким образованным человеком, как мой отец, а по мере возможности — и таким, как мой дед. Но с этого момента жизнь моя начала подчиняться плану; мне предстояло учиться либо на священника, либо на филолога, потому что там полагались стипендии. Дед тоже когда-то с этого начинал.

На первый взгляд в этом не было ничего дурного. Только теперь у меня вдруг появилось будущее, только теперь на моем пути стоял дорожный указатель, и теперь каждый день и каждый месяц приближал меня к назначенной цели, все направляло меня в одну сторону, все уводило прочь — прочь от забав и сиюминутности моей прежней жизни, которая не была ни бессмысленна, ни бесцельна, но никакого будущего не было. Жизнь взрослых тянула меня — сначала за волосок или за пальчик, но вскоре она грозила втянуть меня и захватить целиком, жизнь, где были цели и цифры, порядок и служба, профессии и экзамены; скоро пробьет и мой час, скоро я стану студентом, кандидатом, священником, профессором, буду наносить визиты в цилиндре, надевать для таких случаев кожаные перчатки, перестану понимать детей и начну им завидовать. Но ведь в глубине души я этого не хотел, я не хотел покидать свой мир, где было так хорошо, так чудесно. Между тем, когда я думал о будущем, для меня имела значение лишь одна тайная моя цель. Лишь одного я желал со всей страстью — я хотел стать волшебником.

Это желание, эта мечта долго владела мною. Но могущество ее слабело, у нее были враги, ей противостояло нечто другое, действительное, серьезное, неодолимое. Медленно-медленно увядал цветок, медленно безграничное обретало границы, и передо мной возникал мир действительности, мир взрослых. И постепенно мое желание стать волшебником, хотя оно и оставалось еще моей затаенной мечтой, утратило свою ценность, начало казаться мне самому каким-то ребячеством. Уже появилось что-то такое, в чем я не был ребенком. Бесконечный, тысячеликий мир возможного уже обрел границы, был поделен на клеточки и обнесен забором. Понемногу преображался дремучий лес моих дней, и рай вокруг меня окаменел. Я не смог остаться тем, кем был раньше — принцем и королем в стране возможного, — я не стал волшебником, я учил греческий, через два года к нему добавился еврейский, а через шесть лет я должен был стать студентом.

Незаметно связали меня по рукам и ногам, незаметно замерла вокруг магия. Волшебная история в книге деда была по-прежнему прекрасна, но она была рассказана на странице, номер которой я знал, там она и оставалась — и сегодня, и завтра — всегда, чудес больше не случалось. Спокойно улыбался танцующий индийский божок, он был бронзовый, я редко теперь на него смотрел, и никогда он на меня больше не косился. И — самое ужасное — я все реже и реже видел серого человечка. Повсюду вокруг исчезало волшебство, и то, что было некогда просторным, сделалось теперь тесным, а некогда драгоценное — жалким.

Но все это я ощущал лишь в глубине души, где-то под кожей. Я был пока полон радости и властолюбия, я учился плавать и кататься на коньках, в греческом я был лучшим, все шло на первый взгляд превосходно. Только краски слегка побледнели, потускнели звуки, только теперь было неохота идти к госпоже Анне; и потихоньку во всем, чем я жил, что-то терялось, что-то незаметное, так что потеря не ощущалась, но оно пропало, его не было. И если теперь мне хотелось вновь ощутить прежнюю жгучую полноту жизни, мне требовалась основательная встряска, приходилось как следует размяться и взять большой разбег. Мне полюбились теперь блюда, густо сдобренные пряностями, я стал лакомкой, я время от времени крал мелочь, чтобы побаловать себя каким-нибудь особенным образом, потому что иначе жизнь казалась мне недостаточно живой и прекрасной. Тогда же я стал интересоваться девочками; это было вскоре после того, как маленький человечек еще раз появился и еще раз отвел меня к госпоже Анне.

КРАТКОЕ ЖИЗНЕОПИСАНИЕ

родился в конце нового времени, незадолго до начала возврата к средневековью, под знаком Стрельца и в ласковых лучах Юпитера. Мое появление на свет свершилось ранним вечером в жаркий июльский день, и тепло этого часа я инстинктивно любил и искал всю свою жизнь, а когда его не было, с болью это ощущал. Я никогда не мог жить в холодных странах и, пускаясь в путешествия, всегда направлялся на юг. Я родился в благочестивой семье, нежно любил своих родителей и любил бы их еще больше, если бы меня уже в раннем детстве не познакомили с четвертой заповедью. Заповеди, какими бы правильными они ни были, оказывали на меня, к сожалению, роковое воздействие — я, от природы барашек, податливый, словно мыльный пузырек, когда дело касалось любой заповеди, особенно в юности, всегда упрямился. Стоило мне услышать: «Ты должен», как у меня внутри все переворачивалось, я становился закоснелым и невосприимчивым. Можно себе представить, какое огромное и вредное влияние оказала эта странность на мои школьные годы. Наши учителя, правда, растолковывая нам занятный предмет, именовавшийся ими всемирной историей, учили нас, что миром постоянно правят и преобразовывают его люди, руководствующиеся собственными законами и порывающие с законами, которые достались им от прежних времен, а посему, говорилось, они достойны уважения. Только это было такой же ложью, как и все прочее, чему нас учили, потому что если кто-нибудь из нас осмеливался с хорошими или дурными намерениями возражать против какой-либо заповеди, или глупого обычая, или моды, учителя не только не считали его достойным уважения и не ставили нам в пример, но издевались над ним и трусливо подавляли своей властью.

К счастью, я познал самое важное и ценное для жизни еще до школьных лет: я обладал живым, чутким и тонким чувством восприятия, которому мог доверять и которое доставляло мне много приятных минут, и, когда позднее я неизлечимо занемог соблазнами метафизики и даже иногда умерял свое чувственное восприятие и пренебрегал им, нежная чувственость, особенно зрительные и слуховые впечатления, все-таки постоянно оставалась верной мне и живо участвовала в мире моих идей, даже если они казались абстрактными. Таким образом я оказался снаряжен для жизни, как уже говорилось, задолго до начала школьных лет. Я знал наш родной город, птичьи дворы, леса, плодовые сады и мастерские ремесленников, разбирался в деревьях, птицах и бабочках, умел петь песни и свистеть сквозь зубы и еще делать многое другое, что ценится в жизни. К этому добавились также школьные знания, они давались мне легко и нравились, особенно латинский язык, от которого я получал истинное удовольствие, почему и начал сочинять латинские стихи почти так же рано, как немецкие. Искусством вранья и дипломатией я овладел на втором году школьных занятий заботами учителей — старшего и младшего — после того как своей детской откровенностью и доверчивостью навлек на себя одно несчастье за другим. Оба воспитателя с успехом разъяснили мне, что честность и правдолюбие — это не те качества, которые они ищут в учениках. Они приписали мне довольно невинное нарушение, случившееся в классе, хотя я был к нему абсолютно непричастен, и, не сумев заставить меня признаться, превратили дознание чуть ли не в судилище над государственным преступником и совместными усилиями вымучили и выколотили из меня если и не ожидаемое признание, то всякую веру в порядочность учительского клана. Правда, со временем я, слава Богу, познакомился с настоящими, достойными глубокого уважения учителями, но зло свершилось, и мое отношение не только к учителям, но и ко всем авторитетам было отныне ненатуральным и исполненным горечи. В целом, начальные, семь или восемь лет я хорошо учился, во всяком случае постоянно сидел среди первых учеников моего класса. Только с началом тех самых противоборств, которые не минуют никого, кому суждено стать личностью, я стал все больше и больше конфликтовать со школой. Что крылось за этими конфликтами, я понял лишь спустя два десятилетия, а в то время они просто существовали и, вопреки моему желанию, окружали меня как нечто ужасное.

Дело обстояло так: к тридцати годам я окончательно понял, что хочу или стать поэтом, или вообще не стать никем. Одновременно с этим я мало-помалу осознал одну неприятную вещь: можно стать учителем, священником, врачом, ремесленником, торговцем, почтовым служащим, а также музыкантом, художником или архитектором — для всех специальностей на свете существуют предпосылки, пути подхода, школы и методы обучения. Только для поэта ничего такого не существует! Быть поэтом не возбранялось и даже было почетно: под этим подразумевались удача и известность, обычно посмертные. Но стать поэтом, как я вскоре понял, невозможно, а хотеть им стать смешно и стыдно. Я очень быстро во всем разобрался: поэтом можно только быть, но не стать. И еще: тяга к поэтическому творчеству и поэтический талант вызывали у учителей опасение, за это не только брали на заметку или высмеивали, но даже часто смертельно оскорбляли. С поэтами дело обстояло точно так же, как с героями и со всеми сильными или прекрасными, храбрыми и незаурядными личностями и стремлениями: в прошлом они великолепны, все учебники воздают им хвалу, но те, кто живет в настоящее время, современники — изгои, и учителя, вероятно, призваны и обучены, по возможности, препятствовать становлению замечательных, свободных людей и свершению великих деяний.

Таким образом, между собой и своей далекой целью я не видел ничего, кроме пропасти, все было неопределенно, только одно не вызывало у меня сомнений: я хотел стать поэтом независимо от того, легко ли это или тяжело, смешно или почетно. Ощутимые последствия моего решения — или скорее веления злой судьбы — были следующими.

Когда мне исполнилось тринадцать лет и конфликт едва начинался, мое поведение как в стенах родительского дома, так и в школе, оставляло настолько желать лучшего, что меня отправили в ссылку в латинскую школу другого города. Годом позднее я стал слушателем теологической семинарии, учил древнееврейский алфавит и уже почти понимал, что означает «дагеш форте имплицитум», когда внезапно на меня обрушились бури, которые вырвались из глубин моей души и привели к бегству из монастырской школы, наказанию строгим карцером и прощанию с семинарией.

Какое-то время я старался продолжать учение в некой гимназии, но и там все кончилось карцером и исключением. Потом я был три дня учеником продавца в книжной лавке, снова сбежал и на несколько дней и ночей, к великому беспокойству родителей, исчез. Полгода я помогал отцу, полтора года был практикантом в механической мастерской и на заводе башенных часов.

Короче говоря, более четырех лет все, что со мной пытались предпринять, шло шиворот-навыворот, ни одна школа не хотела меня терпеть, а я не мог выдержать никакого учения. Любая попытка сделать из меня полезного человека неизменно кончалась неудачей, сопровождавшейся зачастую скандалом и позором, побегом или исключением, и тем не менее везде признавали у меня хорошие способности и даже видели какие-то проблески доброй воли! Кроме того, хотя я постоянно отличался изрядным прилежанием, — великая добродетель праздности всегда вызывала у меня глубокое уважение, но мне никогда не удавалось стать искусным бездельником. С пятнадцати лет, после того как мне не повезло со школой, я начал осознанно и энергично заниматься самообразованием, и, на мое счастье, в доме отца была огромная дедова библиотека, принесшая мне блаженство, целый зал, полный старых книг, среди которых были и такие, что содержали всю немецкую поэзию и философию восемнадцатого века. Между шестнадцатью и двадцатью годами я не только исписал гору бумаги первыми виршами, но прочел за это время половину мировой литературы и трудился над историей искусства, иностранными языками, философией с упорством, которого с лихвой хватило бы для обычной школы.

Потом я стал книготорговцем, чтоб наконец самому зарабатывать себе на жизнь. Книги, как-никак, привлекали меня больше, чем тиски и чугунные шестерни, с которыми я мучился, будучи механиком. Сначала я чуть ли не с упоением плавал в море новой и новейшей литературы и, можно сказать, захлебывался ею. Но через некоторое время я обнаружил, что в духовной области жить лишь сегодняшним днем, новым и новейшим, невыносимо и бессмысленно, что только постоянная связь с прошлым, с историей, стариной и древностью, только она дает возможность жить духовной жизнью. И вот, после того как от первой радости не осталось и следа, возникла потребность вернуться от пресыщения новейшим к старине, и я удовлетворил ее, перейдя из книжной лавки в магазин антикварных изделий. Этой работы я не менял до тех пор, пока она могла обеспечить мне существование. В возрасте двадцати шести лет, с первым литературным успехом, я отказался и от нее.

Итак, после столь многих потрясений и жертв, я достиг своей цели: я стал поэтом, какой бы несбыточной мечтой это ни казалось, выиграл длительное жестокое противоборство с окружающим миром. Горькие годы ученичества и становления, когда я часто был на краю гибели, забылись и уже вызывали насмешку, и даже родственники и друзья, потерявшие было веру в меня, теперь мне дружески улыбались. Я победил, и даже мои глупые и ничего не стоящие сочинения все находили восхитительными, и я точно так же сам восхищался ими. Только теперь, поняв, в каком ужасном одиночестве, подвергаясь лишениям и опасностям, жил я год за годом, я стал нежиться в теплом ветерке похвал и начинал превращаться в довольного человека.

Внешне моя жизнь сравнительно длительное время текла спокойно и приятно. У меня были жена, дети, дом и сад. Я писал книги, считался достойным поэтом и жил в добром согласии с миром. В 1905 году я помогал основать журнал, направленный в первую очередь против личной власти Вильгельма Второго, правда, словно бы не принимая душой всерьез этой политической цели. Я с удовольствием путешествовал по Швейцарии, Германии, Австрии, Италии и Индии. Все, казалось, обстояло благополучно.

И вот пришло лето 1914 года, и внезапно все изменилось и внешне, и по существу. Оказалось, что наше прежнее благополучие покоилось на ненадежном фундаменте и теперь начались, таким образом, плохие времена, пришло великое воспитание. Нагрянуло так называемое великое время, и я не могу сказать, будто был к нему более подготовлен, более достоин его и встретил его лучше, чем все остальные. Что меня отличало, так это отсутствие воодушевления — того великого утешения, ощущавшегося всеми. Это заставило меня вернуться к самому себе и вступить в конфликт со всем окружающим меня миром, я снова попал в школу, снова должен был разучиваться жить в добром согласии с самим собой и со всем миром и лишь с такими чувствами переступил через порог посвящения в тайну жизни.

Я никак не могу забыть небольшое событие, происшедшее на первом году войны. Я посетил большой лазарет в поисках возможности добровольцем осмысленно приноровиться к изменившемуся окружающему миру, что в то время казалось мне возможным. В этом госпитале для раненых я познакомился с пожилой незамужней женщиной, в хорошие времена не имевшей определенных занятий и работавшей теперь в этом лазарете сиделкой. Она рассказала мне с трогательным воодушевлением, что очень рада и горда тем, что живет в такое необыкновенное время. Я понимал ее волнение, так как потребовалась война, чтобы превратить вялое и чисто эгоистическое существование старой девы в деятельную и полноценную жизнь. Но когда она говорила со мной о своем счастье в коридоре, который был заполнен изрешеченными, забинтованными солдатами и который тянулся вдоль палат, где лежали человеческие обрубки и умирающие, мое сердце содрогнулось. Прекрасно понимая воодушевление этой тетушки, я тем не менее не мог разделять и поддерживать его. Если на каждые десять раненых приходилась одна такая восторженная сиделка, то счастье таких дам обходилось весьма дорого.

Нет, я не мог разделять радость по поводу великого времени, и вышло так, что с начала войны эта радость приносила лично мне ужасные страдания и я целый год защищался от обрушившегося, казалось, извне, с ясного неба, несчастья, в то время как все вокруг меня во всем мире поступали так, словно радостное воодушевление, вызванное этим несчастьем, переполняло их. И оттого, что я читал газетные статьи писателей, расписывавших открытую ими благодать войны, и призывы профессоров, и все военные стихи из кабинетов прославленных поэтов, мне становилось еще горше.

В один из дней 1915 года у меня вырвалось публичное признание этой горечи и слово осуждения так называемых людей духа, занимавшихся не чем другим, как проповедью ненависти, распространением лжи и восхвалением несчастья. Но стоило мне только довольно робко высказать свои сетования, как пресса моей родины объявила меня изменником — это привело к новым переживаниям, потому что, несмотря на многократные соприкосновения с прессой, я еще не попадал в положение человека, оплеванного большинством. Статья с обвинением в мой адрес была перепечатана двадцатью газетами страны, и из всех моих, казалось, многочисленных друзей в прессе лишь двое отважились выступить в мою защиту. Старые друзья говорили мне, что они пригрели на груди змею и что сердце в этой их груди будет биться лишь для императора и империи, но не для меня, отщепенца. Я получил большое количество оскорбительных писем, а книготорговцы довели до моего сведения, что автор с такими недостойными убеждениями для них больше не существует. На многих письмах я впервые узрел украшение в виде маленького круглого штампа с надписью: «Боже, покарай Англию».

Можно подумать, что над этим недоразумением я долго смеялся. Но не тут-то было. Эта сама по себе незначительная встряска повлекла за собой второе большое превращение в моей жизни.

Вспомним: первое превращение началось в ту минуту, когда у меня созрело решение стать поэтом. С этого момента бывший лучший ученик Гессе превратился в плохого ученика, его стали наказывать, исключать, он ничего не делал хорошо, доставлял себе и своим родителям одни заботы — и все только потому, что не видел возможности примирения между окружающим его миром в том виде, в каком этот мир был и, казалось, будет, и голосом своего сердца. Теперь, в годы войны, это повторилось заново. Я снова оказался в конфликте с окружающим миром, с которым до этого жил в добром согласии. Меня снова преследовали неудачи, я снова оказался в плачевном одиночестве, снова все, о чем я говорил и думал, наталкивалось на неприязнь и непонимание. Между окружающей меня действительностью и тем, что казалось мне желательным, разумным и добрым, я снова увидел непреодолимую пропасть.

Тем не менее на этот раз мне пришлось заняться самоанализом. Прошло немало времени, и я увидел, что должен искать причину своих страданий не вне себя, а в себе самом. Ибо мне стало ясно: упрекать весь мир в безумии и жестокости не имеет права ни один человек, ни одно божество, а обо мне и говорить не приходилось. Таким образом, если я не в ладу со всем миром, это значит, источник беспорядка должен находиться внутри меня. И действительно, великий беспорядок оказался налицо. Я не испытывал никакой радости от необходимости заменить беспорядок внутри себя каким-то порядком. При этом в первую очередь выяснилось, что добрые отношения, которые связывали меня с окружающим миром, не только стоили мне слишком дорого, они точно так же прогнили, как и добрые отношения в нем самом. Я предполагал, что длительными тяжелыми противоборствами в юности завоевал себе место в окружающем мире и право быть поэтом. Тем временем успех и благополучие повлияли на меня обычным образом: я жил в довольстве и обленился, а когда присмотрелся к себе повнимательнее, то не смог отличить поэта от писаки. Мне слишком хорошо жилось. И вот теперь о плохой жизни, которая всегда была хорошей, основательной школой, позаботились как следует, и я все больше и больше учился пускать события окружающего мира на самотек и смог поразмышлять, какова доля моего участия во всеобщей вине и всеобщем смятении. Я предоставляю читателям вычитать самим эти размышления из моих книг. И я все еще питаю тайную надежду, что со временем мой народ, не весь, но очень многие бдительные и ответственные его представители, проведут аналогичный анализ и вместо жалоб и брани по поводу войны, злых врагов и злой революции заставят тысячи сердец задать себе вопрос: каким образом я стал соучастником? И как я снова могу стать невиновным? Потому что можно в любое время снять с себя вину, стоит только распознать эти свои вину и боль и выстрадать их до конца, а не искать других виноватых.

Когда случившееся со мной новое превращение начало проявляться в моих сочинениях и образе жизни, многие мои друзья качали головами. Многие отвернулись от меня. Все это так же входило в изменившуюся картину моей тогдашней жизни, как и утрата дома, семьи и других благ и удобств. Это происходило в то время, когда я ежедневно прощался с очень многим и ежедневно удивлялся тому, что смог вынести и такое, и все еще живу, и все еще кое-что в этой странной жизни люблю, хотя казалось, она приносит мне лишь боль, разочарования и потери.

Впрочем, чтобы восполнить упущенное: даже в годы войны мне покровительствовало нечто вроде доброй звезды или ангела-хранителя. Пока я со своими страданиями чувствовал себя очень одиноким и вплоть до начала превращения ежечасно воспринимал и проклинал свою судьбу как злосчастье, моя страдальческая жизнь и одержимость этими страданиями служили мне броней и защитой от внешнего мира. Я провел военные годы в такой ужасной обстановке политических страстей, шпионажа, подкупа и конъюнктурных ухищрений, какую даже в то время в столь концентрированном виде можно было встретить только в немногих уголках земного шара, а именно в Берне, в среде немецкой, нейтральной и вражеской дипломатии, в городе, который внезапно оказался перенаселенным и прежде всего сплошь дипломатами, политическими агентами, шпионами, журналистами, скупщиками и спекулянтами. Я жил среди дипломатов и военных, общался, кроме того, с людьми многих, в том числе вражеских, стран, воздух вокруг меня был сетью, сотканной из шпионажа и контршпионажа, провокаций, интриг, политической и личной деятельности, и всего этого я в течение всех этих лет даже не заметил! Меня подслушивали, провоцировали, за мной шпионили, меня подозревали враги, нейтралы, а иногда и соотечественники, а я ничего этого не замечал и лишь спустя много лет узнавал то об одном, то о другом и не понимал, как я мог безмятежно, ничего не ведая, жить в такой атмофсере. Но это мне удалось.

С концом войны совпали завершение моего превращения и кульминация испытания страданиями. Эти страдания больше не зависели ни от войны, ни от судьбы человечества, даже поражение Германии, которого мы, эмигранты, ожидали уже в течение двух лет, в тот момент больше не казалось ужасным. Я целиком погрузился в себя, в собственную судьбу, правда, с ощущением, что дело идет о судьбе человечества в целом. Я снова находил в себе жажду войны, кровожадность окружающего мира, его легкомыслие, грубое сладострастие и трусость, снова переставал себя уважать, потом переставал себя презирать, и мне не оставалось ничего другого, как пронаблюдать хаос до конца, то надеясь, то отчаиваясь снова найти по другую сторону хаоса живую природу и беспорочность. Всякий человек, который обрел способность прислушиваться к окружающему миру и по-настоящему воспринимать его, проходит один, а то и несколько раз по этой узкой тропинке через пустыню — разговор на эту тему с другими был бы бесполезной тратой времени.

Когда друзья изменяли мне, я иногда тосковал, но не испытывал неудобств, воспринимая это больше как подтверждение избранного мною пути. Эти бывшие друзья были полностью правы, когда говорили, что, будучи прежде таким симпатичным человеком и поэтом, я стал, решая свои теперешние проблемы, просто несносным. К тому времени я уже давно перестал обсуждать вкусы и характеры, не осталось никого, кому мое слово было бы понятно. Бывшие друзья были, возможно, правы, когда упрекали меня в том, что мои писания потеряли красоту и гармонию. Их слова вызвали у меня только смех — что значит красота или гармония для того, кто приговорен к смерти, кто, спасая свою жизнь, мечется среди рушащихся стен? Но может быть, я, вопреки тому, во что верил всю свою жизнь, никакой не поэт и моя деятельность в эстетической области лишь заблуждение? Почему бы и нет, и это тоже не имело уже никакого значения Большинство из того, что встречалось мне во время адского странствования по собственной душе, было надувательством и ничего не стоило; вполне возможно, к этому относилась и слепая вера в собственное призвание или собственную одаренность. Насколько это все вообще не имело значения! Также не существовало больше и того, что я из неуемного тщеславия и детской радости считал своей задачей. Уже длительное время я видел свою задачу, вернее, свой путь к спасению, уже не в лирике или философии или еще в какой-либо специальной области, но только в том, чтобы дать возможность жить собственной жизнью той малости живого и сильного, что существовало во мне, в безусловной верности тому, что, я чувствовал, было еще живо во мне. Это была жизнь, это был Бог. После того как времена высокого и опасного для жизни напряжения прошли, все видится до странности по-другому, потому что содержание прежних основополагающих положений и их названия стали иными и то, что еще позавчера было свято, может сегодня звучать чуть ли не смешно.

Весной 1919 года, когда война кончилась, в том числе и для меня, я уехал в отдаленный уголок Швейцарии и стал отшельником. Из-за того что я всю свою жизнь (наследие, полученное от родителей и деда с бабкой) очень много занимался изучением индийской и китайской мудрости и мои новые переживания иногда выражал по-восточному иносказательно, меня часто называли буддистом, хотя, собственно говоря, ни от какого учения не был я так далек, как от этого. И все-таки это было верно, была в этом крупица правды, которую я распознал лишь немного позже. Если в какой-то мере было бы возможно, чтобы человек сам выбирал себе религию, то я бы наверняка из-за глубокого душевного томления примкнул к консервативной религии: конфуцианству, брахманизму или римской церкви. Я сделал бы это из устремленности к противоположному полюсу; не по зову крови, потому что сыном благочестивых протестантов родился лишь случайно, а протестантом был и остался и в душе, и по существу (чему моя глубокая антипатия к нынешним протестантским вероисповеданиям отнюдь никак не противоречит). Ибо настоящий протестант противится собственной церкви, как любой другой, потому что внутренняя суть побуждает его чтить больше становление, чем неизменное бытие. И в этом смысле Будда, пожалуй, тоже был протестантом.

Таким образом, со времени моего превращения вера в то, что я призван быть поэтом, и в плодотворность моего литературного труда была выкорчевана. Писание больше не приносило мне подлинной радости. Но у человека должна быть радость, и я тоже при всех своих бедах притязал на нее. Я мог отказаться от справедливости, здравого смысла, от разума в жизни и в окружающем мире, я видел, что он, этот мир, прекрасно обходится без всяких таких абстракций — но я не мог отказаться от малой толики радости, и желание этой малой толики радости было во мне одним из тех язычков пламени, в которые я еще верил, надеясь заново создать из них свой мир. Часто я искал радость, мечту, забытье в бутылке вина, и очень часто она мне помогала, за что ей следует воздать должное. Однако только этого мне было недостаточно. И вот в один из дней я открыл для себя совершенно иную радость. Внезапно в сорокалетнем возрасте, я начал заниматься живописью. Не то чтобы я считал себя художником или хотел им стать. Но заниматься живописью так чудесно, вы становитесь более жизнерадостным и снисходительным. После этого у вас пальцы не черные, как от писания, а красные и синие. Многие мои друзья сердятся на меня и за мое малевание тоже. В этом мне не слишком везет — всегда, когда я начинаю что-нибудь по-настоящему необходимое, удачное и красивое, люди ожесточаются. Им бы очень хотелось, чтобы человек оставался таким, каким он был, чтобы его ви́дение не изменялось. Но мое видение сопротивляется, оно часто желает изменяться, в этом его потребность.

Второй упрек, который мне бросают, я сам нахожу вполне справедливым: мне отказывают в ощущении действительности. И произведения, которые я сочиняю, и картины, которые я пишу, не соответствуют, мол, действительности. Когда я сочиняю, то постоянно забываю все требования, предъявляемые образованными читателями к книге, и прежде всего мне на самом деле не хватает уважения к действительности. Я считаю, что действительность — это то, о чем нужно заботиться меньше всего, ибо она достаточно назойлива и всегда тут как тут, в то время как более прекрасные и нужные вещи требуют нашего внимания и наших забот. Действительность — это то, чем ни при каких обстоятельствах нельзя быть довольным, чему ни при каких обстоятельствах не надо поклоняться и что не следует превозносить, ибо она есть случай, отбросы жизни. И эту жалкую, постоянно разочаровывающую нас и безрадостную действительность невозможно изменить никаким другим образом, как только отрицая ее, как показывая, что мы сильнее.

В моих сочинениях часто отмечают отсутствие обычного уважения к действительности, и в картинах, которые я пишу, у деревьев есть лица, дома смеются, или танцуют, или плачут, но разобрать, какое это дерево — груша или каштан, — в большинстве случаев невозможно. Я должен согласиться с этим упреком. Я сознаюсь, что и моя собственная жизнь очень часто представляется мне сказкой, я часто вижу и ощущаю внешний мир в связи и в созвучии с моим внутренним миром, и эту связь я должен назвать магической.

Иногда я делаю глупости, например, однажды я довольно безобидно высказался об известном поэте Шиллере, после чего все без исключения южнонемецкие кегельные клубы объявили меня осквернителем отечественных святынь. Но теперь мне удается уже многие годы не делать заявлений, оскверняющих святыни и заставляющих людей багроветь от ярости. Я вижу в этом прогресс.

В связи с тем, что так называемая действительность не играет для меня большой роли, прошлое часто переполняет меня, как настоящее, а действительность кажется мне бесконечно далекой, я и будущее не могу отделить от прошлого, как это обычно делают. Я подолгу живу в будущем, и поэтому мне не обязательно заканчивать биографию сегодняшними днями, я спокойно могу ее продолжить.

Короче говоря, я хочу наперед рассказать, как проходила моя жизнь по замкнутой кривой. До 1930 года я написал еще несколько книг, чтобы после этого навсегда покончить с этим занятием. Вопрос о том, можно ли причислить меня, в сущности, к поэтам или нет, был рассмотрен в двух диссертациях прилежных молодых людей, но остался без ответа. В результате тщательного ознакомления с новейшей литературой выяснилось, что флюиды, излучаемые поэтами в новейшие времена, принимают такую разжиженную форму, что невозможно больше твердо установить различие между поэтом и литератором. На основе этого объективного анализа оба соискателя сделали тем не менее противоположные выводы. Один, более симпатичный, высказал мнение, что подобная худосочная поэзия больше вообще никакая не поэзия и, так как бессодержательная литература нежизнеспособна, можно было бы тому, что в наше время именуют поэзией, дать умереть тихой смертью. Второй, однако, был безоговорочным почитателем даже такой поэзии и поэтому считал, что лучше из осторожности признать сотню непоэтов, чем обойтись несправедливо хотя бы с одним поэтом, в жилах которого, возможно, еще течет несколько капель подлинной парнасской крови.

Я занимался главным образом живописью и китайской магией, однако в последние годы все больше и больше времени уделял музыке. Еще позже моей честолюбивой мечтой стало написать нечто вроде оперы, в которой человеческая жизнь в так называемой действительности не принималась бы слишком уж всерьез, даже высмеивалась бы, но зато сияла бы своими вечными ценностями как образ, как мимолетное одеяние божества. Магическое восприятие жизни всегда было мне по душе, я никогда не был «современным человеком» и всегда считал «Золотой горшок» Гофмана или даже «Генриха фон Офтердингена» лучшими пособиями, нежели все учебники всемирной истории и естествознания (правда, и в этих последних я тоже неоднократно находил, когда читал их, восхитительные вымыслы). Но тут начался период моей жизни, когда уже не имеет смысла продолжать строить и углублять сформировавшуюся и более чем достаточно дифференцированную личность, когда вместо этого заявляет о себе задача снова растворить в окружающем мире свое глубокоуважаемое «я» и перед лицом скоротечного бытия включить себя в вечный, существующий вне времени порядок. Выразить эти мысли или настрой жизни мне показалось возможным лишь при помощи сказки, а высшую форму сказки я видел в опере, видимо, потому, что больше не верил по-настоящему в магию слова нашего умирающего, употребляемого дурно и не по назначению языка, в то время как музыка мне все-таки казалась живым деревом, на ветвях которого даже могут еще вырасти райские яблоки. Я хотел сделать в своей опере то, что мне не удалось сделать в моих литературных произведениях: вдохнуть в человеческую жизнь высокий и прекрасный смысл. Я хотел воспеть целомудрие и бесконечную глубину природы и представить ее развитие до того момента, когда она из-за неизбежных страданий бывает вынуждена обратиться к Духу, далекому противоположному полюсу, а колебания жизни между обоими полюсами, природы и Духа, представить весело, играючи, во всем их совершенстве, как растянувшуюся радугу.

К сожалению, мне не удалось закончить эту оперу. С ней произошло то же самое, что и с моими сочинениями. Мне пришлось расстаться с литературой после того, как я увидел, что все, казавшееся мне важным, уже тысячу раз сказано яснее, чем я смог бы это сделать сам, в «Золотом горшке» и в «Генрихе фон Офтердингене».

То же самое случилось с моей оперой. Именно в ту минуту, когда я закончил длившиеся долгие годы предварительные занятия музыкой и многочисленные варианты либретто в поисках наиболее убедительного представления смысла и содержания моего детища, я внезапно понял, что добился своей оперой лишь того, что уже давно блистательно прозвучало в «Волшебной флейте».

Поэтому я отложил эту работу в сторону и целиком посвятил себя практической магии. Если моя мечта об искусстве была самообманом, если я не был способен создать еще один «Золотой горшок» или вторую «Волшебную флейту», то зато я рожден для волшебства. Я уже давно настолько далеко продвинулся по стезе восточной мудрости Лао-цзы и Ицзин, что смог досконально изучить случайности и превращения так называемой действительности. Теперь я сам повелевал этой действительностью при помощи магии и, должен сказать, получал от этого большое удовольствие. Все же вынужден сознаться, что не всегда оставался в прелестном саду, называемом белой магией, а время от времени добывал себе маленькие живительные язычки огня у ее черной сестры.

Вскоре после того как мне перевалило за семьдесят и два университета удостоили меня присвоением звания почетного доктора, я предстал перед судом по обвинению в совращении с помощью колдовских чар одной девушки. В тюрьме я попросил разрешения заняться живописью. Оно мне было дано. Друзья принесли мне краски и кисти, и я написал на стене моей камеры маленький ландшафт. Таким образом, я вернулся к искусству, и все кораблекрушения, которые мне уже пришлось пережить как художнику, не смогли никоим образом помешать мне еще раз осушить эту славную чашу, еще раз соорудить себе, подобно играющему ребенку, маленький, любимый игрушечный мир и этим утешить сердце, еще раз изобразив всю мудрость и абстракцию и ощутив простую радость созидания. Таким образом, я снова малевал, смешивал краски и макал кисти, еще раз с восторгом отведал всех этих нескончаемых таинств: светлого веселого звучания киновари, глубокой, чистой желтизны, бездонной, трогающей сердце синевы и музыки их смешения в едва заметный, почти бесцветный, серый цвет. Счастливо и по-детски играл я в игру созидания и написал на стене моей камеры ландшафт. В этом ландшафте было все, чему я радовался в жизни: реки и горы, моря и облака, крестьяне, убирающие урожай, и еще множество прекрасных вещей, которые доставляли мне удовольствие. В центре картины я нарисовал совсем маленький движущийся поезд. Он взбирался на гору и уже, как червяк в яблоко, всунул в нее голову: паровоз вошел в маленький туннель, из которого вылетали клочья дыма.

Еще никогда моя игра так не восхищала меня, как на этот раз. Благодаря возвращению к искусству я не только забыл, что я заключенный и обвиняемый и у меня мало надежд провести остаток жизни где-нибудь в другом месте, кроме тюрьмы, — я часто забывал даже мои магические упражнения и казался себе в достаточной степени волшебником, малюя тоненькой кисточкой крошечное деревце или белое облачко.

Между тем так называемая действительность, с которой я на самом деле уже не имел ничего общего, старалась мою мечту изо всех сил высмеять и каждый раз снова разрушить. Почти ежедневно меня извлекали из камеры, отводили под охраной в высшей степени непривлекательные помещения, где в центре сидели, заваленные бумагами, несимпатичные чиновники, которые меня допрашивали, не хотели мне верить, орали на меня и обращались со мной то как с трехлетним ребенком, то как с отъявленным преступником. Не надо быть преступником, чтобы познать этот странный, действительно кошмарный мир канцелярий, ведомственных бумаг и актов. Из всех адов, которые человеку пришлось странным образом создать для собственных нужд, этот казался мне всегда самым адским. Как только ты захочешь куда-нибудь переехать или жениться, получить паспорт или свидетельство о гражданстве, ты всегда сразу же оказываешься в центре этого ада и должен проводить тягостные часы в душном помещении, олицетворяющем мир бумаг, где скучающие и тем не менее торопящиеся чиновники с постными лицами начнут тебя допрашивать, кричать на тебя, где, как бы просто и правдиво ты ни отвечал, с тобой будут разговаривать и обращаться или как со школяром, или как с преступником. Впрочем, подобное знакомо каждому. Я бы уже давно задохнулся и засох в этом бумажном аду, если бы мои краски каждый раз меня снова не подбадривали и не радовали, если бы моя картина, мой маленький прекрасный ландшафт не давал мне вновь воздух и жизнь.

Так стоял я однажды в моей камере перед этой картиной, когда тюремщики снова прибежали ко мне со своим скучным вызовом к следователю и хотели оторвать меня от любимого дела. И тут я почувствовал усталость и нечто вроде отвращения ко всей этой грубой и бездуховной действительности. Я подумал, что пришло время положить конец мучениям. Раз мне не разрешается без помех играть в невинные игры художника, то я, несомненно, должен был воспользоваться плодами того более серьезного искусства, которому отдал не один год своей жизни. Без магии вынести этот мир было невозможно.

Я вспомнил китайские наставления, задержал на несколько минут дыхание и освободился от морока действительности. Затем я вежливо спросил у тюремщиков, не подождут ли они чуть-чуть, потому что мне надо влезть в поезд на моей картине и кое-что там посмотреть. Они, как обычно, рассмеялись, ибо считали меня умственно неполноценным.

И тогда я сделался маленьким и вошел в мою картину, сел в поезд и въехал на этом маленьком поезде в маленький черный туннель. Некоторое время еще было видно, как из круглого отверстия вылетали клочья дыма, потом дым рассеялся и испарился, а с ним и вся картина, и я вместе с ней.

А тюремщики остались стоять в большой растерянности.

ЕВРОПЕЕЦ

Притча

Наконец смилостивился Господь и положил предел земному дню, на исходе которого разразилась кровавая мировая война, и послал Бог великий потоп на Землю.

Милосердные потоки вод смыли с лика стареющей планеты все, что было ее бесчестьем, — обагренные кровью снега в полях и дыбом вставшие на горных склонах орудийные стволы, разлагающиеся трупы и тех, кто плакал над убитыми, возмущенных войной и жаждущих крови, обнищавших, оголодавших и потерявших рассудок.

Благосклонно взирали голубые небеса на влажно блестевший шар.

Меж тем европейская техника до самой последней минуты великолепно выдерживала все испытания. В течение нескольких недель Европа упорно и обдуманно противостояла натиску медленно поднимавшихся вод. В первое время — при помощи огромных дамб, на строительстве которых днем и ночью трудились миллионы военнопленных, затем — благодаря постройке особых высоких сооружений, которые росли с неимоверной быстротой и вначале имели вид гигантских террас, со временем же превратились в высокие башни. На этих башнях героизм человеческий с трогательным упорством выказывал себя до последнего часа. Когда же и Европа, и весь мир покрылись водой и исчезли с лица Земли, на последних возвышавшихся над волнами башнях средь влажных сумерек гибнущего мира по-прежнему ярко и бестрепетно горели прожектора и все так же летели с башен орудийные снаряды, вычерчивая в небе изящные кривые. До конца света оставалось всего два дня, когда вожди Центральных держав решились световыми сигналами сообщить врагам о своей готовности к заключению мира. Но враги потребовали незамедлительной сдачи последних укрепленных башен, а на такое не могли пойти даже самые ревностные поборники мира. И потому героически отстреливались до последнего часа.

Весь мир уже скрылся под водою. Единственный оставшийся в живых европеец в спасательном поясе плыл по воле волн и, несмотря на неудобства, старался записать все события последних дней мира, чтобы когда-нибудь человечество узнало, что именно родина этого человека на несколько часов пережила гибель своего последнего врага и, таким образом, навеки осталась обладательницей победных лавров.

Тут показалось вдали у серой линии горизонта что-то черное, огромное — громоздкий корабль, который медленно шел по направлению к обессилевшему пловцу. И европеец с радостью понял, что корабль этот — громадный ковчег, и, уже теряя сознание, увидел, что на палубе этого плавучего дома стоит величественный древний патриарх с развевающейся седой бородой. Гигантского роста негр подхватил пловца и поднял его на борт. Европеец был жив и вскоре пришел в себя. Патриарх ласково улыбнулся. Его труды увенчались успехом: он спас по одному представителю каждого вида живых существ Земли.

Ковчег неторопливо шел с попутным ветром в ожидании времени, когда схлынут темные воды, а на борту его меж тем расцветала играющая множеством красок жизнь. Плотными косяками плыли за ковчегом большие рыбы, великолепными пестрыми стаями кружились над открытой палубой птицы, порхали бабочки, и всякая живая тварь и всякий человек всем существом своим радовались тому, что они спасены и предназначены для новой жизни. Высокий и резкий крик пестрого павлина разносился в утренний час над волнами, слон поливал, смеясь, водой из хобота себя и свою слониху, блестящая ящерица нежилась на согретой солнцем палубе, индеец без промаха бил острогой серебристых рыб, игравших в безбрежных водах, негр, сумевший добыть огонь для очага с помощью трения двух кусков сухого дерева, от радости ритмично и звонко похлопывал по спине свою толстую жену, поджарый высокий индус стоял, скрестив на груди руки и негромко пел древние песни о сотворении мира. Эскимос со смеющимися узкими глазами-щелками истекал потом под жарким солнцем, лоснился жиром и влагой, и добродушный тапир тянулся к нему мордой, маленький японец выстругал палочку и балансировал ею, держа ее то на носу, то на подбородке. Европеец снова взялся за перо и принялся составлять опись всех тварей, что населяли ковчег.

В ковчеге появились группы и дружеские кружки, если же где-то назревала ссора, патриарх предотвращал ее жестом или взглядом. Все были приветливы и веселы, и только европеец в одиночестве занимался своей канцелярской работой.

И вот все эти многоцветные обитатели ковчега — люди и звери — затеяли новую игру, в которой каждый старался показать свои умения и таланты. Каждый хотел быть первым, начать игру, и патриарху пришлось даже навести порядок. Он разделил больших и малых зверей, особо выделил людей, и теперь каждый должен был сначала назвать себя и сказать, чем он хочет удивить других, а затем все по очереди могли показать свое искусство.

В эту великолепную игру они играли много дней, потому что то и дело кто-нибудь отвлекался и бежал посмотреть, что делают другие. Каждый успех все встречали шумным ликованием. Сколько было там чудес! До чего же старалось каждое творение Божье показать свои дарования! Как раскрылось в этой игре все богатство жизни! Как смеялись, как радовались они успеху, хлопали в ладоши, били копытами, трубили, ржали!

С поразительным проворством бегал горностай, чудесно пел жаворонок, величаво расхаживал важный индюк, и невероятно ловко прыгала белка. Мандрил передразнивал зайца, а павиан — мандрила! Бегуны и скалолазы, пловцы и летуны состязались, не зная усталости, и каждый оказался непревзойденным в своем искусстве и был удостоен общего признания. Иные звери умели очаровывать волшебством, иные знали, как сделаться невидимыми. Многих отличала сила, многих — хитрость, одних — умение нападать, других — защищаться. Насекомые умели прятаться от врага, сделавшись неразличимыми среди трав, коры, мхов и камней, другие слабые существа снискали похвалы, но при этом обратили хохочущих зрителей в бегство, когда показали свой способ защиты от врагов, испуская страшное зловоние. Никто не отставал, у каждого был какой-нибудь талант. Птицы вили гнезда, склеивали их, ткали, лепили из глины. Пернатые хищники с невероятной высоты различали мельчайшие предметы внизу.

И люди тоже делали свое дело замечательно. Тут было на что поглядеть: легко и свободно взобрался грузный негр на самый верх мачты, малаец в два счета смастерил из пальмовых листьев весло и, ловко орудуя им, пустился в путь по волнам, стоя на узкой дощечке. Индеец легкими стрелами поразил цель в дальней дали, а его жена сплела из пальмового волокна двух цветов такую циновку, что все пришли в восторг. И надолго умолкли все от изумления, когда вышел вперед и показал свои магические искусства индус. Зато китаец удивил всех трудолюбием, благодаря которому можно получить урожай пшеницы втрое больше против обычного, если выкопать молодые растения и рассадить их подальше друг от друга.

Европеец, которого все почему-то и так недолюбливали, уже не раз за это время успел возбудить к себе неприязнь своих собратьев-людей тем, что сурово и высокомерно порицал всех, находя тут и там недостатки. Когда индеец подстрелил птицу, парившую высоко в синем небе, белый человек лишь пожал плечами и заявил, что, имея двадцать граммов динамита, можно поразить цель на гораздо большем расстоянии. Когда же ему предложили подтвердить слова делом, он ничего не сумел сделать, но зато принялся объяснять: вот если бы у него было то, другое да еще третье, вот тогда все получилось бы. И китайца он высмеял, заявив, что если пересаживание молодых всходов пшеницы и требует бесконечного трудолюбия, то подобный рабский труд все же не принесет народу счастья. Китаец под одобрительный гул остальных ответил, что всякий народ счастлив, если он сыт и почитает своих богов, однако человек из Европы и при этих словах презрительно засмеялся.

Веселое соревнование продолжалось, и вот наконец все — и звери, и люди — показали свои таланты. Все были довольны и веселы, а патриарх улыбнулся, разгладив свою белую бороду, и сказал, что воды теперь должны отступить и на Земле начнется новая жизнь, ибо не утрачена ни одна из многоцветных нитей в одеянии Бога, а с таким богатством можно основать на Земле новое бесконечно счастливое бытие.

Единственный из всех, европеец до сих пор так и не прославился каким-нибудь умением, и теперь все наперебой стали требовать, чтобы он показал себя, и тогда, мол, зрители рассудят, имеет ли он право жить в Божьем мире и плыть вместе со всеми в плавучем доме патриарха.

Долго отказывался европеец, искал отговорки. Но вот сам патриарх Ной коснулся его перстом и призвал к повиновению.

— Я тоже, — так заговорил наконец белый человек, — я тоже воспитал в себе и довел до высокого совершенства одну способность. Не остротой зрения превзошел я все другие живые существа, не тонкостью слуха или чутья и не ловкостью или сноровкой. Мое дарование — высшего рода. Ум — вот мое достоинство.

— А ну, покажи! — крикнул негр, и все остальные подошли ближе.

— Показать его нельзя, — терпеливо объяснил белый. — Вы, видно, меня не поняли. Мой разум — вот чем я отличаюсь от других.

Негр задорно расхохотался, сверкнув белыми зубами, индус насмешливо поджал тонкие губы, китаец проницательно и беззлобно улыбнулся.

— Разум? — неторопливо переспросил он. — Так покажи нам, пожалуйста, твой разум. Пока что мы его не заметили.

— Да нельзя на него посмотреть, — нахмурившись, отвечал европеец. — Мой талант и мое отличие таковы: я храню в уме образы внешнего мира и могу создавать из них новые образы или системы, существующие лишь для меня одного. Я могу измыслить весь мир, а значит, могу заново создать его.

Ной провел рукой по лбу.

— Позволь, но зачем же это нужно? — медленно проговорил он. — Заново создавать мир, уже сотворенный Богом, и к тому же создавать его только для себя, в своем жалком черепке — какая от этого польза?

Все одобрительно зашумели, на европейца посыпались недоуменные вопросы.

— Погодите! — воскликнул он. — Вы неправильно меня поняли. Работу ума показать не так просто, как ловкость рук.

Индус усмехнулся:

— И все же, белый сородич, это вполне возможно. Покажи нам свой ум в деле, хотя бы в вычислениях. Давай проверим, кто лучше считает. Слушай! У мужа и жены трое детей. Все дети обзавелись своими семьями. У каждой молодой пары рождается в год по одному ребенку. Сколько нужно лет, чтобы общее число детей достигло сотни?

Все жадно слушали индуса, потом принялись считать на пальцах, наморщив от напряжения лбы. Европеец тоже начал считать. Но не прошло и минуты, как китаец объявил, что решил задачу.

— Очень хорошо, — признал европеец, — но ведь это простая сноровка. Мой разум существует не затем, чтобы растрачивать себя на всякие мелочи, он призван решать крупные задачи, от которых зависит счастье человечества.

— А вот это мне нравится, — поддержал его Ной. — Уметь найти счастье — это, конечно, гораздо важнее, чем любой другой талант. В этом ты прав. Скорей скажи нам, что тебе известно о счастье человечества, и все мы будем тебе благодарны.

Затаив дыхание, ждали все ответа белого человека. Так вот оно! Честь и хвала тому, кто сейчас скажет нам, на чем зиждится счастье человечества! Простим ему, чародею, все его недобрые слова. Если он знает такие вещи, то на что ему искусства и умения, происходящие от остроты зрения и слуха, от ловкости рук, на что ему трудолюбие и способность быстро считать?

До сих пор европеец держался гордо, но теперь это почтительное любопытство понемногу начало его смущать.

— Здесь нет моей вины, — нерешительно заговорил он, — но вы опять неверно меня поняли! Я не утверждаю, что постиг тайну человеческого счастья. Я говорю только, что мой разум занимается задачами, решение которых будет способствовать счастью человечества. Долог путь к нему, и ни я, ни вы конца этого пути не увидим. Еще не одно поколение будет биться над решением этих трудных вопросов.

Люди слушали растерянно и недоверчиво. О чем ведет речь этот человек? Даже Ной отвернулся и удивленно поднял брови. Но тут индус улыбнулся китайцу, и тот среди общего смущенного молчания дружелюбно сказал:

— Дорогие братья! Этот наш белый сородич — большой шутник. Он пытается убедить нас, будто бы в его голове происходит некая работа, плоды которой, может быть, увидят когда-нибудь праправнуки наших правнуков, а может быть, и не увидят. Давайте будем относиться к нему как к шутнику. Он говорит о вещах, которых все мы по-настоящему не понимаем, однако все чувствуем, что эти вещи, будь они нами действительно поняты, вызвали бы у нас только неудержимый смех. Разв вы не думаете так же? Вот и прекрасно и да здравствует наш шутник!

Почти все поддержали китайца, обрадовавшись, что теперь-то эта странная история закончится. Но кое-кто был недоволен и возмущен, так что европеец по-прежнему оставался один и ни в ком не находил дружеского участия.

А под вечер негр в сопровождении эскимоса, индейца и малайца пришел к патриарху и повел такую речь:

— Досточтимый отец, мы хотим задать тебе один вопрос. Этот белый проходимец, что насмехался сегодня над нами, никому не нравится. Прошу тебя, разреши наши сомнения, ведь все люди и все звери — медведь и блоха, фазан и навозный жук, и мы, люди, — все нашли способ показать, как мы почитаем Бога и как защищаем свою жизнь, делаем ее лучше и прекраснее. Мы видели изумительные искусства, порой и смешные, но даже крохотная букашка сумела порадовать других чем-нибудь приятным — и только этот бледнолицый, которого мы выудили из воды самым последним, не нашел для нас ничего, кроме странных и надменных слов, намеков и шуток, которые никому не понятны и никого не радуют. И потому, дорогой отец, мы спрашиваем: хорошо ли будет, если такой человек станет помогать нам в создании новой жизни на нашей любимой Земле? Не приведет ли это к беде? Ты только посмотри на него! Глаза у него грустные, лоб весь в морщинах, руки белые и тонкие, лицо хмурое, печальное, и ясного слова от него не услышишь. Тут хорошего не жди — Бог знает, кто привел этого проходимца к нам в ковчег!

Добрым ясным взором поглядел седовласый праотец на вопрошавших его спутников.

— Дети мои, милые дети! — сказал он тихим, исполненным доброты голосом, отчего все лица сразу посветлели. — Слова ваши и справедливы, и несправедливы. Но Господь ответил вам еще до того, как задали вы ваш вопрос. Я согласен с вами в одном: человек из воюющей страны — гость не слишком приятный, непонятно даже, зачем живут на свете такие странные люди. Но Бог, сотворивший эту людскую разновидность, бесспорно знает, зачем Он ее создал. Все вы должны многое простить белым людям, хотя это они, уже в который раз, погубили нашу бедную Землю и навлекли кару. Но Господь дал нам особый знак, чтобы мы постигли Его замысел.

У всех вас, и у тебя, негр, и у тебя, эскимос, для новой жизни, которую мы начнем в скором времени, есть любимые жены, твоя — негритянка и твоя — эскимоска, и индеанка у индейца. И только европеец — без пары. Долго печалился я о нем, но сейчас я, кажется, понимаю, в чем смысл его одиночества. Этот человек оставлен в живых как предостережение нам, а может быть, и как пугающий призрак. Продолжить свой род он не сможет, если не растворится в потоке многоцветного человечества. Вашу жизнь на новой Земле он уже не погубит. Будьте в этом уверены!

Настала ночь, а на следующее утро в восточной стороне показалась над водами далекая остроконечная вершина святой горы.

О СТЕПНОМ ВОЛКЕ

Предприимчивому хозяину маленького зверинца посчастливилось на короткое время заполучить знаменитого степного волка Гарри. Он развесил афиши по всему городу и ожидал большого притока посетителей в свой балаганчик и в этих надеждах не обманулся. Повсюду слышались пересуды о степном волке, поверье об этом звере стало излюбленной темой для беседы в образованных кругах, всем хотелось знать подробности о нем, и мнения бывали самые разные. Одни считали, что животное, подобное степному волку, есть в любом случае явление сомнительное, опасное и нездоровое, что сей волк, по слухам, издевается над горожанами, срывает изображения рыцарей со стен храмов науки, насмехается якобы даже над Иоганном Вольфгангом фон Гёте, и поскольку для этой степной скотины нет ничего святого и она оказывает вредное и возбуждающее действие на часть молодежи, то пора наконец сплотиться и уничтожить ее; пока, мол, степного волка не убьют и не закопают, он никому покоя не даст. Эту простую, незамысловатую, возможно правильную точку зрения разделяли, однако, далеко не все. Имелась вторая партия, которая придерживалась совсем другого мнения; эта партия считала, что степной волк — животное хотя и небезобидное, но тем не менее не только имеющее право на существование, но даже — выполняющее особую моральную и социальную миссию. Каждый из нас, как утверждали сторонники этого взгляда — люди в основном высокообразованные, — каждый из нас втайне, не признаваясь никому, носит в своей груди такого вот степного волка. Груди, на которые говорящий обычно указывал, произнося эти слова, принадлежали глубокоуважаемым светским дамам, адвокатам и промышленникам, и обтянуты они были шелковыми сорочками и жилетами современного покроя. «Каждому из нас, — говорили эти либерально мыслящие люди, — отлично известны таящиеся в глубине наших душ чувства, порывы и страдания степного волка, каждому из нас приходится с ними бороться, каждый на самом деле по своей сути и есть такой вот бедный, скулящий, голодный степной волк». Так говорили они, когда, обтянувшись шелковыми сорочками, обсуждали степного волка — кстати, так же высказывалась часто и официальная критика, — а затем они нахлобучивали на голову красивые фетровые шляпы, надевали красивые меховые манто, садились в свои красивые автомобили и уезжали обратно на работу — в бюро и редакции, в приемные и на фабрики. А один из них однажды за вечерней рюмкой виски даже предложил основать союз степных волков.

В тот день, когда в зверинце объявили новую программу, собралось, конечно, множество любопытных, чтобы взглянуть на легендарного зверя, клетку с которым показывали только за особую доплату. Тесную клетку, где до этого сидела рано погибшая, к сожалению, пантера, владелец постарался оснастить сообразно случаю. Предприимчивый хозяин оказался при этом в некотором затруднении, ибо степной волк был все-таки довольно странным зверем. Подобно тому, как господа адвокаты и фабриканты могли скрывать волка у себя в груди, под сорочкой и фраком, этот волк мог в своей неприступной косматой груди таить человека, таить способность тонко чувствовать, таить мелодии Моцарта и прочее. Принимая в расчет необычные обстоятельства и особые ожидания публики, умный предприниматель (который давно уже знал, что даже самые свирепые звери не так своенравны, опасны и непредсказуемы в поведении, как публика) постарался придать клетке особенный вид, поместив в ней кое-какие атрибуты полуволка-получеловека. Это была обычная клетка с железной решеткой, на полу — немного соломы, но на стене висело изысканное зеркало в стиле ампир, посреди клетки стояло маленькое пианино с открытой клавиатурой, а на крышке пианино, представлявшей собой весьма шаткую поверхность, возвышался гипсовый бюст короля поэтов — Гёте.

Сам же зверь, который возбуждал такое любопытство, не обнаруживал в своем поведении ничего примечательного. Он выглядел в точности так, как и положено выглядеть степному волку, lupus campestris. Он по большей части неподвижно лежал на полу, забившись в самый дальний угол, грыз передние лапы и застывшим взглядом смотрел вперед, словно перед ним были не прутья решетки, а бесконечная степь. Несколько раз он вставал и пробегал по клетке туда, потом обратно, тогда пианино на неровном полу дрожало, и вместе с ним начинал опасно покачиваться гипсовый король поэтов. Посетители зверя мало занимали, и, надо сказать, его внешний вид почти всех скорее разочаровывал. Но и на этот счет имелись различные мнения. Многие говорили, что тварь эта совершенно обыкновенная и ничего особенного в ней нет, заурядный тупорылый волк, и больше ничего, и в зоологии вообще нет такого понятия «степной волк». Другие, напротив, утверждали, что у зверя замечательные глаза и что все его существо выражает пленительную одухотворенность, так что сердце кровью обливается от сострадания. Впрочем, от всякого умного человека не могло укрыться, что подобные высказывания по поводу облика степного волка вполне подошли бы любому другому животному из этого зверинца.

После полудня за загородку, где стояла клетка с волком, наведалась некая компания, которая долго его созерцала. Это были три человека — двое детей и их гувернантка. Один ребенок был крепкий мальчик лет двенадцати, другим же оказалась прелестная девочка восьми лет, довольно молчаливая. Оба очень понравились степному волку: их кожа издавала аромат свежести и здоровья, на стройные прямые ножки девочки он то и дело засматривался. Зато гувернантка — о-о, это было нечто совсем другое, и волку показалось, что лучше будет обращать на нее как можно меньше внимания.

Чтобы быть ближе к очаровательным малюткам и лучше ощущать их запах, волк Гарри лег на пол у самой решетки. С удовольствием вдыхая детский запах, он без особого внимания слушал, что говорят эти трое, а они, казалось, очень интересовались Гарри и чрезвычайно живо обсуждали его. Вели они себя при этом совсем по-разному. Мальчик, ладный здоровячок, полностью разделял точку зрения, которую слышал дома от своего отца. Этому волчине, говорил тот, самое место в зверинце за решеткой, а допустить, чтобы он свободно гулял на воле, было бы глупо и безответственно. Пожалуй, можно было бы попытаться проверить, не поддается ли этот зверь дрессировке, не способен ли он, скажем, тащить сани, как полярная лайка, — но затея вряд ли удастся. Нет, что касается его, мальчика Густава, встреться ему этот волк, он бы не раздумывая его застрелил.

Степной волк слушал и приветливо облизывался. «Возможно, — думал он, — у тебя и будет в руках ружье, если нам когда-нибудь вдруг доведется еще встретиться. И возможно, я тебе попадусь именно на воле, в степи, и может статься, даже не выскочу внезапно из зеркала у тебя дома». Мальчик был ему симпатичен. Это наверняка будет парень не промах, он станет дельным, преуспевающим инженером, фабрикантом или офицером, и тогда Гарри будет не против при случае помериться с ним силами и, если потребуется, получить от него пулю в лоб.

Понять, как маленькая хорошенькая девочка относилась к степному волку, было не так легко. Она сразу принялась его рассматривать и делала это куда основательнее и с гораздо большим любопытством, чем остальные двое, считавшие, что они знают о нем все. Девочке сразу стало ясно, что язык и пасть Гарри ей нравятся, и глаза его что-то обещали ей, когда она недоверчиво разглядывала его не очень-то опрятный мех и вдыхала острый запах хищного зверя с волнением и изумлением, в котором неприятие и отвращение смешивались с любопытством и чувственностью. Нет, вообще он ей нравился, и от нее не могло ускользнуть, что Гарри очень влекло к ней и что он смотрел на нее с восторженным обожанием. Она явно упивалась его восхищением. Время от времени она задавала вопросы:

— Мадемуазель, скажите, пожалуйста, а почему у этого волка в клетке пианино? Мне кажется, он предпочел бы какую-нибудь еду.

— Это не простой волк, — ответила мадемуазель, — это волк с музыкальным слухом. Но тебе, деточка, этого еще не понять.

Малышка чуть-чуть скривила хорошенький ротик и сказала:

— Мне кажется, я действительно многого не в состоянии еще понять. Если этот волк любит музыку, у него, конечно, должно быть пианино. Может быть, даже два пианино. Но на пианино стоит еще и этот бюст... Это, по-моему, как-то странно. Зачем ему эта фигурка, скажите, пожалуйста.

— Это символ, — принялась было объяснять гувернантка.

Но волк пришел девочке на помощь. Он глянул на нее влюбленными глазами очень откровенно, потом вскочил так стремительно, что все трое на мгновение замерли от страха, потянулся, выгнув спину, встал во весь рост и, подойдя к шаткому пианино, начал тереться о его край, и терся так сильно, что бюст не удержался и свалился вниз. Пол задрожал, и Гёте распался, подобно Гёте в трактовке некоторых филологов, на три части. Волк быстро обнюхал каждую из этих частей, потом равнодушно отвернулся от них и возвратился назад, чтобы быть поближе к девочке.

Теперь на авансцену развивающихся событий выступила гувернантка. Она принадлежала к тем женщинам, которые, несмотря на платье спортивного покроя и стрижку под мальчика, считали, что обнаружили у себя в груди волка; она принадлежала к восторженным читательницам всех публикаций о Гарри и считала себя его сестрой по духу, ибо она тоже таила в сердце путаницу чувств и различные жизненные неурядицы. Хотя какое-то чутье и говорило ей, что, собственно говоря, ее обеспеченная жизнь, наполненная общением с другими людьми, жизнь добропорядочной женщины, не имела ничего общего со степью и одиночеством, что у нее никогда не хватит мужества или отчаяния, чтобы прорваться сквозь эту благополучную жизнь и, подобно Гарри, отважиться на смертельный прыжок в хаос. О нет, такого она, конечно, никогда не сделала бы. Но ей хотелось относиться к степному волку с неизменной симпатией и пониманием, и она не прочь была обнаружить перед ним свои чувства. Прими Гарри вновь человеческий облик, окажись он снова в смокинге, — и она с удовольствием пригласила бы его, ну, скажем, выпить чаю или сыграла бы с ним Моцарта в четыре руки. И она решила отважиться на сближение.

Восьмилетняя посетительница зверинца тем временем одарила волка своей безраздельной симпатией. Она пришла в восторг оттого, что умный зверь опрокинул бюст, и прекрасно поняла, что это было сделано для нее, что он понял ее слова и в споре с гувернанткой решительно встал на ее сторону. Может быть, он еще и это дурацкое пианино разгромит? Нет, он был великолепен, просто чудо как хорош.

Гарри между тем потерял всякий интерес к пианино, он прижался к решетке прямо перед девочкой, распластался на полу, с видом заискивающего пса просунул морду между прутьями решетки навстречу девочке и стал призывно смотреть на нее с восторгом в глазах. Девочка не выдержала. Она зачарованно и доверчиво протянула руку и погладила темный нос зверя. А Гарри ободряюще глянул на нее и принялся очень осторожно лизать маленькую ручку своим теплым языком.

Когда гувернантка увидела это, она решилась. Она тоже хотела дать понять Гарри, что она — его любящая сестра, она тоже хотела с ним породниться. Гувернантка принялась торопливо распаковывать маленький изящный сверток, что-то завернутое в шелковую бумагу и обвязанное золотой канителью, вынула из фольги прелестное лакомство — сердечко из дорогого шоколада, и с многозначительным видом протянула его волку. Гарри сверкнул глазами, продолжая лизать руку девочки и в то же время сосредоточась на каждом движении гувернантки. И точно в тот момент, когда ее рука с шоколадным сердечком приблизилась уже достаточно, он молниеносно разинул пасть и зажал острыми зубами и сердечко, и руку. Все три человека одновременно закричали и прыгнули назад, но гувернантке не удалось сразу отскочить: она была в плену у брата по духу, и только спустя несколько мучительных мгновений смогла вырвать свою окровавленную руку и с ужасом посмотрела на нее. Рука была прокушена насквозь.

Бедная мадемуазель вновь пронзительно закричала. Но в это самое мгновение она полностью исцелилась от своего душевного конфликта. Нет, она не была волчицей и ничего общего не имела с этим отвратительным чудовищем, которое теперь заинтересованно обнюхивало залитое кровью шоколадное сердечко. И в ней тут же проснулась потребность к сопротивлению.

Посреди обескураженной толпы, которая сразу образовалась вокруг нее и к которой присоединился ее противник — бледный от страха владелец зверинца, гувернантка стояла, высоко подняв голову, оттопырив окровавленную руку, чтобы не запачкать платья, и, обнаружив блистательный ораторский дар, заверила всех, что она не успокоится, пока не добьется возмездия за это чудовищное надругательство, и что всем предстоит еще немало подивиться тому, какую сумму она запросит в возмещение ущерба, нанесенного ей, поскольку ее красивая рука, прекрасно обученная игре на фортепьяно, безнадежно изуродована. А волка необходимо убить, ни на что иное она не согласна, и все в этом еще убедятся.

Быстро сообразив, что к чему, хозяин указал ей на шоколад, который до сих пор лежал перед Гарри. Кормление хищных зверей категорически запрещено, об этом предупреждает специальный плакат, поэтому никакой ответственности хозяин не несет. Ради Бога, пусть возбуждает против него иск, ни один суд в мире не решит дело в ее пользу. И вообще у него гарантийная страховка. Будет лучше, если дама немедленно обратится к врачу.

Она так и сделала, но от врача, едва только руку забинтовали, она направилась к адвокату. Начиная со следующего дня возле клетки Гарри побывали сотни людей.

И с тех пор судебный процесс между этой дамой и волком Гарри каждый день привлекает внимание общественности. Сложность состоит в том, что истица пытается привлечь к ответственности прежде всего самого волка Гарри, а хозяин зверинца — только в качестве второго лица. Ибо, как пространно поясняется в исковом заявлении, волка Гарри ни в коей мере нельзя рассматривать как животное безответственное: он носит настоящее гражданское личное имя, лишь время от времени выступает в роли хищного зверя и, более того, опубликовал собственные мемуары в виде отдельной книги. Каким бы ни было решение местного суда, разбирательство, безусловно, пройдет через все инстанции, вплоть до суда имперского.

Итак, в обозримое время можно ожидать от самой компетентной из всех судебных инстанций окончательного решения по вопросу о том, является ли степной волк зверем или же он — человек.

ПТИЦА

Жила когда-то в окрестностях Монтагсдорфа Птица. Не было у нее ни особенно яркого оперения, ни особенно красивого голоса, не была она и очень большой или заметной — напротив, видевшие Птицу говорили, что она маленькая, даже крошечная. Не была она и по-настоящему красивой, скорей уж странной была она и необычайной. Да, было в этой Птице что-то странное, поразительное, что-то, что свойственно всем зверям и птицам, которых невозможно отнести к какому-то определенному семейству или роду. Она не была ни ястребом, ни курицей, ни щеглом, ни дятлом, ни зябликом. Она была Птицей селения Монтагсдорф, единственной в своем роде, ни на кого не похожей, но вместе с тем известной людям с глубокой древности, испокон веку, и хотя по-настоящему знали Птицу только жители Монтагсдорфа, однако все их соседи тоже были про нее наслышаны, а потому жители Монтагсдорфа, как все, кто обладает чем-то совершенно особенным, подчас подвергались насмешкам. «Эти-то, из Монтагсдорфа, — говорили про них, — носятся со своей Птицей как курица с яйцом». И всюду, от Карено до пещеры Морбио — люди знали о Птице и рассказывали про нее всевозможные истории. Однако, как это нередко случается, лишь в недавнее время, а собственно говоря, уже после того как Птица исчезла, люди попытались собрать достоверные и точные сведения о ней, издалека стали приезжать желающие услышать что-нибудь о Птице, и не один житель Монтагсдорфа, бывало, угощался за счет приезжих вином и отвечал на всевозможные вопросы, но под конец все-таки сознавался, что сам он Птицы ни разу не видел. Но если не каждому рассказчику случалось видеть Птицу, то всякий из них непременно знал кого-нибудь, кто один, а то и несколько раз в жизни видел Птицу и мог о ней поведать. Все это было собрано, записано и изучено, и выяснилась тогда странная вещь: в описаниях и рассказах обнаружились значительные расхождения в отношении того, какова Птица с виду, какой у нее голос, как она летает и как относится к людям.

Говорили, что когда-то раньше людям случалось видеть Птицу гораздо чаще, чем в наши дни, и что всякий, кто ее видел, чувствовал радость, — встреча с Птицей была для него событием, удачей, маленьким приключением; такой же удачей, счастливым событием бывает для любителя природы случай, когда повезет ему увидеть в лесу кукушку или лисицу и вдоволь ею полюбоваться. В такие мгновения живое существо словно забывает о своем извечном страхе перед двуногим убийцей, а может быть, и человек оказывается во власти очарования невинной жизни, какой она была до появления на земле людей. Были и такие, кого Птица не занимала, — есть ведь люди, которые остаются равнодушными, найдя в лесу подснежник, и не волнуются, увидев старую мудрую змею, — зато другие очень любили Птицу, и встреча с нею была им наградой и радостью. Иногда, хоть и нечасто, кто-нибудь вдруг заявлял, будто бы повстречать Птицу — нехорошо или даже вредно, что тот, кто ее увидит, потом долго испытывает странное волнение, плохо спит по ночам и видит тревожные сны, чувствует в душе стеснение или тоску. Другие люди решительно опровергали эти выдумки и говорили, что нет чувства столь же возвышенного и светлого, как то, что наполняет душу после встречи с Птицей, что на сердце тогда бывает так, как после святого причастия или словно ты услыхал хорошую песню, — мысли приходят только добрые, прекрасные, а в душе рождается желание стать чище и лучше.

Один человек — звали его Шаластер и приходился он двоюродным братом господину Зеустеру, тому самому, что много лет был бургомистром Монтагсдорфа — всю жизнь уделял Птице особенно много внимания. Что ни год, если верить ему, он раз или два, а то и чаще видит Птицу, и всегда в душе у него на много дней остается удивительное чувство: не то чтобы веселье, а, пожалуй, какое-то необычное волнение, надежда, ожидание чего-то, и сердце в такие дни бьется совсем не так, как обычно, вроде даже побаливает, зато по крайней мере хоть чувствуешь, что оно у тебя есть в груди, сердце-то, обычно ведь вовсе и не замечаешь, что оно есть. И вообще, говорил иногда Шаластер, если речь заходила о Птице, это вам не пустяки, что в нашей округе обитает такая Птица, нам ею по праву гордиться подобает, это же большая редкость, Птица наша, и, надо полагать, человек, которому загадочная Птица показывается чаще, чем прочим, и сам наделен чем-то особенным, возвышенным.

(Для читателей, принадлежащих к высокообразованным кругам, сообщим о Шаластере следующее: именно он был главным свидетелем, предоставившим массу сведений, на которые часто опираются создатели преданного в наши дни забвению эсхатологического учения о Птице. Заметим также, что после исчезновения Птицы не кто иной, как Шаластер возглавил в Монтагсдорфе маленькую группировку, члены которой истово верили, что Птица жива и однажды еще покажется людям.)

— Впервые я увидел ее, когда был еще совсем маленьким, — рассказывал Шаластер[1], — я тогда еще и в школу не ходил. В тот день у нас в саду позади дома косили лужайку, а я стоял под низеньким вишневым деревцом

[1] Avis montagnolens. Res gestae ex recens. Ninonis. P. 285. ff. *(лат.)*

и разглядывал вишни, еще зеленые и твердые. И тут Птица выпорхнула из ветвей, и я сразу заметил, что она не такая, как все пернатые, каких я когда-либо видел раньше. Она опустилась на подстриженный лужок и поскакала прочь, я же с восхищением и любопытством пустился следом. А Птица нет-нет да и глянет на меня своими блестящими глазками, а сама скачет все дальше, причем скакала она так, как, бывает, пляшет кто-нибудь или поет просто для собственного удовольствия. Однако я отлично понял, что она манит меня за собой и хочет порадовать. Вокруг шеи перья у нее были белые. Проплясала она по нашей лужайке до изгороди, а дальше были густые заросли крапивы; тогда она взлетела, устроилась на жердочке и давай щебетать. И тут опять поглядела на меня, да так приветливо, а потом раз — и исчезла. Так неожиданно, что я даже вздрогнул. И позже я часто замечал: она всегда появляется и исчезает неожиданно, мгновенно, как ни один зверь или птица не может, и всегда как раз тогда, когда ты этого не ждешь. Я побежал в дом и рассказал матушке о том, что со мной приключилось, она же сказала, что это была Птица, не имеющая имени, и хорошо, мол, что я ее увидел, ибо это к счастью.

Несколько расходясь с сообщениями других очевидцев, Шаластер свидетельствует, что Птица из Монтагсдорфа — маленькая, чуть больше крапивника, а головка у нее и совсем крошечная, удивительно умненькая и подвижная головка, вообще же Птица с виду ничем не примечательна, однако узнать ее очень просто — по светлому хохолку и еще по тому, что она на вас смотрит, ведь обычным пернатым это не свойственно. Хохолок у нее вроде того, что у хохлатой кукушки, правда, у Птицы он гораздо меньше, этот хохолок у нее то поднимется, то снова опустится; кстати, Птица вообще движется очень проворно и быстро как на земле, так и в полете, и шажки и прыжки у нее легкие и как бы выразительные — все видевшие Птицу уверяют, что и взглядом, и хохолком, и прыжками своими она как бы хочет что-то вам сказать, навести на какую-то мысль; и появляется она всякий раз словно с некоей вестью, словно чья-то посланница, и всякий раз тот, кто ее увидит, долго потом о ней думает и гадает, что же она хотела сказать и что такое она сама.

Ни выследить, ни подстеречь Птицу не удается, никогда не знаешь, откуда она выпорхнет, всегда она появляется нежданно-негаданно — сядет вдруг где-нибудь неподалеку и сидит себе, будто всегда там сидела, вот тогда и замечали, что взгляд у нее приветливый. Известно ведь, что глаза у птиц обычно испуганные, холодные, словно стеклянные, она же смотрит очень весело и как бы благожелательно.

С незапамятных времен ходило про Птицу множество рассказов и легенд. В наши дни вспоминают о ней реже, люди теперь стали другими, и жизнь сделалась суровее; молодежь все чаще уезжает в город на заработки, и семейства не сидят уже, как бывало, летними вечерами на крылечках, а зимой у камелька, времени ни на что не хватает; и мало кто из нынешних молодых людей знает по имени цветок полевой или бабочку. Однако и в наши дни все еще случается иной раз услышать, как старый дедушка или старушка рассказывает внукам истории про Птицу. В одном из таких преданий, быть может самом древнем, говорится вот что. Птица селения Монтагсдорф стара как сам мир; некогда она своими глазами видела, как убил Каин брата своего Авеля, и выпила Птица капельку крови Авеля и полетела по свету с вестью о его гибели; и по сей день несет Птица эту весть людям, чтобы не забывали они историю, которая служит им предостережением, чтобы помнили они, что жизнь человеческая священна, и жили бы друг с другом воистину как братья. Легенда об Авеле была записана еще в древности, сложили люди и песни об Авеле и Каине, меж тем ученые полагают, что это предание, которое действительно восходит к далекой, седой старине и бытует во многих странах и у многих народов, с Птицей селения Монтагсдорф соотнесено лишь по недоразумению. Ученые указывают на неубедительность предположения, что древняя Авелева Птица обитает только в одном-единственном селении и нигде больше не встречается.

Мы же, со своей стороны, можем «указать» на то, что не все в легендах и преданиях так же логично, как в академических трудах; позволительно, кроме того, задать вопрос: разве не по милости ученых в проблему монтагсдорфской Птицы было привнесено столь много неясностей и противоречий? Раньше, насколько нам известно, никогда не возникало никаких споров по поводу самой Птицы или сказаний о ней, и если кто-нибудь рассказывал про Птицу не так, как его сосед, то никого это не возмущало, и то, что люди мыслили и говорили о Птице по-разному, только приумножало ее достоинства. Можно было бы пойти и дальше — поставить в упрек ученым, что на их совести не только уничтожение Птицы, но и спровоцированное научными изысканиями стремление расчленить и уничтожить самую память о Птице и легенды о ней, ибо подобное расчленение предмета до мельчайших крупиц, очевидно, неотъемлемо от научного труда. Но хватит ли у кого-то из нас мужества так грубо нападать на ученых, которым наука все же обязана многим, если не всем?

Нет, лучше вернемся к легендам о Птице, которые слагались в глубокой древности и фрагменты которых еще живы в памяти сельских жителей. В большинстве сказаний Птица выступает как существо заколдованное, зачарованное либо преданное проклятию. Не исключено, что под влиянием паломников в Страну Востока — а в их истории известное значение имела местность между пещерой Морбио и Монтагсдорфом, где следы паломников обнаруживаются на каждом шагу — возник сюжет, согласно которому Птица есть очарованный отпрыск рода Гогенштауфенов, последний великий император и маг из этой династии, правивший на Сицилии и наделенный тайным знанием арабской магической науки. Весьма распространенным является также предположение о том, что в незапамятные времена Птица была неким принцем или (о чем, опять-таки с чужих слов, сообщает Зеустер) волшебником, который жил некогда в Красном доме на Змеином холме и пользовался величайшим уважением местных жителей — вплоть до той поры, когда был принят новый свод законов, из-за чего многие в этих краях остались без куска хлеба, поскольку колдовство, сочинение стихов, перевоплощения и прочие подобные занятия были запрещены и преданы позору. Когда-то волшебник посадил вокруг своего Красного дома акации и кусты ежевики, и вскоре дом скрылся в тернистых зарослях, чародей же спустя некоторое время ушел в леса, куда последовала за ним и целая свита ползучих гадов, и исчез. Время от времени он является в обличье Птицы, совращает души человеческие и творит свои колдовские дела. Не что иное, как колдовство, и есть, конечно, то странное воздействие, оказываемое Птицей на многих людей. Вопрос — белая или черная магия — рассказчик предпочел обойти молчанием.

На счет паломников в Страну Востока, бесспорно, следует отнести и те удивительные, коренящиеся в культуре матриархата реликты преданий, в которых известная роль отводится некой особе по прозвищу Иноземка, именуемой также Нинон. В некоторых из этих довольно сомнительных источников утверждается, что означенная Иноземка однажды ухитрилась поймать Птицу и много лет продержала ее в неволе, однако в конце концов жители Монтагсдорфа возмутились и освободили свою Птицу. Вместе с тем существует версия, по которой Нинон-Иноземка познакомилась с Птицей еще прежде, чем та попала под власть чар и приняла птичий облик; утверждается далее, что Нинон и Птица жили в Красном доме, где занимались разведением длинных черных змей и зеленых ящериц с синими павлиньими головами, — как всем известно, заросший ежевикой холм близ Монтагсдорфа и поныне кишит змеями, так что нередко и в наши дни можно видеть, как змеи и ящерицы приползают к тому месту, где раньше был вход в кухню колдуна, на миг замирают там, подняв голову, и низко кланяются. Говорят, что эта версия принадлежит ныне покойной жительнице Монтагсдорфа, старухе по имени Нина, эта старая женщина клятвенно уверяла, что часто, собирая на Змеином холме целебные травы, очень часто видела гадюк, которые кланялись тому месту, где и сегодня столетний пенек розового деревца служит приметой, по которой можно найти когда-то бывший здесь вход в дом чародея. Другие люди, напротив, категорически настаивают на том, что у Нинон с чародеем не было ровным счетом ничего общего, что Нинон в этих краях появилась много, много позже, когда шла с караваном паломников в Страну Востока, а к тому времени Птица давно уже была Птицей.

С той поры, когда Птицу видели в последний раз, не успело смениться и двух поколений. Но ведь старики умирают так неожиданно, вот и Барон уже умер, и веселый Марио уже не тот, каким мы его знали, и он уже сгорбился и волочит ноги, — когда-нибудь не останется на свете никого, кто еще помнит о Птице, и поэтому мы решили написать — какой бы ни казалась она бессвязной — историю всего, что произошло с Птицей, и о том, какой постиг ее конец.

Несмотря на то что Монтагсдорф лежит в стороне от шумных дорог и мало кому знакомы укромные ущелья этого лесного края, где царствует коршун и всюду, куда ни пойдешь, слышится несмолкающий крик кукушки, видеть здешнюю Птицу и слышать легенды о ней нередко доводилось даже приехавшим из далеких краев; говорят, здесь на развалинах старинного дворца долгое время жил художник Клингзор, а пещера Морбио прославилась благодаря Лео, одному из паломников в Страну Востока. (Кстати, именно Лео, как утверждается в распространенном, хоть и довольно абсурдном варианте сказания о Птице, сообщил Нинон рецепт померанцевых хлебцев, которыми она баловала Птицу и благодаря которым сумела ее приручить.) Короче говоря, о наших веками прозябавших в безвестности, девственно непорочных краях пошла по свету молва, в далеких больших городах нашлись в университетах люди, которые написали диссертации о странствии Лео к пещере Морбио и весьма заинтересовались различными сказаниями о монтагсдорфской Птице. Причем и в изустной традиции, и в ученых сочинениях утвердилось множество скороспелых суждений, с которыми солидной науке теперь приходится вести полемику. Так, наряду с прочими не раз высказывалось абсурдное предположение, что Птица из Монтагсдорфа якобы идентична известной птице Пиктора, которая была связана с художником Клингзором и обладала способностью к превращению и тайным знанием. Однако ставшая известной благодаря Пиктору птица, «что опереньем красна и зелена, птица, что добра и храбра»[1], описана в литературе столь точно, что сама возможность подобной гипотезы вызывает недоумение.

И наконец интерес ученого мира к нам, жителям Монтагсдорфа, и к нашей Птице, а вместе с ним и сама

---

[1] Pictoris cuiusdam de mutationibus. Bibl. av. Montagn. codex LXI.

история Птицы достигли кульминации. Настал день, когда наш бургомистр, уже упоминавшийся Зеустер, получил послание от своего начальства. В этом документе значилось, что его высокородие господин посол Остготской империи уполномочен тайным советником Люценштеттом Всезнающим сообщить нижеследующее, что надлежит довести до сведения всех жителей округи, а именно: известная Птица, не имеющая имени, называемая в народе просто «Птицей из Монтагсдорфа», разыскивается с целью научного исследования тайным советником Люценштеттом при содействии министерства культуры, просвещения и религий. Имеющие сообщить что-либо о Птице, ее повадках, питании, а также о связанных с Птицей пословицах и поговорках, народных сказаниях, легендах и проч. обязаны через канцелярию бургомистра обратиться в посольство Остготской империи в Берне. Тому, кто доставит в канцелярию для дальнейшего препровождения в упомянутое посольство означенную Птицу живой и невредимой, будет выплачено вознаграждение в размере одной тысячи дукатов золотом, вознаграждение же за труп либо чучело Птицы в удовлетворительном состоянии будет ограничено суммой в сто дукатов.

Долго сидел бургомистр, изучая этот служебный документ. Ему подумалось, что власти снова затевают несправедливое и смехотворное дело. Если бы столь беспардонное требование пришло к бургомистру Зеустеру прямо от ученых голов или из остготского посольства, он бы уничтожил бумажку, не утруждая себя ответом, а может быть, без обиняков растолковал бы ученым господам, что недосуг ему, монтагсдорфскому бургомистру, в бирюльки играть, не на таковского напали. Однако беспардонное требование исходило от непосредственного начальства, это был приказ, а приказу следовало подчиняться. Даже старый Бламелли, монтагсдорфский секретарь, прочитал циркуляр, отстранив его от себя как можно дальше по причине старческой дальнозоркости, подавил ехидную усмешку, которой только и заслуживала, по его мнению, вся эта сомнительная затея, а затем подытожил:

— Ничего не попишешь, господин бургомистр, надо выполнять. Пойду сочиню текст официального указа.

И вот спустя несколько дней из указа, вывешенного на доске постановлений возле главного входа ратуши, вся община узнала следующее: отныне Птица существует на птичьих правах, а вернее, объявляется вне закона, ею интересуются представители иностранных держав, за ее голову назначена награда, и ни Швейцарская конфедерация, ни кантональные власти не предприняли ровным счетом ничего, чтобы взять под защиту легендарную Птицу... Обычная история! Власти ни черта не делают для простого народа, им дела нет до того, что любит и ценит простой люд. Таково, по крайней мере, было мнение Бламелли и многих других. Всякому, кто пожелает поймать или прикончить бедную Птицу, сулили большие деньги; тот, кому удастся поймать Птицу, мог стать состоятельным человеком. Все толковали об указе, бродили, оживленно переговариваясь, перед доской постановлений возле ратуши. Молодые люди были в восторге, решили немедленно расставить повсюду силки и ловушки. А вот старая Нина покачала седой головой и сказала:

— Грех это! Стыдно должно быть господам из правительства. Они, поди, и самого Спасителя продали бы за деньги. Да только не словить им ее, слава Богу, не словить ни за что!

Шалaстер же, двоюродный брат бургомистра, прочитав указ, не проронил ни слова. Так же молча прочитал он объявление во второй раз и после этого не пошел, как намеревался с утра, в церковь на воскресную службу, а медленно направился к дому бургомистра, вошел уже в ворота, но вдруг передумал и поспешил домой.

Шаластера всю жизнь связывали с Птицей отношения особенные. Он и встречал ее гораздо чаще, и рассмотреть сумел лучше, чем кто-либо еще; он, если позволительно так выразиться, был из тех людей, которые верили в Птицу, относились к ней серьезно и приписывали ей некий высший смысл. Потому указ властей оказал на этого человека действие очень сильное и двойственное. В первую минуту Шаластер, разумеется, ощутил то же, что и старая Нина, что и большинство пожилых, приверженных старинным традициям людей: он был испуган и возмущен тем, что по прихоти каких-то иностранцев его Птицу, сокровище и символ Монтагсдорфа — да и всей округи! — предлагалось изловить и кому-то отдать или убить. Как! Эта редкая, загадочная гостья из леса, это сказочное, известное с глубокой древности существо, благодаря которому Монтагсдорф прославился, пусть даже и снискав насмешки, эта Птица, о которой из поколения в поколение передавалось столько историй и легенд, теперь — науки ли, корысти ли ради — должна быть отдана в жертву пагубному любопытству какого-то ученого? Это было нечто неслыханное, да просто немыслимое! Святотатство — вот к чему они призывают. Но, с другой стороны, если все хорошенько взвесить и обдумать, разве не ожидает того, кто совершит святотатство, блестящая будущность? Разве не нужен для поимки знаменитой Птицы муж совершенно особенный, избранный, издавна предназначенный высокой цели, тот, кого с младых лет соединяли бы с Птицей некие таинственные узы и чья судьба была бы нерасторжимо связана с ней? Так кто же он, этот избранный, этот единственный муж, кто, если не он, Шаластер? Конечно, посягнуть на Птицу означало совершить святотатство, преступление, сравнимое лишь с предательством Иуды Искариота, но разве предательство Иуды, искупительная жертва и гибель Спасителя не были необходимы, священны, предопределены и предречены в древнейшие времена? Разве была бы польза, вопрошал Шаластер самого себя и весь мир, была бы хоть крохотная польза, если б изменилось хоть на йоту божественное предначертание и не совершилось бы дело спасения, если б уклонился этот самый Иуда по соображениям морали или рассудка от назначенной ему роли и не пошел на предательство?

Вот какими путями блуждали мысли Шаластера, и мысли эти не давали ему ни минуты покоя. В родном саду, где он когда-то, маленьким мальчиком, впервые увидел Птицу и ощутил волшебный трепет счастья, Шаластер теперь беспокойно расхаживал взад и вперед в пространстве между козлятником, крольчатником и кухонным окном, то и дело задевая рукавом воскресного пиджака висевшие на стене сарая грабли, косы и вилы, и был Шаластер преисполнен глубокого волнения, всецело захвачен мыслями, желаниями и мечтами, от которых голова шла кругом, и размышлял в сокрушении сердечном о предательстве Иуды, и грезил об увесистом мешочке с тысячей золотых.

Меж тем и народное волнение росло. Уже чуть ли не все жители Монтагсдорфа собрались возле ратуши, поминутно то один, то другой подходил к доске для постановлений, чтобы еще раз посмотреть на указ, и все энергично высказывали свои соображения и идеи, приводили тщательно взвешенные доводы, которые были основаны на собственном житейском опыте, народной мудрости и Священном писании, и лишь очень немногие не сказали в первую же минуту ни да ни нет по поводу указа, из-за которого все селение уже разделилось на два враждующих лагеря. Несомненно, многие чувствовали то же, что Шаластер: как они считали, охотиться на Птицу было бы просто гнусностью, однако золотые дукаты каждый был бы не прочь получить; но все-таки далеко не у всех противоречивые мысли шли к взаимному примирению столь же трудными и замысловатыми путями, как у Шаластера. Молодые парни отнеслись к делу просто. Соображения морали или сохранения ценностей отечества не могли умерить их предприимчивость. Они сказали, что надо бы попробовать расставить силки, — глядишь, и повезет кому-нибудь поймать Птицу, хоть надежда на успех, пожалуй, и невелика: никому ведь не известно, на какую приманку следует ловить. А если кто-то увидит Птицу, то тогда самое правильное — сразу же стрелять, потому что сотня золотых в кармане все же лучше, чем тысяча в небе. Парней поддержал целый хор голосов, и те уже предвкушали охоту и спорили о разных малозначащих вещах. Дайте только ружье получше, шумел один из парней, да пустяковый аванс, хоть полдуката, — а уж он тогда прямиком отправится в лес и просидит там весь день, отказавшись от воскресного отдыха. Противники молодых, в основном старики, говорили, что вся эта затея — просто нечто неслыханное, кто-то из них тихонько бормотал, кто-то выкрикивал во весь голос разные мудрые изречения или бранил нынешнюю молодежь, для которой нет-де ничего святого: ни веры, ни верности. Парни только смеялись и отвечали, что дело вовсе не в вере или верности, а в умении метко стрелять и что добродетель да мудрые истины всегда наготове у тех, кому не под силу уже и прицелиться, потому что зрение подводит и скрюченные подагрой пальцы не держат ружья. Вот так все и шло: найдя новую пищу для ума, народ состязался в острословии, и до того все распалились, что в полдень едва не позабыли про час обеда. К месту и не к месту, со страстностью и ораторским пылом обсуждались возле ратуши радости и невзгоды семейные, то поминали вдруг покойного дедушку Натанаэля, то ставили другим в пример старого бургомистра Зеустера, то ссылались на историю легендарного похода паломников в Страну Востока, цитировали кто Библию, кто оперные арии, насмерть ссорились и тут же мирились, находили аргументы в политических лозунгах или в мудрых присловьях своих предков, произносили целые монологи о былых временах, о почившем епископе, о перенесенных недугах. Так, один старик крестьянин заявил, что будто бы, когда он занедужил и слег, то однажды увидел в окне Птицу, и видел-то он ее всего минуту, однако именно с этой минуты живо пошел на поправку. Все говорили и говорили без умолку, кто сам с собой, кто с воображаемыми собеседниками, кто — обращаясь к односельчанам; одни увещевали, другие обвиняли, иные шли на уступки, иные насмешничали, и в этом споре, словно в единении, рождалось благодатное ощущение силы, зрелости, вечности их общего житья-бытья; одни знали, что они пожилые и умные люди, другие — что они люди молодые и умные; они дразнили друг друга и горячо, вполне справедливо доказывали добронравие предков — и столь же горячо, вполне справедливо оспаривали добронравие предков; они призывали предков в свидетели и посмеивались над предками, похвалялись своими сединами, жизненным опытом или похвалялись своей молодостью, юным задором; довели спор чуть не до драки, вопили, хохотали и познали, что есть единение и что есть разногласие, и каждый был непоколебимо уверен, что уж он-то всех прочих заткнул за пояс.

В самый разгар ораторских состязаний, в момент окончательного размежевания общественности, когда девяностолетняя Нина памятью предков заклинала своего внука не участвовать в безбожной, жестокой и к тому же опасной охоте на Птицу, а парни кривлялись, разыгрывая перед старой женщиной пантомиму, — вскидывали воображаемые ружья, целились, зажмурив один глаз, и кричали «пиф-паф», именно тогда случилось вдруг нечто настолько неожиданное, что все, и стар и млад, умолкли на полуслове и замерли, словно окаменев. Старый Бламелли вдруг издал вопль — все головы повернулись туда, куда он указывал рукой, и тут среди внезапно воцарившегося глубокого молчания все увидели, как с крыши ратуши слетела, легка на помине, Птица, та самая Птица; она села на край доски, где был вывешен указ, повертела маленькой круглой головкой, почистила клюв и, прощебетав короткую песенку, залилась звонкой трелью, весело качнула хвостиком, тряхнула хохолком и — впоследствии об этом знали понаслышке все жители округи — без малейшего смущения принялась чистить перышки и охорашиваться, потом с любопытством наклонила головку к указу на доске, как бы желая прочесть документ, чтобы узнать, сколько золотых назначено властями тому, кто ее поймает. Прошло, наверное, лишь несколько секунд, но всем в эти краткие мгновения вдруг почудилось, будто некая важная особа удостоила их визитом, но вместе с тем был тут и какой-то дерзкий вызов — никто уже не кричал «пиф-паф», все стояли словно зачарованные и дивились храброй гостье, прилетевшей сюда и выбравшей и место, и время для своего появления, несомненно, лишь ради того, чтобы посмеяться над ними. Изумленно, в растерянности уставились они на Птицу, застигшую их врасплох, и внезапно преисполнились счастливого чувства и дружелюбия, любуясь очаровательным пришельцем, о ком только что шел жаркий спор, благодаря кому прославились эти края, кто некогда был свидетелем гибели Авеля, а может быть, происходил из рода Гогенштауфенов, был принцем или чародеем и жил в Красном доме на Змеином холме, где теперь обитают гадюки; они видели Птицу, возбудившую любознательность и алчность иностранных ученых и зарубежных держав, Птицу, за поимку которой была обещана награда в тысячу золотых. И все восхищались Птицей и были полны любви к ней, даже те, кто какой-нибудь секундой позже проклинал все на свете и топал ногами в ярости оттого, что не прихватил из дому ружья, — все они в этот миг любили Птицу, гордились ею, она принадлежала им, была их славой, их доблестью; она же сидела, покачивая хвостиком, подняв хохолок, на краю доски с указом, высоко над ними, словно была их правителем или гербом. И только когда она вдруг исчезла и там, куда все уставились, стало пусто, все постепенно очнулись от волшебного наваждения и начали улыбаться, кричать «ура», прославлять Птицу, а потом кинулись искать ружья и спрашивать, в какой стороне скрылась Птица, потом спохватились, что это ведь благодаря ей исцелился когда-то старый крестьянин и что именно та Птица, которую видел еще дед девяностолетней Нины, почувствовали что-то чудесное, что-то похожее на счастье, веселье и радость, но в то же время и нечто таинственное, волшебное, жутковатое, и вдруг начали расходиться, заспешили домой, к супам и похлебкам, желая лишь одного — скорее положить конец взволнованному народному собранию, во время которого всколыхнулись все духовные силы Монтагсдорфа и королевой которого, бесспорно, была Птица. Тихо стало возле ратуши, и, когда немного спустя зазвонил полуденный колокол, площадь была пуста, словно вымерла, а на белый, освещенный солнцем листок указа начала медленно наползать тень — тень дощечки, на которой лишь недавно сидела Птица.

Меж тем погруженный в думы Шаластер все ходил на заднем дворе своего дома — мимо грабель и кос, крольчатника и козлятника; мало-помалу шаг его стал спокойнее и ровнее, и теологические и моральные искания Шаластера также постепенно обрели устойчивость и наконец завершились. Полуденный колокольный звон пробудил его от дум, Шаластер вздрогнул, опомнился и вернулся к земным делам; услыхав голос колокола, он сообразил, что услышит сейчас, наверное, и голос жены, которая позовет его обедать, устыдился своих мучительных размышлений и стал тверже шагать по садовой дорожке. И тут, именно в ту минуту, когда голос сельского колокола был подтвержден голосом жены, у Шаластера вдруг словно зарябило в глазах. Трепещущий шорох пронесся где-то совсем рядом, повеяло как бы легким ветерком и... на вишневом деревце прямо перед Шаластером очутилась Птица; легкая, точно цветок на ветке, она задорно тряхнула хохолком, повертела головкой, тихонько свистнула, взглянула на Шаластера — этот взгляд был знаком ему с детских лет — и вот встрепенулась и неожиданно исчезла, скрывшись в ветвях или упорхнув в небо, прежде чем Шаластер, который стоял разинув рот, успел хотя бы почувствовать толком, как сильно забилось вдруг у него в груди сердце.

После этого воскресного полудня, когда Птица показалась на ветке вишневого дерева в саду Шаластера, ее видели только один раз, и видел ее опять-таки Шаластер, двоюродный брат тогдашнего бургомистра. Шаластер твердо решил завладеть Птицей и получить тысячу золотых, однако он, старый знаток повадок Птицы, хорошо понимал, что поймать ее никогда и никому не посчастливится, и потому почистил свое ружье и запасся изрядным мешочком мелкой дроби, которую называют дунстом. Шаластер смекнул, что если выпалить по птице самой мелкой дробью, она не упадет на землю мертвой и в клочья растерзанной, а только будет легко ранена какой-нибудь дробинкой, но при этом непременно оцепенеет от испуга, и, стало быть, он возьмет Птицу живьем. Этот предусмотрительный человек подготовил все необходимое для исполнения своего замысла, купил даже небольшую клеточку для певчих птиц, чтобы посадить в нее пленницу, когда поймает, и, никуда не отлучаясь, безвылазно сидел дома, причем заряженная винтовка всегда была у него под рукой. Куда только было можно, он носил винтовку с собой, а куда нельзя было явиться с оружием в руках, скажем в церковь, туда он если и ходил, то всякий раз потом злился из-за напрасно потерянного времени.

И все-таки именно в тот момент, когда Птица вновь явилась Шаластеру — это было в том же году осенью, — ружья под рукой у него, как нарочно, не оказалось. Все произошло в двух шагах от дома Шаластера, Птица, как обычно, появилась неожиданно и без малейшего шума; удобно устроившись на дереве, она приветствовала Шаластера щебетанием и с веселым видом принялась покачиваться на ветке старой ивы, с которой Шаластер всегда срезал прутья для подвязки гороха и бобов. На этой-то иве она и сидела, не дальше чем в каких-нибудь десяти шагах, посвистывала и щебетала, а ее враг меж тем вновь ощутил в сердце это удивительно счастливое чувство (блаженство и боль вместе, как бывает, когда вдруг коснется тебя весть об иной жизни, прожить которую нам не дано) — и тут Шаластера прямо в жар бросило от волнения и страха, как бы не улетела Птица, пока он сбегает в дом за ружьем. Ведь он знал, что Птица никогда не прилетает надолго. Он побежал в дом, схватил ружье, выскочил в сад, увидел, что Птица по-прежнему сидит на ветке ивы, и тогда осторожно, неслышно ступая, начал подкрадываться к ней все ближе и ближе. Птица ни о чем не подозревала, ее ничуть не встревожили ни ружье, ни странное поведение человека — исступленного человека, с остекленевшим взглядом, вороватыми повадками и нечистой совестью, человека, которому явно было трудно сохранять непринужденный вид. Птица подпустила его совсем близко, доверчиво поглядела на него, словно бы ободряя, лукаво проследила за тем, как он поднимает ружье, прищуривает глаз, долго целится. Наконец грянул выстрел, и еще не рассеялся дымок над ружейным стволом, как Шаластер уже пустился ползать на карачках под ивой, обыскивая землю. От ивы до забора и назад, от ивы до пчелиных ульев и обратно, от ивы до грядки с горохом и опять обратно — травинку за травинкой, кустик за кустиком обшаривал Шаластер в поисках Птицы, он искал и искал, битый час, битых два часа искал, и на следующий день он опять без устали искал Птицу. Не нашел он ее, не нашел даже перышка. Она улетела, очень уж показалось ей неуютно в этих местах, слишком много было шума от выстрелов, а Птица любила свободу, любила лес и лесную тишину, здесь же ей больше не нравилось жить. Улетела прочь Птица, и опять, в который раз уже, Шаластер не увидел, в какой стороне она скрылась. Может быть, она воротилась в свой дом на Змеином холме и зеленые ящерицы склонились перед нею в поклоне у порога Красного дома. Может быть, она умчалась гораздо дальше во времени и пространстве — улетела к Гогенштауфенам, к Авелю и Каину, в райские сады.

С того дня Птицу больше не видели. Разговоров о ней ходило много, и ныне, хоть и минули с тех пор годы, не смолкают толки о Птице, а в одном университете в стране остготов вышла даже книга про Птицу. Если в старину о Птице слагались всевозможные легенды, то теперь, исчезнув, она сама стала легендой, и, наверное, скоро на свете не останется никого, кто мог бы клятвенно заверить, что когда-то Птица действительно жила в этих краях, была добрым гением здешних мест, что однажды за нее назначили высокую награду, что в нее стреляли. Когда-нибудь через много лет ученые заново изучат предания о Птице, и тогда, возможно, будет установлено, что Птица является созданием народной фантазии и все найдет свое объяснение в законах мифотворчества. Потому что, бесспорно, следует признать: всегда и всюду есть существа, которые воспринимаются всеми как особенные, приятные, очаровательные, иными людьми они почитаются как добрые духи — ведь они несут весть о жизни более прекрасной, свободной и окрыленной, нежели наша жизнь; но всегда и всюду происходит все то же: внуки смеются над добрыми гениями своих дедов, затевают однажды охоту на приятное и очаровательное существо, убивают его, надеясь получить за его голову награду, а позднее его бытие становится легендой, и легенда эта летит по свету, словно на крыльях.

Никто не знает, каким будет новое сказание о Птице. О том же, что жизнь Шаластера оборвалась трагически — весьма вероятно, в результате самоубийства, — мы должны сообщить в завершение нашего рассказа, воздержавшись, однако, от каких-либо комментариев.

ЭДМУНД

дмунд, одаренный юноша из хорошего дома, в университетские годы стал любимым учеником прославленного в те времена профессора Церкеля.

Это было в эпоху, когда так называемые послевоенные времена подходили уже к концу, когда великие войны, великая перенаселенность и полнейший упадок веры и нравов придали лицу Европы то выражение отчаяния, которое видим мы на всех почти портретах людей того времени. Новые же времена, получившие впоследствии название «возрождение средневековья», еще не начались по-настоящему, однако все, что на протяжении многих столетий глубоко почиталось и высоко ценилось, было уже основательно расшатано, везде и всюду чувствовались быстро нараставшие апатия и вялость мысли, завладевшие именно теми науками и искусствами, которым во второй половине девятнадцатого века отдавалось особое предпочтение. Все уже пресытились аналитическими методами, техникой ради самой техники, тонкой изощренной аргументацией и чахлой рассудочностью той картины мира, что несколько десятилетий назад являла собой вершину европейской науки и создана была Дарвином, Марксом и Геккелем. В прогрессивных кругах, не исключая и те, где вращался Эдмунд, безраздельно господствовала апатия духа, скептическая, однако же не свободная от тщеславия страсть к трезвой самокритичности, к нарочитому уничижению мыслящего сознания и его важнейших методов. Вместе с тем в этих кругах пробудился острейший интерес к достигшим в то время высокого уровня исследованиям по истории религий. Памятники, содержавшие сведения о древних верованиях и культах, уже не изучались как прежде, лишь в историческом, социологическом или мировоззренческом аспекте — ученые стремились теперь постичь самые непосредственные жизненные силы религии, психологическое и магическое воздействие ее форм, образов и обрядов. И все же среди учителей, профессоров старшего поколения, все больше крепла несколько чванливая любознательность, присущая чистой науке, а также известная любовь к собирательству, сравнениям, толкованиям, классификациям и непогрешимым истинам. Напротив, исследования учеников, молодых ученых, были проникнуты иным духом — глубокой почтительностью, а порой и завистливым чувством к феноменам религиозной жизни, стремлением познать сокровенный смысл обрядов и магических заклинаний, которые сохранила для нас история, и, отчасти от разочарования в жизни, отчасти от желания обрести веру, были исполнены тайной жажды постижения глубочайшей сути всех этих явлений, жажды веры и того состояния души, какое позволило бы нынешним людям жить, подобно далеким предкам, могучими и высокими побуждениями, жить с той утраченной ныне свежестью и силой, что и по сей день излучают религиозные обряды и произведения искусства древности.

В те дни широко известна стала, например, история одного молодого приват-доцента марбургского университета, который занимался изучением жизни и смерти благочестивого поэта Новалиса. Как известно, этот Новалис после смерти своей невесты вознамерился последовать за нею в мир иной и, будучи человеком истово верующим, да еще и поэтом, не прибегнул к механическим средствам вроде яда или огнестрельного оружия, но довел себя до смерти при помощи чисто духовных и магических методов и скончался в расцвете лет. Приват-доцент настолько был очарован этой необычайной жизнью и смертью, что захотел повторить деяние поэта, то есть последовать за ним в мир иной путем простого подражания и копирования. И побудила к тому приват-доцента не столько усталость от жизни, сколько желание изведать чудо — феномен превосходства и владычества сил души над жизнью тела. Он и в самом деле прожил жизнь и умер так же, как Новалис, не достигнув тридцатилетнего возраста. Случай с приват-доцентом стал сенсацией и вызвал негодование как во всех консервативных кругах, так и у той части молодежи, что искала удовольствий в спорте и материальных жизненных благах. Впрочем, довольно об этом, ведь мы не намерены анализировать эпоху в целом, а хотим дать лишь беглый очерк духовной жизни и настроений кругов, к которым принадлежал Эдмунд.

Итак, он изучал историю религий под руководством профессора Церкеля, но интересовали его почти исключительно те средства религии и магии, с помощью которых разные народы в разные времена пытались обрести духовную власть над бытием и укрепить душу человеческую в ее противоборстве с природой и роком. Эдмунд, в отличие от своего наставника, не придавал существенного значения внешней стороне религии, отраженной в литературе и философии, или ее так называемому мировоззрению — он старался овладеть непосредственно воздействующими на жизнь человека практическими приемами, упражнениями и волшебными заклинаниями, желая постичь таинственную силу символов и святынь, технику достижения духовной сосредоточенности, способы возбуждения творческих потенций души. Поверхностный подход, на протяжении целого столетия господствовавший в объяснении таких феноменов, как аскеза и анахоретство, изгнание нечистой силы и монашество, в то время уже уступил место серьезному и вдумчивому их изучению. Эдмунд посещал особый, доступный лишь избранным семинар профессора Церкеля, в котором кроме самого Эдмунда был только один одаренный студент последнего курса; они изучали древние магические формулы по рукописям, не так давно найденные в северной Индии. Профессор находил в этих занятиях лишь сугубо научный интерес, он собирал и систематизировал таинственные явления так, как другие собирают жучков и бабочек. Однако профессор чувствовал, что его ученик Эдмунд питает совсем иного рода пристрастие к волшебным заклинаниям и молитвенным формулам; давно заметил он и то, что ученик сумел проникнуть в тайны, которые были недоступны учителю, ибо Эдмунд постигал их с благоговейным трепетом; в то же время профессор надеялся, что впереди у него еще долгие годы сотрудничества со способным учеником.

Они разбирали, переводили и комментировали древние индийские тексты, и как-то раз Эдмунд представил такой фрагмент в своем переводе с санскрита:

«Если случится с тобой, что душа твоя станет больна и позабудет, что́ надобно ей для жизни, и ты пожелаешь узнать, что́ надобно твоей душе и что́ ты должен дать ей, тогда изгони все из своего сердца, пусть оно станет пустым, пусть редким и легким будет твое дыхание; представь себе, что в глубине твоего черепа разверзлась пещера, и устреми мысленный взор в эту пещеру, сосредоточься для созерцания, и тебе откроется образ того, что надобно твоей душе, чтобы жизнь ее не угасла».

— Неплохо, — сказал профессор. — Только вот там, где у вас говорится: «позабудет, что надобно ей», следует дать более точный перевод: «утратит то, что» — и так далее. А вы обратили внимание на слово «пещера»? Ведь именно это слово употребляли жрецы и врачеватели в смысле «материнское чрево». Подумать только, эти пройдохи умудрились состряпать из довольно-таки сухого руководства для исцеления меланхоликов весьма замысловатое колдовское заклинание. Это самое «mar pegil trefu gnoki» как будто бы созвучно с некоторыми заклинаниями Великого змея, и, должно быть, несчастным бенгальцам, которых морочили тогдашние колдуны и шарлатаны, оно внушало величайший ужас. Впрочем, само наставление, все эти советы насчет пустого сердца, редкого дыхания и устремления взгляда в собственное нутро вовсе не являются чем-то новым. Взять хотя бы фрагмент номер восемьдесят три — право, в нем все сформулировано намного яснее. Но вы, Эдмунд, конечно же, и сегодня со мной не согласны. Что вы думаете об этом тексте?

— Господин профессор, — тихо отвечал Эдмунд, — мне кажется, в данном случае вы недооцениваете значение словесной формы текста. Ведь важны не поверхностные толкования, которые мы даем словам, важны сами слова; по-моему, кроме голого смысла в них есть что-то еще: самый звук, самый выбор этих редких и архаичных слов, их созвучность и ассоциативная связь с заклинаниями Великого змея — лишь все это в совокупности и придавало заклятию магическую силу.

— Если только оно действительно такой силой обладало! — со смехом парировал профессор. — Жаль, кстати, что вам не выпало жить в те времена, когда эти заклятия еще были в ходу. Вы стали бы в высшей степени благодарным объектом колдовских трюков тогдашних шарлатанов. К сожалению, вы опоздали на несколько тысячелетий. Готов побиться об заклад: как бы вы ни старались скрупулезно точно выполнить предписания этого фрагмента, никакого результата вам не получить.

Довольный профессор отвернулся и увлеченно заговорил о чем-то с другим студентом.

Меж тем Эдмунд вновь пробежал глазами текст, он помнил, что сильнее всего поразили его первые строки, в которых словно бы о нем самом, о его душе шла речь. Слово за словом произнес он про себя заклинание и шаг за шагом начал выполнять то, что в нем предписывалось: «Если случится с тобой, что душа твоя станет больна и позабудет, что́ надобно ей для жизни, и ты пожелаешь узнать, что́ надобно твоей душе и что́ ты должен дать ей, тогда изгони все из своего сердца, пусть оно станет пустым...» — и так далее.

В этот раз Эдмунду удалось сосредоточиться лучше, чем когда-либо ранее при подобных опытах. Он следовал наставлениям древней рукописи, и какое-то чувство говорило ему, что именно теперь настало время выполнить их, потому что душа его в опасности, потому что она забыла то, что всего важнее.

Едва приступив к простым дыхательным упражнениям хатха-йоги, в которых он часто практиковался и раньше, Эдмунд почувствовал, что в нем происходит некое изменение, почувствовал, как в глубине его черепа словно бы раскрылась маленькая полость, увидел, что это — темная пещера размером не больше ореха, предельно сосредоточился на ней, все пристальнее вглядываясь в эту пещеру, это «материнское чрево». И понемногу затеплился в пещере слабый свет и стал разгораться все ярче, и все ясней и ясней выступало пред мысленным взором Эдмунда то, что следовало ему совершить ради продления своей жизни. Его не устрашило видение, он ни на миг не усомнился в его истинности — в сокровенных глубинах своей души он чувствовал, что видение правдиво, что оно явило ему лишь одно — «забытую» им глубочайшую потребность его души.

И, внезапно исполнившись прежде неведомых сил, радостно и уверенно сделал он то, что повелело сделать ему видение. Он открыл глаза, поднялся со скамьи и шагнул вперед, поднял руки, сомкнул их на шее профессора, сжал ими шею и не отпускал, пока не почувствовал — хватит. Мертвое тело повалилось наземь. Эдмунд отвернулся от него и лишь теперь вспомнил, что был не один: его товарищ, бледный как покойник, с выступившими на лбу каплями пота, оцепенев от ужаса, не мигая смотрел на Эдмунда.

— Все сбылось, буквально, дословно сбылось! — в восторге воскликнул Эдмунд. — Мое сердце стало пустым, дыхание редким и слабым, мысли сосредоточились на пещере в моем черепе, взгляд проник в самую ее глубину, и там я увидел учителя, увидел себя, увидел, как мои пальцы сжимают его шею, я все, все увидел. И так легко мне было выполнить повеление — без малейших усилий, без всяких колебаний! А теперь мне так удивительно хорошо, как никогда в жизни еще не бывало!

— Опомнись! — крикнул студент. — Приди в себя, пойми: ты же убил! Ты убийца! И тебя казнят за убийство!

Эдмунд его не слушал. Эти слова пока что не достигали его слуха. Тихо повторял он слова магической формулы: «mar pegil trafu gnoki», — и не видел ни мертвых, ни живых учителей, а видел лишь бескрайний простор всего мира, всей жизни, раскрывшийся перед ним.

ШВАБСКАЯ ПАРОДИЯ

прекрасной Швабии много прекрасных и весьма примечательных городов и деревень, дышащих достойными воспоминаниями, и многие из них нашли превосходное, прямотаки классическое отражение. Достаточно напомнить трехтомную историю Бопфингена, написанную Мегерле, и доскональные исследования Мёрике, посвященные роду Виспелей. Пусть первым опытом и основой для дальнейших краеведческих описаний, которые выполнит профессиональное перо, послужат нижеследующие исторические заметки о Кнерцельфингене, жемчужине Кнерцельталя. Ибо воистину настала пора в кои-то веки замолвить словечко за Кнерцельфинген и пробудить от многовекового сна сию спящую красавицу — жемчужину среди чудеснейших долин нашей родины.

В этой поросшей в основном лиственным лесом и украшенной романтичными сланцевыми скалами долине берет начало отлично известная каждому швабскому школьнику из уроков краеведения небольшая резвая речушка, или ручеек, по имени Кнерцель. Вспоминается один известный анекдот из славной культурной истории

Вюртемберга, повествующий о том, как Людвиг Уланд, оканчивая школу, во время выпускного экзамена стоял перед своим уважаемым учителем Хозиандером и вопрос оного о двадцать первом левом притоке Некара, к глубокому сожалению заслуженного педагога, почтил досадным молчанием. Сегодня для нас представляется весьма знаменательным, что именно наш великий Уланд, который увековечил в своей поэзии не одно название швабских местечек и деревушек, допустил такой странный пробел в своих обычно столь обширных знаниях. Подобно великому поэту, позабывшему о Кнерцель, ею уже давно пренебрегают наша литература и наша общественность. А ведь некогда и здесь мощно бурлил поток истории, еще и сегодня есть что порассказать об этой местности, и немало найдется занимательных преданий и легенд, за которые следовало бы по мере возможности приняться, прежде чем могучее половодье нового времени, которое сводит на нет любое своеобразие, затопит и этих свидетелей стародавних времен.

Первоначально, то есть до рокового 1231 года, долина принадлежала к обширным владениям графского рода фон Кальв, тогда как сам замок Кнерцельфинген воздвигнут был, по-видимому, не фон Кальвами, а Кнорцем Первым гораздо раньше, в незапамятные времена. Довольно удачное изображение этого замка мы находим еще среди гравюр Мериана, но сегодня он исчез с лица земли, и лишь холм по прозванию Бурьянная гора — густо поросший крапивой и чертополохом, эдакая куча мусора, примечательная разве что для ботаника — напоминает о славном замке. Не исключено, что Кнорц Первый, воздвигший замок, и Кнорц Удивительный, излюбленный герой столь многих народных сказаний, суть одно лицо, но наука не только не разрешила этого вопроса, но старательно обходит его, выказывая определенную боязливость. Между тем рыцарь Кнорц, герой целого ряда самобытных, очаровательных народных легенд, признан новейшими исследователями фигурой скорее всего мифической, — следовательно, многочисленные следы, которые этот достопочтенный герой оставил в былях и нравах, в быту и говоре жителей Кнерцельфингена, ни на чем не основываются. Упоминания достойно лишь то, что несколько странные обороты речи, такие как «кнорцевать» — то есть биться над чем-либо, и «кнорец», то есть скупец, согласно гениальным выводам Фишера и Боненбергера, бесспорно, обязаны своим существованием циклу именно этих легенд, и, между прочим, их употребление распространилось на всю швабскую языковую область. Среди историй о родном крае, которые, как нам доподлинно известно, наш высокочтимый повествователь Мартин Курц хотя и собирался написать, но, к его стыду, до сих пор так и не написал, был, говорят, и невоплощенный роман о Кнорце Удивительном.

К той же области легендарных народных преданий принадлежит сказание о купании герцога Евгения Длинноволосого в реке Кнерцель, ибо Кнерцель вообще с давних времен славилась своими целебными водами, и мы еще вернемся к этой теме. Всегда считалось, что во время знаменательного купания герцог Евгений перенес на закорках через пенные волны Кнерцель очаровательную крестьянку Барбару Крюк, прозванную Прекрасной Крючихой, и нам хотелось бы назвать преждевременным заключение Хаммелеле, сделанное в его в общем и целом фундаментальной диссертации «Герцог Евгений Длинноволосый и его связи с гуманизмом», где данный эпизод рассматривается всего только как поэтическая обработка известной истории о Зевсе и Европе в гуманистически-классицистическом духе. Здесь все достаточно очевидно — ведь тот факт, что вышеупомянутая Барбара Крючиха была любовницей падкого до роскоши, ослепленного герцога, находит достаточно исторических подтверждений, например в анонимной эпиграмме «Герцог на крючке», датированной 1523 годом. И не кто иной, как Ахиллес Цвиллинг, в бытность свою архидиаконом Штутгарта и отважным придворным проповедником у Евгения, отклонил гневный приказ герцога немедленно оправдать прекрасную Крючиху в публичной проповеди, произнеся следующие слова, достойные настоящего швабского мужчины: «Она ли вас подцепила на крючок, ваша светлость, вы ли ее, — в любом случае от исследования этого вопроса каждый швабский богослов откажется, посчитав его занятием недостойным».

Жителем Кнерцельфингена был и сын поденщика Адам Вулле, который в восемнадцатом столетии пользовался большой известностью в Швабии как всеми любимый проповедник и духовный вождь основанной им некоей секты пиетистов, — тот самый, что вызвал всеобщее удивление импровизированной полуторачасовой зажигательной проповедью, посвященной словам из Библии: «Иорам родил Озию». Имеется в виду тот самый Адам Вулле, о котором молва рассказывает забавную историю, будто бы какой-то приятель назвал ему примету, позволяющую безошибочно распознавать ведьм. Ведьму, как ему сказали, можно сразу определить по белоснежным коленям. Влекомый подозрением, Вулле принялся вечером изучать колени своей супруги и начисто избавил ее от возможных наветов следующими словами: «Вот те на, я думал, ты ведьма, а ты свинья навозная».

Вообще, вероятно, все жители Кнерцельфингена обладали, следуя доброй швабской традиции, счастливым даром короткой и выразительной формулировки. И опять-таки не кто другой, как староста Кнерцельфингена, облек чистосердечное мнение народа о священнике и поэте Эдуарде Мёрике в классическую форму. Мёрике некоторое время был в тех краях викарием в одной деревне, и когда старосту однажды спросили, знает ли он, что его сосед, викарий Мёрике, пишет превосходные стихи, смышленый шваб кивнул и сказал: «Ну, этот-то мог бы что-нибудь и поумнее придумать, парень неглупый».

Особого, подробного описания заслуживает история Кнерцельфингена как водолечебного курорта. Предание гласит, что в давние времена граф Вюртембергский во время охоты заплутал и забрел случайно в долину реки Кнерцель, и хотя он и его спутники подстрелили немало зайцев, оленей, фазанов и другой дичи, тем не менее им далеко не всегда удавалось заполучить свою добычу, и, пытаясь объяснить эту странность, они обнаружили, что раненые животные сразу ковыляют к журчащим водам Кнерцель, пьют из речки или окунаются в нее и тут же, исцелившись, скрываются в пышных, кудрявых лесах, которые и ныне служат украшением этой местности. Так и возникла слава о воде из реки Кнерцель и ее целебных свойствах, и с тех пор долину на протяжении столетий, подобно многим другим благословенным долинам нашей родины, посещают самые разные больные, в особенности те, кто страдает подагрой и ревматизмом. Но то ли свойства целебной воды со временем изменились, то ли на людей она не оказывает такого действия, как на жителей леса, — как бы то ни было, на этом курорте больные исцелялись столь же редко, как и на любом другом, к немалой выгоде его хозяев: ведь больные, уезжая, оставались больными и продолжали страстно надеяться на исцеление, поэтому год за годом возвращались на воды, как это, впрочем, обычно бывает и на других курортах. И хозяева, и больные были вполне довольны таким положением дел: хозяева зарабатывали деньги, а больные имели возможность приезжать сюда год за годом, жаловаться друг другу на свои несчастья и проводить несколько солнечных недель то в шезлонгах, то за обеденным столом, где не было недостатка в форели и куропатках, которыми так богаты эти края.

А в том, что эта приятная курортная жизнь закончилась, повинен воистину швабский поступок одного жителя Кнерцельфингена, который служил себе в городишке врачом. Он был современником и единомышленником Юстинуса Кернера, д-ра Пассавата и других мечтательных романтических гениев, а как курортный врач мог бы иметь неплохие доходы, не будь он сумасбродом, идеалистом и заядлым правдолюбцем. Этот удивительный врач (имя его в Кнерцельфингене до сих пор не принято произносить вслух) в течение немногих лет привел популярный водолечебный курорт к полному запустению и разорил его. Он поднимал на смех больных, когда они спрашивали, сколько и как долго они должны принимать ванны и что лучше на них подействует: курс ванн или прием внутрь целебной воды. Он разъяснял больным, опираясь на действительно огромные знания и при помощи пламенного красноречия, что все эти подагрические и ревматические боли отнюдь не телесного, а душевного происхождения и что ни глотание лекарств, ни купание в каких-либо водах не принесут никакой пользы, ибо эти обременительные болезни приключаются не от нарушения в обмене веществ и вовсе не связаны с мочевой кислотой, как это толкует материалистическая наука, а являются следствием изъянов в характере человека и, следовательно, излечиваются лишь с помощью неких духовных методов, если только вообще имеет смысл говорить об «излечимых» болезнях. И значит, любезным господам приходится не уповать на воды, а либо досадовать на отрицательные черты собственного характера, либо смириться с ними. Врачу удалось за несколько лет уничтожить славу заслуженного курорта. Правда, последующие поколения усердно пеклись о возрождении этого золотоносного источника. Но всеобщая образованность тем временем неуклонно шагала вперед, и ни один врач не посылал уже больного на воды просто потому, что это был курорт с доброй славой, а запрашивал сначала точные данные химического анализа воды. Подобный анализ реки Кнерцель хотя и подтвердил ее высокие питьевые качества, но дальнейших привлекательных свойств для врачей и пациентов в этой воде не обнаружилось. Поэтому ревматики год за годом отправляются на другие курорты, обсуждают там свои болезни, придавая большое значение качеству обслуживания и целительной курортной музыке, но в Кнерцельфинген больше никто не ездит.

О многом хотелось бы еще рассказать, но необъятность материала заставляет меня ограничиться осознанием того, что хотя предмет ни в коей мере не исчерпан, все же толчок к дальнейшему его исследованию дан. Свой небольшой труд о Кнерцельфингене я думаю посвятить высокочтимому, очевидно основанному Кнорцем Первым, университету, надеясь удостоиться должности ректора, но выбор факультета пока остается предметом дальнейших размышлений.

ГОРОД

— 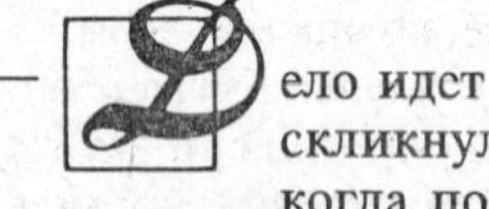ело идет на лад! — воскликнул инженер, когда по новым, только вчера уложенным рельсам прибыл второй поезд с людьми, углем, инструментами и провиантом.

Прерия тихо пылала, воспламененная ярко-желтым солнечным светом; окутавшись голубоватой дымкой, застыли на горизонте высокие, покрытые лесом горы. Удивленные койоты и бизоны были единственными свидетелями того, как в этом царстве безмолвия поселились труд и суета, как зеленая равнина покрывалась островками угля и пепла, бумаги и жести. Взвизгнул, испугав насторожившуюся природу, первый рубанок, прогремел и скатился по склонам горы первый выстрел, звонко запела под торопливыми ударами молота первая наковальня. Появился первый дом, из жести, на следующий день еще один, деревянный, затем еще и еще, и каждый день новые, и вскоре древесину сменил камень. Койоты и бизоны больше не показывались, дикая местность стала кроткой и щедрой, ветры первой же весны заколыхали зеленые моря хлебов; поднялись над шумящими колосьями дома с сараями и пристройками для всякой живности, расступились, перерезанные дорогами, глухие заросли.

Был построен и торжественно открыт вокзал, а вслед за ним и правительственное здание, и банк; выросло поблизости множество похожих городов, лишь на несколько месяцев запоздавших со своим рождением. Со всего света потянулись сюда рабочие, горожане и деревенские, прибыли коммерсанты и адвокаты, учителя и проповедники, были основаны три религиозные общины, открылась школа, редакции двух газет. Найденные на западе запасы нефти принесли городу богатство. Спустя год здесь уже имелись карманники, сутенеры, взломщики, общество трезвости, большой магазин, парижский портной, баварское пиво. Конкуренция соседних городов ускорила развитие. Город ни в чем больше не знал недостатка, было все — от речей предвыборной кампании до стачек, от кинематографа до союза спиритов. Здесь можно было купить французские вина, норвежскую сельдь, итальянские колбасы, английское сукно, русскую икру. Сюда заглядывали уже во время своих гастрольных поездок певцы, танцоры и музыканты среднего пошиба.

Постепенно пришла и культура. Некогда временное пристанище для горстки строителей, город обретал черты того, что называют родиной. Здесь был свой, особый способ приветствия, здесь по-особому кивали друг другу при встрече — так же, как и в других городах, и все-таки чуточку иначе. Лица, принимавшие участие в основании города на правах пайщиков, пользовались почетом и уважением, от них исходил тонкий, едва уловимый аромат аристократизма. Выросло новое поколение людей, которые имели уже все основания считать город своей родиной и которым он казался невероятно древним, существовавшим чуть ли не вечно. То время, когда здесь раздался первый удар молота, когда было совершено первое убийство, прозвучала первая проповедь, вышла первая газета, было далеко в прошлом, стало достоянием истории.

Город, подчинив своей власти соседние города, возвысился до столицы крупного района. На широких светлых улицах, там, где когда-то стояли среди луж и куч пепла первые дома из досок и рифленого железа, теперь высились строгие, солидные учреждения и банки, театры и церкви, безмятежно брели в университет и библиотеку студенты, неслышно спешили к своим клиникам кареты медицинской помощи, проезжал, почтительно приветствуемый прохожими, автомобиль депутата, в двадцати огромных школах из железа и камня ежегодно пением и докладами отмечалась годовщина основания славного города. Бывшая прерия была покрыта полями, деревнями и фабриками и изрезана двадцатью железнодорожными линиями; горы подступили совсем близко и после открытия горной дороги были изъезжены и исхожены до самого дна самого глубокого ущелья. Там или на дальнем морском побережье богачи строили свои дачи.

Землетрясение, случившееся через сто лет после основания города, почти сровняло его с землей. Он вновь поднялся на ноги, и все деревянное стало каменным, все маленькое — большим, все узкое — широким. Вокзал был самым большим в стране, биржа — самой большой на континенте, архитекторы и скульпторы украсили помолодевший город общественными постройками, скверами, фонтанами, памятниками. В течение нового столетия город обрел славу красивейшего и богатейшего в стране и стал местом паломничества архитекторов и политиков, техников и бургомистров, которые приезжали издалека, чтобы изучать принципы градостроительства, водоснабжения, управления и другие чудеса славного города. В то время началось строительство новой ратуши, одного из огромнейших и прекраснейших зданий на земле, и, поскольку эпоха гордости нарождающегося богатства счастливо совпала с подъемом общественного вкуса, прежде всего в скульптуре и зодчестве, быстро растущий город расцвел, как диковинный цветок, дерзкой, благотворной красотой. Центральную часть его, где все без исключения было выстроено из благородного, светлого камня, охватывал широкий зеленый пояс роскошных парков и садов, а за пределами этого кольца далеко протянулись вереницы отдельных домов и целые улицы, постепенно сливаясь с природой, растворяясь в голубоватой дымке долин. С неиссякаемым интересом и восторгом посещали жители гигантский музей, сто залов которого, не считая дворов и павильонов, знакомили с историей города от его возникновения до последних успехов. На переднем, чудовищных размеров дворе была воссоздана исчезнувшая с лица земли прерия, с ухоженными растениями и животными, а также макетами первых жалких жилищ, улочек и различных заведений. Прогуливаясь здесь, молодежь города слушала поступь истории, рассматривала пройденный путь от палаток и деревянных сараев, от первой, наспех проторенной паровозной тропы к блеску шумных улиц огромного города. Под руководством своих учителей молодые люди учились постигать чудесные законы развития и прогресса: как из грубого рождается прекрасное, из зверя — человек, из дикаря — ученый, из нужды — изобилие, из природы — культура.

В следующем столетии город достиг наивысшей точки своего расцвета и, утопая в неслыханной роскоши, устремился еще выше, но кровавая революция низших сословий положила всему конец. Чернь начала с того, что подожгла множество нефтяных заводов в нескольких милях от города, и значительная часть земель вместе с фабриками, деревнями и хуторами либо полностью выгорела, либо пришла в запустение. Город, ставший свидетелем чудовищной бойни и всех возможных ужасов, не прекратил своего существования и постепенно оправился от социального недуга за десятилетия трезвости, сменившей былое опьянение блеском и славой; однако веселая, бойкая жизнь и дух созидания навсегда покинули его.

В то время, когда город переживал один из тяжелейших своих периодов, по ту сторону океана неожиданно расцвела другая, далекая страна. Она поставляла зерно и железо, серебро и другие богатства со всей щедростью еще свежей, неистощенной земли. Эта новая страна властно обратила к себе все молодое и сильное, подчинила своим интересам надежды и чаяния старого мира. Там за ночь вырастали из голой земли города, бесследно исчезали целые леса, водопады покорялись власти людей.

Прекрасный город стал постепенно беднеть. Он не был больше мозгом и сердцем целого мира. Он перестал служить множеству стран рынком и биржей и вынужден был довольствоваться тем, что продолжал жить, что нарастающий гул новых времен еще не поглотил окончательно его голос. Свободные силы, не унесенные жизненным потоком в далекий молодой мир, оставались под спудом, ибо здесь больше нечего было строить и завоевывать, нечем было торговать и нечем воздавать за честный труд. Вместо этого в его состарившейся культурной почве пустила ростки духовная жизнь. В затихающем городе родилась целая плеяда ученых и творцов, живописцев и поэтов. Потомки тех, кто когда-то построил первые дома на девственной земле, коротали свой век, не зная забот, осененные тихим, запоздалым светом духовных услад и стремлений. Они переносили на полотна своих картин печальную роскошь старинных, заросших мохом садов с их обветренными статуями и зелеными водоемами, они пели в нежных стихах о далекой суете героического прошлого или о тихих грезах утомленных жизнью людей в старых дворцах.

Имя и слава города еще раз облетели весь мир. Трясла ли народы жестокая лихорадка войн, или стонали они под бременем непосильных, дерзких начинаний, — здесь умели в немой отрешенности от всего мира хранить покой и нежиться в тихо меркнущем сиянии былой славы: взоры и души жителей ласкали кроткие улочки в зеленом кружеве цветущих ветвей, изможденные временем фасады громадных домов, забывшихся в сладких грезах над умолкнувшими навсегда площадями, заросшие мохом раковины фонтанов, убаюкиваемые нежной музыкой журчащей воды.

Несколько столетий древний город пользовался почтительной любовью нового мира, привлекая влюбленных и вдохновляя поэтов. Однако жизнь все стремительнее отдалялась, прокладывала себе путь на другие континенты. И потомки старинных местных родов начали вымирать или опускаться. Давно достиг своих пределов и последний расцвет духовной жизни города. От некогда молодого, могучего организма остался лишь разлагающийся труп. Давно исчезли и маленькие соседние города, превратившись в молчаливые груды развалин, временами населяемые цыганами и скрывающимися от правосудия преступниками.

Новое землетрясение, пощадившее, впрочем, сам город, изменило русло его реки, и одна часть опустевших земель превратилась в болото, другая погибла от засухи. А с гор, оттуда, где постепенно обращались в прах древние каменоломни и загородные виллы, медленно спустился старый дремучий лес. Он увидел широко раскинувшуюся местность, объятую молчанием пустыни, и не спеша двинулся дальше, шаг за шагом, метр за метром расширяя границы своего зеленого царства, — там припорошил нежной зеленью болот, здесь укрыл молодой цепкой хвоей наготу валунов.

В городе вместо честных граждан давно хозяйничал разный сброд — злые, полудикие бродяги, которые нашли приют в оседающих, покосившихся дворцах немыслимо далеких времен и пасли своих тощих коз на улицах и в бывших садах. Но и эти последние жители осиротевшего города постепенно вымирали в болезнях и слабоумии. В глухом заболоченном краю поселились лихорадка и уныние навсегда покинутых мест.

Мощная руина древней ратуши, которой когда-то гордился весь мир, еще не желала покориться времени и прочно стояла, высоко вскинув голову, воспеваемая на всех языках, служа источником бесчисленных легенд для соседних народов, чьи города тоже давно пришли в состояние крайней запущенности и чья культура мельчала и вырождалась. В сказках о привидениях и в грустных песнях пастухов еще всплывали время от времени, словно призраки, искаженное имя города и его непомерно преувеличенная красота, а из далеких стран, дождавшихся своей — первой и последней — весны, изредка приезжали бесстрашные ученые на это кладбище цивилизации, тайны которого волновали всех мальчишек мира. По слухам, где-то там должны были быть ворота из чистого золота и гробницы, полные драгоценных камней. Говорили также, будто дикие племена кочевников, населяющие эту местность, бережно хранят давно канувшие в Лету тайны волшебства, рожденного десятки веков назад, в сказочно далеком прошлом.

Лес между тем продолжал ползти с гор, растекаясь по равнине. Рождались и умирали озера и реки, а лес неумолимо надвигался, жадно хватая и пряча остатки земли, поглощая развалины древних домов, дворцов, храмов, музеев, ведя с собой в эту пустошь новых жителей: лису и куницу, волка и медведя.

Над одним из бывших дворцов, от которого не осталось ничего, кроме кучи праха, стояла молодая сосна. Еще год назад она была первой посланницей и предтечей надвигающегося леса, и вот — вокруг уже шумят ее юные братья и сестры.

— Дело идет на лад! — воскликнул дятел, самозабвенно долбивший ствол дерева, и окинул довольным взглядом растущий лес и все это великолепное царство зеленого Прогресса на земле.

СКАЗКА О ПЛЕТЕНОМ СТУЛЕ

Некий молодой человек сидел в своей одинокой мансарде. Ему хотелось стать художником, но для этого необходимо было преодолеть значительные трудности, а пока он спокойно жил себе в своей мансарде, становился все старше и привык часами просиживать у маленького зеркала, пробуя рисовать свой портрет. Он заполнил уже целую тетрадь такими рисунками, и некоторые из них казались ему вполне приличными.

«Для человека, который еще не успел получить никакого образования, — сказал он самому себе, — этот рисунок, пожалуй, весьма удачен. А какая любопытная складочка, вон там, около носа. Сразу видно, во мне есть что-то от мыслителя, что-то в этом роде, безусловно, есть. Достаточно лишь уголок рта опустить чуточку вниз, и сразу появится такое вот особенное выражение, прямо-таки трагическое».

Но когда он некоторое время спустя принимался разглядывать свои рисунки, они ему по большей части вовсе не нравились. Это было неприятно, но он решил, что просто неуклонно прогрессирует в мастерстве и становится все требовательнее к самому себе.

Со своей мансардой и с теми вещами, которые стояли и лежали в мансарде, молодой человек находился далеко не в самых близких и теплых отношениях, но в то же время — и не в самых худших. Он был несправедлив к ним, но ничуть не более, чем все люди, он их почти не замечал и плохо знал.

Если же очередной автопортрет казался ему не совсем удачным, он то и дело принимался за книги, в которых рассказывалось, как жилось тем, кто подобно ему начинал скромным и совершенно никому не известным молодым человеком, а потом делался знаменитостью. Он читал такие книги с удовольствием и вычитывал на их страницах свое собственное будущее.

Вот так и сидел он однажды, опять слегка удрученный и подавленный, и читал об одном очень знаменитом голландском художнике. В книге было написано, что этот художник имел одну лишь истинную страсть, был прямо-таки одержим одним безумным желанием, им полностью владел один порыв — он хотел стать хорошим художником. Молодой человек находил, что имеет некоторое сходство с этим голландцем. Однако при дальнейшем чтении он обнаружил и такое, что гораздо меньше могло относиться к нему самому. Среди всего прочего он вычитал, что голландец в плохую погоду, когда писать на улице было никак невозможно, неотступно и с неистовой страстью писал все подряд, любой самый ничтожный предмет, который попадал ему на глаза. Так, однажды он изобразил пару старых деревянных башмаков, в другой раз — старый покосившийся стул, грубый, тяжелый кухонный крестьянский стул из дешевого дерева с плетеным сиденьем из расползающейся соломы. И этот стул, который определенно ни один человек ни разу не удостоил взглядом, художник выписал с такой любовью и преданностью, с такой страстью и с таким самозабвением, что эта картина стала одним из прекраснейших его творений. Много хороших, воистину трогательных слов посвятил писатель этому нарисованному соломенному стулу.

Здесь молодой человек перестал читать и задумался. Это было нечто новое, в чем ему хотелось непременно себя испытать. Он решил немедленно — поскольку он был крайне решительный молодой человек — последовать примеру большого мастера и попытаться пойти к величию таким путем.

Тогда он оглядел свою мансарду и заметил, что еще, пожалуй, ни разу как следует и не рассматривал те вещи, среди которых жил. Кособокого стула с плетеным соломенным сиденьем он нигде не нашел, да и деревянных башмаков не видно было, и поэтому он на мгновение сник и нахмурился, ощутив почти такой же упадок духа, какой бывал у него уже не раз за чтением повествования о жизни великих людей: он думал тогда, что, пожалуй, все те мелочи и подсказки, те удивительные знамения, которые в жизни тех, других, играли столь замечательную роль, как-то обходили его стороной и напрасно заставляли себя ждать. Но вскорости он снова встрепенулся, сообразив, что сейчас-то его главная задача и заключается в том, чтобы проявить упорство и последовать по своему тяжкому пути к славе. Он придирчиво осмотрел все предметы в каморке и обнаружил плетеный стул, который вполне мог служить ему в качестве модели.

Ногой он пододвинул стул поближе к себе, остро очинил карандаш, взял блокнот для эскизов, положил его на колено и принялся рисовать. Несколько первых, едва заметных штрихов, как ему показалось, в достаточной мере наметили форму, он быстро и решительно взялся за растушевку и несколькими жирными штрихами уточнил очертания. Глубокая треугольная тень в углу привлекла его, он начал энергично набрасывать ее; так он и работал, пока не почувствовал, что ему что-то мешает.

Еще некоторое время он продолжал работу, затем отодвинул от себя блокнот и испытующе посмотрел на рисунок. И увидел, что плетеный стул изображен совсем неправильно.

Он рассерженно провел еще одну линию и бросил возмущенный взгляд на стул. Рисунок был неточен. Молодой человек разозлился.

— Нет, ты дьявол, а не стул, — в сердцах воскликнул он, — такого своенравного чудовища я еще никогда не встречал!

Стул коротко скрипнул и спокойно сказал:

— А ты все же посмотри на меня! Взгляни, вот я какой! И меняться не собираюсь.

Художник толкнул его ногой. Стул сдвинулся назад — и вновь стал выглядеть совершенно иначе.

— Ну и глупо же ты устроен! — воскликнул юноша, обращаясь к стулу. — Все у тебя косо, все криво.

Плетеный стул слегка улыбнулся и осторожно сказал:

— Это называется перспективой, молодой человек.

Услышав такое, юноша даже подскочил.

— Перспектива?! — в бешенстве закричал он. — Этот недомерок еще осмеливается меня учить! Перспектива — это по моей части, а не по твоей, учти, пожалуйста!

Ничего не ответил ему стул. Художник стал нервно прохаживаться по комнате, пока не раздался сердитый стук палкой из-под пола. Внизу жил пожилой ученый, который совершенно не переносил шума.

Молодой человек сел и снова взял в руки свой последний автопортрет. Но он ему не понравился. Ему казалось, что в действительности он выглядел гораздо более привлекательно, да так оно на самом деле и было.

Тогда он принялся было за книгу. Но в ней и дальше говорилось все о том же голландском стуле с соломенным сиденьем, и молодой человек рассердился. Он считал, что вокруг этого стула и так уже разведено достаточно суеты, и вообще...

Молодой человек взял свою черную шляпу — из тех, какие любят носить художники — и отправился немного пройтись. Ему припомнилось, как уже довольно давно он почувствовал однажды, что в живописи есть что-то ущербное. Она приносила одни только мучения и разочарования, и в конце концов ведь даже самый лучший в мире художник сумел разве что изобразить заурядную поверхность предметов. Для человека, который любит смотреть вглубь, это в конечном счете не профессия. И он вновь — как случалось, впрочем, уже много раз — всерьез вернулся к мысли о том, чтобы последовать самой ранней своей склонности и сделаться лучше уж писателем. Плетеный стул остался в мансарде один. Он жалел, что его молодой господин уже ушел. Он надеялся, что в кои-то веки между ними наконец завяжутся настоящие отношения. Он с превеликим удовольствием ронял бы время от времени по словечку, зная, что наверняка научит человека, который еще совсем молод, кое-чему ценному. Но, к сожалению, ничего из этого не вышло.

КОРОЛЬ ЮЙ

Из преданий Древнего Китая

Не часто встречаются в преданих Древнего Китая рассказы о судьбах правителей и сановников, которых погубила женщина или сбила с толку любовь. Один из таких редких примеров — это удивительная история Юя, правителя страны Чжоу, и его любимой жены Бао Си.

Страна Чжоу граничила на западе с землями монгольских варваров, а резиденция короля — Фан — находилась посреди самого неспокойного края, который время от времени подвергался набегам и грабительским нашествиям этих варварских племен. Поэтому приходилось заботиться об укреплении границ и особенно — об охране резиденции.

Что до короля Юя, который слыл неплохим правителем и умел внимать здравым советам, — то, согласно историческим хроникам, он придумал, как исправить недостатки своих границ, но все его хитроумные и удивительные изобретения пропали даром из-за прихоти одной красивой женщины.

А дело было вот как. Король с помощью своих ленных князей учредил на западной границе пограничную службу, и эта служба, как любое общественное устройство, имела свою моральную основу и свою механику. Моральной основой была клятва и поручительство князей и их подданных, каждый из которых обязывался в случае опасности выступить по первому зову вместе со своими воинами и поспешить на помощь королю. Механика же, которой пользовался король, заключалась в остроумной системе башен, построенных по его повелению на западных границах. По замыслу короля, на каждой башне день и ночь должны были дежурить часовые и на каждой стоял огромный барабан. И тогда, если где-то покажется враг, на ближайшей башне начнут бить в барабан, и, передаваясь от башни к башне, сигнал этот молниеносно облетит всю страну.

Долгое время король Юй был поглощен этим умным и достойным изобретением, обсуждал его со своими князьями, выслушивал донесения строителей, следил за выучкой часовых. Но у короля была любимая жена по имени Бао Си, красивая женщина, которой удалось воздействовать на сердце и ум короля в большей мере, чем это может быть полезно для правителя и его государства. Подобно своему господину, Бао Си с большим любопытством и участием следила за работой на границе; так порой живая и умная девочка с жаром и восхищением следит за играми мальчиков. Один из зодчих, для того чтобы она все как следует могла представить себе, сделал для нее из глины изящную маленькую модель пограничной заставы, раскрасил и обжег ее; там воспроизведена была граница и система башен, и на каждой игрушечной башенке стоял маленький часовой, а вместо барабанов повешены были крошечные колокольчики. Эта прелестная игрушка доставляла жене короля необычайное удовольствие, и когда она порой бывала в дурном настроении, служанки предлагали ей поиграть в «набег варваров». И тогда расставляли они башенки, дергали за игрушечные колокольчики и веселились, никак не сдерживая своих чувств.

И вот настал наконец тот великий для короля день, когда строительство завершилось, на башнях водружены были барабаны, а часовые прошли полную выучку, и был уже обговорен и выбран по календарю приносящий удачу день для испытания новой пограничной заставы. Король, гордый своим детищем, был полон волнения; готовые расточать похвалы, стояли придворные. Но больше всех волновалась и трепетала прекрасная Бао Си, она не могла дождаться, когда закончатся все положенные по этому случаю церемонии и стихнут выкрики глашатаев.

Наконец все церемонии были позади, и вот-вот должна была взаправду начаться игра, теперь уже с настоящими башнями и барабанами, игра, которая доставляла жене короля столько удовольствия. Она едва удерживалась, чтобы не вмешаться в игру и не начать отдавать приказания, столь велико было ее радостное возбуждение. Но король бросил на нее суровый взгляд, и она смирила свои чувства. Час пробил, и теперь начиналась взрослая игра в «набег варваров» — с настоящими башнями, настоящими барабанами и часовыми, — пришла пора проверить действие механизма. Король дал знак, и главный придворный советник отдал приказ начальнику конницы, начальник конницы подъехал верхом к ближайшей пограничной башне и приказал ударить в барабан. Мощно и низко загудел барабан, и его торжественный гнетущий звук проникал в каждую душу. Бао Си побледнела от волнения, и ее охватила дрожь. Мощно пел большой барабан свою суровую песнь, и сотрясалась земля. Это была песнь, полная предостережения и угрозы, и она говорила о будущем, о войнах и несчастьях, о страхе и уничтожении. С благоговением и робостью слушали ее люди. Вот она стала затихать, и тут послышался ответ со следующей башни, далекий и слабый, и он быстро замер, и потом уже больше ничего не было слышно, — и вот торжественная тишина была нарушена, вновь раздались голоса; все зашевелились, все начали обсуждать свершившееся.

Тем временем низкий грохочущий звук барабана перелетел со второй башни на третью, и далее — на десятую, тридцатую, и летел все дальше, и там, где его слышали, все воины согласно строжайшему приказу немедленно в полном вооружении и с полным запасом съестного собирались в условленном месте, и каждый военачальник, не теряя ни минуты, снаряжался в поход и поспешно выступал в путь, разослав распоряжения в глубь страны. Повсюду, где раздавался грохот барабана, прерывались работа и еда, игра и сон, начинались дорожные сборы, воины седлали коней, собирались в отряды, шли пешие, скакали конные. В кратчайший срок войска из всех соседних мест спешно стягивались к резиденции Фан.

Во дворе резиденции Фан тем временем волнение и замешательство, которые охватили каждого, кто слышал звуки чудовищного барабана, постепенно утихли. Раздавались возбужденные голоса, придворные, обсуждая происшедшее, прогуливались по садам резиденции, все побросали свои обычные дела. Не прошло и трех часов, как одновременно с двух сторон стали приближаться малые и большие отряды всадников, и затем каждый час прибывали все новые и новые, — и длилось это весь день, и продолжалось в следующие два дня, — и тогда короля, его сановников и военачальников охватило бурное ликование. Короля осыпа́ли похвалами, архитекторы приглашены были на праздничную трапезу, а часового башни номер один, который первым ударил в барабан, народ короновал венком, его торжественно провели по улицам, и каждый приветствовал и одаривал его.

Но кто был совершенно потрясен и как бы опьянен происходящим, так это Бао Си. Ее игра с башенками и колокольчиками воплотилась в жизнь в виде более великолепном, чем она когда-либо могла себе представить. Магически звучал приказ, плывущий по бескрайней волне барабанного боя и исчезающий в пустынных просторах; и оживая, и ширясь, чудовищно отзывался в дальних далях; леденящий душу рев барабанов обращался в целое войско, состоящее из хорошо вооруженных отрядов, которые непрерывным потоком, непрерывной торопливой чередой скакали и шли, затмевая горизонт; лучники, воины с копьями и на колесницах с шумом и гамом заполняли все пространство вокруг резиденции, где их уже ждали и указывали им место стоянки, где их встречали восторженно, поили и кормили, где они вставали лагерем, раскидывали шатры и разводили костры. День и ночь непрерывно шли люди, сказочными призраками возникали они из серой земли на самом горизонте, закутанные в облака пыли, чтобы наконец пройти перед потрясенной Бао Си стройными рядами, во всей своей необоримой реальности.

Король Юй был очень рад, особенно радовался он восторгу своей любимой жены; от счастья она трепетала, как цветок, и никогда еще не казалась ему такой прекрасной. Но праздники быстро проходят. И этот великий праздник тоже отгремел и уступил место будням: не случалось больше никаких чудес и не исполнялись больше фантастические мечты. А для людей праздных и своенравных это непереносимо. Не прошло и месяца после торжества, как Бао Си загрустила. Так скучны стали ей маленькие игрушечные глиняные башенки с колокольчиками на ниточках с тех пор, как она вкусила прелесть настоящей, большой игры. О, как это было увлекательно! А ведь все стояло теперь наготове, чтобы повторить удивительную игру: высились башни, висели барабаны, стояли на страже часовые, рядом с ними сидели барабанщики в красивых одеждах, и все было полно ожидания, ожидания великого приказа, и все было мертво и бесполезно без этого приказа!

Исчезла с лица Бао Си улыбка, исчезло ее озорное веселье; король с неудовольствием видел, что лишился своей любимой подруги, своей отрады, которую обрел на склоне лет. Ему пришлось прибегать к немыслимо дорогим подаркам, чтобы добиться от нее хотя бы улыбки. Была минута, когда разум одерживал верх и король, опомнившись, готов был принести свою нежную привязанность в жертву долгу. Но слаб был Юй. Вернуть улыбку Бао Си казалось ему важнее всего.

Так покорился он искусительнице Бао Си — не сразу, сопротивляясь, но покорился. И так далеко завела его любовь, что забыл он о своем долге. Поддавшись на бесконечные просьбы, исполнил он единственное трепетное желание ее сердца: согласился дать сигнал тревоги стражам границы, будто вблизи показался враг. Вскорости раздался низкий тревожный голос боевого барабана. Страшен показался его рокот королю на этот раз, испугал он и Бао Си. Но затем они увидели повторение восхитительной игры: на краю земли показались маленькие облачка пыли, и шли войска, пешие и конные, три дня кряду, и склонялись перед королем военачальники, а воины раскидывали бесчисленные шатры. Бао Си была вне себя от счастья, лицо ее лучилось улыбкой. Но для императора Юя настало тяжелое время. Ему пришлось признаться в том, что не было никакого вражеского нападения и что на самом деле на границах все спокойно. Правда, он попытался оправдать ложную тревогу тем, что это, мол, полезное упражнение для войска. И никто не смел возражать ему, все склонились перед ним и покорно выслушали это известие. Но среди военачальников стали поговаривать, что они стали жертвой бесчестной выходки короля, что единственно в угоду своей бесстыжей жене он поднял на ноги всю границу и погнал их всех сюда, погнал тысячи людей. И большинство военачальников решило не подчиняться впредь подобному приказу. А король тем временем старался задобрить разочарованных воинов обильным угощением. Так Бао Си добилась того, чего хотела.

Но не успела Бао Си вновь раскапризничаться и попытаться снова затеять свою бесчестную игру, как их обоих настигла кара. Полчища варваров, может быть, случайно, а может быть — потому, что до них дошли слухи о происшедшем, неожиданно прорвались через границу. И немедленно прокатился по башням условный знак, тревожно говорил об опасности глубокий голос барабана, и летел он к самой отдаленной границе. Но замечательная игрушка, механизм которой был столь достоин восхищения, на этот раз, видимо, поломалась — барабаны все пели и пели, но ничто не отзывалось в ответ в сердцах воинов и военачальников. Они не вняли звукам барабана, и тщетно всматривались король и Бао Си в далекий горизонт, нигде не видно было маленьких серых фигурок, никто не спешил им на помощь.

Собрав небольшие отряды, которые находились у него в резиденции, поспешил король навстречу варварам. Но варваров было много, и они перебили воинов императора и захватили резиденцию Фан, они разрушили дворец, разрушили и башни. Король Юй лишился королевства, лишился жизни, не минула та же судьба и Бао Си, о губительной улыбке которой до сих пор повествуется в книгах.

Резиденция Фан погибла, игра оказалась реальностью. И не стало теперь барабанного боя, не стало короля Юя и его резвой жены Бао Си. Наследник короля Юя, король Пин, вынужден был оставить резиденцию Фан и перенести свой дворец далеко на восток; ему пришлось покупать свою безопасность, заключив договоры с соседями и уступив им значительную часть своих земель.

СОН О ФЛЕЙТЕ

— Вот, возьми, — сказал отец, протягивая мне маленькую костяную флейту. — И не забывай своего старого отца, когда в чужих странах будешь радовать людей музыкой и песнями. Пора тебе повидать мир и чему-нибудь поучиться. Эту флейту я заказал мастеру для тебя — ведь ты целыми днями поешь и не хочешь заниматься никаким другим делом. Что ж, помни только, что твои песни должны быть красивыми и нравиться людям, чтобы не пропал впустую дар, которым наделил тебя Бог.

Мой милый отец мало понимал в музыке — он был ученым; по его мнению, достаточно просто научиться играть на красивой дудочке, и все будет хорошо. Я не хотел его огорчать, с благодарностью принял флейту и простился с отцом.

Нашу долину я знал раньше лишь до того места, где стояла над рекой большая мельница, и, значит, дальше за рекой открылся передо мной мир, и все в этом мире мне было по душе. Усталая пчела опустилась ко мне на рукав, я не согнал ее, а шел и нес пчелу, чтобы позднее, когда я остановлюсь отдохнуть, эта пчелка полетела моей посланницей назад и передала привет родному краю.

Леса и луга провожали меня, река, не отставая, бежала поодаль, я смотрел вокруг и видел, что мир почти ничем не отличается от моей родины. Цветы и деревья, хлеба и кусты орешника говорили со мной, я пел с ними вместе, и они понимали меня — совсем как дома; но вот и моя пчела уже отдохнула и медленно поднялась ко мне на плечо, взлетела, дважды с бархатистым сочным жужжанием описала круг надо мной и прямою дорогой полетела назад, в родные края.

И тут из лесу вышла навстречу мне девушка; в руках она несла корзину, на белокурых ее волосах была широкополая соломенная шляпа, бросавшая тень на лицо.

— Здравствуй! — сказал я. — Далеко ли путь держишь?

— Я несу обед жнецам, — ответила девушка и пошла по дороге рядом со мной. — А ты куда идешь?

— Я иду по белу свету, отец отправил меня странствовать. Он говорит, что я должен играть для людей на флейте, да только по-настоящему я пока не умею играть, мне надо еще учиться.

— Вот оно что! А что же ты умеешь? Ведь каждый должен что-то уметь.

— Ничего особенного я не умею. Умею петь песни.

— Какие же это песни?

— Разные песни, какие хочешь. Я пою утру и вечеру, пою всем деревьям, и всем цветам, и зверям, и птицам. Вот сейчас я могу спеть хорошую песню про девушку, что вышла из лесу и идет по дороге, несет жнецам обед.

— Правда можешь? Тогда спой!

— Хорошо. Но сперва скажи, как же тебя зовут?

— Бригитта.

И я запел про красивую девушку по имени Бригитта, про ее соломенную шляпу, про то, что лежит у нее в корзине, и про цветы, что глядят ей вслед, и про голубой вьюнок, что льнет к ней ласково, протянувшись от изгороди у дороги, и про многое другое. Бригитта слушала внимательно, потом сказала, что песня хороша. Когда я пожаловался на голод, она подняла крышку корзины, достала кусок хлеба и дала мне. Я принялся есть на ходу, но Бригитта меня остановила:

— Нельзя есть на ходу. Все делай в свое время.

И мы с ней опустились на траву, и я ел хлеб, а она сидела, обхватив смуглыми руками колени, и глядела на меня.

— Споешь еще что-нибудь? — спросила потом Бригитта.

— Отчего ж не спеть! А о чем?

— Спой о девушке, которую бросил милый, о том, как она грустит.

— Нет, про это я не могу спеть. Я ведь не знаю, как это бывает, да и нельзя так сильно грустить! Отец сказал, что я всегда должен петь песни приятные, которые нравятся людям. Я спою тебе про кукушку или про мотылька.

— Так ты ничего не знаешь о любви? — спросила Бригитта, когда я кончил петь.

— О любви? Как не знать — любовь это то, что всего прекрасней.

И я запел о солнечном луче, о его любви к алым цветам мака, о том, как он играет с ними, радостно, весело. И еще я спел про подругу зяблика, про то, как она его ждет, а когда зяблик к ней прилетает, спешит прочь, словно вдруг испугавшись. И снова я запел про кареглазую девушку и про юношу, что шел по дороге и распевал песни, и девушка угостила его хлебом в благодарность за прекрасные песни, да только хлеба юноше не надо, он хочет другого — получить от девушки поцелуй; а еще он хочет глядеть в ее карие глаза, и вот он поет и поет одну песню за другой, и наконец девушка улыбается и целует парня — лишь тогда и умолкает его песня.

И тут Бригитта склонилась ко мне и поцелуем заставила меня умолкнуть, и закрыла глаза, а потом вновь открыла, и близко-близко увидел я две золотисто-карие звезды, и в них отражались и сам я, и белые цветы полевые.

— Мир прекрасен, — сказал я, — прав был мой отец! Теперь позволь, я помогу тебе нести корзину, ведь ты должна поспеть к обеду.

Я подхватил корзину, и мы снова пустились в путь; шаги Бригитты звучали в такт моим, и радость моя была созвучна ее радости, а тенистый лес на склоне горы чуть слышно о чем-то шептал, — никогда еще не странствовал я так привольно! Поначалу я весело пел, пока наконец не умолк оттого, что слишком многое вдруг переполнило меня, слишком многое стало вдруг внятным в шорохах, долетавших с реки и с горного склона, в шелесте трав и листвы, в шуме ветвей, в плеске волн.

И подумалось мне: о, если б я мог узнать и пропеть все великое множество песен мира — о травах и цветах, и людях, и облаках, обо всем на свете: о лиственной роще, о хвойном боре, о всех птицах, о всех зверях; спеть все песни далеких морей и гор, и песни звёзд и луны; о, когда б все эти песни разом зазвучали, запели во мне, я был бы самим Господом Богом и с каждой новою песней зажигал бы в небе звезду.

Так размышлял я, и тихого удивления преисполнилась моя душа, ибо никогда еще не приходили ко мне подобные мысли, но тут Бригитта остановилась и потянула корзину к себе.

— Отсюда мне надо подниматься в гору, — сказала она. — Там, в полях, наши жнецы... А ты, куда ты пойдешь дальше? Хочешь, пойдем со мной?

— Нет, с тобой я пойти не могу. Я ведь иду по свету Спасибо тебе за хлеб, Бригитта, и за поцелуй твой — спасибо. Я буду тебя вспоминать.

Она наклонилась к корзине, и тут глаза ее, осененные золотистою тенью, вновь оказались так близко, и губы ее прильнули к моим, и поцелуй был так сладок, что в самом блаженстве я почувствовал чуть ли не грусть. Я поспешил сказать: «Прощай!» — и быстро пошел вперед. Девушка стала медленно подниматься в гору; перед тем как войти в тенистый буковый лес, она остановилась и оглянулась назад; я помахал ей рукой и снял шляпу, Бригитта кивнула в ответ и тут же скрылась в сумраке, беззвучно, словно видение.

Я же спокойно продолжал свой путь и в глубокой задумчивости дошел до поворота дороги.

За поворотом стояла над рекой мельница и покачивался на волнах корабль, в котором был всего один человек; казалось, он ждал только меня, потому что, когда, сняв шляпу, я поднялся на палубу, корабль сразу же отошел от берега и заскользил вниз по реке. Я сел в середине, человек же остался на корме, у руля; я спросил, куда мы плывем, и тогда он поднял голову и обратил на меня туманный взгляд серых глаз.

— Туда, куда ты хочешь, — негромко ответил он, — вниз по реке и в открытое море или в большие города — ты волен выбирать. Все это — мое.

— Твое? Значит, ты — король?

— Возможно, — ответил он. — А ты — поэт, как мне кажется. Если так, спой попутную песню!

Не сразу собрался я с духом — я чувствовал робость перед строгим седым кормчим, и корабль наш скользил по реке так необычайно быстро, так бесшумно... Я запел о реке, что мчит корабли по волнам, в которых отражается солнце, о реке, что шумит у скалистых утесов и радостно завершает в море свое странствие.

Лицо кормчего было недвижно, и, когда я умолк, он кивнул мне чуть заметно, словно находился во власти грез. И тут, к моему изумлению, он и сам запел, и он тоже пел о реке, о ее странствиях через долины, и песнь его была прекрасней и мощней, чем моя, и все в ней звучало иначе.

Река, о которой он пел, мчалась с гор, хмельная, все сметающая на пути, буйная, грозная; с рычанием покорялась она мельничным плотинам и жестоким оковам мостов и ненавидела все корабли, которые ей поневоле приходилось нести; и в волнах своих, в длинных зеленых водорослях она с недоброй усмешкой покачивала белые тела утопленников.

Все это мне не понравилось, однако песня звучала столь прекрасно и таинственно, что я почувствовал растерянность и смущенно молчал. Если истинно то, о чем пел этот прекрасный мудрый старый певец глуховатым своим голосом, значит, все мои песни — лишь глупая, наивная детская игра. Значит, мир в своей сути не добр и не светел, как сердце Господне, о нет, он темен и страждущ, жесток и грозен, и если леса шумят, то шум их — не радости шум, но страдания.

Мы плыли и плыли, и тени стали длинней, и всякий раз, когда я пытался запеть, моя песня звучала все глуше, мой голос слабел, кормчий же всякий раз отвечал мне песней, в которой мир представал все более непостижимым, все более полным страданий, и оттого все более возрастали моя печаль и мое смятение.

Душе моей было больно, я сожалел, что не остался на берегу — с цветами или с красавицей Бригиттой, и, чтобы найти хоть малое утешение, я в сгущавшемся сумраке снова запел, глядя на рдевший закат, громко запел о Бригитте и ее поцелуях.

Но вскоре стемнело, и я умолк, и снова запел кормчий; как и я, он пел о любви, о блаженстве любви, о карих и синих глазах, о розовых влажных устах, и все в его скорбной песне, разливавшейся над темной рекой, было прекрасно и волновало, но даже сама любовь была в его песне грозной и страшной, смертельной тайной, которую тщетно стремятся постичь люди — обезумевшие, терзаемые болью слепцы, что мучат и губят друг друга тайной любви.

Я слушал его песню и чувствовал изнеможение и печаль, словно странствовал долгие годы и все это время путь мой лежал в юдоли скорби и бед. Казалось, от незнакомца струятся холодные токи тоски и печали, которые пронизывают мое сердце.

— Так, значит, не жизнь — смерть прекрасней и выше всего! — воскликнул я с горечью. — Тогда, о печальный король, спой мне песнь смерти!

И кормчий запел о смерти, и эта песнь была прекрасней всего, что я когда-либо слышал. Но и смерть не была чем-то самым прекрасным и возвышенным, и она не приносила утешения. Смерть есть жизнь, и жизнь есть смерть, они сплелись навеки в безумной любовной схватке, и лишь в ней был последний итог, конечный смысл мира, и лишь из нее изливался свет, что озаряет сиянием любые несчастья, лишь из нее рождалась и тень, что омрачает любое блаженство и красоту. Но во мраке жарче пылает блаженство, и ярче светит любовь в этой ночи.

Я слушал, и все во мне стихло, я всецело утратил волю, теперь меня вела воля незнакомца. Он же глядел на меня тихим взглядом, с какой-то печальной добротою, его серые глаза были полны боли и красоты всего мира. Он улыбнулся мне, и тогда, собравшись с силами, я в отчаянии попросил:

— Прошу тебя, повернем назад! Страшно мне здесь, в ночи. Я хочу вернуться, вернуться туда, где я найду Бригитту, или домой, к отцу.

Кормчий встал и простер руку в ночь — фонарь осветил его худое строгое лицо.

— Назад нет пути, — сказал он строго, но не сурово. — Только вперед следует идти, если хочешь постичь мир. От кареглазой девушки ты уже взял самое лучшее, самое прекрасное, и чем дальше ты будешь уходить от нее, тем оно будет лучше и прекрасней. Но плыви куда хочешь, я уступаю тебе место у руля!

Я чувствовал безмерную печаль, и в то же время я понимал, что он прав. С тоской подумал я о Бригитте, о родине, обо всем, что еще недавно было и близким, и светлым, было моим, теперь же минуло. Но теперь я хотел занять место незнакомца и править. Так было нужно.

И потому я молча встал и направился к рулю, незнакомец же молча двинулся мне навстречу; когда мы поравнялись, он пристально взглянул мне в глаза и затем отдал мне свой фонарь.

Но когда я сел у руля и поставил рядом с собой фонарь, то оказалось, что на корабле я один, и, поняв это, я вздрогнул: тот, другой, исчез, но я не испугался — я это предчувствовал. И показалось мне, что и весь прекрасный день моего странствия, и Бригитта, и отец, и родина лишь привиделись мне во сне, и что теперь я стал старым, печальным, и что всегда, всегда плыл я по этой реке в ночи.

Я понял, что не должен звать незнакомца, и открывшаяся мне истина пронизала меня ледяным холодом.

Чтобы знать наверное то, что я предчувствовал, я склонился над водой, посветив себе фонарем, — из черного зеркала реки на меня глядело решительное и строгое лицо с серыми глазами, взрослое, умудренное лицо, и это был я.

Но пути назад не было, и я плыл все далее в ночи по темным водам.

КОММЕНТАРИИ

НАРЦИСС И ГОЛЬДМУНД

Время действия повести, опубликованной в 1930 году, весьма условно, по-видимому, XV век, хотя в ней встречаются явные анахронизмы.

Стр. 7. *Мариабронн* — название места, где расположен монастырь, ассоциируется с городом Маульбронн, в котором Гессе посещал теологическую гимназию.

Стр. 33. *...или Хризостомом, твоим святым...* — немецкое имя Гольдмунд переводится как Златоуст, по-гречески — Хризостом. Святой Иоанн Златоуст (ок. 350—407) — константинопольский патриарх, знаменитый проповедник, автор множества богословских трудов, а также Божественной литургии. Проповедовал суровый аскетизм. В 404 году низложен как патриарх и отправлен в ссылку.

...Ева, праматерь. — Тема Евы как вечной матери, обогащенная древнекитайскими мотивами, проходит через все творчество Гессе, впервые оформившись в романе «Демиан».

Стр. 37. *...песнопения... посвященные Деве Марии...* — «Песнь Пресвятой Богородице» («Аве Мария»), в православном молитвослови начинается словами: «Богородица, Дево, радуйся...»

Стр. 56. *...в водах, по которым пытался идти Петр...* — знаменитый эпизод из Евангелия от Матфея: гл. 14, с. 28—31.

Стр. 77. *Святая Женевьева* — Женевьева Брабантская, жена пфальц-графа Зигфрида (750 г.), изгнанная мужем по подозрению в неверности и шесть лет проведшая с сыном в лесу. Обнаруженная случайно Зигфридом, была признана им невиновной. О Женевьеве существуют народные сказания. Наиболее известные обработки этого сюжета — трагедия немецкого романтика Л. Тика «Жизнь и смерть святой Женевьевы» (1799) и опера Р. Шумана.

Стр. 110. *...бегает... как царь Саул.* — Первый царь Израиля Саул (Первая книга Царств, 10, 2—6), избранный на царство через пророка Самуила. Падение за непослушание Богу предрек ему также пророк Самуил. С этих пор Саул начал особенно безжалостно преследовать своего соперника Давида, скрывшегося от него в пустыне Зиф. Потерпев поражение от филистимлян, Саул покончил жизнь самоубийством.

Стр. 113. *...и латынью вагантов...* — ваганты (от лат. vagus — блуждающий) — странствующие певцы, школяры и клирики. Исполняли свои песни на латинском языке.

...о битве при Павии... — явный анахронизм. Знаменитая битва при ломбардском городе Павиа, происшедшая в 1525 году между французским королем Франциском I и Карлом V Габсбургом, где Франциск попал в плен.

Стр. 230. *...три великих обета...* — обеты безбрачия, бедности и послушания (у католического священства).

ПАЛОМНИЧЕСТВО В СТРАНУ ВОСТОКА

Повесть вышла в 1932 году в Берлине, в издательстве Фишера, с иллюстрациями австрийского графика А. Кубика (1877—1959). Посвящена швейцарским друзьям Гессе врачу К. Г. Бодмеру (1891—1956) и его жене Э. Бодмер.

Стр. 267. *Гюон* — герой старофранцузского героического эпоса, совершивший по повелению Карла Великого путешествие в Вавилон. Некоторые из его приключений использовал Лудовико Ариосто (1474—1533) в своей поэме «Неистовый Роланд».

Неистовый Роланд — герой поэмы Лудовико Ариосто, насыщенной необычайными приключениями.

...за великой войной... — речь идет о первой мировой войне.

Стр. 268. *Граф Кайзерлинг* — Кайзерлинг, Генрих (1880—1946) — немецкий писатель и философ, издавший в 1919 году путевые записки, посвященные путешествию на Цейлон и в южную Индию.

Стр. 268. *...путевые отчеты Оссендовского...* — Оссендовский, Антон (1846—1945) — польский писатель, совершивший путешествие в Сибирь, на Дальний Восток и в Северную Африку.

Стр. 269. *...плавание к Фамагусте через Лунное море...* — Фамагуста — порт на острове Кипр. Один из героев «Неистового Роланда» совершает путешествие на Луну, где обитают поэты, философы и астрологи.

Альберт Великий (1193 или 1206—1280) — средневековый схоласт, теолог-доминиканец, учитель Фомы Аквинского. Его идеи духовного синтеза лежат в основе Архива настоящего Братства.

Остров Бабочек — для Гессе бабочка — символ души и бессмертия.

Дзипангу — так Марко Поло (1254—1324), венецианский купец, называл Японию.

Рюдигер — Рюдигер фон Бехеларен — персонаж средневекового эпоса «Песнь о Нибелунгах», погибает в битве с Хагеном.

Стр. 270. *«Кто речь ведет об отдаленных странах...»* — отрывок из VII песни поэмы Ариосто «Неистовый Роланд».

Стр. 271. *Дао* — понятие древнекитайской мистики, переводится как «путь», «смысл». Означает единство смертного и бессмертного бытия, физического и духовного.

Кундалини — по индуистским и буддистским воззрениям, змея, находящаяся в нижней части позвоночника и символизирующая сексуальное влечение. Пробуждаясь, поднимается по позвонкам к сознательному, светлому.

Фатмэ (Фатима) — дочь пророка Мухаммеда (Магомета). См. комм. к повести «Последнее лето Клингзора» (т. 1 настоящего издания).

Стр. 272. *«Все силы четырех стихий смиряет...»* — цитата из поэмы К. М. Виланда (1733—1813) «Оберон».

Стр. 273. *«Так куда идем мы?...»* — строка из романа Новалиса «Генрих фон Офтердинген».

Стр. 274. *Аграмант* — герой «Неистового Роланда». Предводитель языческого войска, терпящий поражение от рыцаря Карла Великого.

...кто-то видел Фруктового Человечка, Смоловика, Утешителя... — персонаж новеллы Мёрике (1804—1875) «Штутгартский Фруктовый Человечек» (1858).

Озеро Блаутопф — упоминается в той же новелле. Реально существующее озеро в Швабии, в городке Блаубойерн. Легенду о красавице Лау Мёрике включил в новеллу «Штутгартский Фруктовый Человечек».

Стр. 275. *Хранители короны* — герои романа А. фон Арнима (1781—1831) (см. комм. к рассказу «Трагедия») с тем же названием хранители императорской короны Гогенштауфенов, враги Габсбургов.

Бопфинген, Урах — городки в Швабии.

...алеманских городишек... — алеманы — древнегерманское племя, от которого произошли швабы.

Стр. 276. *...противостояние Сатурна и Луны...* — подобное противостояние весьма неблагоприятно для человека. Сатурн — в астрологии зловещая планета, приносящая несчастья.

Стр. 278. *Принцесса Изабелла* — героиня поэмы Ариосто «Неистовый Роланд».

Рог Гюона — рог, подаренный Гюону Обероном. При звуке этого рога все пускались в пляс.

...поэт Лаушер... художник Клингзор и художник Пауль Клее... — Лаушер — псевдоним и герой Гессе («Посмертные сочинения и стихи Германа Лаушера» 1901); Клингзор — герой повести «Последнее лето Клингзора» (см. т. 1 настоящего издания); Пауль Клее (1879—1940) — известный швейцарский художник-экспрессионист. Вместе с Луи Муайе (см. комм. к повести «Последнее лето Клингзора») совершил поездку в Тунис.

Стр. 279 *...Юпа... Коллофино... Симплициссимуса... Людовика Жестокого... Ансельма... Нинон, по прозванию Иноземка...* — Юп — Йозеф Энглерт (1874—1957), инженер и архитектор, друг Гессе; Коллофино — Йозеф Файнхальс (1867—1947), табачный фабрикант, друг Гессе; Людовик Жестокий — Луи Муайе; Ансельм — герой сказки Гессе «Ирис» Нинон — жена Гессе (1895—1968), чья фамилия Ауслендер по-немецки означает «иноземка».

Стр. 280. *Лео* — так звали любимого кота Гессе. О символике этого имени см. в предисловии к настоящему изданию (т. 1).

...по Соломонову Ключу. — «Ключи» Соломона содержали мистические знаки, помогающие распознавать свойства различных животных и демонов.

...гостеприимством... патриархов. — Подразумеваются ветхозаветные патриархи.

Стр. 281. *...Альманзор... Парцифаль, Витико... Гольдмунд... гостили у Бармекидов.* — Альманзор — мавр, герой трагедии Г. Гейне с одноименным названием, а также одной из восточных сказок В. Гауфа («История Альманзора»); Парцифаль — герой средневекового романа Вольфрама фон Эшенбаха (1170—1220) «Парцифаль», хранитель Священного Грааля; Витико — герой из одноименной трагедии Адальберга Штифтера (1805—1868); Гольдмунд — персонаж из романа Гессе «Нарцисс и Гольдмунд»; Бармекиды — визири династии Аббасидов в период расцвета Багдадского халифата, часто упоминаются не только в «Сказках тысячи и одной ночи», но и в «Западно-Восточном диване» Гёте.

Стр. 282. *Ганс К.* — К. Г. Бодмер; его дом в Цюрихе друзья называли «Ноевым ковчегом».

...из волшебного кабинета Штёклина... — имеется в виду кабинет друга Гессе Георга Райнхарта, украшенный картинами базельского художника Н. Штёклина.

Черный король — так прозвали Георга Райнхарта его дети. Г. Райнхарт — см. комм. к сказке «Фальдум» (т. 1 настоящего издания).

...у подножия холма Зонненберг... Суон Мали, колонию сиамского короля... — Сиамский король — прозвище друга Гессе Фрица Лойтхольда (1881—1954), директора крупнейшего торгового центра в Цюрихе; на холме Зонненберг расположен фешенебельный район Цюриха; Суон Мали — дом Лойтхольдов, который находится рядом на улице Зонненберг.

Бремгартен — дворец швейцарского цементного фабриканта Макса Васнера (1887—1970) и его жены Тилли.

Отмар Шек (1886—1957) — швейцарский композитор, продолжатель традиций Ф. Шуберта и Г. Вольфа (см. комм. к «Сказкам», т. 1 настоящего издания), автор романсов на стихи Гессе.

Фея Армида — героиня «Освобожденного Иерусалима» Т. Тассо и оперы К. Глюка (1714—1787) «Армида». Упоминается в новелле Э. Т. А. Гофмана «Кавалер Глюк». Возможно, за этим образом скрывается певица Илона Дуриго (1881—1948).

Звездочет Лонгус — латинизированная фамилия И. В. Ланга (1883—1945), ученика К. Г. Юнга, у которого Гессе проходил курс лечения в 1916 году (прототип Писториуса из повести «Демиан»).

Генрих фон Офтердинген — герой романа Новалиса «Генрих фон Офтердинген», по легенде — миннезингер, принимавший участие в знаменитом состязании певцов в Вартбурге наряду с Вальтером фон дер Фогельвейце и Вольфрамом фон Эшенбахом.

Ганс Резом — перевернутая фамилия Ганса Альберта Мозера (1882—1978), швейцарского писателя и музыканта.

...к могиле Карла Великого. — Она находится в кафедральном соборе города Аахена.

Стр. 283. *Пабло* — персонаж романа Гессе «Степной волк», антипод Гарри Галлера.

...слышалось журчание потока... — вода в психоаналитической символике К. Г. Юнга является символом бессознательного.

...кристаллический мир... — в психоаналитической символике К. Г. Юнга кристалл означает «самость», цельность личности. Фигура кристалла лежит также в основе архетипа.

...мальчишеское лицо... — «самость» может являться в сновидениях в виде либо юноши, либо старца. Лео в данном случае выражает высшую «самость», связанную и с алхимическими символами.

Стр. 284. *...слова, из каждой буквицы которых вылетали драконы и вились разноцветные змейки* — Дракон — один из архетипов женского начала; змея — символ бессознательного полового инстинкта, анимы, т. е. женского начала в мужчине. С этим и связана символика данного отрывка, соединяющая сознательное в данных словах с их тайными смыслами.

Вольф, Гуго — см. комм. к сказке «Череда снов» (т. 1 настоящего издания).

Брентано — Клеменс Брентано (1778—1842) — поэт-романтик, один из создателей гейдельбергского кружка.

Архивариус Линдхорст — персонаж сказки Э. Т. А. Гофмана «Золотой горшок» (1814), скрывающий за титулом тайного советника свое истинное лицо волшебника, повелителя саламандр.

Стр. 285. *Морбио Инфериоре* — ущелье между озерами Комо и Лугано. Первое слово этимологически связано с латинским «болезнь», «безумие», второе означает «низший».

Стр. 289. *Кифхойзер* — хребет в южной части Гарца, где, по преданию, покоится Фридрих Барбаросса, ожидающий своего «второго пришествия» как спаситель германского рейха.

Стр. 293. *Лукас* — прозвище друга Гессе, писателя Мартина Ланга (1883—1955), участника первой мировой войны, вместе с которым

Гессе издал антологию немецких народных песен. В 1928 и 1929 годах Гессе посещал Ланга в Штутгарте.

Стр. 294. *Крестовый поход детей* — в этом крестовом походе, организованном в 1212 году двумя монахами, приняло участие около 30 000 немецких и французских детей.

...о передаче тессинской деревни Монтаг... — намек на передачу дома в Монтаньоле в пожизненное пользование семейству Гессе. Торжества по этому случаю состоялись в понедельник, 10 августа 1931 года («Монтаг» по-немецки значит «понедельник»).

...некоторые фазы мировой войны также суть не что иное, как этапы истории Братства... — согласно воззрениям Якова Буркхардта, швейцарского историка и искусствоведа (1818—1897), история есть процесс духовного обновления, этапами которого являются и политические события, в том числе война. Взгляды Буркхардта оказали на Гессе сильное влияние.

...Зороастр, Лао-цзы... Тристрам Шенди... — Зороастр — одно из имен Заратустры, или Заратуштры (см. комм. к рассказу «Роберт Эгион», т. 1 настоящего издания); Лао-цзы — Ли Эр (VI—V вв. до н. э.) — древнекитайский философ, автор сочинения «Дао дэ цзин» («Книга пути»), основатель даосизма; Тристрам Шенди — чудаковатый герой романа Лоуренса Стерна «Жизнь и мнения Тристрама Шенди, джентльмена» (1759—1767).

Стр. 297. *...Зайлерграбен, дом 69а.* — Улица, реально существующая в Цюрихе; 69 — последний номер дома на ней. Цифра 69 может быть связана с символом верха и низа, соединение которых есть искомая истина (перевернутая цифра 69 не меняет своего значения).

Стр. 301. *...у ворот церкви Святого Павла...* — возможно, здесь содержится аналогия между встречей Г. Г. с Лео и обращением Савла, из гонителя христиан превратившегося в первоверховного апостола Павла (см. «Деяния Апостолов», гл. 9).

Стр. 303. *Жизнь, знаете ли, не только игра!* — Тема игры, важная для последнего периода творчества Гессе, взята из книги нидерландского философа Йохана Хейзинги (1872—1945) «Человек играющий» (Homo ludens, 1938).

Стр. 311. *...перевозчика Васудевы...* — Васудева — персонаж повести «Сиддхартха» (т. 1 настоящего издания).

Стр. 314. *Хризостом* — в переводе с греческого «Златоуст», по-немецки «Гольдмунд» (см. комм. к повести «Нарцисс и Гольдмунд»).

Слово содержит тройной смысл: это и Златоуст, и герой повести — Гольдмунд, и «золото» как свет, «самость», истина.

Стр. 315. *Берегись!..* — Архиепископ — высший сан в духовной иерархии христианства, диакон — низший; Лео — и господин, и диакон (внешне — диакон; внутренне, духовно — господин).

Рог Амона — Амон — первоначально бог плодородия в Фивах, а затем — главный бог Египта, Амон-Ра, отождествляемый с богом солнца Ра. Изображался либо в головном уборе с двумя перьями, либо в виде овна с двумя рогами.

Стр. 316. *«Сад услад»* — сочинение Геррада фон Ландсперга (XII век), содержащее различные сведения по библейской истории.

Стр. 317. *...и Моцарта в наряде Пабло.* — Когда в конце романа «Степной волк» появляется Моцарт, герой обнаруживает, что Пабло и Моцарт — одно и то же лицо.

Стр. 319. *...первоверховного владыку Льва...* — здесь можно усмотреть и намек на тринадцать пап, которые носили это имя.

Стр. 322. *Отчаяние — исход любой серьезной попытки...* — для Гессе «отчаяние» является вторым, этическим этапом процесса «вочеловечения» и началом перехода к третьему этапу, магическому. Отчаяние может привести и к самоубийству.

...пробужденные... — люди, которые встали на путь истины, постигая ее через самих себя.

Стр. 324. *...моего предшественника Эобана...* — Эобан Гессе (1465—1540), немецкий гуманист эпохи Возрождения.

Деяния хаттов... — Хатты — латинское название немецкого племени гессенцев, от которого ведет начало фамилия Гессе. Учитель латинского языка в шутку называл Гессе Хаттусом. Латинская форма этого имени (catta — кошка), возможно, содержит также намек на связь имени Г. Г. с Лео, львом. Что касается числа XC, то оно указывает на возраст Гессе, именно в это время переживавшего душевный кризис, совпадающий с душевным кризисом своего героя — Г. Г. В возрасте же сорока девяти лет Гессе был написан роман «Степной волк», отразивший второй душевный кризис писателя.

Стр. 327. *...предательство Вильсона...* — имеется в виду американский президент Т. В. Вильсон (1856—1924), предложивший во время войны программу демократического мира («14 пунктов»), а затем отступивший от нее.

ИНДИЙСКАЯ СУДЬБА

Впервые опубликована в 1937 году и до 1942 года существовала как самостоятельное произведение; впоследствии была включена автором в роман «Игра в бисер».

Стр. 331. *Даса* — в переводе с санскрита означает «раб», «слуга».

Васудева — см. повесть «Сиддхартха» (т. 1 настоящего издания).

Стр. 332. *Брахма* — одно из лиц индуистской троицы (тримурти), наряду с Шивой и Вишну. Первоначально почитался как высшее божество, впоследствии вытеснен двумя другими.

Стр. 352. *Говинда* — ср. с повестью «Сиддхартха».

Стр. 354. *Веды* — см. комм. к повести «Сиддхартха».

ПУТЬ СНОВИДЕНИЙ

Сборник вышел в 1945 году в издательстве «Фрец и Васмут».

ЗАПИСЬ

Стр. 373. *Адонис* — в греческой мифологии прекрасный юноша, в которого была влюблена Афродита.

Крез — последний лидийский царь (561—546 г. до н. э.), баснословно богатый. С ним связана первая чеканка золотых монет.

ТРАГЕДИЯ

Стр. 391. *...Брентано... Мёрике... Штифтера... Жан Поль! Арним! Бюхнер! Эйхендорф!..* — Брентано, Мёрике — см. предисловие к т. 1 настоящего издания; Эйхендорф — см. комм. к рассказу «Череда снов» (т. 1 настоящего издания); Штифтер, Адальберт (1805—1868) — австрийский писатель, известный своими изысканными психологическими новеллами и романами («Горный хрусталь», «Витико» и др.). Покончил жизнь самоубийством; Жан Поль — псевдоним Иоганна Пауля Фридриха Рихтера (1763—1825), немецкого писателя-романтика, оказавшего влияние, в частности, на самого Гессе. Из его романов наиболее знамениты: «Зибенказ», «Титан», «Отроческие годы» (с антиномической парой героев Вальтом и Вультом); фон Арним, Людвиг Ахим (1781—1831) — немецкий поэт-романтик, наряду с Брентано основатель гейдельбергского кружка, составитель и издатель сборника народных песен «Волшебный рог мальчика». Самое известное из его прозаических произведений — фантастический роман «Изабелла Египетская» (1812); Бюхнер, Георг (1813—1837) — немецкий драматург революционно-демократического направления. Наиболее известны его трагедии «Смерть Дантона» и «Войцек». Романтический ореол Бюхнеру придавала, в частности, его ранняя смерть.

ДЕТСТВО ВОЛШЕБНИКА

Впервые сказка напечатана в журнале «Корона» № 2 за 1937 год. Первоначальный вариант назывался «Волшебник», и первые наброски его восходят к 1922 году. Из приписки, сделанной впоследствии к рукописи, явствует, что он должен был служить вводной главой к сказке «Из жизни одного волшебника».

Стр. 396. *...я даже родился под активным знаком Стрельца...* — Гессе родился 2 июля 1877 года под знаком Рака. Однако в 1919 году его друг Й. Энглерт составил новый гороскоп, скорректировав некоторые показатели и вычислив, что Гессе родился под знаком Стрельца.

Стр. 398. *...я делал попытки исчезнуть в собственных сочинениях...* — как известно, Гессе опубликовал повесть «Демиан» под псевдонимом «Эмиль Синклер», которым он пользовался с 1917 года. Вскоре псевдоним был раскрыт, и Гессе в 1920 году признал свое авторство в журнале «Vivos Voco».

Стр. 399. *Корень мандрагоры (альраун)* — корень в виде человечка, обладающий чудесными, в том числе зловещими свойствами. Часто упоминается в произведениях романтиков.

В библиотеке у моего деда... — имеется в виду дед писателя по материнской линии Герман Гундерт (1814—1893), миссионер, почти 25 лет проведший в Индии, ученый-востоковед. Автор малаяламо-английского словаря и грамматики языка малаялам. Возглавлял пиетистское издательство в Базеле и Кальве.

Стр. 400. *...безыскусен, как руна...* — этимологически слово «руна» является знаком древнегерманской письменности, связано с «рун», что значит «тайна».

...Шива, Вишну... Брахман, Атман... — см. комм. к рассказам «Роберт Эгион» и «Легенда об индийском царе» (т. 1 настоящего издания).

Стр. 402. *Другим был мой отец.* — Отец писателя Иоганнес Гессе (1847—1916) был родом из Прибалтики и имел в течение некоторого времени русское подданство. Учился сначала в Ревеле, затем в Базеле. Миссионерскую деятельность в Индии вынужден был сократить из-за болезни. В Кальве стал сотрудником издательства, которым руководил Герман Гундерт, вскоре ставший его тестем.

Вокруг нас был маленький город... — имеется в виду Кальв, расположенный на реке Нагольд, в восточной части Шварцвальда.

Стр. 404. *«Маленький человек»* (гомункулус) — уменьшительное от лат. homo — человек. Будучи изобретен учеником Фауста Вагнером, фигурирует в виде искусственного создания в трагедии «Фауст».

КРАТКОЕ ЖИЗНЕОПИСАНИЕ

Первые наброски относятся к 1922 году. Опубликована повесть в берлинском журнале «Новое обозрение» N 8 за 1925 год. Это жизнеописание представляет собой также «сновидение», ибо, являясь предположительным, предвосхищает будущее.

Стр. 414. *...познакомили с четвертой заповедью.* — В христианско-православной традиции это пятая заповедь — о почитании родителей (Исход, 20, 12).

Стр. 417. *...меня отправили в ссылку в... школу другого города.* — В латинскую школу города Геппингена, где Гессе проучился с февраля 1890 года по май 1891 года, готовясь для поступления в теологическую семинарию. Об этой школе Гессе вспоминал с благодарностью.

...я стал слушателем теологической семинарии... — благополучно сдав экзамены, Гессе поступил в Маульбронскую теологическую семинарию, в которой проучился с сентября 1891 по март 1892 года. Этот период описан в повести «Под колесами».

...«дагеш форте имплицитум»... — «дагеш сильный скрытый» (лат.) — в древнееврейском языке «дагеш» — удвоение определенных согласных звуков.

...в некой гимназии... — гимназии города Каннштадта, где Гессе учился с ноября 1891 по октябрь 1892 года.

...практикантом в механической мастерской и на заводе башенных часов. — Владельца завода башенных часов, где Гессе с 1894 по 1895 год был практикантом, звали Генрих Перро. Этим именем — Бастиан Перро — Гессе назвал изобретателя «игр в бисер» (см. роман «Игра в бисер», т. 4 настоящего издания).

Стр. 418. *...с первым литературным успехом...*— имеются в виду «Посмертные сочинения и стихи Германа Лаушера» (1901) и «Стихотворения» (1902).

Стр. 419. *У меня были жена, дети, дом и сад.* — В 1904 году Гессе женился на Марии Бернулли (1868—1963), уроженке Базеля, переехал в собственный дом в деревне Гайенгофен на берегу Боденского озера и провел там восемь лет жизни. В течение этого времени у него родились сыновья: Бруно, Хайнер и Мартин.

...я помогал основать журнал... — в 1907—1912 годах Гессе совместно с писателем Людвигом Тома и издателем Альбертом Лангеном издавал в Мюнхене оппозиционный журнал «Март», названный так в честь мартовской революции 1848 года.

Вильгельм Второй — прусский король и император всей Германии с 1888 по 1918 год.

...путешествовал по... Индии. — Имеется в виду поездка 1911 года, нашедшая отражение в книге «Из Индии», 1913 (см. комм. т. 1 настоящего издания).

Стр. 420. *Статья с обвинением в мой адрес...* — 10 октября 1915 года Гессе опубликовал в «Новой Цюрихской газете» статью «Снова в Германии». В ответ «Кельнская дневная газета» назвала писателя трусом и предателем, и эту статью перепечатали многие немецкие газеты. Второго ноября Гессе еще раз выступил в «Новой Цюрихской газете» со статьей «В свою защиту». Его поддержали двое друзей: редактор журнала «Март» Теодор Хойс и сотрудник журнала юрист Конрад Хаусман. Вслед за этими выступлениями «Кельнская дневная газета» напечатала опровержение.

Стр. 424. *...я уехал в отдаленный уголок Швейцарии...* — весной 1919 года Гессе переехал в италоязычную Швейцарию, в кантон Тессин, где и прожил до конца жизни в деревне Монтаньола, недалеко от озера Лугано.

Стр. 427. *...«Золотой горшок» Гофмана...* — см. комм. к повести «Паломничество в Страну Востока».

«Генрих фон Офтердинген» — роман Новалиса, см. комм. к повести «Паломничество в Страну Востока».

Стр. 428. *К сожалению, мне не удалось закончить эту оперу.* — Гессе принадлежали либретто к операм Отмара Шека «Сгоревший супруг» и «Бьянка» (см. о нем комм. к повести «Паломничество в Страну Востока»).

Стр. 429. *Ицзин* — древнекитайская «Книга перемен», содержащая символические высказывания. В ней обосновываются основные положения древнекитайской религиозной философии: взаимодействие Инь и Ян как женского и мужского начал, слияние которых ведет к гармонии Вселенной (см. комм. к роману «Игра в бисер», т. 4 настоящего издания).

Стр. 431. *...и вошел в мою картину...* — Гессе использовал здесь китайский мотив исчезновения художника в собственной картине. По поводу смерти художника у Дао-цзы Гессе записал в своем дневнике 1920—1921 годов, что тот на глазах у друзей и зрителей вошел в нарисованную картину и исчез в ней.

ЕВРОПЕЕЦ

Притча напоминает ветхозаветную историю о Ноевом ковчеге (Книга Бытия, гл. 6, 8—9).

О СТЕПНОМ ВОЛКЕ

Степной волк Гарри — имя писателя Гарри Галлера из романа Гессе «Степной волк».

ПТИЦА

Стр. 446. *...в окрестностях Монтагсдорфа...* — см. комм. к повестям «Паломничество в Страну Востока» и «Последнее лето Клингзора» (т. 1 настоящего издания).

Стр. 447. *...от Карено до пещеры Морбио...* — см. комм. к повестям «Паломничество в Страну Востока» и «Последнее лето Клингзора».

Стр. 448. Avis montagnolens... — латинские тексты примечаний — аналогия с архивными записями из повести «Паломничество в Страну Востока».

Стр. 452. *...Иноземка... Нинон.* — См. комм. к повести «Паломничество в Страну Востока».

Стр. 453. *...художник Клингзор... Лео...* — см. комм. к повести «Последнее лето Клингзора» (т. 1 настоящего издания).

Пиктор — герой сказки Гессе «Превращение Пиктора» (1925).

Стр. 459. *...из рода Гогенштауфенов...* — Гогенштауфены — с 1079 года швабские герцоги, с 1138 по 1254 гг. — немецкие короли и императоры. Особенно знаменит Фридрих I Барбаросса.

ЭДМУНД

Стр. 464. *Геккель* — Геккель, Эрнст (1834—1919) — известный немецкий естествоиспытатель, дарвинист. Сторонник эволюционной теории и монизма (работа «Загадки Вселенной»).

Стр. 465. *...Новалис после смерти своей невесты... скончался в расцвете лет.* — О Новалисе см. предисловие к настоящему изданию Невеста Новалиса, София фон Кюн, умерла в возрасте пятнадцати лет, что произвело на поэта мистическое впечатление, повлияв и на восприятие им слова «философия» (любовь к Софии).

Стр. 468. *...дыхательным упражнениям хатха-йоги...* — практическая часть йоги, древнеиндийского учения о духовной концентрации, самоуглублении, созерцательности и аскезе.

ШВАБСКАЯ ПАРОДИЯ

Име на и исторические события, упоминаемые здесь, — смесь вымысла и реальности.

Стр. 471. *...Фишера и Боненбергера...* — по-видимому, имеется в виду Карл Филипп Фишер (1807—1885), философ, с 1834 года приват-доцент Тюбингенского университета, а с 1937 года — профессор университета в Эрлангене, последователь философии Ф. Кс. Баадера и противник Ф. В. Гегеля; Иоганн Готлиб Фридрих Боненбергер (1765—1831) — математик и астроном, профессор Тюбингенского университета.

Стр. 472. *...«Иорам родил Озию».* — См. Евангелие от Матфея, 1, 8.

Стр. 473. *Кернер,* Юстинус (1786—1862) — немецкий поэт, один из представителей позднеромантической швабской школы.

Д-р Пассавант — Иоганн Давид Пассавант (1787—1861) — купец и художник. В 1813 году отправился в Италию, там примкнул к романтическому кружку назарян. Его главный труд, посвященный Рафаэлю, оказал значительное влияние на методику исследования творчества художника.

СОДЕРЖАНИЕ

Литературно-художественное
издание

ГЕРМАН ГЕССЕ

**СОБРАНИЕ СОЧИНЕНИЙ
В 4-х ТОМАХ**

ТОМ 3

Ответственный редактор *Наталия Соколовская*
Редактор *Григорий Бергельсон*
Консультант *Марина Коренева*
Художник *Михаил Занько*
Художественный редактор *Сергей Алексеев*
Технический редактор *Татьяна Раткевич*
Корректоры *Алевтина Борисенкова,*
Елена Светозарова
Верстка *Елены Черновой*

Л. Р. № 030022 от 06.07.91 г.
Подписано к печати с оригинала-макета 23.01.94 г.
Формат $84 \times 108^1/_{32}$. Гарнитура Таймс. Печать высокая.
Бумага тип. № 2. Усл. печ. л. 26,8. Уч.-изд. л. 27,4.
Тираж 50 000 экз. Изд. № 317. Заказ № 512.

Издательство «Северо-Запад»
191187, Санкт-Петербург, Шпалерная ул., 18

Отпечатано на ИПП. «Уральский рабочий».
620219, Екатеринбург, ул. Тургенева, 13